In steen begraven

Jenni Mills
In steen begraven

Vertaald door Sophie Brinkman

*
A
R
C
H
I
P
E
L

Amsterdam · Antwerpen

Omslagontwerp: Bram van Baal
Omslagfoto: Annie Griffiths Belt/CORBIS

ISBN 978 90 6305 293 5 / NUR 302
www.uitgeverijarchipel.nl

A Fathomless and boundless Deep
There we wonder, there we weep.

William Blake, 'My Spectre around me night and day'

Voor mijn moeder, Sheila Mills

Eerste graad

Corax

Corax, de Raaf – de boodschapper van de goden. Net wanneer je denkt dat je je leven op koers hebt, komt er een enorme vogel aanzetten, die krijsend nieuws brengt over een goddelijke zoektocht. Mijn advies is, schiet het kreng dood.

Dr. Martin Ekwall, in een interview voor *Time Team, Roman Temple Special*, Channel Four

I

Kijk nou. Een zee-egel, zo dichtbij dat we elkaar een tongzoen zouden kunnen geven. Ik kijk scheel van opwinding, en al helemaal van de nabijheid. Ik heb zin om Martin te roepen hierheen te komen, zodat ik het met iemand kon delen. Maar het kan Martin geen moer schelen, en de zee-egel ook niet.

Ik denk dat hij al zo'n honderd miljoen jaar dood moet zijn. Toen hij nog rondscharrelde en deed wat zee-egels dan ook mogen doen in de warme, ondiepe zee, stampten er dinosaurussen langs de kust. Hij ziet eruit als een kadetje, deegachtig wit, licht hartvormig. Wat leven gaf is in steen veranderd.

Ik lig op mijn rug. Rots drukt pijnlijk in bot, knobbels van krijt en uitsteeksels van vuursteen die geen van alle precies tussen de wervels van mijn ruggengraat passen. Mijn neus is een centimeter of tien verwijderd van een wit krijtachtig plafond waarin de zee-egel zit. Tot ik hem zag, probeerde ik me om te draaien om me terug te kunnen wurmen zoals ik ben binnengekomen – mijn voeten eerst, want er is niet genoeg ruimte om me om te draaien. Dit is een vrij lastig moment. Ik denk niet dat de hele zaak boven me zal instorten, maar het is altijd mogelijk. De tunnel is amper ruimer dan mijn lichaamsomvang. Zelfs naar neolitische normen is dit benauwd.

'Gaat het?'

Martin, in een stoffige rode overall, wacht aan het eind van de doorgang, die uitkomt op de hoofdgalerij, met een luxe hoogte van ruim een meter, zodat hij op handen en knieën kan kruipen en kan keren, de bofkont. Hij is te groot om verder te kunnen, dus krijg ik, als de vrouw, natuurlijk weer de rotklussen.

'Kon niet beter,' sis ik. We schreeuwen zelden onder de grond, tenzij het 'wegwezen' is. Ik heb een doordringend gefluister geperfectioneerd, dat ver door tunnels lijkt te dragen. Martin heeft me gehoord, want hij gromt. Het valt niet mee om te zeggen wie de sprankelendste praters zijn: archeologen of mijnbouwkundig ingenieurs.

Voor de meeste mensen zou dit nu niet bepaald het ideale zaterdagmiddaguitstapje zijn, maar ik weet niet eens meer hoe lang we dit al doen. We hebben het zelfs in al die jaren dat ik getrouwd was gedaan. Martins archeologie vindt bij voorkeur onder de grond plaats. Het is er smerig en gevaarlijk, en veel meer lol dan dat kun je niet hebben. We gaan er waarschijnlijk mee door zolang onze gewrichten het volhouden, of ons geluk duurt.

Geluk zou natuurlijk geen rol moeten spelen. Omdat ik de ingenieur ben, ben ik de bewaker van het geluk, degene die alles weet van stress en belasting en hoe water door steen sijpelt, en die daardoor een afgewogen gissing kan maken met betrekking tot de vraag of we vandaag doodgaan, begraven in een vuursteenmijn.

Deze galerijen zijn tussen de vijf- en zesduizend jaar geleden gegraven door mensen die nog maar kort tevoren de landbouw hadden ontdekt. Ze zijn verbazingwekkend; ze hebben goede luchtschachten en pilaren om het dak te ondersteunen. Het licht van mijn mijnlamp valt op vijfduizend jaar oude koolstofvlekken op de wanden, afkomstig van de olielampen die de mijnwerkers tijdens hun werk bijlichtten. De galerij die ik onderzoek, loopt dood, is nooit goed uitgegraven; het is een tunnel die ofwel geen fatsoenlijk vuursteen produceerde of een van de laatste was die geopend werden voordat stenen werktuigen werden vervangen door brons. *Het spijt me, makker, er is geen vraag meer naar stenen handbijlen. Heb je ooit overwogen om je te laten omscholen voor metaalwerk?* Arme oude steenhouwers. De verontrustende gedachte aan een neolitische vakbondsleider komt bij me op en herinnert me aan de kleine gele 'Houd de mijnen open'-stickers die Martin en ik in onze studententijd droegen. *Vuursteen, ja; bijstand, nee!*

Afgezien van de zee-egel bevalt deze plek me niet. Hij heeft iets claustrofobisch, zelfs voor iemand die de kost verdient met ondergronds gaan. De zijgalerijen knellen en knijpen gemeen wanneer je door ze heen kruipt. Ik blijf maar denken dat we een rol touw hadden moeten meebrengen om er zeker van te zijn dat we de weg naar buiten terugvinden.

We zullen voor gek staan als het niet zou lukken. Vooral omdat niemand weet dat we hier zijn.

Het punt is dat, als Martin gelijk heeft en hij het geld bij elkaar kan krijgen voor een echte opgraving met de zegen van de universiteit, ik misschien voor deze onverwacht ondernomen expeditie betaald word. Dat zou goed uitkomen, want als ik de baan in Bath niet neem zouden er wel eens magere tijden kunnen aanbreken voordat ik een beter aanbod krijg.

En ik neem de baan in Bath niet. Dat staat vast.

Ik neem afscheid van de zee-egel en het lukt me eindelijk me op mijn buik te draaien, zodat ik achteruit de tunnel uit kan schuifelen. Het lijkt veel verder als je niet kunt zien waar je heen gaat, en het is dan ook een grote opluchting als ik voel dat Martin mijn enkels grijpt om me te laten weten dat ik weer bij de hoofdgalerij ben.

'Poe, vraag me niet snel om dat nog eens te doen.' Ik draai me op mijn achterste en knal met mijn helm tegen het dak van de tunnel. 'De volgende keer mag jij door de endeldarmen van mijnwerkers glibberen.'

Martin giechelt en laat zich op zijn hurken zakken. Hij mag dan één meter negentig zijn en gebouwd zijn als een beer, maar hij is zo *nichterig* als een padvinder tijdens een scoutingkamp. Tijdens mijn kruiptochten door ondergrondse tunnels heeft hij mijn kont vaker in zijn gezicht gehad dan ik me kan herinneren en er nooit ook maar een zweem van belangstelling voor getoond, wat mij heel goed uitkomt.

'Wat denk je ervan?' vraagt hij, terwijl hij me een slok water aanbiedt. Het smaakt naar krijtstof.

'Nou, het wordt een dure grap om hier te graven. Voor de veiligheid heb je stutten nodig.' Ik kijk om me heen en mijn lamp werpt wilde, wiebelende schaduwen op de wanden. 'En ik denk dat je uit de zijgangen weg moet blijven.'

'Die vanuit archeologisch oogpunt natuurlijk het interessantst zijn. De meeste hoofdgangen zijn in de negentiende eeuw al grondig onderzocht. Verdomme...' Martin denkt erover na. Ik zie zijn zware kaak malen terwijl hij op de binnenkant van zijn wang kauwt. '...Kolere. Klote. Als ik het geld had om gravers in te zetten die wisten wat ze deden, zou ik het risico misschien nemen, maar ik zal het met studenten en geitenwollen sokken moeten doen. O, hemeltje, dr. Ekwall, ik lijk met één klap van mijn machtige troffel het hele plafond naar beneden te hebben gehaald.'

'Daar moet je geen grap over maken. Zo broos is het.'

Martin fronst zijn wenkbrauwen. 'Ik neem aan dat de verzekering een probleem zal zijn.'

'En dan is er nog één technisch puntje,' breng ik hem in herinnering.

'Ah. Ja.'

We hebben geen toestemming hier te zijn. Martin heeft het hangslot van het schachtdeksel opengemaakt. We hebben ingebroken en zijn op verboden terrein. Wettelijk hebben we geen poot om op te staan, zelfs niet als we konden staan. Een officieuze verkenning scheelt papierwerk, maar het nadeel is dat we allemachtig lang op een reddingsploeg zullen moeten wachten als ons hier beneden iets overkomt.

'Kwart voor vier,' zegt hij. 'We moesten maar gaan, anders is het donker voordat we terug zijn bij de jeep.'

We gaan op handen en knieën naar de centrale schacht, waardoor we eerder naar beneden zijn geklommen, en ondanks de geleende kniebe-

13

schermers komen mijn knieën in opstand. Ik ben dit weekend niet gekomen met het idee ondergronds te gaan en Martins spullen zijn me allemaal veel te groot. Ik heb een prikkelend gevoel tussen mijn schouderbladen en moet vechten tegen de neiging me om te draaien en achter me te kijken. Wat verwacht ik in godsnaam te zien? Een lichtflits ver weg in de gang?

Het is pure verrukking om in de schacht weer rechtop te kunnen staan. Het licht boven mijn hoofd neemt snel af en terwijl ik mijn voet op de ijzeren ladder naar grondniveau zet, kan ik net een vroege ster aan de violetkleurige hemel ontwaren.

Wanneer we boven komen, heb ik vreselijk pijn in mijn armen. En ik zou kunnen zweren dat mijn buik in brand staat. Terwijl Martin omhoogklimt, rits ik mijn fleece open om te kijken. Ik had zo'n haast om de doorgang uit te komen dat mijn trui omhoog moet zijn geschoven terwijl ik over de krijtsteenvloer krabbelde en er zitten lelijke rode schaafplekken op mijn buik. Ik had een overall aan moeten doen. Een ijzige wind slaat door de holte in de heuvel en ik rits snel mijn fleecejack weer dicht. Martin zwaait de valdeur over de schacht en hurkt neer om het hangslot er weer op te doen. De zon raakt bijna de metaalachtige rand van de zee, en er staat een streepje maan aan de hemel, niet meer dan een nagelrandje. Lang geleden, in het neolithicum, was de helling van de heuvel waarschijnlijk tot aan de ingang van de vuursteenmijn vrijgemaakt. Die oude mijnwerkers hadden graag een mooi uitzicht wanneer ze van beneden kwamen. Martins theorie is dat vuursteenmijnen net zozeer heilige als nuttige plaatsen waren, aangezien de onderwereld het rijk van de voorouders is.

'Je vond het niet prettig daar beneden, klopt dat?' vraagt hij. Hij heeft de vervelende gewoonte mijn gedachten te kunnen lezen.

'Ja.'

'Gek, ik vind deze ook niet prettig,' zegt hij. 'Sommige van die zijgangen hebben iets... griezeligs.'

'Ik kreeg het gewoon een beetje benauwd. Het was erg smal.'

'Sorry. Zorg dat je dikker wordt. Dan stuur ik je er niet meer in.'

'Je zou me er nog steeds in sturen en ik zou klem komen te zitten als een schoorsteenvegersknecht.'

'Was je dat maar.' Martin zucht en maakt de kinriem van zijn helm los.

Mijn neus begint te lopen in de ijskoude lucht en ik zoek in mijn zak naar mijn zakdoekjes. 'O, verdomme.'

Er zit niets in mijn zak. Mijn zakdoekjes zijn verdwenen. Mijn maag verkrampt, en ik krijg het koud, dan warm. Mijn vingers zoeken de bodem van mijn zak af, maar het enige wat ze vinden is pluis en stof en een oud snoeppapiertje.

Martin kijkt op. Zijn gezicht is spookachtig van krijtstof. 'Wat is er?'

'We moeten terug. Mijn...' Ik moet improviseren, anders laat hij me nooit teruggaan. 'Mijn autosleutels zijn uit mijn zak gevallen.'

Hij slaat zijn ogen ten hemel. Ja, nou, ik heb er ook geen zin in, maar ik moet wel. Ik voel me misselijk van paniek.

'Mijn reservesleutels zijn hier zo'n vierhonderdvijftig kilometer vandaan in Cornwell,' breng ik hem in herinnering.

'Heb je ook maar enig idee waar ze kunnen liggen?' De geduldige toon van iemand die echt, echt, de pest in heeft maar te aardig is om het te zeggen.

'De laatste tunnel. Ik weet het zeker. Vlak voordat ik erin ging, heb ik mijn neus gesnoten... Daarna heb ik mijn zak blijkbaar niet goed dichtgeritst, en ik heb me daar minstens twee keer omgedraaid.'

'Sufferd. Snel dan. We moeten hier weg zijn voordat het donker is. Als de landeigenaar licht ziet, zijn we de klos.'

Achter me kucht iets, en hevig geschrokken draai ik me om, net op tijd om een enorme zwarte vogel uit de beukenbomen te zien fladderen en over de open plek omlaag te zien schieten.

'Jezus!' Dit soort plekken, ingangen naar de onderwereld, hebben altijd iets magisch. 'Dat moet verdomme de grootste kraai zijn die ik ooit van mijn leven heb gezien.'

'Geen kraai,' zegt Martin terwijl hij het hangslot weer openmaakt. 'Een raaf.'

'Een raaf? Hier? Kom nou.'

'Beslist. De juiste grootte, het juiste gekras.' Martin is het soort man dat die dingen weet.

'Ik dacht dat ze bij bergen rondhingen en bij woeste Welshe kliffen.'

'Niet uitsluitend.' Martin tuurt naar het berijpte braambosje waar de vogel is neergestreken. 'Ongewoon, dat geef ik toe. Het kan een huisdier zijn geweest.' De raaf hupt rond bij een boomstronk en raakt opgewonden van de lucht van dood konijn of iets anders onwelriekends. Wat mij betreft ziet hij er niet bepaald uit als een huisdier.

Met een klap die luid genoeg is om de doden tot leven te wekken, gooit Martin de valdeur weer open. Ik ga met bungelende benen op de rand van de schacht zitten.

'Kom op,' zegt hij.

'Ik zit net te denken, misschien moet ik de Wegenwacht maar bellen.' Maar dat denk ik natuurlijk niet, want het zijn niet de autosleutels die ik kwijt ben. Ik denk aan het aantal keren dat ik mijn geluk onder de grond op de proef heb gesteld, de uitdaging aanging om te doen wat me altijd angst heeft aangejaagd, en dat ik elke keer dat ik naar beneden ging dat ding heb aangeraakt, dat ik altijd bij me heb en dat niet veel groter is dan een euromunt, ruw aan de ene, glad aan de andere kant. Het ding dat ik deze keer niet kan aanraken om geruststelling te vinden omdat het uit mijn zak is gevallen alsof het op eigen houtje besloten heeft me in de steek te laten. Martin zou nooit begrijpen waarom ik het moet gaan halen; hij vindt me zo al van lotje getikt.

'Nou, ben je een vrouw of ben je een doetje?'

'Een doetje.' Ik steek een been uit en tast naar de sporten van de ladder. Werkers in de kolenmijnen spuugden soms om het ongeluk te bezweren voordat ze de kooi in gingen die hen omlaag bracht. In de tunnels wonen goden, en die kunnen zich zomaar tegen je keren. Maar instinct speelt ook een rol, een gevoel voor gevaar dat sommige mijnwerkers ontwikkelen, een gevoel voor de toestand waarin de rots verkeert. Terwijl ik omlaag begin te klimmen, probeer ik te spugen, maar het stelt niks voor, alleen een beetje vocht van de punt van mijn tong, geen mooie ronde kwak.

'Zet 'm op,' zegt Martin vanaf de bovenkant van de schacht. 'Zet 'm op, verdomme.'

Er zijn goeie en slechte gaten in de grond. Wanneer ik van de ladder op de vloer van de vuursteenmijn stap, is dit gat in een van de slechte veranderd. Ik merk het aan de manier waarop de schaduwen rond het licht van mijn mijnlamp springen en zigzaggen; ik ruik het aan de bedompte, dode geur van de lucht.

Martin komt met een sprong naast me neer.

'Je hoefde niet naar beneden te komen,' zeg ik.

'Doe niet zo raar.'

'We hoeven niet allebei dood.'

'Ha ha ha.'

Ik weet dat hij het ook voelt. De mijn was de eerste keer al niet bepaald verwelkomend, maar nu is de atmosfeer beslist kil. Dat is fysiek natuurlijk onmogelijk, want ondergronds is het in de winter warmer dan boven. We zijn een stel ongenode gasten, bij ons eerste bezoek uit beleefdheid getolereerd, maar onmiskenbaar koeltjes behandeld nu we het in ons hoofd hebben gehaald een tweede bezoek te brengen.

'Ik wil niet dom klinken, maar welke galerij hebben we daarstraks genomen?'

'Die.'

Het zal niet zo zijn. De kleinste en donkerste van een serie heel kleine en heel donkere openingen.

Deze keer lijkt er geen eind aan de galerij te komen. Mijn knieën zijn verstijfd; ze doen pijn, pijn, pijn, maar ik moet ze blijven neerzetten op de harde, knobbelige vloer. Er zit nog steeds allemachtig veel vlijmscherp vuursteen in deze mijn. Hoe kan ik zo stom zijn geweest om mijn zak niet dicht te ritsen? Achter me hoor ik Martin bij elke ademhaling zachtjes 'Shit' mompelen, een mantra om ons door deze beproeving heen te helpen. 'Shit, shit, shit.' In het ritme van de pijn in mijn knieën stuitert het van mijn achterste.

Krijt is opgebouwd uit massa's en massa's kleine harde schalen. Tijdens mijn studie moesten we een stukje ervan boenen met een nagelborsteltje – we moesten het schuren, zei mijn geologieboek, hetzelfde wat het krijtsteen nu als wraak met mijn knieën doet – en het dan onder de microscoop bekijken. Het oppervlak glinsterde van piepkleine schalen die toebehoorden aan de krijtdiertjes, eencellige organismen die doelloos met hun miljarden ronddreven in de zonbeschenen zeeën van de krijttijd.

De krijttijd volgt op de jura en wordt op zijn beurt gevolgd door...

Ik ben bij de zijgang. Ik stop. Martins helm stoot tegen mijn achterwerk.

'Wil je dat ik naar binnen ga?' vraagt hij. Dat is aardig, maar...

'Mijn sleutels, mijn probleem.' Ik haal diep, beverig adem. 'Goed. Klaar of niet...'

Ik wurm me op mijn buik naar binnen. Terwijl Martins ademhaling achter me wegsterft, hoor ik het ruisen van mijn Gore-Texbroek over het gesteente. Ik begin de bewegingen van mijn ellebogen tegen de zijkant van de tunnel te tellen. Het is er waarschijnlijk uit gevallen toen ik de zee-egel boven me ontdekte en me omrolde om het plafond te kunnen bekijken. Misschien zocht het na al die jaren het gezelschap van zijn eigen soort. Met elke voorwaartse beweging tasten mijn vingers blindelings de vloer van de tunnel af.

'Heb je ze gevonden?' Martins stem klinkt hol, vervormd door echo's in de doorgang. Natuurlijk heb ik ze niet gevonden. Mijn autosleutels zijn op de plek waar ik ze altijd achterlaat wanneer ik op grotonderzoek ga met Martin, veilig en verstandig met mijn handtas en creditcards in de gang van zijn huis.

'Nee, maar ik heb net Zwam de Boeman ontmoet.'

Martin lacht. De echo's veranderen die lach in een krakend geluid dat pijn doet aan mijn tanden.

Nou, waar is die vervloekte zee-egel? Ik rol op mijn rug en voel mijn heupbeenderen langs de tunnelwanden schrapen. Mijn lamp onthult een plafond waaraan niets bijzonders te zien is. Ik draai me op mijn buik en begin mezelf weer langzaam vooruit te trekken, terwijl mijn vingers nog steeds elke centimeter van de tunnelvloer aftasten. Om de een of andere onbekende reden lacht Martin weer – en precies op het moment waarop mijn vingers zich om een klein, hard schijfje sluiten, glanzend en glad aan de ene kant, ruw aan de andere, hoor ik het kraken van zijn lach door de tunnel komen.

Gekraak: zo plotseling. Het is niet Martin die lacht, en het is niet grappig.

O, verdomme.

Het is het verstandigst om op mijn buik te blijven liggen, schouders opgetrokken om zo veel mogelijk ademruimte te houden. Maar er is iets misgegaan in mijn hoofd en in plaats daarvan probeer ik me om te draaien alsof ik mijn gezicht dwars door het krijtsteen de openlucht in zou kunnen steken, terwijl het gekraak overgaat in een knal en dan geruis, gekletter... Armen en benen zwaaien wild in het rond, of zouden dat doen als er ruimte voor was; in plaats daarvan beuk ik zachtjes tegen de wanden van de tunnel. Ik moet kunnen zien! Ik kan het niet verdragen om als een blinde mol in het donker te zitten. Net als mijn lamp op de massieve kadet van een zee-egel valt, beginnen kalkachtig puin en stenen over mijn benen omlaag te regenen. Ergens in de tunnel begeeft het plafond het, en als een stukje het begeeft, is er niets meer om de rest omhoog te houden. Mijn vingers klemmen zich hard om het voorwerp in mijn hand, griffen het in mijn handpalm. Waanzin dat ik ervoor ben teruggegaan, maar ik had het hier niet kunnen achterlaten... Wervelend stof versluiert de lamp, maakt me aan het hoesten. Terwijl het donker wordt, stel ik me de duizenden tonnen aarde en steen voor die zich tussen mij en de hemel bevinden, en ik zet me schrap voor het verpletterende gewicht ervan op mijn borst.

2

De avond waarop ik de tunnel vond, stond er een grote witte maan aan de hemel, zo helder en hard als krijt. Het was een paar dagen voor mijn veertiende verjaardag. De lucht was warm, maar ik had kippenvel op mijn armen; het maanlicht was angstaanjagend. Ik had het koud van het stilzitten, koud van het wachten. Toen ik de helling van de groeve begon te beklimmen, kon het me niet schelen of ik leefde of dood was.

De ingang van de tunnel was een donkere schaduw op de rots bedekt door lange kruipers en pijpenkrullen van klimop. Aan de voorkant was een richel, net groot genoeg om je kont op te zetten want anders had ik hem over het hoofd gezien. Het zweet droop inmiddels van me af en ondanks al mijn ellende was ik doodsbang.

De maan was hoger aan de hemel geklommen terwijl ik de wand van de groeve beklom. Hij scheen als een zoeklicht omlaag, maar miste mij op de richel. Ik zat in het donker te hijgen. Ik kon niet terug naar beneden. Ik dacht niet dat ik de kracht had om nog verder te klimmen.

Ik leunde naar achteren en verwachtte de rots te voelen. Maar de klimop week uiteen, en daar was de ingang van de tunnel die naar de mijn leidde. Hij moet deel hebben uitgemaakt van eerdere uitgravingen en vergeten zijn toen ze overgingen naar een betere steenlaag. Ik dook tussen de bladeren door en kroop naar binnen.

Er deden legenden over die tunnels de ronde. Zo'n tien of vijftien jaar eerder waren vier schooljongens naar binnen gegaan, zoals schooljongens in die tijd vaak deden, en nooit meer naar buiten gekomen. Ze waren verdwaald in de doolhof van gangen die als in de knoop geraakte touwen door de heuvel slingerden. Toen ze niet thuiskwamen, werd de politie erbij gehaald. Ze gingen op zoek met toortsen en speurhonden, en raakten ook verdwaald.

We wisten dat ze er allemaal weer veilig en wel uit waren gekomen, maar we joegen onszelf graag angst aan met het idee dat ze daar nog waren, gedoemd voor altijd door de aderen van de rots te dolen. Misschien zouden we op een dag hun spookachtige gezang onder onze voeten horen. *Hé ho.*

Het jaar nadat de jongens waren verdwaald, waren alle ingangen van de tunnels afgesloten. Soms verscheen op geheimzinnige wijze een gat in iemands tuin of verdween er een hond, en zeiden mensen dat ze van onder de grond geblaf en gekef hoorden, maar dat waren de enige bewijzen voor het bestaan van mijn ondergrondse fantasiewereld.

Ik geloofde erin, ook al kon ik hem niet zien, en ik was niet bang van hongerende terriërs of de geesten van schooljongens. In die tijd was ik nooit bang van dingen onder de grond. Grotten fascineerden me; ik was ervan overtuigd dat ik op een dag in een van die grotten de Eerste Engelsman zou vinden.

Ik stond op en zette de eerste blinde stap in de echte duisternis, waarbij mijn vingers de wand van de ruw uitgehouwen tunnel aftastten om me te oriënteren. Ik ga niet ver, hield ik mezelf voor. Een paar stappen maar. Net ver genoeg. Dan vind ik een plek om me tegen de wand te nestelen en te wachten tot het zonlicht tussen de slierten klimop door filtert. Ik liep verder, waarbij ik de ongelijke vloer bij elke stap met mijn tenen uitprobeerde.

Ik draaide me om en keek achter me. Ik kon de ingang niet zien.

In mijn paniek raakten mijn vingers het contact met de tunnelwand kwijt en stootte ik mijn voet aan een stuk steen. Ik struikelde naar voren, verloor mijn evenwicht en viel op handen en knieën. Toen ik weer overeind was gekomen, was de tunnelwand verdwenen.

Ik hoorde mijn ademhaling in mijn oren, gespannen en hard. Het geluid ervan was veranderd, en ook het geluid van de stilte om me heen was anders. Die leek hol, ijl, leeg. Ik wist dat ik me in een grote ruimte moest bevinden, misschien een enorme spelonk die de mijnwerkers uit de rots hadden gehouwen.

Ik stak mijn hand uit en greep lege lucht. Ik kon niets zien, niets voelen. De duisternis was verstikkend. Hoe meer ik worstelde, hoe strakker ze zich om me heen wikkelde. Ik hield mezelf voor dat de tunnelwand slechts centimeters van me verwijderd was geweest toen ik viel. Ik hoefde maar een paar passen terug te gaan en ik zou hem weer kunnen aanraken. Ik draaide me om en zette een aarzelende stap, als de dood dat ik weer zou struikelen. Ik zette nog een stap, en liet mijn handen onzeker als een blindemannetje voor me rondzwaaien. Nog niets. En niets. En niets. En weer niets. Toen begreep ik dat ik niet meer zeker wist welke kant ik op ging.

O god o god o god. Er was niets waaruit ik kon opmaken waar ik vandaan was gekomen of waar ik heen moest, en de duisternis omhulde me zo strak dat de lucht uit mijn lichaam werd geperst. *Alstublieft, God, laat me een weg terugvinden. Een veilige weg.*

Maar dat was Crow Stone, toen ik nog een ander was.

Alstublieft God, help me nu een weg terug te vinden.

De zee-egel zweeft boven me, voor altijd vast in zijn krijtachtige oceaan. Hij zou niet onverschilliger kunnen zijn.

3

Ik kan de zee-egel nog zien, dus ik weet dat ik niet dood ben. Ik zie hem in een onheilspellend gele lichtbundel. De batterij van mijn lamp raakt waarschijnlijk op.

Dat is geen aangename gedachte. Ook al ben ik niet dood, als de lamp het begeeft zou ik het net zo goed kunnen zijn. Een ironische gedachte is nog net mogelijk nu ik nog iets kan zien, maar ik vermoed dat ik in het donker alleen nog kan huilen. Dat wil ik tot elke prijs voorkomen. Ik wil niet doodgaan met een gevoel van zelfmedelijden, hoewel ik aanneem dat het de enige keer is dat dat gevoel gerechtvaardigd zou zijn.

Ik wil niet doodgaan.

Hoelang ben ik hier al? Het is zo stil. Zelfs geen gekraak van tot rust komend gesteente.

'Martin!'

Zielig. Amper een vleermuispiep. Keel te droog; tong te groot voor mijn mond. De lucht is vol stof, maar in elk geval is er nog lucht. Voorlopig.

'Ma-artin!'

Er is iets mis met mijn oren. Ze weergalmen; misschien heeft het iets te maken met de luchtdruk. Ik kan mezelf nauwelijks horen.

'Ma-a-artin!'

Ik wil de rest van het dak niet omlaag brengen met mijn geschreeuw. Kom op, Martin, lul, geef antwoord!

'Verdomme.'

Stof en krijtfragmenten op mijn bovenlichaam, ik voel dat één hand vrij is, ik kan hem zelfs omhoogbrengen naar mijn gezicht, maar vanaf mijn bekken omlaag lig ik tegen de grond gedrukt. Kennelijk liggen mijn benen onder een heleboel puin. Maar ik kan ze wel voelen, en ik denk dat ik mijn tenen kan bewegen – dat denk ik tenminste – dus het gewicht heeft mijn rug niet gebroken. Wat dat betreft heb ik geluk, neem ik aan.

Bij nader inzien is geluk niet helemaal het juiste woord.

Het doet me denken aan de spelletjes die we als kind speelden. Wat wil je liever: door een enorm gewicht verpletterd worden? Langzaam stikken? De hongerdood sterven? Gekweld door dorst langzaam, geluidloos gillend doodgaan?

Geen van alle, dankjewel. Ik denk dat ik dan toch maar een beetje ga huilen.

Maar ik huil niet. Ik beef.

Jezus.

Hou op. Ik beef hard genoeg om de rest van het plafond op mijn gezicht te krijgen.

Mijn lichaam wil niet naar me luisteren. Het blijft maar beven. Grote trillende schokken beginnen in mijn benen en trekken omhoog naar mijn schouders en mijn hoofd. Is dat wat soldaten overkomt op de avond voor een slag: een krankzinnige, onbeheersbare bevende dans van angst?

Te oordelen naar de stilte zit Martin meer in de problemen dan ik. Hij moet zich onder de grootste instorting bevinden. Tussen mij en de weg naar buiten.

'Ma-ar-artin!'

Ik moet dat beven zien te stoppen.

Adem.

Denk aan iets anders dan doodgaan, maakt niet uit wat.

Krijt is fossielenhemel. Zelfs het stof is een universum, bijna helemaal samengesteld uit minieme schalen, nietige karrenwielen, ringetjes en bloempjes, planktonresten, die alleen onder een elektronenmicroscoop te zien zijn. Coccolieten, de kleinste fossielen op aarde.

Zo gaat het beter.

Ze mochten het dan vroeger niet van engelen weten, maar ze weten nu wel hoeveel coccolieten je op een speldenknop kunt krijgen – meer dan honderd.

Ik denk dat mijn longen vol zitten met die krengen.

Hoe lang duurt het om dood te gaan onder de grond?

Het menselijk lichaam kan het weken of maanden volhouden zonder voedsel, maar slechts dagen zonder water. Dágen als deze – dat red ik nooit. Mijn tong voelt als schuurpapier. Nee, hij is in mijn mond al doodgegaan en wordt nu langzaam zo hard als cement.

'M-mm-mMAA...'

Alles verstijft, mijn longen begeven het. *Ik krijg geen lucht.*

Ik begin weer te beven en dat is geen goed teken.

En nu flikkert die verdomde lamp en – *knipper* – hij houdt ermee op en – *knipper* – hij doet het weer, nee het is geen geknipper hij heeft het begeven het is donker nu en ik zit hier verdomme vast in het donker en ga net zo lief dood om ervan af te zijn.

De cameraman kijkt met zijn enkele bloeddoorlopen oog en zijn lange witte vingers strekken zich naar me uit in het donker

HEILIGE Maria moeder van
Hij doet het weer. Godzijdank. De lamp doet het weer. Ik beefde zo heftig dat ik mijn hoofd tegen het plafond stootte en het rotding deed het weer.

Adem, Kit, rustig, rustig aan. Ik moet mezelf onder controle krijgen, er het beste van maken zolang ik licht heb, mezelf proberen uit te graven in plaats van hier te liggen alsof ik al een fossiel ben.

Wat heb je liever: stikken of doodbloeden doordat je vingertoppen tot rauwe stompjes afslijten terwijl je je zwakjes naar buiten probeert te klauwen?
Er scharrelt iets rond mijn voeten.

Of vanaf je tenen door ratten opgevreten worden? Langzaam opgeknabbeld en opgeknauwd worden, centimeter voor botknagende centimeter?
Ha ha ha, verdomme.
Een vleug frisse maar zoetgeurende lucht bereikt mijn neus.
'Martin, klootzak, je hebt de tijd genomen.'

De lucht boven de grond heeft nog nooit zo lekker geroken hoewel hij doortrokken is van rottend konijn. Terwijl ik op het gras bij de mijnschacht zit, besef ik ineens dat ik me niets kan herinneren van dat laatste kwartier of zo, toen Martin me er krijtstof proestend bij mijn enkels uit trok.
Ik beef bijna niet meer. Dat is al heel wat.
'Heb je een sigaret? Ik heb verdomme een sigaret nodig.'
'Kit, ik rook niet. Nooit gedaan, en dat weet je heel goed. Waar zijn die van jou?'
'Weet ik veel. Onder een halve ton kalk, waarschijnlijk.'
God mag weten hoe lang Martin bezig is geweest, geduldig puin uit de tunnel gravend, voordat hij bij me kon komen. Ik hoop dat ik, op weg naar buiten een beetje heb meegewerkt. Waarschijnlijk niet.
'Dus bij jou is niets naar beneden gekomen?'
'Geen sikkepit. Het was gelukkig een vrij kleine instorting, dat heb je wel eens met daken. Armzalig klein, zou ik zeggen.' Hij probeert te glimlachen. Maar zijn gezicht is bleek, en niet alleen van krijtstof.
'Ja, nou,' zeg ik, 'jij zat er niet onder, popje. Ik beschouw het als een bijna-doodervaring.'
Ik klop mezelf een beetje af en kijk naar het streepje maan. Hij is bezig te draaien. Gek eigenlijk, al die jaren heb ik naar de maan gekeken en ik weet nog steeds niet of het wassende of afnemende maan is. Ik neem me voor daar nu achter te gaan komen en het nooit meer te vergeten.

Martin hurkt bij me neer, legt even zijn arm om mijn schouders en geeft me een stevige, ruwe knuffel. We raken elkaar zo zelden aan dat de tranen me in de ogen schieten.

'Gaat het wel? Echt?' vraagt hij.

'Echt. Denk ik. Na een heet bad laat ik het je wel weten.'

'Heb je me niet horen roepen? Ik kon jou wel horen.'

'Tot doofheid geslagen door angst, denk ik, en tot stomheid.' Mijn oren voelen raar. Alsof ik in een ontploffing heb gezeten.

'Ik dacht even dat ik je kwijt was.' Zijn ogen glanzen in het weinige licht dat er nog is.

'Maar je hebt me gevonden.'

'Anders had je jezelf wel uitgegraven en was je achter me aan gekomen.' Hij huivert. 'Ik voelde me net een kurk in een fles toen ik mijn schouders in die doorgang had geperst. Hoe dan ook, als je het aankunt, moeten we er nu vandoor voordat het te donker wordt om de weg terug te vinden.'

'Ja, het gaat wel.' Ik duw hem weg en probeer op te staan. Ik lijk geen enkele kracht meer in mijn lichaam te hebben en het lukt me niet mezelf van de grond te duwen. Hij legt zijn arm onder de mijne en hijst me overeind.

'Ik kan lopen.'

'Als een oud vrouwtje.'

Ben ik in mijn eentje de ladder opgeklommen? Hij heeft me vast en zeker niet gedragen. Ik herinner me vaag dat ik met krachteloze armen aan de sporten hing en dat Martin me van beneden af omhoog duwde. Op dit moment wilde ik het liefst dat hij me op zijn rug zou nemen, maar ik schud hem desondanks af.

We gaan langzaam op weg, tussen de beukenbomen door. Voor ons helt de grond scherp omlaag. Door de laatste knisperende koperkleurige bladeren schittert licht op de akkers. In de verte is een oranje vlek te zien; daar moet Worthing liggen. Ik luister of de kuch van de raaf te horen is, maar ik hoor niets behalve het knerpen van onze voeten op de beukennoten. Mijn voeten lijken van lood.

In onze studietijd kwamen Martin en ik op een namiddag in de winter, na de hele dag in het Peak District te hebben gelopen, met de wind in ons gezicht over een hoge, steile rotswand. Tussen ons en de thee lag nog zo'n drie kilometer donker wordende veengrond en onder ons was geen glimpje licht te zien, alleen een omlaag hellend plateau met groene en bruine bosjes, slechts onderbroken door verspreide groepen rotsen en bomen.

Te koud, te moe en te hongerig om te praten begonnen we aan de afdaling. En toen droeg de wind, vanuit het niets, het geluid van zingen naar ons toe. Het was het griezeligste wat ik ooit had gehoord, stemmen vanuit een woeste, schemerige leegte. Ik had kunnen zweren dat het geluid van onder onze voeten kwam, en gedurende een moment van een soort oerangst stond ik op het punt het op een lopen te zetten. Maar toen keek ik naar Martin. Er lag een weemoedige uitdrukking op zijn gezicht.

'Hé ho,' zei hij.

Te midden van een groep gebroken rotsen links van ons zag ik het eerste deinende licht. Toen nog een. En toen een derde. Een ordelijke rij grotonderzoekers met helmen op, aan hun lengte te zien schoolkinderen, kwam als de zeven dwergen uit de verborgen ingang van een grot stampen.

Het volgende weekend stopte ik mijn angst weg en ging voor het eerst op grotonderzoek met Martin.

'Je bent toch niet van plan om vanavond nog naar Cornwall terug te rijden?' vraagt Martin wanneer we bij het hek naar het ruiterpad komen, waar zijn gehavende jeep staat. Mijn auto staat bij zijn huis, dertig kilometer daarvandaan.

'Zonder autosleutels?' Ik mag dan nog van streek zijn, maar een smoes vergeet ik nooit. Hoewel Joost mag weten hoe ik bij thuiskomst met mijn ontdekking moet komen *ooo, kijk nou, mijn sleutels zitten toch in mijn handtas.*

'Verdorie, ik wist dat we iets waren vergeten.' Martin probeert tevergeefs zijn eigen sleutels in het slot van de jeep te krijgen, geeft het op en maakt het linnen dak los om zijn hand naar binnen te kunnen steken en de deur van binnenuit open te doen. 'Je kunt altijd even teruggaan.'

'Sodemieter op en breng me naar de dichtstbijzijnde vierdubbele whisky.'

Hij houdt het portier voor me open: aan de bestuurderskant. Het portier aan de pasagierskant gaat al sinds mensenheugenis niet open. De jeep bevalt hem, beweert hij, omdat hij gevoel voor humor heeft, wat je van een Range Rover beslist niet kunt zeggen.

'Serieus,' zegt hij. 'Drank. Eten. Vroeg naar bed.'

'Op voorwaarde dat er lakens op je logeerbed liggen,' zeg ik instemmend. Hij kijkt me niet aan, doet alsof hij moeite heeft met de sleutels. '...schone lakens,' voeg ik eraan toe. Martins mannengrotweekenden zijn legendarisch. Voor het geval je het niet had gemerkt, er zijn geen fatsoenlijke grotten in Sussex.

'Ik zal ze verschonen.'

'Goed plan.'

'En als we onderweg bij Waitrose langsgaan maak ik krabkoekjes voor je.'

'Misschien is het de moeite van bijna-doodgaan waard.'

'God, Kit, je gaat dit helemaal uitmelken, hè?'

Hij start de jeep, die een schrikmoment lang doet alsof de accu leeg is. 'Precies wat ik altijd zeg,' merkt Martin op wanneer de motor eindelijk aanslaat. 'Een voertuig met een sterk ontwikkeld gevoel voor humor.'

We hobbelen het ruiterpad af, waarvan de voren voren hebben. Takken graaien naar de voorruit, piepen over het glas als vingers over een schoolbord. Ik blijf die knal maar horen, en de hagel van aarde en stenen op mijn benen voelen. Ik probeer me niet voor te stellen hoe het geweest zou zijn met het gewicht van het dak op mijn borst.

Ik had mezelf niet kunnen uitgraven. Ik zat vastgepind als een vlinder. Wat hij ook mag zeggen, Martin heeft mijn leven gered. Door de beweging van de jeep val ik in zijn richting, en hij kijkt grijnzend naar me. Ik heb hem niet eens bedankt, maar waar vind je de woorden? We zullen het er niet meer over hebben, over wat er vanmiddag is gebeurd. Zoiets doen we niet. Emoties zijn niets voor ons. We gaan voor de open haard krabkoekjes eten en Californische chardonnay naar binnen gieten, maar er zijn terreinen waarop Martin en ik ons nooit zullen begeven.

'Nou, ik denk dat ik het idee om volgend seizoen een vuursteenmijn uit te graven wel uit mijn hoofd kan zetten,' zegt hij, terwijl we de weg onder aan de heuvel oprijden. 'Terug naar het tekenbord. Of liever, terug naar het boek over mysteriecultussen. Ik graaf veel liever. Trouwens... hoe staat het met jouw baan?'

Bij de groene gloed van het dashboardlicht kijk ik hem aan. Tot op dit moment had ik niet gedacht dat ik dit ooit zou zeggen.

'Ik heb er een,' zeg ik. 'Ik vertel het wel tijdens het eten. In feite komt het erop neer dat ik een verdomd groot gat in de grond ga dichtgooien. Jij zou het vreselijk vinden. Iets voor altijd begraven.'

Drie uur later zit ik met een stapel vuile borden op het haardkleed. De duisternis is een dikke fluwelige deken rond Martins huis, en de chardonnay doet ongeveer hetzelfde met de binnenkant van mijn hoofd.

'Neem nog een slok,' zegt Martin en hij schenkt nog eens in. 'Het is vreselijk spul, maar het doet me aan San Francisco denken.' Ik zie een weemoedige blik in zijn ogen verschijnen, en dan grinnikt hij ondeugend. 'Nog maar een paar weken, dan kan ik de kelder weer vullen.'

Arme Martin. De archeologische wereld is naar buiten toe nog altijd meedogenloos heteroseksueel, hoewel ik zo een paar oude nichten zou kunnen opnoemen die erop afgekomen zijn. En afgezien van Martin heb ik nooit een echte grotonderzoeker ontmoet die toegaf dat hij een homo was. Martin redt zich wel, maar hij kijkt uit naar zijn kerstreisjes naar Californië. Ik denkt dat hij hoopt zichzelf op een feestje Auld Lang Syne te horen zingen naast Armistead Maupin.

De eerste week op de universiteit begonnen we elkaar aardig te vinden doordat we elkaar niet bedreigend vonden. Voor mij komt een avondje stappen met hem nog het dichtst in de buurt van een avondje uit met de meiden. Hij was toen nog niet uit de kast gekomen, zelfs voor zichzelf niet, en zeker niet voor zijn vader, die dominee was, maar ik vermoedde al op de avond dat we elkaar leerden kennen dat hij homoseksueel was. Ik begon met hem te praten omdat hij archeologie studeerde; soms wou ik nog steeds dat ik dat had gekozen in plaats van geologie en techniek. Wanneer ik stenen cirkels uit de bronstijd voor hem reconstrueer, of van Romeinse belegeringswerktuigen nabouw, houd ik mezelf wel eens voor de gek en denk ik dat ik over enige archeologische kennis beschik, maar hij gebruikt me alleen voor de praktische kant: hij is de grote denker. Hij maakt grappen over zijn boek, zegt dat hij het niet leuk vindt om het te schrijven, maar in werkelijkheid vindt hij het heerlijk om al die esoterische stof over de Romeinse godsdienst uit te pluizen.

Het licht van het vuur glinstert rood, goud, op mijn glas, dat tot aan de rand gevuld is met lichtgele wijn. Ik hef het naar hem op. 'Op een heleboel bedrijvige Californische kerstkaboutertjes. Op rolschaatsen.'

'Mmm.' Martin neemt een grote slok. 'Hoewel ik natuurlijk hoop dat de Kerstman ook jouw schoorsteen gaat verkennen.'

Ik hoest als mijn wijn in mijn verkeerde keelgat schiet. 'Ik kan het niet bijhouden.'

'Dat zegt de Kerstman ook.'

'Hou op, Martin. Het wordt vervelend.'

'Je bent gewoon jaloers. Wanneer heb jij voor het laatst een beurt gehad?'

'Daar heb je niks mee te maken.'

Martin ziet eruit als een puppy dat maar niet kan begrijpen waarom niemand krabsporen op meubels mooi vindt. Hij vind het fijn als hij mijn gebrek aan belangstelling voor plagerige seksuele opmerkingen kan verklaren.

'Heb je weer telefoontjes van Nick gekregen?'

'Nee, godzijdank. Zijn deel van het geld van het huis in Londen lijkt hem even de mond te hebben gesnoerd. En ik heb mijn mobiele nummer veranderd.'

'Nadat jullie uit elkaar gingen, had je gelijk van hem moeten scheiden. Ik vind het een schande dat hij de helft heeft gekregen van wat het huis nu waard is, terwijl hij hem al bijna tien jaar geleden naar Wales is gesmeerd.'

'Meer dan de helft. Maar het is terecht... vergeet niet dat ik het huis in Cornwall heb gehouden.' Ik zou niet het gevoel moeten hebben dat ik mezelf voor Martin zou moeten rechtvaardigen, maar dat heb ik altijd als het om Nick gaat.

'Je bent te aardig voor hem.' Martin fronst zijn wenkbrauwen. Hij heeft een keer gedreigd Nick in elkaar te slaan, voor mij, al kan ik me niet voorstellen dat hij ooit iemand in elkaar heeft geslagen. 'Hij heeft je altijd gebruikt.'

'Jammer dat je me dat niet verteld hebt voordat we gingen trouwen.'

'Ik heb het gedacht.'

'Ik ben geen helderziende. Wil je het de volgende keer hardop zeggen?'

We verzinken in stilzwijgen. Het komt bij me op dat Nick alles zou hebben gekregen als ik vanmiddag niet uit de vuursteenmijn was teruggekomen. Ik ben er nog niet aan toegekomen om mijn testament te veranderen.

Martin nestelt zich weer in zijn leren leunstoel met de versleten armleuningen. Ik haal mijn sigaretten tevoorschijn en kijk even naar hem om te zien of hij in een van zijn antirookbuien is in de aanloop van zijn reis naar Californië. Hij fronst zijn voorhoofd, maar verhindert me niet eentje op te steken.

'Vertel eens over die nieuwe baan,' zegt hij. 'Ik dacht dat je iets in het buitenland zocht. Waarom ben je van gedachten veranderd?'

Het probleem van het zitten op een haardkleed in een vierhonderd jaar oud huis is dat je aan de ene kant bevriest door de tocht en aan de andere kant wordt geroosterd. Mijn linkerhelft zweet als een zij spek, terwijl mijn rechterkant blijft rillen.

'Het is in Bath,' zeg ik terwijl ik op mijn rechterhand ga zitten om hem te laten ophouden met trillen. 'Green Down.'

'De steenmijnen? Ik wist niet dat ze de financiering al rond hadden.'

'Die is ook nog niet rond. Maar ze zijn alvast met de noodoplossingen begonnen. De experts gaan ervan uit dat de hele handel elk moment naar beneden kan komen.'

'Een hoofdpijndossier dus.'

'En technisch gezien zijn het groeven, geen mijnen, ook al zitten ze onder de grond.'

'Gaan ze ze allemaal opvullen?'

'Dat is wel de bedoeling.'

Martin spuugt een stukje kurk in het vuur. 'Misdadig. Driehonderd jaar industriële archeologie begraven.'

'En de mensen die erboven wonen?'

'Ik neem aan dat ze niet willen verhuizen? Nee, dat zal wel niet.' Hij slaakt een diepe zucht. 'Het is niet echt mijn periode, maar het is fascinerend. Weet je dat ze in de achttiende eeuw door Ralph Allan zijn uitgegraven? Samen met zijn lievelingsarchitect, John Wood, een rare vent met een voorliefde voor de vrijmetselarij, was hij verantwoordelijk voor het ontwikkelen van het Georgian Bath.'

'En Woods zoon. John Wood de junior.'

Martin is zo verbaasd dat hij de stapel borden bijna omver schopt. 'Allemachtig, Kit, je hebt je huiswerk gedaan.'

Ik vertel hem niet dat ik mijn huiswerk al lang geleden heb gedaan, dat ik op school heb gezeten in Bath en dat we educatieve wandelingen maakten langs het Circus en de Royal Crescent en alle andere beroemde gebouwen die vader en zoon Wood hebben ontworpen. Martin denkt dat ik ben opgegroeid in Bournemouth. Maar er is best veel wat ik Martin niet heb verteld.

'Weet je,' zegt Martin, terwijl hij zich vooroverbuigt en het vuur weer oppookt tot een vlammenzee, 'ik denk dat je iets heel heel pervers in je hebt, Kit. Vanmiddag laat je bijna het leven door een instortend dak en nu wil je aan het werk gaan op een plek waar je een hele buitenwijk op je hoofd kunt krijgen.'

Ik staar in het vuur.

'Ik kan het niet laten, blijkbaar.'

'Maar goed,' vervolgt Martin opgewekt, 'morgenochtend bellen we de Wegenwacht, dan kunnen ze je slot openmaken en dan kun je weer op weg.'

Ik kom altijd in de problemen als ik lieg.

En als ik te veel wijn heb gedronken kan ik nooit slapen.

Martins gesnurk galmt de trap af, terwijl ik in de keuken rondsluip op zoek naar thee. Fatsoenlijke thee, bedoel ik, thee die in zakjes zit, niet de protserige theebus vol losse Earl Grey die Martin zo nodig moet gebruiken.

'Je verveelt je 's nachts, schoonheid, lees dit,' had hij gezegd en me een kruik en een manuscript in mijn handen geduwd. 'Vertel me of dit te gewaagd is voor de Oxford University Press.'

Hoe wist hij dat ik om twee uur 's nachts wakker zou zijn?

Misschien komt het door de wijn. Misschien komt het door de gebeurtenis van vanmiddag. Elke keer dat ik me op mijn rug draai, denk ik aan mijn krijtstenen kist, de verstikkende lucht vol coccolieten en het steeds zwakker wordende licht van mijn mijnlamp. De theezakjes zitten in een bus waar 'Bloem' op staat. De vorige keer dat ik hier was zaten ze in de koektrommel.

Met een mok thee bij mijn elleboog installeer ik me met het laatste hoofdstuk van Martins boek aan de keukentafel. 'Mijn verreweg favoriete mysteriecultus. Je zult het leuk vinden om te lezen,' zei hij. 'Grote potteuze soldaten. Veel androgyn gedoe. En raven.'

'Raven kan ik missen als kiespijn.'

'Er is geen fatsoenlijke mysteriecultus zonder een paar raven.'

In Perzië, waar het mithraïsme is ontstaan, werden raven in verband gebracht met de dood doordat het gebruik was lijken bloot te stellen aan excarnatie, in andere culturen bekend als 'begraven' in de openlucht, om door vogels en andere aaseters te worden kaalgepikt.

De bekeerling moet symbolisch sterven en herboren woorden voordat hij kan worden toegelaten tot de mysteriën van de cultus.

'Ik ben gek op dat soort dingen,' zei hij eerder tegen me, toen we ophielden met praten over mijn nieuwe baan en overgingen op zijn onderzoek. 'Het is allemaal heel vreemd en er is niets over opgeschreven, dus moet alles op basis van archeologisch bewijs gereconstrueerd worden. Ons beste materiaal komt van wandschilderingen en mozaïeken in Italië, maar er zijn tempels bij de Hadrianuswal en er is er ook een blootgelegd in Londen. Ze hadden zeven graden van inwijding, die stuk voor stuk gekenmerkt werden door beproevingen. Uitsluitend mannen, maar de grote grap is natuurlijk dat het meeste ervan gestolen is van een nog oudere oosterse mysteriegodsdienst, de cultus van de Grote Móéder, nota bene, die in dezelfde tijd populair was in Rome. Fantastisch, niet?'

Het licht van het vuur en enthousiasme fonkelden in zijn ogen.

'En het echte symbolische extraatje is dat ze hun tempels onder de grond bouwden, of ze er in elk geval als grotten uit lieten zien. Freudiaanser kan het niet! Wacht tot je leest wat ze tijdens de inwijdingsceremonies uithaalden – typisch soldaten, het kleinste excuus om zich als vrouw te verkleden...'

In de Mithrasmythe neemt de raaf de plaats in van de Romeinse god Mercurius en draagt diens magische staf, de caduceus. Hij brengt een boodschap van de zonnegod, waarin opdracht wordt gegeven tot de jacht en vervolgens, in de grot, het doden van de stier – een offer dat vrijwel zeker geleend is van de cultus van de Magna Mater. Uit het op de grond stromende bloed en zaad van het dier groeien planten en komt nieuw leven voort.

Bloed en zaad. Het duistere hart van alle mannelijke cultussen. Ik kijk op van het manuscript en buiten is alles donker, in kilometers omtrek geen lichtje te zien vanuit Martins huis dat weggestopt ligt onder de rand van de steile kalkhelling van Sussex. Het voelt heel ver weg van Green Down, en alles wat me daar wacht. Mijn oog valt op een andere zin in het manuscript, een vertaling van een of andere priesterlijke aanroeping.

Ik ben een ster die met u gaat en uit de diepte schijnt.

Het krijg er de rillingen van. Ineens voel ik me toch moe, en mijn voeten zijn koud, en ik herinner me de kruik die vast nog wel een beetje warm is tussen de niet al te schone lakens boven.

Een paar weken later klinken die woorden nog door mijn hoofd. Ik zit voor het half vrijstaande huis aan de buitenrand van Bath in mijn zilverkleurige Audi en denk na over de cirkelvormige beweging die me hier heeft teruggebracht. Er loopt een grote scheur door de honingkleurige stenen gevel. Honderden jaren geleden hebben mannen tunnels gehouwen in het gesteente eronder en de beenderen eruit gehaald waarvan Bath is gebouwd – oölitisch kalksteen, dat de afdrukken draagt van miljoenen zeedieren, ammonieten met hun volmaakt opgerolde schalen, als slangen met hun staart in hun bek.

Mijn fascinatie met het gebeente van dingen, gesteente en fossielen en de duisternis onder de grond, waar ze liggen, is nooit verdwenen, ondanks de gebeurtenissen van die zomer. Ik ben hier opgegroeid en heb tot mijn veertiende in dit lelijke gele huis gewoond.

Ik was toen niet van plan mijnbouwkundig ingenieur te worden. Ik wilde de oorsprong vinden van het menselijk ras. Ik zag mijn toekomst in een of andere door de hitte geteisterde vallei in Afrika of het Midden-Oosten, de puinhelling afzoekend naar patronen, stenen omdraaiend en zo nu en dan de vorm herkennend van een knokkel, een fragment van een scheenbeen misschien of, als ik heel veel geluk had, een complete vervormde schedel.

In plaats daarvan zit ik nu hier, is de cirkel weer rond, ben ik terug waar ik begonnen ben voordat ik veertien was en de grote zwarte auto me wegvoerde.

Regenvlekken beginnen ongelijk op te drogen op de honingkleurig muren. Ik start de motor, zet de auto in de versnelling en rijd weg, heuvelopwaarts, in de richting van het bouwterrein.

De dag waarop de zwarte auto me wegvoerde – een Rover was het, denk ik, groot en lomp, met koplampen als ogen en een radiatorscherm als lange, glanzende tanden – reden we deze kant op. Ik kan me niet herinneren wat ik dacht. Ik dacht waarschijnlijk dat ik beroemd zou worden. Tijd versteent, neemt gedachte en emotie weg, dus het enige wat ik over heb is het gebeente van het geheugen – de aanblik van een keurige rij steenhouwerhuisjes, de geur van de leren bekleding van de auto. Als ik terug zou gaan naar een psychotherapeut, zou ik die momenten waarschijnlijk kunnen opfrissen. Me het precieze moment herinneren waarop ik besefte dat ik nooit terug zou keren naar het gele huis. Achterhalen hoe ik erin geslaagd ben alles kapot te maken. Begrijpen dat ik Poppy of mevrouw Owen of Gary nooit meer zou zien. Het maakte me toen niet van streek. Alles was onwerkelijk, zoals het nu onwerkelijk voelt; een versteend en vergeten verleden.

Maar een therapeut zou in mijn geheugen zitten peuteren, een klein fragment van opgedroogd vlees van het bot schrapen, dat cultiveren en laten groeien en me bewijzen dat ik wél van streek was, dat ik huilde, dat ik zelfs gilde toen ze me uit de deur en langs het steile pad omlaag naar de wachtende auto sleepten.

Ik hoef het niet te weten. Ik heb er heel wat moeite voor gedaan om het niet te weten. Ik wil de stem niet horen die ik hoorde toen het dak van de vuursteenmijn instortte. Ik ben juist teruggekomen om die voorgoed te begraven.

De ingang van de ondergrondse groeve bevindt zich midden op een speelterrein, niet ver van de hoofdstraat van Green Down. De kantoren van het bouwterrein bevinden zich in stalen cabines, die blauw, groen en geel zijn geschilderd en als gevallen legostenen verspreid staan op een verharde ondergrond. Buiten het hoge, stevige hek schoppen een paar jongetjes in de kleuren van Manchester United verveeld tegen een voetbal. Een beveiligingsman doet de slagboom omhoog om me binnen te laten. De jongens staren naar mijn auto wanneer ik voorbijrijd en zwaai, maar ze zwaaien niet terug. Ik herinner me dat ik jaren geleden tegen de muur geleund naar een ander groepje voetballende jongens stond te kijken. Net als in die zomer van lang geleden is er een wolkeloze hemel, maar vandaag is die koud en bleekblauw, als ijs op plassen.

Ik parkeer de auto op de enige plek die er is, naast een stapel pallets. Een groepje mannen met helmen staat op enige afstand bij een van de cabines. Een van hen maakt zich los uit de groep en loopt mijn richting uit, maar ik moet me in mijn werkplunje hijsen en zoek hinkend op de koude grond naar mijn werklaarzen achter de passagiersstoel in een poging er een beetje professioneel uit te zien voordat hij me op mijn sokken aantreft...

Ik sta nog met mijn rug naar hem toe wanneer hij me bereikt. 'Mevrouw Parry?' zegt hij. Hij heeft het natuurlijk fout. Juffrouw. Ik

33

ben niet meer getrouwd, hoewel ik Nicks naam heb gehouden. 'U bent mooi op tijd. Ik ben trouwens de voorman hier, Gary Bennett.'

En ik ben terug in de zomer waarin ik veertien werd.

Tweede graad

Nymphus mannelijke

Voor een zo machogodsdienst als het Romeinse mithraïsme lijkt het op zijn minst ongewoon dat de ingewijden in deze fase een vrouwenrol moesten spelen. In etymologisch opzicht is *nymphus* een interessant woord. Het betekent 'mannelijke bruid', maar dat woord bestaat niet in het gewone Latijn. Het is afgeleid van *nympha*, een bruid, of jonge vrouw, maar zoals we weten waren vrowen absoluut uitgesloten van deze cultus. In wandschilderingen wordt de nymphus getoond met een bruidssluier en wordt geacht onder de bescherming te staan van de planeet Venus. Hij wordt mystiek verenigd met de god door de Vader: een ingewijde die de zevende en laatste graad van verlichting heeft bereikt. Het ineenslaan van de rechterhand, de *iunctio dextrarum*, was een belangrijk onderdeel van de inwijdingsceremonie, om trouw te zweren. Hier komt wellicht de moderne gewoonte vandaan om na een overeenkomst elkaar de hand te schudden. (Het is ook een van de vele redenen waarom moderne samenzweringstheoretici geprobeerd hebben de oorsprong van de vrijmetselarij op het mithraïsme terug te voeren.)

Tijdens de ceremonie werd de sluier op een gegeven moment afgetrokken en werd de mannelijke bruid in al zjn mannelijke glorie onthuld.

Uit: *Het Mithras Enigma*, Dr. Martin Ekwall, OUP

4

Graven, dat was wat ik deed die zomer waarin ik veertien werd, graven en nog eens graven. Ik kon mijn hand niet naar mijn gezicht brengen of ik rook vochtige aarde aan mijn vingers. Zelfs wanneer we gewoon een beetje rondhingen, Poppy en Trish en ik, graaiden mijn handen obsessief in de grond, zoals andere mensen aan hun nagelriem zitten te pulken of met hun haar spelen.

'Je nagels zien er niet uit,' zei Trish. Ze had gelijk. Ik had altijd rouwrandjes. Trish' nagels waren altijd netjes ovaal gevijld en ze duwde de nagelriemen elke avond terug met een oranje stokje, zodat we haar halvemaantjes konden bewonderen. Ze was ze nu zilverachtig roze aan het lakken, en haar donkere haar viel over haar gezicht. Ze keek plotseling op, waardoor haar haar naar achteren viel en ik die ogen zag die me fascineerden, de manier waarop ze veranderden met het licht, net als de zee.

'Vind je dit geen gave kleur?'

Zilverroze was gaaf, maar ik was dat niet. Een tienermeisje dat geobsedeerd werd door het gebeente der dingen zou nooit gaaf zijn.

We lagen bij een grote oude eik, hoofden in de schaduw, maar onze benen in de zon met rokken tot onze dijen opgetrokken. Op Poppy's knieen onstonden al sproeten alsof ze met kaneel waren bestrooid. Het veld werd als weiland gebruikt, en aan de andere kant graasden een paar vermoeide koeien. Zo nu en dan zette er een een paar trage stappen verder, alsof het dier de moeite niet wilde nemen om een malser plekje te zoeken. Hier, onder de boom, groeide minder gras, en mijn vingers bewogen over de grond, op zoek naar stenen.

Green Down, waar we woonden, was een buitenwijk die bijna op zichzelf een dorp was en gebouwd op een van de heuvels die Bath omringen, en het kostte weinig tijd om het platteland te bereiken. Zware vrachtwagens rammelden over de weg omhoog naar de steengroeven die uit de helling waren gehouwen, maar de velden onder in het dal lagen er vredig bij. Als ik hier zou graven, zou ik iets vinden, ik wist het. De velden en heuvels hadden geheimen; verborgen dalen, geheimzinnige ophogingen en richels waar ooit Romeinse villa's hadden gestaan of waar de Saksische Wansdyke over de velden marcheerde.

Niets daarvan interesseerde Poppy en Trish. Maar ik bleef hopen.

'Er zijn ammonieten in dit veld,' zei ik.

Poppy staarde naar de hemel en kauwde op plukken van haar recht af-geknipte roodachtige haar. Als de plukken droog zouden zijn, zouden de gespleten punten als smeltdraad uitwaaieren. 'Echt waar,' zei ik, alsof iemand de moeite had genomen om te ant-woorden. 'Als ik je nagelvijl mag lenen, Trish, graaf ik er zo een op, denk ik.'

Ze hoefden me niet te vragen wat ammonieten waren. Ik had het ze vaak genoeg verteld. 'Ze hadden schalen als grote opgekrulde slangen,' legde ik uit wanneer ik maar de kans kreeg. 'Ze leefden miljoenen jaren geleden op de bodem van de oceaan.'

Als iemand dom genoeg was om te vragen: 'Wat doen ze hier dan?' ging ik geestdriftig verder over de heuvels rond Bath en dat die ooit de bodem waren van een ondiepe zee, waarin dode dieren stierven en ver-steenden. Van mijn vriendinnen kreeg ik dan net zo weinig reactie als van de ammonieten, en hun ogen werden glazig.

'Kijk,' vervolgde ik, terwijl ik mijn vingers onder een groot stuk steen probeerde te krijgen dat ingebed lag in de grond. 'Ik wed dat hier een fos-siel in zit.'

Trish begon Poppy's teennagels zilverroze te lakken.

Soms vond ik het ongelooflijk dat ze zo weinig opmerkten. Trish woonde in een oude Georgian predikantswoning in Midcombe, waar-van de tuinmuur een ammoniet bevatte. Hij was gigantisch, meer dan dertig centimeter in doorsnede, met diepe geplooide richels in de krul-len. Je kon hem niet over het hoofd zien. Maar zij wel. 'O, is dat er een?' zei Trish toen ik hem haar aanwees. Ze was totaal niet geïnteresseerd.

Ik had mijn linkerarm voor dat fossiel willen geven. Kleintjes waren ge-makkelijk te vinden, gewoon aan het oppervlak, vroeg in het jaar nadat de akkers geploegd waren. Soms zag je alleen een afdruk in het gesteen-te, maar vaak leken de ammonieten zelf uit de dichte grond omhoog te zijn gekropen, door de ploeg gebroken fragmenten, af en toe bijna com-plete stenen spiralen. Ik had een flinke verzameling in mijn slaapkamer. Ze zagen eruit als roosvensters. Mijn vader zei dat ze hem deden denken aan oudbakken Deense broodjes. Ik vond ze prachtig.

Ik keek naar Trish. Haar lange, donkere haar, benijdenswaardig recht, hing over haar gezicht toen ze zich over Poppy's been boog en hen als een privétent afzonderde. Ze bood nooit aan mijn teennagels te lakken.

Trish was mijn vriendin, eerst. We trokken eerder bij toeval dan uit eigen keus met elkaar op; we waren de enige twee in onze klas die niet vanaf het eerste jaar op die school hadden gezeten. Alle anderen kenden elkaar vanaf hun zevende. Ze mochten Trish niet omdat ze Klein heet-te en mij niet omdat ik een beursleerling was. Ze beseften geen van allen dat het meest joodse aan Trish haar achternaam en het enige slimme aan mij mijn beurs was. We waren bijna drie jaar vriendinnetjes geweest bij gebrek aan beter.

Maar eind vorig jaar waren er dingen veranderd. Trish werd ineens lang en ik bleef klein. Trish – die lelijke Trish met haar grote neus en haar brede mond, net zo onbeholpen als ik, dacht ik altijd – begon de aandacht van jongens te trekken. Trish kreeg haar eerste beha en gebruikte maandverband. En Trish ontdekte Poppy.

Poppy kwam vlak na Kerstmis in Green Down wonen. Haar vader werkte bij het ministerie van Defensie en was van Plymouth overgeplaatst naar Bath. Ze klitte onmiddellijk aan Trish en mij. In het begin vond ik dat niet erg. Het gaf me het gevoel dat ik een heleboel vriendinnen had. Nu was ik daar niet meer zo zeker van.

Trish rechtte haar rug, stopte het kwastje terug in het flesje en schroefde het dopje erop. Poppy bewonderde wiebelend met haar tenen het zilverachtige roze.

'Doe die van Katie,' zei ze tegen Trish.

'Ik ga het niet verspíllen,' zei Trish.

'Ik wil niet,' zei ik snel. Trish had gelijk. Ik zou niet voorzichtig zijn; het zou afschilferen en ik had geen remover om het er netjes af te halen. Toch had ik het fijn gevonden als ze mijn nagels zilverachtig roze had gelakt.

'Zo,' zei Poppy, 'wat gaan we nu doen?'

Ze keken allebei naar mij. Ze wilden dat ik ze bij me thuis zou uitnodigen. Maar ik wilde in het weiland blijven, bij de vermoeide koeien en de ammonieten.

'Laten we biologie doen,' zei ik om tijd te rekken. Trish zag er tevreden uit; ze was goed in dat spelletje. Haar hand ging naar haar schooltas.

We hadden geen haast. Niemand wachtte op ons. Mijn vader zou pas om halfzeven terug zijn van het herbedraden van iemands huis. Poppy's ouders waren in Schotland, waar haar grootmoeder de tijd nam om dood te gaan, dus logeerde Poppy bij Trish. Trish' moeder deed nooit moeilijk over de tijd waarop ze na school thuiskwamen.

Mijn vader had de moed nog niet bij elkaar kunnen rapen om me over de bloemetjes en de bijtjes te vertellen. De school was er ook niet al te snel mee geweest. Maar dit semester hadden we opgewonden ontdekt dat ons nieuwe biologieboek ons veel meer tegemoetkwam op dat terrein dan onze lerares. Trish duwde haar haar tot een strak knotje boven op haar hoofd en sperde in nabootsing van juf Millichip haar neusgaten wijd open.

39

'Ga nu naar bladzijde 194, meisjes,' kwinkeleerde ze. Poppy en ik speelden de gehoorzame leerlingen en sloegen ons boek open. We staarden naar geheimzinnige diagrammen, die mij deden denken aan de loodgieterschema's en bedradingsdiagrammen die mijn vader uitwerkte aan de keukentafel.

'Vandaag gaan we ons met de voortplanting bezighouden,' vervolgde Trish. We hadden daar die middag een echte les over gehad, maar juf Millichip had niets spannenders behandeld dan de drachttijd van een konijn. 'Wat voor soort voortplanting, Poppy McClaren?'

Poppy giechelde. 'De ménselijke voortplanting, juf.'

De diagrammen toonden geen enkele gelijkenis met welk menselijk lichaam dan ook dat ik had gezien. Zaten al die kronkelende leidingen echt in me verstopt? Op de tegenliggende bladzijde stond een diagram van de mannelijke voortplantingsorganen. Ik keek ernaar en kreeg een vreemd gevoel. Het kwam van een plek niet ver van het leidingwerk, maar leek door de hele centrale schacht van mijn lichaam op te zwellen, zodat zelfs mijn lippen en tong dik en heet en onhandig voelden.

Trish' moeder, die verder was dan de gemiddelde ouder in Green Down, had haar dochter al meer dan een jaar geleden voorgelicht, dus beschouwde Trish zich als een expert.

'Een vrouw,' dreunde ze, 'heeft een opening die de *regina* wordt genoemd.'

'Weet je dat zeker?' vroeg Poppy. 'Hier staat dat het de *vagina* is.'

'Natuurlijk weet ik het zeker,' zei Trish uit de hoogte. 'Het is Latijn voor koningin. Het moet een fout in het boek zijn.'

Op Poppy's gezicht lag een sceptische uitdrukking, maar we hadden geen van beiden de moed om Trish tegen te spreken. Haar moeder kwam uit Londen en had als fotomodel gewerkt voordat ze met Trish' vader trouwde.

'En de man,' vervolgde Trish, 'heeft een aanhangsel dat *penis* heet.' Dat was genoeg. We kregen alle drie de slappe lach.

'Hebben jullie er ooit een gezien?' vroeg Poppy even later, toen we waren bijgekomen.

'Natuurlijk,' zei Trish. 'Ik ging altijd met Steven in bad.'

'Dat telt niet,' zei Poppy. 'Je broer is tien! Ik bedoel een volwassen exemplaar.'

Ik zag Trish overwegen of ze zou liegen. Ondanks haar moeders pikante carrière was het bij haar thuis waarschijnlijk net zo keurig als in de rest van Baths buitenwijken in de jaren zeventig. Vaders en broers liepen niet naakt door het huis rond.

'Nee,' gaf ze ten slotte toe. 'Maar ik heb mijn moeders kutje gezien. Het is helemaal harig.'

Ik besloot dat het tijd was om mijn bijdrage aan de discussie te leveren.

'Ik wel,' zei ik.

Ze keken me allebei stomverbaasd aan.

'Echt?' zei Poppy, op hetzelfde moment als Trish zei: 'Ik geloof je niet.'

'Echt waar,' zei ik. 'Het was afgrijselijk.'

'Was het een potloodventer?' vroeg Poppy.

'Nee, mijn vader,' zei ik. 'Ik zat op de wc en ik had de deur niet op slot gedaan, en hij kwam binnen en wist niet dat ik daar was. Het ding stak uit de gulp van zijn pyjamabroek. Het zag eruit als een gekookt saucijsje, rood en een beetje glanzend. Alleen was het meer gerimpeld, en het had een soort oog aan het eind, dat naar me keek.'

'Wat heb je gedaan?' vroeg Trish. 'Ik had gegild. Ik had om mijn moeder geroepen.'

Ze wilde niet onaardig zijn, dat denk ik tenminste niet, maar het deed toch pijn. Poppy zag mijn gezicht en greep snel in. 'Wat deed híj?'

'Hij ging de wc weer uit,' zei ik. 'En later, toen we zaten te ontbijten, schreeuwde hij tegen me dat ik de wc-deur op slot moest doen.'

'Stond het... je weet wel, omhoog?' vroeg Trish.

'Dat weet ik eigenlijk niet,' zei ik. 'Het ging heel snel, en wat me het meest is bijgebleven, is dat oog.'

'Hij moet omhoog hebben gestaan, als je het oog zag,' zei Trish. 'Als dat ding omlaag had gehangen, had dat oog naar de vloer gewezen in plaats van naar jou te kijken.'

'Maar als het omhoog had gestaan, had het naar het plafond gewezen,' wierp Poppy tegen. 'Dus kan het niet omhoog hebben gestaan. Bovendien, waarom zou het omhoog hebben gestaan? Hij kan toch geen seks hebben gehad?'

'Het gaat al omhoog als een man ook maar aan seks dénkt,' zei Trish. 'Ik neem aan dat hij nog wel aan seks denkt, je vader. Misschien was het ding halverwege, bezig omhoog of omlaag te gaan.'

'Ik weet het niet,' zei ik. Mijn hand gleed van het boek en kwam tot rust op de troostende aarde. Ik wilde een eind maken aan dat gesprek. Ik schaamde me, alsof ik een foto had gemaakt van mijn vaders penis en die aan hen had laten zien.

'Wisten jullie dat mannen bijna elke twee minuten aan seks denken?' zei Poppy. 'Er stond iets over in de *Daily Express*. Een of ander onderzoek dat wetenschappers in Amerika hebben gedaan. Dus ik denk niet

dat het altijd omhoog gaat als mannen alleen maar aan seks denken.'
Trish zag er strijdlustig uit. 'Mijn moeder zegt dat het zo is. Maar dat
zie je misschien niet als ze een broek aan hebben.'
'Volgens mij moet je het kunnen zien,' hield Poppy vol. 'Ik bedoel, het
wordt toch groter. Dus krijgen ze een grote bobbel in hun broek.' En we
begonnen weer te giechelen.
'In dat geval zou de spijkerbroek van Gary Bennett misschien wel
scheuren!' zei Trish. We dachten alle drie na over dat schokkend verruk-
kelijke idee en er viel een eerbiedige stilte.

Gary Bennett was de reden waarom Trish en Poppy zo graag bij mij thuis
kwamen. Hij was maar twee of drie jaar ouder dan wij, maar was al van
school gegaan en werkte als leerling-schilder. Hij had afwaswater-blond
haar en warrige krullen, blauwe ogen en een mond als van een Romeins
standbeeld, en we droomden alle drie dat die krullende mond zich op
de onze perste. Mevrouw Owen, van drie deuren verder in de straat, die
soms een stoofschotel bij ons bracht omdat ze weigerde te geloven dat
mijn vader kon koken, was de beste vriendin van Gary's moeder, een
weduwe die bij de Co-op werkte. Het was nog maar een paar maanden
geleden dat moeder en zoon aan de overkant waren komen wonen, en
Trish had hem het eerst opgemerkt.
'Er woont een jóngen tegenover je,' zei ze tegen me.
Ik was niet erg geïnteresseerd. Toen werd het schildersbedrijf waar
Gary voor werkte door Poppy's ouders in de arm genomen om hun huis
een verfbeurt te geven. Gedurende de volle twee weken dat hij daar aan
het werk was, haastten Poppy zich met Trish naar huis om een glimp
van hem op te vangen.
'Zullen we naar jouw huis gaan en wachten tot Gary thuiskomt?'
vroeg Poppy.
Ik keek naar mijn handen. Ze graaiden nu bijna manisch in de grond.
'Kom op,' zei Trish. Ik wist dat haar ogen de kleur van een donkere zee
hadden aangenomen en strak op mijn gezicht waren gericht in een ver-
woede poging me te laten opkijken, zodat ze me met haar blik tot over-
gave kon dwingen.
Mijn vingers raakten iets glibberigs: een grote dikke worm. Ik trok ze
snel terug. 'Mijn vader...'
'Die is nog lang niet thuis. En Poppy heeft een verrekijker.' Ze hadden
dat plannetje samen bekokstoofd, dat houd ik wel in de gaten.

Eerder dat jaar, toen Trish en ik Poppy net leerden kennen, had ik een
geheimzinnige virusziekte opgelopen, een soort langdurige griep. Mijn

vader had onze buurvrouw mevrouw Owen gevraagd voor me te zorgen. Hij had het geen twee keer hoeven te vragen, en ze draafde met op en neer wippende grijze krullen vrolijk de trap op en af met kommen soep. Ik werd langzaam beter, maar mijn spieren bleven zwak en de dokter zei dat ik meer tijd nodig had om te herstellen. Ik was met alle plezier nog een tijdje van school thuisgebleven als ik niet bang was geweest dat Poppy Trish van me zou afpakken.

Mijn vader haalde boeken voor me uit de bibliotheek, maar ik verveelde me al snel. Mevrouw Owen probeerde me in bed te houden, maar ik ging stiekem naar de logeerkamer aan de voorkant van het huis om de straat in de gaten te houden.

Die kamer was ooit de slaapkamer van mijn ouders geweest, en hoewel hij al ruim tien jaar niet meer werd gebruikt, vond ik hem fascinerend doordat er nog steeds sporen van mijn moeder te vinden waren. In de kaptafel lagen haar oude opmaakspullen, zoals afgesleten lippenstiften in ouderwetse tinten, crèmeachtige groene en blauwe oogschaduw en verdroogde mascara. Ik rommelde in de laden, deed armbanden en ringen om en wikkelde zijden sjaals om mijn hoofd: eerst Grace Kelly, daarna een hippie op Woodstock. Ook hingen er kleren in de garderobekast: ochtendjassen en jurken met wijde rokken, die al ouderwets moesten zijn geweest tegen de tijd dat ze wegging, maar die vond ik te eng om aan te raken.

Mevrouw Owen was weggegaan om haar wekelijkse boodschappen te doen, en ik zat genesteld op de vensterbank te wachten tot ze terug kwam. Het was laat in de middag. De straatlantaarns waren nog niet aangegaan toen ik licht zag in de slaapkamer van het huis aan de overkant: het huis van Gary Bennett.

Het zal wel nooit bij Gary zijn opgekomen om de gordijnen dicht te trekken als hij zich na zijn werk boven ging omkleden. Die middag deed hij het licht aan, ging de kamer binnen, trok zijn trui en T-shirt uit en verdween naar een hoek om zich te wassen. Na een poosje ving ik een verleidelijke glimp blote borst op toen hij terugliep naar de klerenkast en er een overhemd uit haalde. Ik zag hoe hij het van boven tot onder dichtknoopte. Toen draaide hij mij zijn rug toe terwijl hij zijn overhemd in een schone spijkerbroek stopte en zijn schouders boog om hem dicht te ritsen.

Ik herinner me die flitsen van naaktheid als een serie polaroidkiekjes – de magere witte schouders in het nicotinegele licht van het peertje aan het plafond, de verrassend stevige armen, de vlakke contouren van de borstspieren die zich net begonnen te ontwikkelen, terwijl zijn jongenslichaam zich aan mannenwerk aanpaste. Ik had langer willen kijken,

43

maar ik hoorde de sleutel van mevrouw Owen in het slot en rende terug naar mijn kamer voordat ze me zou betrappen.

Ik kon niet wachten om de anderen te vertellen wat ik had gezien. Op mijn eerste schooldag gingen Trish en Poppy met me mee naar huis en gingen we in de logeerkamer zitten wachten. Kort na halfzes ging het licht aan de overkant van de straat aan en kwam Gary langs het erkerraam lopen terwijl hij zijn trui over zijn hoofd trok. Staande voor het slaapkamerraam droogde hij zich af, in zalige onwetendheid van de bewonderaarsters die elke keer dat hij onze kant opkeek onder de vensterbank doken.

Daarna ging er nauwelijks een week voorbij zonder dat wij op zijn minst één poging deden om hem zich te zien uitkleden. We hadden niet altijd geluk. Soms voerde hij het hele ritueel in een hoek van de kamer uit, onzichtbaar voor ons. Of hij kwam veel te laat terug; ik moest altijd zorgen dat Trish en Poppy weg waren voordat mijn vader thuiskwam. Eén keer kwam zijn moeder halverwege binnen en liep, hem misschien een standje gevend omdat hij zichzelf zo te kijk zette, naar het raam om de gordijnen dicht te doen.

Toen het lente werd, was Gary's borst steviger en breder, en was zijn haar langer. De lichtere avonden frustreerden ons. Hij hoefde geen licht meer aan te doen, en door de weerspiegeling van de hemel in het raam konden we nauwelijks iets zien van wat er binnen gebeurde. Dat weerhield ons er echter niet van te hopen. Warmer weer zou misschien uitkomt bieden. De laatste tijd gooide hij vaak de ramen open, en één keer leunde hij zelfs gedurende twee volle minuten met blote borst over de vensterbank om de straat in kijken. Trish had de tijd opgenomen.

Als Gary onze op en neer wippende hoofden al opmerkte, liet hij dat niet merken. Maar de laatste tijd was ik hem op weg naar school twee of drie keer op straat tegengekomen, en in plaats van me te negeren, had hij naar me geknipoogd of gezwaaid. Ik werd er helemaal warm en rood van. Ik begon me af te vragen hoeveel langer we hem nog ongestraft konden blijven bespieden.

Maar dat was niet de reden waarom ik vandaag aarzelde. Mijn vader had liever niet dat mijn vriendinnen langskwamen; hij zei het nooit hardop, maar wist het wel duidelijk te maken. Ik wist dat onze tijd samen belangrijk voor hem was. Hij vond het erg dat hij op zijn werk was wanneer ik thuiskwam, vond het erg dat er geen moeder was om thee te zetten. Hij kwam nooit voor zes uur thuis, maar het viel niet mee om Trish en Poppy aan het verstand te peuteren dat het tijd was om te gaan.

'O, toe nou, Katie,' zei Poppy, 'ik heb tegen mijn vader gezegd dat je graag naar vogels kijkt, zodat hij me de verrekijker zou lenen. We moeten hem uitproberen.'

'Nu kunnen we Gary van dichtbij zien,' voegde Trish er overredend aan toe.

Maar stel dat hij ons zou zien. Ik vond het echter wel een spannend idee; ik kon er niets aan doen. Op die manier konden we meer van hem te zien te krijgen. Poppy zwoer dat ze een keer een glimp van een witte herenslip had opgevangen toen hij omhoogreikte om zijn overhemd van het hangertje te pakken, en we wilden haar graag geloven, maar Trish en ik hadden daar nooit bewijs van gezien.

Trish wist dat ik aarzelde. Ze ging staan.

'Als we niet naar jou gaan, gaan we naar de tennisclub,' zei ze. 'Zonder jou!'

Haar vader was architect. Mijn vader was een klusjesman. Hij kon zich geen lidmaatschap veroorloven van de club waar Poppy en Trish elke zaterdag les kregen.

'Oké,' zei ik, terwijl ik met tegenzin mijn vingers uit de aarde losmaakte. 'Kom op dan.'

Het Bath dat ik kende, verschilde sterk van het Bath dat de toeristen zien: Georgian-huizen in halvemaanvormige rijen, straten met grote herenhuizen, mooie pleinen. Waar ik woonde, aan de stadskant van de heuvel onder Green Down, waren pleinen en halvemaanvormige rijen huizen, maar dan van die moderne, half vrijstaande huizen, gedrongen en geel, met gevels van goedkoop nepnatuursteen. De bewoners maakten de lelijkheid goed door zich helemaal in hun voortuinen uit te leven. Je zag er zonnewijzers en vogelbadjes, roze bestrating en felgroene gravel, en in keurige rijen opgestelde regimenten donkerrode salvia's.

'Het enige wat nog ontbreekt is een wenende Jezus,' zei Trish minachtend toen we langs een bijzonder fraai voorbeeld kwamen. Een vissende tuinkabouter boog zich hoopvol over een wensput, een nymf liet water uit een schelp lopen, en rode leeuwenbekjes, gekleurde viooltjes en donkerroze lobelia's vielen uit een stenen kruiwagen.

'Ik vind het mooi,' zei ik nerveus. Er hing een wenende Jezus aan de muur van onze huiskamer en ik begreep niet helemaal hoe die in een tuin zou passen. Onze Jezus had grote treurige ogen en op de prent klopte hij op iemands deur. Hij deed me denken aan een straatverkoper aan het eind van een lange, zware dag. Toen ik jonger was, dacht ik dat hij huilde omdat hij wist dat hij mijn moeder niet thuis zou aantreffen.

Trish gebaarde naar de druppelende nymf, de verstopte tuinkabou-

45

ter en de oversekste leeuwenbekjes. 'Het is kitsch,' zei ze. Ik snapte het verband met Jezus nog steeds niet.

Ons huis was stil en rook naar natte was. Dat deed het altijd, wat voor weer het ook was. Altijd als ik mijn vriendinnen binnenliet door de groene voordeur met zijn ruitvormige, ondoorzichtige glas, was ik me ervan bewust hoe klein het was. Vooral Trish' huis in Midcombe was mooi: een oude pastorie met uitzicht op rozen en open landschap. Het grote moderne huis van Poppy aan de andere kant van Green Down was door een architect ontworpen en stond op bijna vierduizend vierkante meter van onberispelijke gazons en terrassen, verscholen achter hoge pijnbomen.

Mijn vader had het grootste deel van onze kleine tuin met beton bedekt en er voordat het hard werd golvende lijnen in getrokken om het er als fantasiebestrating uit te laten zien. Mijn moeders kamer was benauwd, warm en muf. Ik meende er een vleugje parfum te kunnen ruiken, alsof ze er wat van gemorst had toen ze hem tien jaar geleden voor het laatst had verlaten.

'Leg de verrekijker hier neer,' zei Trish, die zoals gewoonlijk de leiding nam en naar het raam liep.

'Straks ziet hij hem nog,' protesteerde Poppy.

'Niet als je het gordijn een stukje dichttrekt en hem eronderdoor steekt.' Trish stond op het punt zich achter de verrekijker op te stellen, maar Poppy duwde haar opzij.

'Hij is van mijn vader. Ik mag eerst.' Ze knielde op de vloer neer. 'Hij is nog niet terug. Maar ik kan een poster van Led Zeppelin aan de muur zien.' Een pluk rood haar had zich weer in haar mond genesteld en ze kauwde er ritmisch op. 'En er staat een gitaar in de hoek.'

'Wacht,' zei Trish. 'Hij komt eraan.'

Ik zag het busje van zijn baas boven aan de straat wegrijden. Hij liep ontspannen, nonchalant. Ik vroeg me af of hij zijn avond aan het plannen was – een kroeg, met zijn vrienden, een afspraakje met een meisje misschien. We hadden Gary nooit met een vriendin gezien, maar dat betekende niet dat die er niet was. Hij liep veerkrachtig het tuinhek door. Vijf lange minuten kropen voorbij. Misschien zette Gary's moeder een kop thee voor hem en vroeg ze hoe zijn dag was geweest.

'Schiet eens op,' mompelde Poppy door opeengeklemde tanden. Een ogenblik later fluisterde ze: 'Ja...' Trish en ik zaten op de vloer onder de vensterbank gedoken op onze beurt te wachten en konden amper stilzitten.

'Hij is in de kamer,' meldde Poppy. 'Ik kan zien... dat hij zijn T-shirt uittrekt.' Stilte. 'Aaahh...'

'Wat zie je?' vroeg Trish.

'Zijn prachtige borst,' zei Poppy. 'Zijn prachtige, prachtige borst. O!'

'Ja?' zeiden we in koor.

'Hij heeft een harig driehoekje, precies bovenaan,' zei Poppy op teleurgestelde toon. 'Dat is me nooit eerder opgevallen.' We stelden borsthaar niet op prijs. 'Hij is nu weg om zich te wassen.'

'Geef iemand anders een kans,' zei Trish. 'Je hebt je beurt gehad.'

'Eerst Katie,' zei Poppy. 'Mijn verrekijker, haar huis.'

Ik gleed op mijn plaats. Doordat ik kleiner was, kon ik er knielend niet bij maar moest op de vensterbank gaan zitten en toen leek de hoek van de verrekijker verkeerd. Ik was hem net aan het bewegen om een beter beeld te krijgen toen Gary, bezig zijn oksels af te drogen, weer voor het raam verscheen. Iets leek hem in het oog te vallen en hij deed het raam verder open. Ik richtte de verrekijker zo goed mogelijk op zijn borst – die was niet érg harig – en toen ik hem iets hoger bracht besefte ik dat hij recht naar mij leek te kijken. Ik gaf een gilletje en viel van de vensterbank.

'Wat is er? Wat zag je?' siste Trish.

'Zijn slip?' speculeerde Poppy dromerig.

Maar ik had geen tijd om antwoord te geven want ik hoorde ineens voetstappen op de trap. De slaapkamerdeur zwaaide open en daar stond mijn vader.

Ik zag hem het tafereel opnemen – drie giechelende, half op de grond liggende tieners in de slaapkamer die hij ooit met zijn vrouw had gedeeld. Er viel een afschuwelijke stilte, die eindeloos leek te duren.

'Wat doen jullie hier?' zei hij ten slotte op zachte, kalme toon. 'Katie, je weet dat ik liever niet heb dat je hier komt.'

Trish en Poppy hoorden niets anders in mijn vaders stem dan lichte teleurstelling, maar ik hoorde iets veel gevaarlijkers. Zij kenden mijn vader niet zoals ik hem kende.

'Het spijt me, meneer Carter,' zei Trish. 'We waren gewoon een beetje aan het dollen.'

Mijn vader leek dit rustig op te nemen, alsof hij zich bij de grillen van een paar tieners neerlegde.

'Nou, ik kan jullie beter naar huis brengen,' zei hij. 'En Katie, ga jij maar naar je kamer en begin aan je huiswerk.' Zo zacht, zo redelijk, niemand behalve ik had het begrepen.

'Hij floot terwijl hij ons naar huis reed,' vertelde Trish me de volgende dag. 'Hij leek, nou... een beetje afwezig; hij heeft niets tegen ons gezegd, of zo. Maar hij leek niet boos.' Ze wist niet dat fluiten, door opeengeklemde tanden, betekende dat mijn vader razend was. 'Ik kan niet geloven... nou, hij gedroeg zich helemaal niet alsof hij kwaad was.'

Toen mijn vader terugkwam, liep hij direct de trap op naar mijn kamer. Ik zat op mijn bed en probeerde een hoofdstuk uit mijn geschiedenisboek over de maïswetten te leren, maar ik kon alleen maar denken aan mijn vaders voetstappen op de trap en hoe ze zouden klinken. Hij was nog sneller dan anders; ik had geen enkele kans. Hij kwam naar het bed en gaf me een harde, hevige klap tegen de zijkant van mijn hoofd. Ik werd naar achteren geslagen, stak een arm uit in een poging mezelf te redden en maakte heel even contact met zijn genadeloze rechterhand. Ik knalde tegen de ingelijste foto van mijn moeder op het nachtkastje. Hij viel op de vloer en de lijst en het glas versplinterden.

Het enige wat mijn vader zei, was: 'Raap dat op.' Hij beefde. Toen verliet hij de kamer.

Mijn hoofd zong van pijn. Ik ging achterover op mijn bed liggen, haalde snel adem en voelde geen verbazing, alleen de gebruikelijke leegte. Ik wachtte tot ik me minder duizelig voelde. Toen raapte ik de foto van mijn moeder op, schudde het kapotte glas in de prullenbak en nam me voor niet op blote voeten te lopen voordat ik goed gestofzuigd had. Ik zette de gebroken lijst en de foto terug op mijn nachtkastje, liet het tegen de lamp leunen.

Een deel van het lege gevoel was honger, maar ik durfde niet naar beneden te gaan. Mijn hart bonsde nog, maar ik dwong mezelf het geschiedenishoofdstuk af te maken en voor aardrijkskunde een kaart van het Somerset Kolenveld te tekenen voordat ik in bed kroop. Het was nog licht buiten. Ik lag een poosje wakker en luisterde naar de geluidsinstallatie beneden waarop Bobby Darin en Roy Orbison werden gedraaid. Het was natuurlijk mijn schuld. Ik had Trish en Poppy niet mee naar huis moeten nemen.

Maar ik bleef ook aan het gezicht van Gary Bennett denken. Ik dacht dat hij me door de verrekijker recht had aangekeken. Ik wist zeker dat hij had geknipoogd.

5

Wanneer Gary Bennett naar me toe komt, is mijn achterwerk het eerste wat hij ziet. Ik sta voorovergebogen de veters van mijn schoenen dicht te knopen. Hij zal me waarschijnlijk voor eeuwig onder billen registreren.

Ik kom overeind, terwijl ik mijn best doe om niet te laten merken hoe geschokt ik ben door het horen van zijn naam en hij neemt zijn helm af alsof hij hem oplicht voor een dame. Ik herken hem onmiddellijk. Hij moet nu in de veertig zijn, maar hij heeft nog steeds het gezicht van een Romeins standbeeld, dezelfde stevige kaak, gebeeldhouwde mond en een knobbel midden op zijn neus, en dezelfde humoristische uitdrukking die je laat weten dat hij de wereld niet al te serieus neemt. Aan weerskanten van zijn mond staan diepe lijnen gegrift, en zijn haar is anders, heel kort geknipt en zilvergrijs. Het staat hem, hoewel ik die mooie donkerblonde krullen mis.

Hij herkent me niet, godzijdank. Waarom zou hij trouwens? Mijn naam is veranderd en ik ook. In die tijd droeg ik lang haar als een gordijn rond mijn gezicht en had zelden het lef om iemand in de ogen te kijken. Bovendien betwijfel ik of hij ooit zo goed naar mij heeft gekeken als ik naar hem, aan de overkant van de straat zonder dat hij wist dat ik hem gadesloeg. Ik had die gelaatstrekken net zo nauwkeurig kunnen schetsen als ik het Somerset Kolenveld natekende uit mijn aardrijkskundeboek. De contouren van zijn naakte borst kende ik zelfs nog beter.

Hij lijkt sinds die tijd een beetje dikker te zijn geworden, hoewel dat niet heel goed te zien is door het grote gele jack dat hij draagt. Zijn benen zijn stevig in de met modder bespatte spijkerbroek, en ik merk ineens dat hij gekrompen is. Nee, ik zal wel gegroeid zijn. Ik dacht toen dat hij groot was en lange ledematen had, maar in feite had hij niet meer dan een gemiddelde lengte. Hij heeft een puistje aan de zijkant van zijn kin, dat door de namiddagbaard heen komt.

Hij steekt zijn hand uit om de mijne te schudden.

'Kom mee naar de vergaderruimte,' zegt hij. 'De ketel staat op het vuur.'

Nee, geen zweem van herkenning op dat verweerde gezicht. Als jij geweest was waar je had horen te zijn, al die jaren geleden, was alles anders geweest.

'Goeie reis gehad? Van ver gekomen?' vervolgt hij, terwijl hij beleefd wacht tot ik de veters van mijn tweede schoen heb gestrikt. Wanneer ik overeind kom, zie ik een lichte zweem van verontrusting in zijn gezicht. 'Ik neem je maandag mee onder de grond. We hebben geen haast. We hebben vanmiddag veel door te nemen; vrijwel het hele team is bij de bespreking aanwezig. Het wordt niet al te technisch.'

Is dit neerbuigend bedoeld? Hij moet toch beseffen dat ik in technisch opzicht misschien nog wel beter ben dan hij – het is mijn vak. Maar het heeft geen zin er een punt van te maken, of op mijn eerste dag arrogant over te komen, ook al wil ik door Gary Bennett niet behandeld worden als een of ander dom blondje. Ik ben al geschrokken van de manier waarop hij zijn helm voor me afnam. Om iets duidelijk te maken, haal ik mijn eigen helm uit de auto en plant hem stevig op mijn hoofd voordat we op weg gaan naar het kantoor.

Hij gaat me voor over de verharde ondergrond langs stapels houten pallets, en stalen en houten stutten, naar de dichtstbijzijnde en grootste stalen bouwkeet. Ondanks alle werktuigen gebeurt er niet veel. Het project wacht nog steeds op officiële goedkeuring van de overheid, waardoor het geld zal vrijkomen. Tot het zover is, kunnen we alleen aan de meeste urgente zaken werken, dat wil zeggen, zorgen dat de gevaarlijkste plekken onder de grond gestut worden.

Een smalle trap leidt naar een open deur. In een hoek van de keet is een kitchenette, en een man in een grijze trui vult zijn mok uit een grote kruik met heet water. Hij draait zich om en glimlacht even naar me.

'Koffie of thee?'

'Rupert,' zegt Gary, 'dit is mevrouw Parry, onze nieuwe mijnbouwkundig ingenieur. Rupert is onze vleermuisexpert.'

Zijn haar heeft dezelfde kleur grijs als zijn trui en vormt een warrige bos boven zijn lange gezicht. Hij ziet eruit alsof hij niet genoeg zonlicht krijgt, en zijn uitgestoken hand voelt droog en papierachtig aan. Ik verwacht bijna geritsel te horen.

'Jij bent ook vroeg,' zeg ik.

Oeps, foutje. Met mijn koffie krijg ik een ijzige blik van hem.

'Sorry,' voeg ik eraan toe. 'Ik neem aan dat de vorige mijnbouwkundig ingenieur dezelfde opmerking heeft gemaakt. De beroepsgroep is vermoord om zijn fantastische humor.'

'Ik respecteer het werk dat je hier gaat uitvoeren,' zegt hij. Hij heeft een hoge, doordringende, geaffecteerde stem waardoor iedereen om zich heen kijkt. 'Vergeet alleen niet dat de wet vereist dat je de vleermuizenkolonies respecteert.'

De mijnen bieden onderdak aan verschillende soorten vleermuizen

– sommige zeer zeldzaam – die allemaal beschermd zijn en in deze tijd van het jaar hun winterslaap houden. Rupert neemt zijn werk inderdaad serieus als hij midden in de winter naar de planningbesprekingen komt. Gary pakt me bij mijn elleboog en leidt me resoluut naar de vergaderruimte.

'Maak je geen zorgen,' mompelt hij. 'Hij is obsessief. Zo doet hij tegen ons allemaal.'

Net zo resoluut maak ik mijn elleboog uit Gary's hand los door hem eenvoudigweg mijn koffie te overhandigen, zodat ik mijn jack uit kan trekken. Terwijl ik dat doe, zie ik aan de andere kant van de tafel een vent met lang, vlassig haar en een neus als van een kameel, opkijken. Zijn ogen blijven ergens op borsthoogte hangen.

De vergaderruimte is luxueuzer dan ik had verwacht. Een kachel blaast warme lucht, op borden hangen tekeningen en foto's van het werk in uitvoering en de tafel en stoelen zijn niet eens getatoeëerd met het gebruikelijke aantal koffiekringen. Aan een van de wanden hangt een wit projectiescherm. Er lopen ongeveer vijftien mensen rond die fleecejacks en fluorescerende jacks over hun stoelleuningen hangen. De man in de hoek die een laptop openmaakt, zou de hydrogeoloog kunnen zijn, die voorbereidingen treft om zijn grafieken en diagrammen te laten zien van de waterloop door de spelonken; hij is een van de diverse specialistische adviseurs. Vlashaar zou de archeoloog kunnen zijn; archeologen zien er meestal niet uit. Alle andere aanwezigen zijn mannen, wat nauwelijks een verrassing is.

Ik heb nooit kunnen wennen aan eerste dagen, dagen waarop je probeert uit te vissen wie aan je kant zou kunnen staan en wie eigenlijk vindt dat je niet in het team thuishoort. Toen ik na mijn studie een vervolgopleiding deed op de Camborne Mijnschool was ik de enige vrouw in mijn klas. Je hoort niet veel meisjes zeggen: als ik groot ben, wil ik mijnbouwkundig ingenieur worden. Ook niet veel jongens, trouwens, nu we nog amper een nationale mijnindustrie hebben. De meeste banen betreffen het veilig maken van allang in onbruik geraakte mijnen; de echte carrièremogelijkheden zijn in het buitenland te vinden. Mijn voorganger heeft een veel aantrekkelijker aanbod gekregen en is vorige week naar Zaïre vertrokken, waar hij twee keer zoveel verdient als ik hier.

Meestal ken ik minstens één lid van het team wanneer ik aan een nieuwe baan begin, maar dat is nu niet het geval – tenzij je Gary Bennett meetelt, die niet weet dat ik hem ken. Dus wat zouden ze allemaal denken? Een vrouw, verdomme; waarom moet ons dat nou net overkomen? Of: god, dat zal wel een harde tante zijn. Ik heb liever iets in de richting van: ze ziet eruit alsof ze weet wat ze doet, want dat is ook zo. Vandaag moet ik mezelf daar gewoon aan blijven herinneren.

Wanneer ik een stoel onder de tafel vandaan trek, komt een grote zware man op me af lopen. Hij heeft een snor die eruitziet alsof iemand hem voor een gekostumeerd bal in de jaren zeventig op zijn gezicht heeft geplakt en hij vergeten is hem eraf te halen. Mijn hoofd komt ongeveer tot het RockDek-logo op zijn donkerblauwe fleecejack.

'Brendan,' zegt hij, met een licht Schots accent. 'McGill.' Hij scheidt de namen alsof ik zou moeten weten wie hij is. 'Mijnmanager,' voegt hij er behulpzaam aan toe wanneer ik niet reageer.

Ik moet mezelf onder controle krijgen. De ontmoeting met Gary heeft me echt van de wijs gebracht. Ik gedraag me als het soort leeghoofd dat elke avond haar helm staat te poetsen in plaats van als een vrouw met tien jaar ervaring in het stutten van grote gaten in de grond.

'Zorgt Gary goed voor je?' vraagt Brendan.

'Eh... ja. Prima.'

'Ik zou niet weten wat we zonder hem moesten.' Brendan geeft Gary een vriendelijke, mannelijke klap op zijn schouder. 'Hij is de enige van ons allemaal die hier ook vandaan komt, en hij heeft in de groeven bij Corsham gewerkt. Kijk, ik beschouw mezelf ook wel een beetje als een kenner als het om kalksteen gaat, maar...'

Mijn hersenen komen eindelijk weer in actie. 'Natuurlijk,' zeg ik, 'heb jij niet aan de Gilmerton-instorting gewerkt?'

Dat lucht hem kennelijk op. De vrouw is blijkbaar toch geen leeghoofd. 'Ja, met Ron Bailey. Hij heeft een hoge dunk van je.'

Dat zou hij niet hebben als hij zou zien hoe ik vanmiddag bezig ben.

'Ik heb gehoord dat het Ron was die zei dat de instorting niet bij Ferniehill zou ophouden.'

'Laten we maar hopen dat zoiets hier niet gebeurt,' zegt Brendan. Hij heeft zachte caramelkleurige ogen die heel goed bezorgd kunnen kijken. 'Er staan zeshonderd huizen op deze uitgravingen.'

Gilmerton is berucht. Het was een oude kalksteenmijn, zoals deze, onder een aantal woonwijken die in de jaren zestig ten zuiden van Edinburgh waren gebouwd. Op een koude ochtend in november begonnen de bewoners van Ferniehill scheuren te zien in hun knusse kleine bungalows. Binnen een paar dagen werd duidelijk dat de hele straat langzaam in de grond wegzonk. De gemeente moest uiteindelijk zo'n vijfhonderd mensen evacueren, en heeft heel wat huizen en flats gesloopt.

'Eng,' zeg ik.

'Vooral als je onder de grond bent wanneer het gebeurt.'

'Maar er was niemand onder de grond, toch, in Gilmerton?'

'Er was één slachtoffer. Een goudvis die een van de geëvacueerde gezinnen in een emmer buiten had laten staan. Bevroren.'
Gary en ik moeten lachen. Maar ik heb medelijden met die arme goudvis.
'Maar goed,' zegt Brendan zelfingenomen, 'we moeten veilig genoeg zijn met mijn kleine hightechkanaries.'
Deze vergadering is onder andere bedoeld om na te gaan of het nieuwe type alarmsysteem dat Brendan installeert goed werkt. Een netwerk van monitors moet op basis van microseismische analyse de miniemste bewegingen in het gesteente, die op een onmiddellijke instorting kunnen wijzen, signaleren en melden. Op Gary's gezicht is nog geen fronsje verschenen, maar aan zijn plotseling nietszeggende, beleefde uitdrukking kan ik zien dat hij niet helemaal overtuigd is.
'Volgens Roy was je niet meteen in voor deze klus, toen hij je er voor het eerst over belde,' zegt Brendan. De zachte karamelogen staan ineens niet zo zacht meer en kijken me strak aan. 'Waardoor ben je van gedachte veranderd?'
'Het geld, natuurlijk.'
Brendan grijnst. 'Een vrouw met gevoel voor humor, dat mag ik wel. En niet bijgelovig, merk ik.'
'Bijgelovig?'
'Op vrijdag aan een nieuwe baan beginnen. Misschien betekent dat alleen iets ten noorden van de grens. Mijnwerkers in Lanarkshire, waar ik ben opgegroeid, zouden nooit op een vrijdag aan een niewe klus beginnen.'
De raaf scheert over de open plek en landt met klapwiekende vleugels. Mijnwerkers gaan niet onder de grond als ze een vogel bij de ingang van de mijn zien: het kondigt een instorting aan.
'Ik ben niet bijgelovig,' zeg ik. Als om dit tegen te spreken, zie ik vanuit mijn ooghoeken een gekleurde flits van kleur die me aan het schrikken maakt. Aan de andere kant van het vertrek heeft iemand net een kaart van de groeve op het scherm geprojecteerd. Het ziet er zo ingewikkeld uit als een kaart van de Londense ondergrondse, in bijna net zoveel kleuren; de tunnels gaan eindeloos door, doorzeven de hele heuvel. Brendan merkt mijn schrik op en trekt er de verkeerde conclusie uit.
'En dat zijn alleen de tunnels die we kennen,' zegt hij. 'Er kunnen er nog veel meer zijn. In dit gebied is sinds de Romeinse tijd gegraven.'
De adviseur controleert de werking van de muis; de cursor gaat besluiteloos heen en weer en begint dan van noordwest naar zuidoost te kruipen. Mijn hart gaat tekeer en ik krijg het benauwd. *Crow Stone...*
'En gaan we ze allemaal opvullen?' zeg ik, in mijn wanhoop om iets

te zeggen, mezelf af te leiden, net wanneer alle anderen ophouden met praten. Het kwam er helemaal verkeerd uit, dommig, alsof ik mijn huiswerk niet heb gedaan. Iedereen lacht. Wanneer we allemaal zitten en Brendan iedereen begint voor te stellen, staan hun ogen nog steeds geamuseerd. Ik wil geloven dat het vriendelijk bedoeld was, maar dat is misschien niet zo, want ik moet net zo goed weten als zij dat we jaren voor de boeg hebben van stalen stutten bouwen en schuimbeton pompen, tot de ondergrondse holten solide en stabiel zijn.

Begraaf ze en alle geheimen die ze bewaren voor altijd, altijd, altijd...

Een van de adviseurs – ik heb zijn naam gemist en ben bang dat ik overkom als een vreselijke trut – is aan het belangrijkste onderwerp van die middag begonnen. Het project is een samenwerkingsverband tussen diverse partners. Deze vent is van Garamond, het technisch bureau dat de algemene strategie heeft ontworpen; Brendans team, waar ik onder val, werkt voor Rockdek, een mijnbedrijf dat als onderaannemer is aangetrokken om de stabilisatie uit te voeren. Op het scherm aan de wand is nu een plattegrond van Green Down over de kaart van de ondergrondse gangen gelegd.

'Gewichtsbeperkingen op de hoofdweg en op Stonefield Avenue?' zegt Brendan. Zijn jaren-zeventigsnor gaat hangen van afkeuring. 'Dat betekent dat we de busroute moeten omleggen. Over een paar weken hebben we weer een informatieavond voor de bewoners en ze zullen niet blij zijn als ze te horen krijgen dat ze een halve kilometer extra naar de bushalte moeten lopen, of dat ze hun nieuwe fornuis niet kunnen laten bezorgen omdat er geen vrachtwagens over de hoofdweg mogen rijden. Wil je zeggen dat het instortingsgevaar van de groeven groter is dan je eerst dacht?'

Brendan en Gary, heb ik gemerkt, zijn de enigen die de ondergrondse uitgravingen consequent groeven noemen. Alle anderen noemen ze mijnen, hoewel ze dat in technisch opzicht niet zijn. Van wat ik me herinner van Brendan te hebben gehoord, is dat kenmerkend: hij heeft de reputatie een manager te zijn die details belangrijk vindt. Daarom nemen mensen hem in dienst. Hij heeft een van de beste veiligheidsprestaties in de branche, zelfs toen hij in het buitenland werkte, waar risicobeheersing niet alleen zo zeer maar helemaal niet op het prioriteitenlijstje staat.

'De gewichtsbeperking is alleen een voorzorgsmaatregel,' zegt de adviseur. 'Daarin wordt een nieuwe theorie over mogelijke vorstschade meegenomen. Maar ik hoorde ook dat er vorige week lichte paniek was toen het alarmsysteem beweging in het gesteente registreerde.'

'We krijgen veel valse meldingen van de trillingsmeters,' zegt Gary. 'Als we de drempel niet kunstmatig hoog houden, zou het alarm voortdurend afgaan.'

'Wat heeft het alarmsysteem dan voor zin?' zegt de adviseur.

'Het probleem is dat we zo dicht bij de oppervlakte zitten, dat de sensoren al reageren als er een vrouw met een wandelwagen voorbijkomt. Ik overdrijf nu, maar...'

'Je overdrijft,' zegt Brendan op de kalme maar licht wanhopige toon van iemand die weet dat hij gelijk heeft en alle anderen ernaast zitten. 'We zien de voordelen vanzelf wanneer het hele netwerk geïnstalleerd is. Natuurlijk zijn er wat kinderziekten voordat we het systeem goed hebben afgesteld.'

'Mevrouw Parry?' zegt de adviseur. 'Hebt u eerder met dit soort alarmsystemen gewerkt?'

'Ze worden hier niet veel gebruikt,' zeg ik, met het onzeker makende gevoel dat dit weer een test is waarvoor ik ga zakken. 'Dit is een Australisch systeem, niet?'

'Dat elke keer afgaat wanneer er een kangoeroe voorbij komt springen,' mompelt iemand anders. Brendan werpt Gary een blik toe.

'Brendan heeft gelijk,' zegt Gary, trouwe paladijn. 'Kinderziekten, dat is alles. Op den duur kan het levens redden, en dat moet toch de moeite waard zijn.'

Rupert, met zijn schrille stem, komt met een niet ter zake doende opmerking wanneer hij klaagt over de mogelijkheid dat het voortdurend afgaande alarm de vleermuizen in hun winterslaap zal storen.

De warmte in het vertrek maakt me slaperig, en mijn ogen dwalen naar het donker wordende raam, dat uitkijkt op het speelterrein. Het moet inmiddels moeilijk zijn voor de voetballertjes om de bal nog te zien. Hun hollende voeten bonzen op een dunne korst aarde waaronder zich een honingraat bevindt van galerijen en pilaren, modderige ondergrondse paden die de werkers in de steengroeven wegen noemen, hopen afvalstenen, kilometer na kilometer...

Iemand kijkt naar me.

Vanuit mijn ooghoeken zie ik de archeoloog met het vlassige haar naar me staren. Zijn mond is een harde streep. Hij is begin dertig, schat ik, jonger dan ik, met grote roodomrande neusgaten en een gezicht dat aan het uitzakken is, als een onstabiele helling. Hij kijkt snel in zijn papieren wanneer hij beseft dat ik zijn blik heb opgevangen. Ik wend mijn ogen af en zie over zijn schouder een schimmige, tengere vrouw met donker haar van de vensterruit naar me terugstaren. Van deze afstand zou zij ook begin dertig kunnen zijn, hoewel die bleke huid haar van dichtbij zal verraden. In haar ogen ligt een terughoudende, verdrietige uitdrukking. Ik wrijf met mijn hand over mijn gezicht en zij doet hetzelfde, waarbij ze een sprieterige pony van een hoog voorhoofd naar achteren strijkt. Ze lijkt te zwaaien, en ik vraag me af of zíj weet wat ik hier doe. *Katie, Katie...*

Ik moet mijn aandacht weer op de vergadering richten. Maar zelfs terwijl ik de namen in mijn hoofd probeer te zetten van de verschillende werken die ze bespreken – Stonefield, Mare's Hill, Paradise Woods, Chog Lane – blijf ik de verwijtende blik van mijn spiegelbeeld opvangen. *Wat is er met je? Je hebt wel tien van dit soort projecten gedaan, Kit. Je zou inmiddels moeten weten waar je mee bezig bent.*

De vergadering wordt een uur later beëindigd. Gary loopt met me mee naar mijn auto, voor het geval ik te dom zou zijn om hem zelf terug te vinden. Hij heeft waarschijnlijk gelijk. Ik zou vanmiddag niet verbaasd zijn als ik het voor elkaar wist te krijgen om in het gat midden op het bouwterrein te vallen: een verticale schacht die onze hoofdingang tot de groeve vormt. Gelukkig hebben ze rekening gehouden met stommelingen en baadt het hele terrein in schijnwerperlicht. Ondanks dat licht lijkt uit de ingang van de schacht duisternis op te stijgen.

'Waar logeer je?' vraagt Gary, zoals altijd beleefd. Zijn ogen zijn verborgen onder de rand van zijn helm, ik kan ze niet zien.

'In het Bathford, voorlopig. Een hotel dat ik op het internet heb gevonden.' Ik mag dan geen Afrikaans salaris krijgen, maar het gaat me niet zo slecht dat ik in een pension zou moeten verblijven. 'Ik ga dit weekend op zoek naar een huis. Volgens de makelaars is er genoeg te huur.'

'Heb je al eetplannen voor vanavond?'

'Eh...'

'Ik heb toestemming om je mee uit eten te nemen.... op kosten van het bedrijf,' voegt hij er snel aan toe.

Ik geneer me onmiddellijk. Waarom zou hij op me vallen? Hij moet mijn behoedzame uitdrukking hebben gezien en wilde me gelijk duidelijk maken dat het een officiële taak is, geen versierpoging. Maar toch... wat ik voor vanavond in gedachten had, was een ontspannend bad en een rustige avond in mijn eentje.

Rustige avondjes geven je echter veel te veel tijd om na te denken. En hoewel het Gary Bennett is, een deel van mijn verleden, hoewel hij dat niet weet, kan ik hem wel op ijs zetten, net als die goudvis in Gilmerton. We zijn collega's. We zullen maanden, misschien wel jaren, moeten samenwerken, en ik kan er maar beter aan wennen. Dus tover ik een glimlach op mijn gezicht.

'Dat lijkt me heel prettig.' Achter hem zie ik een gestroomlijnde zwarte auto over het harde terrein in onze richting hobbelen. 'Maar ik ga eerst even naar het hotel. Ik moet een paar mensen bellen.' Als hij wil denken dat het een echtgenoot en kinderen zijn, dan gaat hij zijn gang maar.

Gary grijpt me bij mijn arm, net te laat. De zwarte auto rijdt dwars door een plas en ik ben doorweekt.

'Idioot,' snauw ik. De klootzak had het gemakkelijk kunnen voorkomen. 'Wie was dat?'

'Dickon,' zegt Gary. 'De archeoloog.'

'Rijden kan hij niet, helaas.' Ik trek aan mijn kletsnatte broekspijp.

'Ik haal je rond halfacht op, goed?' vraagt Gary. 'Is het dat hotel bij de dam?'

'Ja.' Ik heb geen idee, eerlijk gezegd, maar het feit dat het Weir House heet maakt dat wel aannemelijk. Ik geef hem voor de zekerheid nog mijn mobiele nummer.

Terwijl ik wegrijd, zie ik in mijn achteruitkijkspiegel dat hij me nakijkt. Dan draait hij zich om en loopt naar een SUV die zo onder de modder zit dat hij uit de grond lijkt te zijn gekropen. Wanneer ik het terrein af rijd, geef ik aan dat ik linksaf ga en hoop maar dat het de goede richting is voor het hotel. Gezien mijn gedrag vanmiddag betwijfel ik het.

6

Toen ik de ochtend nadat mijn vader me had geslagen wakker werd, klopte de zijkant van mijn hoofd en zag ik, toen ik mijn haar voorzichtig naar achteren streek, een paarsbruine plek tevoorschijn komen. Het was te gevoelig om de haarborstel erdoor te halen; ik trok mijn haar voorzichtig in een paardenstaart, wikkelde er een lint omheen en liet de kortere plukken aan de zijkanten naar voren vallen. Rommelig, maar normaal.

Toen ik beneden kwam, was hij al naar zijn werk. Ik deed cornflakes en melk in een kom, maar toen ik de lepel pakte, had ik geen zin om te eten. Ik lepelde het uit de kom de vuilnisbak in.

Onder de brij cornflakes in de vuilnisbak zag ik iets glinsteren: glasscherven. De foto van mijn moeder in de gebroken lijst was van mijn nachtkastje verdwenen. Mijn vader moest mijn kamer zijn binnengekomen terwijl ik sliep. Ik stelde me voor hoe hij het glas zachtjes had opgeveegd om mij niet te storen, hoe hij naar mijn ademhaling had geluisterd en de versplinterde stukken van de lijst teder in elkaar had gepast.

Toen ik naar buiten liep, zag ik Gary aan de overkant uit het tuinhek van de Bennetts komen. Hij deed het hek niet achter zich dicht; hij was nog bezig zijn ene arm in zijn spijkerjack te krijgen. Misschien had hij zich verslapen. Even keken we elkaar aan. Hij knikte kort, op een soort gegeneerde manier, en liep toen snel de straat uit.

Had hij me de avond ervoor gezien? Ik herinnerde me hoe zijn ogen door de verrekijker recht in de mijne hadden gekeken. Misschien hadden de lenzen het licht opgevangen en me verraden. Ik volgde hem door de straat. Aan het eind ging hij linksaf naar de bushalte, en ik ging rechtsaf, heuvelopwaarts, naar Green Down en school.

In de zomer wandelde ik graag, en ik dacht aan ammonieten om het steile deel op te komen. Ik wist dat ze diep in de grond onder de bestrating begraven lagen. Soms wou ik dat ik me kon opkrullen en miljoenen jaren ergens verborgen kon liggen, net als zij.

Trish zou, vanuit het zuiden komend, zwoegend bezig zijn de andere kant van de heuvel te beklimmen. Als ik op tijd was, zouden we elkaar boven aan de heuvel treffen en samen door het dorp lopen. Ik was later dan anders. Ik dacht niet dat ze op me zou wachten. Ik zag haar vaak voor me lopen en moest dan rennen om haar in te halen.

Ik zag een stuk of tien groene blazers de heuvel op komen, en nog een paar verspreid langs de hoofdweg naar school lopen, maar geen spoor van Trish met haar dikke vlecht van donker haar. Toen ik dichter bij St. Anne's kwam, waren er steeds meer groene uniformen. Het was als zoeken naar graptolieten in gesteente; eerst zie je er geen een, dan stelt je oog zich erop in en zie je ze in enorme hoeveelheden naar je knipogen. Ik liep de schoolpoort door en probeerde eruit te zien als alle anderen.

'O rose, thou art sick,' zei mevrouw Ruthven, de lerares Engels, terwijl haar ogen strak door het raam van het klaslokaal gericht waren op de beukenbomen buiten. Uit mijn ooghoeken zag ik Trish een vinger naar haar mond brengen om te doen alsof ze moest kotsen. Poppy, een en al lange benen en sproeterige armen, trok haar schouders op om gegiechel te verbergen. Mevrouw Ruthven verplaatste haar gewicht – haar ene been was korter dan het andere en ze droeg een speciale schoen met dikke zool – en vervolgde zonder er iets van gemerkt te hebben:
'The invisible wórm
That flies in the night,
In the howling stórm...'
We deden de romantische dichters dit trimester, en ik vond Wordsworth saai, soms te moeilijk om te begrijpen maar vooral gewoon flauw. De korte zinnen van Blake bleven echter in je hoofd zitten en klopten daar, ook al wist je niet altijd precies wat ze betekenden.
'... has found out thy bed
Of crimson jóy.
And his dark secret love
Does thy life destróy.'
Draaiend op de schoen met de dikke zool zwenkte mevrouw Ruthven terug naar de klas. 'Waar gaat dat over, Trish Klein?'
Ze had het wél gemerkt.
'Over seks, mevrouw Ruthven.' Op Trish' gezicht lag haar onschuldigste uitdrukking.
Mevrouw Ruthven zuchtte. Ze was een van de jongere leraressen, wat betekende dat we nog niet bang van haar waren. Ze was ook onze klassenlerares en leerde snel dat het een vergissing was om al te kameraadschappelijk te zijn.
'Aardse liefde, ja, maar wat nog meer?'
Stilte. Iedereen keek in zijn boek, in de hoop geen beurt te krijgen.
'Waar hebben we het vorige week over gehad?' Ze keek naar de rijen uitdrukkingsloze gezichten. We hadden de leeftijd nog waarop we

dachten dat poëzie iets was om uit je hoofd te leren, niet om te bespreken. 'Heb ik niet gezegd dat je de romantici niet kunt scheiden van de politieke en industriële omwentelingen die in die tijd plaatsvonden? Je zou de roos kunnen zien als letterlijk ziek, vergiftigd door de industriële revolutie. Het is een metafoor die op vele niveaus werkt. Hoe weten we verder dat Blake geïnteresseerd was in de industriële revolutie?'

Niemand anders zou antwoord geven, dus stak ik mijn vinger op.

'Donkere satanische fabrieken?'

'Heel goed, Katie. Het gedicht dat we vorige week hebben behandeld, dat jullie kennen als een hymne. "Jeruzalem". Blake roept een vroeger, onschuldiger tijd op, voordat de mens het landschap met littekens bedekte. Hij noemde zijn gedichten "Songs of Innocence and Experience".'

Poppy en Trish gaven elkaar onder hun tafeltjes briefjes door. Poppy's ouders waren de vorige avond teruggekomen uit Schotland en ze hadden Poppy beloofd dat ze in het weekend een paar vriendinnetjes mocht uitnodigen. Natuurlijk had ze mij uitgenodigd, maar ik was niet degene met wie ze overlegde over de rest van de gastenlijst.

'Blake woonde in Londen, maar wat zou hij hebben aangetroffen als hij naar Green Down was gekomen? Want wij wonen, weten jullie nog, boven op een van de eerste grote industriële landschappen van de achttiende eeuw.' Mevrouw Ruthven had het moeilijk. Haar mascara was uitgelopen. Haar zinnen bleven aan het eind omhoog gaan, alsof ze bang was dat we haar zouden tegenspreken. 'De ondergrondse steengroeven, weten jullie nog?'

De bel ging, waardoor ze midden in haar zin bleef steken. Hierop volgde het gebruikelijke geknal van de kleppen van de tafeltjes terwijl iedereen zo snel mogelijk het klaslokaal verliet om naar beneden te gaan voor de lunch en de beste tafels in de wacht te slepen.

'Katie,' zei mevrouw Ruthven toen ik opstond. 'Kan ik je even spreken?'

Ik zag Poppy en Trish al in de duwende en trekkende groep voor de deuropening staan. Ze keken niet eens achterom, vroegen zich niet af waar ik was.

'Ja, mevrouw Ruthven?'

Ze keek weer uit het raam, wachtte tot de laatste leerling de deur uit was en wij alleen waren. De schoen met dikke zool tikte streng op het parket.

'Het gaat niet zo goed dit trimester, hè, Katie?'

Ik voelde mijn hals en wangen rood worden.

'Hoe bedoelt u?'

'Doe niet alsof je dat niet weet. Je bent een van de beste leerlingen van je klas. Maar de laatste tijd is dat niet meer aan je cijfers te zien.'

'Het spijt me, mevrouw Ruthven.'

'Als je klassenlerares maak ik me zorgen wanneer andere leraren over je beginnen te praten als een leerling die... nou, het niet slecht doet, maar haar belofte ook niet waarmaakt. Vooral wiskunde is een probleem, en dat heb je nodig als je natuurwetenschappen wilt studeren... Vind je het moeilijker? Is er iets wat je niet begrijpt?'

'Nee.' Zelfs als er iets was geweest, had ik dat niet durven bekennen. 'Echt. Ik begrijp het allemaal.'

'Wat is je verklaring dan? Is het moeilijk voor je geweest om alles in te halen nadat je het vorige trimester ziek bent geweest?'

Ik staarde naar mijn voeten. 'Ik weet niet.'

'Is thuis alles goed?'

'Prima.' Ik keek wanhopig in de richting van de deur terwijl ik iets anders probeerde te bedenken wat ik kon zeggen. 'Echt, het gaat allemaal prima.'

'Nou, ik verwacht iets beters van je. Misschien moet ik eens met je vader praten.'

'Nee,' zei ik. 'Ik zal beter mijn best doen. Echt.'

Mevrouw Ruthvens lippen namen de vorm aan van een streep onder een optelsom en keek me treurig aan. Ik dacht dat ze nog iets zou zeggen, maar ze pakte haar aktetas op en hinkte de deur uit.

Ik had niet gelogen. Ik had geen moeite met wiskunde. En thuis was alles zoals het altijd was geweest. Maar nu de avonden lichter werden, leek er niet veel tijd te zijn voor huiswerk. Trish en Poppy hadden na school nooit haast om naar huis te gaan. Maar Trish zeilde ook overal doorheen, en als dat niet zo was, leek niemand dat erg te vinden, zoals mijn vader het wel erg zou vinden.

De kantine, met zijn houten lambrisering en zijn reproducties van prerafaëlitische schilderijen, was zo lawaaiig als een volière. Op elke bank zaten meisjes, giechelend en gillend en kletterend met bestek. Aan de tafel waar Trish en Poppy zaten, was geen plaats meer.

'Hadden jullie geen plek voor me vrij kunnen houden?'

'Sorry,' zei Poppy, 'we moesten doorschuiven van Pauline Jagger toen haar vriendinnen kwamen.'

Ik zag een plekje aan een tafel aan de andere kant van de zaal, onder Rosetti's *De beminde*. Er zaten allemaal meisjes van een klas hoger, die ik geen van allen kende. Met een ellendig gevoel ging ik op het uiteinde van de bank zitten. De oudere meisjes schoven met tegenzin op om plaats te maken. Aan de andere kant van de zaal zaten Poppy en Trish, hun hoofden bij elkaar gestoken, ergens om te lachen. Ik boog mijn hoofd naar mijn bord.

Tijdens het speelkwartier mochten we naar het sportveld, als we maar aan de rand bleven en het gras niet beschadigden. Ik haalde Trish en Poppy in toen ze daarheen op weg waren. We gingen meestal naar een plek bij de tennisbanen, waar een grasachtige verhoging onder de bomen was. We waren die als onze plek gaan beschouwen.

'Oprotten,' zei Trish tegen een groep negenjarigen, die een soort kasteelvrouwtje speelden. Ze verspreidden zich, en probeerden daarbij te doen alsof het sowieso de volgende fase van hun spelletje was.

Het was een warme, drukkende middag, met regen in de lucht. De paardenkastanjes rond de sportvelden stonden in bloei en hun witte kaarsen gloeiden tegen de donkergrijze lucht. In de verte was gegons te horen: de zagen van de steengroeve onder aan de heuvel.

Trish plukte madeliefjes. Ze begon ze in Poppy's haar te vlechten. Poppy zuchtte een beetje en deed alsof ze zich achterover op Trish' schoot liet vallen. Een worm van jaloezie kronkelde in mijn ingewanden.

'Ik heb een exemplaar van *Lady Chatterley* gevonden, achter in mijn moeders breikast,' zei Trish tegen Poppy, 'en je raadt nooit waar de jachtopziener de madeliefjes stopte.'

Mijn hart klopte in mijn keel. Het duwde de woorden naar buiten van de plek waar ze zich gewoonlijk verborgen. 'Mijn vader heeft me gisteren geslagen.'

Zo, nu had ik hun aandacht.

De rest van de dag kon Trish het onderwerp maar niet laten rusten.

'Hoe vaak slaat hij je?'

'Niet vaak.'

We waren op weg naar het natuurkundelokaal voor meer biologie. Het gerucht ging dat de voortplantingsorganen van het konijn het enige spannende waren wat we dit trimester konden verwachten; we gingen nu over op de schapenlong. Poppy had met een meisje uit een klas hoger gepraat en die had haar gewaarschuwd dat het monster niet al te goed geconserveerd was.

'Hoe vaak is niet vaak precies?' drong Trish aan. Onze schoenen piepten op de glanzend geboende vloer toen we de hoek naar de trap om gingen. Twee paar schoenen; het derde paar, dat van Poppy, bevond zich achter ons in de gang en probeerde ons in te halen.

'Misschien... één keer in de drie of vier weken.'

'De laatste keer dat mijn vader me heeft geslagen, was ik zeven en had ik geld uit mijn moeders portemonnee gestolen. Hij sloeg me op mijn hand met een liniaal.'

'Mijn vader heeft me nooit geslagen,' hijgt Poppy buiten adem achter ons, nadat ze het hele eind door de gang had gerend, met het risico van nablijven. Trish negeerde haar.

'Ik bedoel, je had toch niets verkeerds gedaan.'

'Het gebeurt wanneer hij van streek raakt,' legde ik uit. 'Dan wordt hij kwaad en kan zich niet meer beheersen. Daarna is alles weer goed. Hij meent het niet echt.'

Trish kauwde op haar lip. 'Maar hoe hebben we hem dan van streek gemaakt? We deden helemaal niets.'

Nee, niets, als je door een verrekijker het huis aan de overkant bespioneren in de hoop Gary Bennetts piemel te zien niets vindt.

'Hij wil niet dat iemand in die kamer komt.'

'Maar het is jullie logeerkamer. Hij slaapt er toch niet.'

'Nee.' Ik kon het niet uitleggen. Trish kwam uit een groot, vriendelijk gezin. Ze liepen elkaars kamers in en uit wanneer ze maar wilden.

We liepen de trap op, met Poppy achter ons aan. Ze struikelde terwijl we de hoek om gingen en liet haar boeken vallen, maar Trish bleef niet staan om haar te helpen ze op te rapen.

'Het is een lelijke kneuzing.'

'Het valt wel mee.' Mijn benen deden pijn doordat we zo snel de trap op liepen. Ik had er nu spijt van dat ik het ze had verteld.

'Hij had je wel een schedelbreuk kunnen bezorgen.'

'Zó hard was het nou ook weer niet.'

We waren bij het natuurkundelokaal. Ik zuchtte van opluchting.

Halverwege de biologieles verdeelde juf Millichip ons in groepjes van twee om een ademhalingsexperiment te doen. De schapenlong had zijn opwachting nog niet gemaakt, maar aan de laboratoriumjas van juf Millichip hing een luchtje dat erop wees dat het ding niet ver weg was. Ik vond het vreselijk om in groepjes van twee te worden ingedeeld, want er was altijd een kans dat Poppy me voor zou zijn en Trish op zou eisen, en dat ik in mijn eentje overbleef. Maar ik had me geen zorgen hoeven te maken. Trish kwam snel op mij af.

'Wat is het ergste dat hij met je heeft gedaan?'

'Niet meer dan een blauwe plek. Eerlijk. Blaas hierin.'

Trish blies een lange ademstoot in het mengglas. 'Wat moeten we nu doen? Heeft hij je nooit ergens geslagen waar je het ziet?'

'We moeten meten hoe ver het waterniveau is gedaald. Hij heeft een

keer mijn arm uit de kom geslagen. Maar hij heeft in dienst een medische training gehad en wist hoe hij hem er weer in moest krijgen.'
'Drieënhalve centimeter. Deed het pijn?'
Mijn gezicht vertrok. 'Ja... vreselijk.' De woorden voelden vreemd in mijn mond. Ik kon me niet echt herinneren hoe het had gevoeld.
'Je zou het aan iemand moeten vertellen.'
'Nee.'
Trish haalde haar schouders op. 'Nou, dan is het je eigen schuld als het maar doorgaat. Jouw beurt om te blazen.'
Ik blies in het glas alsof ik het wilde laten barsten.

Juf Millichip droeg een gouden kruisje om haar hals en een, wat mevrouw Owen zou hebben genoemd, 'gemakkelijke' rok met platte plooien. Je zag ze net onder haar witte laboratoriumjas uitkomen. Toen we klaar waren met het ademexperiment, moesten we ons rond haar grote bureau verzamelen.
Trish drong met behulp van haar ellebogen naar de voorste rij. Ik volgde haar, en wenste toen dat ik dat niet had gedaan. Op het bureau lag iets rozeachtigs-grijs, gerimpeld als handen die te lang onder water zijn geweest, een zak waaruit aan één kant een macaroniachtig buisje stak. Het rook vies, koperachtig, weeïg. Nee, erger dan weeïg – dood, en al een hele tijd.
Juf Millichip wees naar een schema achter haar op het schoolbord. Ze kon prachtig tekenen en ze had met krijt in drie verschillende kleuren een tekening van de longen gemaakt, met namen erbij in keurige hoofdletters.
'Zoals jullie kunnen zien, is dit er een van een paar. Het buisje bovenaan... hoe heet dat, Trish Klein?'
Trish tuurde naar het schoolbord. 'De bronch... bronchius?'
'Bronchus. Geen "i". De bronchus, hier... ' Juf Millichip porde met een recht afgeknipte, ongelakte nagel tegen het slappe macaronibuisje, '... is een van de twee buisjes die van de luchtpijp naar de bovenkant van de longen lopen. Wanneer het middenrif... waar zit je middenrif, Pauline Jagger?' Pauline wees vaag naar haar buik. 'Niet slecht, maar een beetje hoger. Hier...' Juf Millichip porde Pauline met de vinger die ze ook voor het macaronibuisje had gebruikt. 'Wanneer het middenrif platter wordt, maakt het ruimte voor de longen om zich uit te zetten en vult de long zich via de bronchus met lucht, zo...' Ze stopte snel een felgeel plastic rietje in het macaronibuisje. Toen boog ze zich voorover en blies er hard in, en de gerimpelde grijze zak vulde zich als een treurige oude ballon. Een smerige lucht, ammoniak en op de een of andere manier vertrouwd,

zweefde over het bureau. Het leek ineens heel warm te worden in het lokaal. Ik voelde zweetdruppels achter mijn oren.

'De zuurstofmoleculen gaan door de wanden van de kleine buisjes in de longen, de... hoe heten die, Katie Carter?'

'Bronchioli, juf Millichip.' Mijn stem leek van ver buiten mij te komen.

'... naar de bloedbaan, waar ze uitgewisseld worden voor kooldioxide, dat via de bronchioli wordt afgevoerd. De buikspieren trekken zich samen om het middenrif weer in een koepelvorm te duwen, de tussenribspieren laten de ribbenkast zakken en de lucht wordt uit de longen gedreven... zo!' Ze drukte met de muis van haar hand op het afgrijselijke, stinkende ding en een stoot bedorven lucht schoot uit het macaronibuisje recht mijn neusgaten in. Het zweet barstte uit elke porie en iemand strooide zwarte confetti voor mijn ogen.

Ik kwam bij op de vloer. Juf Millichip bewaaierde mijn gezicht met een serie aantekeningen over de oogbal – ik zag iets heen en weer zwaaien wat op een kleine, dikke, roze pijlinktvis leek – terwijl de rest van de klas zich achter haar had opgesteld en me met open mond aanstaarde. Ze leken allemaal teleurgesteld dat ik weer bij bewustzijn was gekomen.

'Groe,' zei ik, of iets wat daarop leek. Mijn tong leek aan mijn ondertanden vast te plakken.

Juf Millichips gezicht was knalrood en straalde schrik uit. 'Bryony, wil je de verpleegster halen? Hoe voel je je, kind?'

'Uhhh. Ga-wel. Goed.' Ik probeerde te gaan zitten.

'Blijf liggen. De verpleegster komt eraan. Je bent flauwgevallen. Je kunt je beter even rustig houden.' Ze streek teder met haar hand over mijn voorhoofd. Mijn haar viel naar achteren en onthulde de zijkant van mijn gezicht. 'Dat is een lelijke kneuzing. Hoe kom je daar in godsnaam aan?'

De verpleegster maakte zich ook zorgen over de kneuzing. Ze dacht dat het flauwvallen er misschien verband mee hield.

'Nee. Dat moet gebeurd zijn toen ik viel. Ik moet mijn hoofd gestoten hebben.'

'Doe niet zo raar. Een blauwe plek komt niet zo snel opzetten.'

'Nou, dan is het misschien gebeurd toen ik gisteravond in bad mijn hoofd stootte. Ik spoelde mijn haar onder water uit en toen ik naar boven kwam, knalde ik tegen de warmwaterkraan aan. Maar ik wist niet dat het een blauwe plek was geworden. Ziet het er erg uit?' Ik sperde mijn ogen zo wijd mogelijk open. 'Hebt u een spiegel? Kan ik het zien?'

65

Ze was bijna overtuigd. 'Ik denk dat we een röntgenfoto moeten laten maken.'

'O nee. Voel maar. Niets aan de hand. Geen gat in mijn hoofd.'

'Je kunt een hersenschudding hebben.'

'Eerlijk. Dat zou ik weten. Ik voel me prima.'

'Heb je hoofdpijn? Heb je gisteravond hoofdpijn gehad, of eerder vandaag?'

'Nee, helemaal niet. Maar...' Ik zette een schuldbewust gezicht op. 'Ik heb tussen de middag niet gegeten. Het was stoofpot, en dat vind ik vreselijk. En ik ben ongesteld.'

'Ah.' De verpleegster dacht even na. Ik kon merken dat ze niet zoveel zin had om me naar het ziekenhuis aan de andere kant van de stad te brengen. Ze keek me recht in mijn ogen. Ik keek recht terug en hoopte maar dat ik niet scheel keek.

'Goed dan. Maar ik breng je naar huis en wil even met je moeder praten. Als je weer duizelig wordt, moet ze meteen met je naar de eerste hulp.'

'Ik heb alleen een vader. Hij zou niet willen dat u zich zorgen maakt. Ik kan zelf wel naar huis, echt.'

Maar daar kwam ik niet mee weg. De verpleegster installeerde me in haar Morris Minor en reed me heuvelafwaarts. Mijn vader was natuurlijk niet thuis. Hij zou nog lang niet thuiskomen, maar dat vertelde ik haar niet. Ik zei dat ik meteen naar mevrouw Owen zou gaan, nadat ik mijn boeken naar binnen had gebracht en een boterham met jam had gegeten, en ik beloofde eerlijk dat ik de boodschap over de eerste hulp aan mijn vader zou doorgeven als ik weer duizelig zou worden.

Ze reed weg, de heuvel weer op, waarschijnlijk blij dat ze vroeg aan haar weekend kon beginnen. Ik keek haar na en ging toen naar binnen. Vanaf de muur in de huiskamer keek Jezus met zijn grote droevige ogen op me neer. Hij was nu ongelukkig omdat ik zo goed kon liegen. Ik was nog nooit ongesteld geweest.

Toen mijn vader om zes uur thuiskwam, bracht hij een grote bak roomijs mee: koffie, mijn lievelingssmaak. Hij schoof hem aarzelend over de tafel naar me toe. We keken elkaar aan.

7

Wat kan de mannensmaak van een meisje in de loop der jaren toch veranderen. Toen ik studeerde, hielden we van spichtige, nichterige mannen. Niet van mannen als Martin – Martin was nooit spichtig. Hij was, als homo en gebouwd als een steunbeer, nooit geschikt bevonden. De populaire mannen hadden geen noemenswaardige borst, die waren in feite zo ongeveer hol, met smalle schouders en knokige polsen. Ze zagen eruit als lucifersmannetjes, ondervoed, maar wij vonden het gevoelige, intellectuele types. Ha.

Ik trouwde er een. Martin zei dat ik dat niet moest doen.

Later vielen alle leuke meisjes op effectenmakelaars. Hoewel, niet letterlijk misschien. De meesten waren saaie zakken. Maar op de een of andere manier ging de mode over op brede, mannelijke schouders, stevige kaken, gladde, goed gesneden pakken, zelfs het begin van een geruststellend buikje. Veel zakenlunches; het vertelde je dat hij goed was voor brood op de plank.

Die fase heb ik gemist. Ik zat nog aan mijn gevoelige mannetje vast. Alleen was dat toen niet meer de beste beschrijving van Nick. Officieel woonden we nog steeds samen, in het huis in Chiswick, dat we ons alleen door mijn geld konden veroorloven. Maar ik bracht steeds meer tijd door in Cornwall, in het weekendhuisje dat ik gekocht had van het overwerkgeld dat ik had verdiend op het boorplatform. Ik haatte Nicks slimme mediavrienden; ik haatte mijn baan bij Shell. Dus was het ineens geen weekend- maar een weekhuisje en leerde ik hoe mijnen werken.

Halverwege de jaren negentig was ruig in. Ambachtslieden met eeltige handen. Spieren, gemillimeterde hoofden, zelfs een enkele tatoeage. Het was geen slechte tijd om in de graafbranche te werken. Veel mogelijkheden. Martin maakte er het meest gebruik van, maar ik deed het ook niet slecht. Mijn ex-man, die we nu een ongevoelig type zouden moeten noemen, was naar de westkust vertrokken om zijn mediaroman te schrijven, die geestig en ironisch zou worden maar nooit is afgekomen. Hij zag zichzelf als iemand van het snelle leven, maar het schoot niet op.

Dit gaat allemaal door me heen terwijl ik tegenover Gary Bennett zit, in het restaurant dat hij heeft gekozen. Vanmiddag zag Gary er met zijn helm en verschoten blauwe sweatshirt, uit als een ruwe bolster, blanke pit, maar vanavond heeft hij me verbijsterd door op te komen dagen in een antracietgrijs wollen pak, goede pasvorm, goed geperst. Vergeleken daarbij voel ik me een beetje sjofel, zelfs in mijn beste broek en zwarte kasjmier truitje. Het was een opluchting om te ontdekken dat hij niet de moeite heeft genomen om de modder van zijn auto te wassen.

Zijn restaurantsmaak klopt ook niet. Het is niet echt mijn type eethuis. Te veel donkerrood fluweel en houten lambrisering. We zitten in een knus hoekje, zodat de kelner niet al te veel aandacht aan ons hoeft te besteden. Het eten is goed, klassiek Frans, een beetje zwaar wat de sauzen betreft maar wat eronder zit smaakt vers.

Gary werkt zich enthousiast door een peperstak heen, precies wat ik had verwacht dat hij van het menu zou kiezen. Ik speel wat met eend en een heel groot glas rode wijn. Zijn handen hebben lange, gevoelig uitziende vingers en hij houdt zijn nagels kort en schoon. Ik kan me niet herinneren wanneer ik de mijne voor het laatst heb gevijld: de gebruikelijke mengeling van lang met gekartelde randen. Ik leg mijn vork op het bord en stop mijn handen onder de tafel.

Ik zal nu toch echt iets moeten zeggen, maar er komt niets in me op. Het gesprek is tot nu toe niet al te stroef verlopen – zijn tijd in Noord-Ierland, toen hij in dienst zat, mijn twee jaar in Canada – maar vloeiend kun je het niet bepaald noemen. Ik kan beter nog wat wijn nemen.

Hij kijkt net op tijd van zijn steak op om te zien dat ik naar de fles grijp. Hij stopt zijn vork voordat die zijn mond bereikt, balanceert hem met zijn hap bloederig vlees zorgvuldig op de rand van zijn bord en zegt: 'Mag ik?'

Klok klok klok. Een heerlijke geur van zwarte bessen komt uit de fles. Maar ik heb het vreselijke gevoel dat ik het achteraf gezien niet zo'n heerlijke geur zal vinden. Vanavond smaakt het als limonade, maar morgenochtend zal het als accuzuur in mijn binnenste voelen. Ik probeer mijn hand over het glas te leggen, maar Gary wil het beslist tot de rand toe vullen.

'Allemachtig. Je voert me nog dronken.'

'Je hoeft niet te rijden. Iemand moet de fles leegdrinken.'

'Laat de kelner dat dan maar doen.'

Gary kijkt verontwaardigd. Ik begrijp niet waarom; hij zei dat het etentje op kosten van het bedrijf was. Of hebben ze daar zo'n armoedig beleid dat je de drank zelf moet betalen?

'Het is een gevrey-chambertin.'

'De kelner zal hem waarschijnlijk veel meer waarderen dan ik.'

'Vind je hem niet lekker?'

Ik voel me schuldig. 'Sorry. Zo bedoelde ik het niet. Het is een heer-lijke wijn. Ik vind het alleen niet prettig om dronken te worden.'
'Van minder dan een fles?'
'Mijn ex-man was alcoholist. Is alcoholist, bedoel ik. Daar is hij niet van afgekomen door bij me weg te gaan.'
'O. Juist.' Gary denkt hier even over na, terwijl hij op de laatste hap steak kauwt. Hij legt zijn bestek neer. 'Ik ben ook gescheiden.'
O, nee. Ik heb me een avond nahuwelijkse narigheid op de hals ge-haald. Het zou beleefd zijn om hem ernaar te vragen, maar ik moet er niet aan denken aan te moeten horen hoe iemand anders het heeft ver-pest. Gelukkig doet de kelner op dat moment zijn uurronde. Te oordelen naar de overbeleefde uitdrukking op zijn gezicht gaat hij vragen hoe het heeft gesmaakt.

Hij weet niet wat hem te wachten staat.

'Ober,' zeg ik vrij luid, met zoveel verontwaardiging als ik op die kor-te termijn kan opbrengen.

Zijn hoofd komt met een ruk omhoog. Zijn hand blijft onzeker bij mijn bord hangen.

'Madame?'

Ik kan nep-Franse kelners niet uitstaan. Vooral als ze je het grootste deel van de avond negeren en dan een enorme fooi verwachten omdat ze eraan hebben gedacht je te vragen of alles in orde was.

'Deze wijn is vreselijk. Er zit kurk in.'

De kelner staart me aan. Hij kan niet geloven dat ik dat heb gezegd. De fles is voor meer dan driekwart leeg. Verwarring en verontwaardi-ging dansen over zijn gezicht. Hij vraagt zich af of hij me durft tegen te spreken.

'Maar madame... de fles...'

'Mijn man heeft het meeste ervan opgedronken. Hij heeft een gehe-melte dat nog net niet zo gevoelig is als voorgestort beton.'

Gary Bennetts mond is zo ver opengezakt dat je zijn gehemelte bijna kunt zien.

'Ik heb net een eerste slok genomen,' vervolg ik, 'en ik kan u verzeke-ren dat er beslist kurk in deze wijn zit.'

De kelner kijkt naar mijn bijna volle glas. Hij is ervan overtuigd dat ik lieg, maar het is donker in het restaurant en hij is te ver uit de buurt ge-weest om mij te kunnen zien drinken. Hij kijkt me aan. Ik zie hem na-denken: fooi, geen fooi? Het is een spannend moment. Als hij de mana-ger gaat halen, zit ik in de puree. Ik probeer zijn blik vast te houden, en niet mijn adem.

'Stelt madame prijs op een nieuwe fles?'

Oef.

'Nee, dank u. Ik verwacht alleen deze niet op de rekening te vinden.'

'Uiteraard, madame.' Hij pakt de fles zo voorzichtig op alsof hij vloeibare springstof bevat. Onder het weglopen ruikt hij er argwanend aan. Gary Bennett heeft zijn mond bijna weer onder controle. 'Wat was dat in godsnaam?' Hij probeert zijn lachen in te houden voor het geval de kelner ons kan horen, maar ik weet dat het goed is, dat hij het niet erg vindt dat ik hem voor gek heb gezet.

'Het is een truc die ik van mijn ex heb geleerd. Hoe je gratis kunt drinken in chique restaurants. Het werkt alleen in de echt snobistische tenten, waar de klant altijd gelijk heeft en ze zich generen als iemand moeilijk doet. Nick had natuurlijk de tweede fles genomen.'

Gary Bennett zit nu hardop te lachen. 'Ik heb het echt verpest, hè? Je vond de wijn niet lekker en vindt het restaurant niet prettig.'

'Ik vond de wijn lekker. En het restaurant is prima...'

'Alleen pretentieus?'

'Ja, nou. Het spijt me... kom je hier graag?'

'Ik ben hier nooit eerder geweest. Ik hou het meestal bij Pizza Express.'

'Dan had je me daar mee naartoe kunnen nemen.'

'Op kosten van het bedrijf?'

'Je hebt gelijk; laten we de etters maar het vel over de neus halen. Maar goed, we hebben ze de prijs van een fles wijn bespaard.'

'Die heb je míj bespaard. Het zijn Welshe methodisten – alcoholhoudende dranken worden niet vergoed.'

'Dat dacht ik al. Je nam het veel te persoonlijk op toen ik voorstelde de rest door de kelner soldaat te laten maken.' Ik leun triomfantelijk achterover. 'Maar goed, we kunnen beter de rekening vragen en gaan voordat hij het waagt aan de rest van die fles te beginnen.'

Gary geeft een royale fooi, zie ik. Wanneer hij me in mijn jas helpt, beroeren die lange gevoelige vingers mijn schouder en trekken zich dan nerveus terug – een beetje als het gesprek van vanavond. Het was niet eerder bij me opgekomen, maar waarom heeft de voorman me mee uit eten genomen en niet de manager?

Hij lacht nog steeds wanneer hij in de hotelbar drankjes bestelt. 'Je gaat hier toch niet dezelfde truc uithalen, hè? Ik denk niet dat mijn bloeddruk dat twee keer op een avond aankan.'

'Volgens Nicks regel deed je het nooit ergens waar je terug wilde kunnen komen.'

'Hij lijkt me een bijzondere figuur, die ex van je.'

'Geloof me, dat was hij niet.'

Gary neemt de drankjes mee naar een tafel op de dichte veranda die op de stuwdam uitkijkt. Ik neem tenminste aan dat hij op de dam uitkijkt, want we kunnen hem op de achtergrond horen ruisen. Op zomeravonden moet het uitzicht prachtig zijn, maar het enige wat we vanavond zien is ons spiegelbeeld in de ruit. Gary met zijn stevige, hoekige gezicht, zo getekend door deuken en spleten als kalksteen, ik met mijn rommelige haar dat nooit in model wil zitten, hoe goed het ook is geknipt, en een hartvormig gezicht dat te scherp is om mooi te zijn. Ik zie er vanavond iets minder treurig uit, maar nog wel vermoeid en gesloten. We zouden een stel kunnen zijn dat elkaar al zo lang kent dat er niets meer te zeggen valt, of twee vreemden die te verlegen zijn om te weten wat ze tegen elkaar moeten zeggen.

'En wat doet hij, je ex?'

'Hij was journalist, min of meer. Hij had best goed kunnen zijn, maar hij zat te vaak in de kroeg.'

'Ik dacht dat journalisten dat altijd doen... en dan toch nog kunnen schrijven.'

'Een dubbele tong zie je niet op papier. Nick werkte bij de radio.'

'Ah.'

'Hij doet nog wel wat freelancewerk, maar hij brengt het grootste deel van de tijd in het café door dat hij van de opbrengst van mijn huis heeft gekocht en zuipt de winst op. In Aberystwyth valt niet veel nieuws te vinden.'

Gary Bennett drinkt prikwater, zie ik. Hij volgt mijn blik naar de fles en haalt zijn schouders op. Ik drink decaf. Nick had nu de lijntjes cocaine gelegd. Ik doe gevaarlijk en wip het pepermuntchocolaatje in mijn mond dat ik bij de koffie heb gekregen.

'Heb je kinderen?' vraagt Gary.

'Nee, godzijdank. Anders had ik misschien het lef niet gehad om Nick eruit te zetten.'

'Dat geloof ik niet echt. Je komt niet bepaald als onderdanig op me over.'

'Als je rekening moet houden met kinderen is het anders. Dan had ik dit werk bijvoorbeeld niet kunnen doen. We zouden afhankelijk zijn geweest van Nick. Heb jij kinderen?'

Ik zie iets in Gary's gezicht dat ik niet kan thuisbrengen. Het kan indigestie zijn, wraak van de peperbiefstuk, maar dat denk ik niet.

'Eén. Woont bij mijn ex-vrouw.'

'Maar je hebt contact?'

'Nee.'

71

Ik wacht, maar hij gaat er niet op door. Rechtstreeks vragen lijkt onbeleefd, maar ik doe het toch.

'Het is ingewikkeld. Ze woont samen met een Zuid-Afrikaanse rij-instructeur, die een Duitse herder heeft die hij Ripper noemt. Jeff beweert dat hij het beest heeft geleerd om de ballen van zwarten eraf te rukken. Ik blijf uit de buurt, voor de zekerheid. Volgens mij is die hond kleurenblind.' Hij neemt een grote slok van zijn spuitwater en zijn ogen trekken een beetje samen, alsof hij op zoek is naar de juiste woorden. 'Maar genoeg over mij. Vind je het erg als ik rook?'

'Alleen als ik niet mee mag doen.'

Hij haalt een pakje Extra Mild uit zijn zak en houdt het me voor.

'Ik ben eigenlijk aan het stoppen,' zeg ik, terwijl ik me naar de aansteker buig. 'Dat probeer ik altijd aan het begin van een nieuwe baan. Het is nog nooit gelukt.'

Hij trekt de aansteker terug. 'Dan moet ik je vooral niet aanmoedigen.'

'Flikker op.' We zijn al net zo aan het kibbelen als ik met Martin doe. Ik pak zijn hand en trek hem terug. Hij klikt hem aan en ik steek de sigaret op, mijn vingers nog rond zijn hand gekruld om de vlam te beschermen. Waarom doe ik dat? Ik houd er niet van mensen aan te raken. Ik laat hem los en neem een lange trek aan het filter. Hij steekt er zelf een op. Hij kijkt me aan.

'Waarom haalde je vanavond in het restaurant die truc uit?'

Ik weet het niet.

'Dat zei ik al; ik heb de pest aan pretenties.'

Ik wilde dat je me zou opmerken.

'En kom je er altijd mee weg, Kit?'

'Soms niet. Dat maakt het spannend.'

Hij tikt de as van zijn sigaret heel zorgvuldig af op de rand van de asbak. 'Ik hoop alleen dat je je onder de grond niet zo gedraagt.'

'Juist omdat ik me onder de grond niet zo gedraag, moet ik af en toe in chique restaurants een spelletje spelen.'

'Ik begrijp het.'

Hij begrijpt het niet. Hij kijkt me nu heel intens aan, alsof hij in mijn hoofd probeert te komen, en hoewel ik zijn blik vast probeer te houden, vertellen al mijn instincten me dat ik de luiken moet laten zakken en de andere kant op moet kijken.

'Allemachtig, Gary, deze sigaretten smaken nergens naar.' Ik moet blijven praten; er gebeurde net bijna iets. Het stel dat ik in het raam kan zien, keek heel serieus. 'Je gaat toch dood, dus dan kun je dat net zo goed doen met iets wat je bewust hebt gerookt. Ik heb nog een kop koffie nodig om me een beetje op te peppen.'

Hij staat op en legt zijn sigaret zorgvuldig op de rand van de asbak. 'Weet je zeker dat je er niet iets sterkers bij wilt? Een cognacje? Whisky, misschien?'

'O, doe maar. Laphroaig, als ze het hebben.' Mijn zwakke plek, ruig en rokerig. 'En nog een chocolaatje,' voeg ik eraan toe.

'Alsjeblieft.'

'Alsjeblieft.'

Hij loopt naar de bar om de koffie te halen en ik kijk hem na. Niet veel mannen zouden dat met plezier doen. Hij heeft mooie schouders in dat antracietgrijze jasje, een ontspannen manier van lopen. Onder de stof bewegen spieren. Hij zal inmiddels wel genoeg van me hebben, omdat ik zo verwaand doe. De sigaret die hij in de asbak heeft gelegd, draait een lange, kringelende draad van rook de lucht in en stottert dan een serie kleine pluimpjes uit, als een sos-signaal.

Het is te warm hier. Mijn trui is vochtig van het zweet en plakt aan mijn rug.

- langzaam de trap af naar hem toe lopend, mijn ogen strak gericht op die diepe, bleke V van zijn borst, zijn lange haar krullend tot op zijn sleutelbeenderen. Hij zou mijn zweet ruiken wanneer ik mijn hand uitsteek, precies zoals ik het zijne rook

Even vergat ik bijna dat ik hem eerder heb gekend, in een ander leven.

Het is overduidelijk dat hij niet meer weet wie ik ben. Als hij het zich herinnerde, had hij me nooit voor een etentje uitgenodigd, vanavond niet en nooit niet.

Waar ben ik verdomme mee bezig? Ik moet gek zijn geweest om terug te komen naar Green Down. Ineens ben ik moe, te moe om te begrijpen waarom ik de baan tegen beter weten in heb genomen.

Ik weet het, ik weet het, het is vrijdagavond, nog geen elf uur, morgen zaterdag. Ik hoef niet naar mijn werk; ik kan laat opblijven en uitslapen. Maar ik ben uitgeput. Ik ga de Laphroaig drinken die hij voor me haalt, nog een van zijn smaakloze sigaretten roken, hem bedanken voor een heerlijke avond en dan naar bed.

73

8

Onze keuken rook nog vochtiger dan gewoonlijk: zeepsop en natte wol. Mevrouw Owen zat geknield als een biddende vrouw bij een mat van krantenpapier, uitgespreid voor de open klep van de oven om de oranje-bruine druppels op te vangen terwijl ze twee maanden aangebakken vet onderhanden nam. Haar formidabele achterwerk bewoog ritmisch op en neer terwijl ze boende. Ik stond bij de gootsteen de metalen roosters te schrobben. Mijn handen waren rauw roze van het hete water, mijn vingertoppen rimpelig gegroefd als rozijnen.

Mijn vader was aan het werk; ik zag hem nooit op zaterdagochtend. 'Water!' klonk een gedempte brul vanuit de oven. Ik gehoorzaamde snel. Mijn andere taak was de plastic afwasbak vol schoon water te houden, zodat mevrouw Owen haar vaatdoek kon uitspoelen.

'Je vader denkt zeker dat de kaboutertjes dit doen.' Haar hoofd was nog in de oven. 'Wat een werk! Is dat water schoon?' Ik hurkte naast haar neer en het water klotste over de zijkanten van de bak. Mijn ogen gingen tranen van de sterke, scherpe lucht van het schoonmaakmiddel. Mevrouw Owen schuifelde op haar knieën achteruit en haar stijve grijze krullen kwamen uit het fornuis tevoorschijn. Ze zag eruit als een menselijke schuurspons.

'Je zou de hort op moeten zijn met je vriendinnen, kind,' bromde mevrouw Owen terwijl ze haar vaatdoek krachtig in mijn bak duwde. Er klotste nog meer water op het krantenpapier. 'Lieve hemel, moet je mijn jurk zien.' Ze lachte, een groot kind dat vrolijk in plassen stampt. 'Nog één keer.' Haar staalwollen hoofd verdween weer.

Ik liet me achterover zakken en zat met gekruiste benen op de vloer, met de bak op mijn schoot balancerend, altijd het trouwe hulpje van mevrouw Owen als priesteres van het huishouden. Mijn vader dacht niet dat de kaboutertjes schoonmaakten en afstoften en de lakens wasten; hij dacht dat ik dat deed.

De radio stond in de voorkamer, en ik hoorde zo nu en dan gelach en applaus. We zetten hem altijd aan wanneer mevrouw Owen kwam, want de klok in de keuken deed het niet en ik moest letten op de piepjes van het nieuws van twaalf uur want dan was het tijd voor mevrouw Owen om haar handen te wassen, haar doorweekte jurk uit te schudden en voordat mijn vader thuiskwam volkomen als een goede fee te verdwijnen.

Met een laatste grom kwam mevrouw Owen tevoorschijn, haar vettige vaatdoek omhooghoudend. Ik bood de bak aan. Ze dompelde en wrong. Ik zette de bak neer en we plukten allebei aan onze natte borst. 'Ik weet niet wat je vader erin klaarmaakt, maar het is altijd smerig.'

Mevrouw Owen geloofde niet dat mijn vader kon koken, dus vulde ze ons dieet aan met zelfgemaakte ovenschotels en enigszins zwaar op de maag liggend gebak. Ze weet mijn gebrek aan lengte aan slechte voeding, wat niet waar was. Mijn moeder was tenger. Er was een foto van haar op huwelijksreis in Cromer. Mijn vader, zijn arm om haar schouders geslagen om haar te beschermen tegen de koude wind van Norfolk, torent boven haar uit hoewel hij niet heel lang is.

Mevrouw Owen verfrommelde de krant en gooide hem in de vuilnisbak. Ze trok haar rubber handschoenen uit en voelde in haar zak naar haar sigaretten. Ze ging niet roken; ze wilde alleen graag weten of ze er nog waren.

'Dat heb je goed gedaan,' zei ze met een blik naar de roosters. Ze glommen. 'Doe ze maar weer in de oven en dan nemen we een lekker kopje koffie.'

Een kop koffie en een praatje waren de enige beloningen die mevrouw Owen kreeg voor haar werk en ik kon het nooit over mijn hart verkrijgen om haar dat te weigeren. Ik vulde de ketel.

'Niet te sterk, kind,' waarschuwde mevrouw Owen. 'Dan krijg ik hartkloppingen.' Ze ging aan de tafel zitten. Ik wist dat ze zin had in die sigaret, maar mijn vader rookte niet en de geur van tabak gemengd met schoonmaakluchtjes zou ons allebei in moeilijkheden brengen.

De keuken in ons huis was klein en er was niets aan veranderd sinds mijn vader en moeder er na mijn geboorte in 1962 waren gaan wonen. Er was net genoeg plaats voor de tafel met het rode formicablad en twee plastic stoelen. De crèmekleurige verf van de aanrechtkasten was afgebladderd en de multiplex bovenkastjes aan de muren hadden schuifdeuren die kromgetrokken waren en soms halfopen bleven steken. Het was me niet gelukt om het deurtje dicht te schuiven van de kast waaruit ik de koffiepot had gehaald en ik zag mevrouw Owen er nadenkend naar kijken.

'Het wordt tijd dat je vader de boel opknapt,' zei ze, terwijl ik de koffie voor haar neerzette.

Ik stelde me de broeierige Gary Bennett op een trap voor, bezig verf op het plafond te smeren, terwijl ik elke keer dat hij zijn arm optilt zijn overall rond zijn gespierde billen zag spannen. Ik wist dat het niet zou gebeuren. Mijn vader zou nooit iemand betalen om de boel op te knappen; hij zou zelf op die trap staan. En waarschijnlijk zou hij het helemaal niet doen.

'Hij zegt altijd dat hij het te druk heeft,' zei ik, in de hoop dat dit mevrouw Owen op het onderwerp Gary zou brengen, die kort tevoren haar keuken had opgeknapt. Maar zo gemakkelijk liet ze zich niet afleiden. 'En die kastjes moeten eigenlijk weg,' zei ze. 'Het kost niet veel om een hele nieuwe keuken van spaanplaat te kopen. En veel tijd hoeft het zo'n handige man als hij niet te kosten.'

Poppy's moeder had een Duitse keuken besteld van meer dan duizend pond. Hij had kleine violet met groene bloemetjes op de deuren en een mooi gemarmerd werkblad. Maar de keuken in Poppy's huis was drie keer zo groot als die van ons en ze hadden een zwembad in de tuin. Poppy's vader reed in een grote grijze Daimler en haar moeder had een hemelsblauwe stationcar voor de boodschappen.

'Je bent erg stil,' zei mevrouw Owen. 'Wat is er? Heb je je tong verloren?'

'Het spijt me,' zei ik. 'Ik ben moe. Ik heb niet zo goed geslapen.'

'Je vader had je nooit naar die school moeten sturen.' Mevrouw Owens wenkbrauwen rimpelden net zoals haar krullen. 'Het deugt niet, zo hard als ze je laten werken. En je zit altijd met je neus in de boeken. Ik weet niet, die van mij waren anders dan jij.' De twee dochters van mevrouw Owen waren allebei met een verstandige melkboer getrouwd. Ze hadden ze samen leren kennen op een dansavond in het kerkzaaltje, waren in de buurt gaan wonen en brachten dikke, melkachtige baby's groot. Hun idee van serieus leesvoer was het breipatroon in een damesblad. 'Ik bedoel, wat heeft het voor zin om meisjes wiskunde te leren?'

Mijn vingers volgden een ammonietspiraal op het tafelblad. Mijn oren waren gespitst op de piepjes.

Mevrouw Owen begreep de hint en kwam moeizaam overeind. Ze had haar koffie maar half opgedronken.

'Ik moest maar gaan. Keith is vast al onderweg.' Ze deed altijd alsof ze wegging omdat haar man elk moment thuis kon komen, in plaats van mijn vader. 'Lieve hemel, Gods gezicht betrekt.' Ze tuurde uit het keukenraam naar de samenpakkende regenwolken. 'Doe het licht aan, Katie, dan kunnen we onszelf zien.'

Ze kwam altijd met van die rare uitdrukkingen, aanroepingen om de alledaagse goden van vrouwenzaken en het weer tevreden te stellen. Ik maakte me los van de plastic stoel en zocht naar een schone theedoek, terwijl zij de koffiekommen afspoelde.

'Je vader komt vast doorweekt thuis. Doe hem de groeten, hè.' Ze wist heel goed dat ik hem nooit vertelde dat zij er was geweest.

Toen ze de kommen wegzette, had ik de plotselinge neiging haar te omhelzen; ik snakte naar het gevoel van haar grote, zachte boezem tegen mijn wang. Maar zoiets zou ik nooit doen. Toen ze langs me heen naar de deur liep, gaf ze me een aai over mijn hoofd, en als een kat duwde ik me tegen haar hand omhoog. Dichter kwamen we niet bij lichamelijke genegenheid. Toen ik de voordeur achter haar dicht hoorde vallen, ging ik weer aan de tafel zitten en dacht aan mijn moeder.

Mijn laatste herinnering aan mijn moeder is zelfs geen herinnering. Het is meer een gevoel van warmte en veiligheid; de details zijn scherp en tegelijkertijd zo ongrijpbaar dat ik het misschien allemaal heb verzonnen. Het is Kerstmis, of bijna, denk ik – er zijn heel veel glinsterende dingen en ik zie het vuur op glanzende ballen schijnen. Voor het vuur staat een droogrek met kleren, natte wanten, sokken en mijn blauwe jasje; ze ruiken naar vochtige wol. Ik heb buiten gespeeld in de sneeuw, maar nu is het donker en bedtijd, en ik heb een hele kom gegeten van iets brijachtigs en zoets en troostends, fel oranjegeel van kleur. Ik lig in mijn pyjama slaperig opgekruld op de bank, en mijn moeder leest me voor. Een verhaal over Winkin', Blinkin' en Nod, drie elfjes die in de armen van een wassende maan in slaap worden gewiegd, als een door de lucht zeilende boot. Ik val ook in slaap, omhuld door de vochtige warme geur van de dampende kleren.

Of dat de laatste keer was dat ik mijn moeder had gezien, wist ik niet zeker, maar dat was wel het laatste wat ik me kon herinneren. Vóór nieuwjaar was ze weg. Sindsdien haalde mijn vader elk jaar in december de pakjes engelenhaar tevoorschijn, de lantaarnvormige kerstboomlichtjes die altijd leken uit te vallen en die hij geduldig repareerde, jaar na jaar. Maar het was nooit meer hetzelfde geweest. De bovenaardse boot waarin Winkin', Blinkin' en Nod door de lucht zeilden, had ook mijn moeder meegenomen.

Mijn vader praatte nooit over de manier waarop ze was weggegaan, of waarom.

'Ze is weg,' zei hij vaag, wanneer ik om haar huilde toen ik klein was. 'Ssst. Je moet lief zijn, want anders hoort ze je misschien en komt ze nooit meer terug.'

Maar ze kwam niet terug, hoe lief ik ook probeerde te zijn.

Niemand legde het ooit uit. Wat ik wist, had ik per ongeluk gehoord. Op een dag in een schoolvakantie – ik moet acht of negen zijn geweest, maar ik verstopte me nog steeds onder de eettafel om in mijn eentje vadertje en moedertje te spelen – paste mevrouw Owen op terwijl mijn vader aan het werk was. Ze had twee vriendinnen uitgenodigd. Ze zaten in de achterkamer, waar de tuindeuren openstonden om de lucht van hun sigaretten te verdrijven. Ze wisten niet dat ik daar was.

Mevrouw Pegg moet de foto van mijn moeder op de schoorsteenmantel hebben gezien.

'Stel je voor,' zei ze, terwijl ze een zachte rookpluim uitblies, 'de benen nemen en je kindje achterlaten.'

Ik zette mijn konijn tegen de tafelpoot en tilde de rand van het tafelkleed op om beter te kunnen luisteren.

'Geen grootouders?' vroeg mevrouw Joad.

'Allemaal dood,' bevestigde mevrouw Owen.

'Arme stakker,' zei mevrouw Joad.

'Arm kleintje,' zei mevrouw Owen instemmend. Daardoor besefte ik dat ze het over mij hadden. Ze noemde me altijd haar kleintje.

'Schrijft ze zelfs niet? Verjaardagskaartjes?'

'Ze is zomaar weggegaan. Je zou niet denken dat een moeder dat kon, hè? Geen enkel contact meer.'

'Harteloos.'

'Je zou zijn ballen eraf snijden.' Mevrouw Pegg giechelde. 'Je zou denken dat een beetje man achter haar aan zou gaan.'

Ik hoorde geritsel toen mevrouw Owen zich op de bank naar voren boog. Ik hoorde haar lippen aan de sigaret zuigen. Ze dempte haar stem. 'Ze was in verwachting toen ze vertrok.'

'Niet van hem?'

'Van een ander, wed ik. Ik denk dat ze iets met een andere man had.' Ze fluisterde iets wat als *soldaat* klonk.

Ik wilde meer horen, maar moet mezelf op de een of andere manier hebben verraden. Het tafelkleed schoof opzij. Drie grote, tabakslucht ademende gezichten staarden me aan en vroegen zich af hoeveel ik ervan had begrepen.

'Arme man,' hoorde ik mevrouw Joad zeggen terwijl ze op de drempel haar plastic regenjas aantrok. 'Moet zo'n kind helemaal in zijn eentje opvoeden. Maar hij doet het wel goed, toch?'

Iets onverstaanbaars van mevrouw Owen – waarschijnlijk 'dankzij mij'. Ze stond met haar rug naar me toe, dus sloop ik zachtjes de gang in.

'Maar ja,' zei mevrouw Pegg terwijl ze haar gifgele krullen naar de grijze van mevrouw Owen boog, 'er zijn altijd twee kanten, hè? Misschien heeft-ie haar wel wéggejaagd.'

'O nee,' zei mevrouw Owen. 'Het is zo'n aardige man. Altijd beleefd. Altijd vriendelijk.'

Haar loyaliteit was misplaatst. Niet lang daarna besloot mijn vader dat hij mevrouw Owen niet steeds bij ons in huis wilde hebben. Hij zei tegen me dat ze nieuwsgierig was, en misschien heeft hij dat ook wel tegen haar gezegd, want haar ogen leken best wel rood toen ze aan het eind van de vakantie met me de heuvel opliep en vertelde dat ik groot genoeg was om alleen naar school te gaan. Een minder aardige vrouw had zich beledigd gevoeld, maar het pleit voor haar dat ze met haar ovenschotels bleef langslopen.

'Ik heb dit recept uit mijn tijdschrift,' zei ze dan tegen mijn vader, 'en Keith eet niet wat hij niet kent, dus dacht ik aan jullie.'

De ovenschotels waren heerlijk, maar als mijn vader kwaad van zijn werk kwam, gingen ze de vuilnisbak in. Eén keer gaf ze me een kerstcadeautje, een haarborstel van blauw gemarmerd plastic die ik prachtig vond, maar op kerstochtend liep mijn vader naar haar huis en dwong haar de borstel terug te nemen.

Op mijn elfde verjaardag was ik dapper genoeg om het onderwerp van mijn verdwenen moeder aan de orde te stellen. 'Denk je dat mam een kaart zal sturen, nu ik bijna een tiener ben?'

'Nee,' zei mijn vader kortaf, en ik wist dat ik er nooit meer over moest beginnen.

Ineens stond hij in de deuropening naar me te kijken. Zijn korte, krullende haar was donker en glansde van de regen, wat hem er jonger deed uitzien dan gewoonlijk, hoewel zijn gezicht vermoeid stond en er lijnen waren bij zijn ogen. De schouders van zijn jack waren bedekt met regendruppels die fonkelden onder de keukenlamp. Hij droeg een overall naar zijn werk, maar trok er voor de heen- en terugreis altijd een sportjack over aan.

Ik voelde dat ik een kleur kreeg, en raakte gespannen doordat ik wist dat ik was begluurd maar niet hoe lang.

'Sorry, pap. Ik heb nog niets aan het middageten gedaan.'

'Rustig maar.' Hij gebaarde me weer te gaan zitten. 'Ik maak wel een boterham klaar. Er is nog wat ham.'

Dat ging goed dus. Het was een goede dag.

Ik ging weer aan de tafel zitten, terwijl hij de deur van de ijskast opendeed om de ham en tomaten eruit te halen. Ik zag iets zilverachtigs in mijn vaders zwarte haar. Ik besefte dat ik niet eens wist hoe oud hij was. Misschien vierendertig, vijfendertig? Best oud als je erover nadacht. Maar ik dacht er niet over na. Hij was gewoon mijn vader.

Ik vroeg me af hoe het zou zijn geweest als mijn moeder was gebleven. Zou hij minder bozig zijn geweest, vrolijker? Ik probeerde me een zaterdag voor te stellen waarop ik mijn moeder zou helpen de oven schoon te maken en een cake te bakken voor de thee. 's Middags zouden zij en ik misschien boodschappen gaan doen, terwijl mijn vader naar *Grandstand* keek. Maar dan zou ik misschien niet de dingen doen die hij en ik samen in het weekend deden, zoals zoeken naar ammonieten of naar de klimmuur gaan in Bristol, waar hij me liet zien hoe de steenhouwers de rotswand beklommen. *Drie contactpunten, Katie, dat houdt je stabiel...*

'Kijk eens in de gang,' zei mijn vader, die met zijn rug naar me toe brood stond te snijden. Zijn bewegingen waren altijd zorgvuldig en precies, net als de bedradings- of leidingschema's die hij tekende. Hij had als elektricien in de groeven gewerkt, maar kreeg een burn-out, waardoor hij ontslag moest nemen en voor zichzelf moest gaan werken. Hij kon zowel loodgieterswerk als elektriciteit doen. Hij kon eigenlijk alles als het daarom ging.

Ik liep naar de gang. Het licht door de ruit in de voordeur viel op een stapel boeken op de tafel. Mijn vader was op de terugweg langs de bibliotheek gegaan. Hij wist waar ik van hield. Er was een John Wyndham, *De getekenden*, en een boek dat *De geschiedenis van Groot-Brittannië* heette, een oud gebonden boek met een plastic kaft om het te beschermen, hoewel het zo te zien niet vaak was uitgeleend. *'Van de geologische vorming van het land tot de ontwikkeling van de beschaving,'* stond op het omslag.

Er stonden glanzende zwart-witfoto's in. Ik bladerde het door en zag iets wat op een versteende tulp leek – een zeelelie, volgens het bijschrift. Ik zag een trilobiet als een enorme stenen pissebed, en een hele bladzijde van ammonietmarmer, tientallen spiralen in een laag glanzend zwart gesteente. Er was een hoofdstuk gewijd aan de eerste mensen die Brittannië bewoonden. *Homo erectus, homo heidelbergensis, de Neanderthaler, homo sapiens.* Ik mompelde de namen bij mezelf alsof ik de rozenkrans bad, terwijl ik langs de rijen schedels op de bladzijde ging.

'Wat ben je aan het doen?' riep mijn vader.

'Ik sta in het boek te kijken. Dat met de ammonieten.'

'Niet het boek, suffie. De zak.'

Naast de boeken lag een bruine papieren zak, zo klein dat ik hem over het hoofd had gezien. Hij was tot een net vierkant gevouwen en er zat iets in dat in watten was verpakt. Ik pakte het uit.

'Prachtig,' zei ik, terwijl ik terugliep naar de keuken. 'Waar heb je die gevonden?'

Het was een ammoniet, ter grootte van een oud kwartje. Hij was in tweeën gespleten, zodat de ene kant nog ruwe bruine steen was, maar de vlakke bovenkant was glanzend gepolijst, geelbruin en goud en grijs, en onthulde de geheime spiralende kamers van de ammoniet.

'Het boek of de ammoniet?' Hij glimlachte breed. Een héél goede dag, dus.

'Allebei.'

'Ik zag de ammoniet in een etalage toen ik door Walcot Street liep,' zei mijn vader. 'En het boek heb je te danken aan je favoriete bibliothecaresse.' Hij zette een bord met een megasandwich voor me neer. 'Mayonaise, geen mosterd, zoals mevrouw het graag heeft.'

'Wie dan?' Ik was er niet zeker van dat ik een favoriete bibliothecaresse had.

'De jonge.'

'Er zijn geen jonge.'

Mijn vader pakte zijn eigen enorme dubbele boterham – waarschijnlijk met veel mosterd – en ging tegenover me zitten. 'Haar in een knot. Juffrouw Legge.'

'Heet ze zo? Die is oud.'

'Onzin. Ze is een stuk jonger dan ik. Ik heb haar gevraagd of ze iets over ammonieten had. We keken in de catalogus en... bingo.'

Ik nam een hap van mijn dubbele boterham. 'Het ziet er geweldig uit,' zei ik met een mond vol ham en sla. Ik sloeg het boek open en liet hem het ammonietmarmer zien. Hij trok zijn wenkbrauwen op.

'Ik vind die van jou mooier. Die is in kleur. Wat ga je vanmiddag doen?'

'Poppy geeft een zwembadfeestje. Zou je me erheen kunnen rijden? Het begint om drie uur.'

'Het regent!' zei mijn vader.

'Nou, dan worden we nat. Dat hoort erbij als je zwemt.'

Ik zat in mijn kamer, voor mijn kaptafel, en wreef met mijn vingers over het koele, glanzende oppervlak van de ammoniet. Ik stelde me het gegil en gespat voor, voeten die uitgleden op de van de regen glibberige tegels langs het zwembad. Ik zag mezelf aan de rand zitten, genegeerd, met mijn tenen in het water schoppend terwijl ik deed alsof ik me vermaakte en kijkend naar wat vuil van natte bladeren en dode insekten aan het oppervlak. Ik wilde eigenlijk niet naar Poppy's feestje.

Ik voelde me als het eenzame meisje op de poster van Edward Dulac aan de muur naast mijn bed, dat geknield zat in een enorm dennenbos en haar gezicht in haar handen verborg. *Sommigen zijn geboren voor een leven dat hen toelacht, anderen een eindeloze nacht.*

'Katie?' Mijn vaders stem klonk van beneden. 'Tijd om te gaan.'

Ik hoorde zijn voeten op de trap. De deur ging open.

'Schiet op, anders kom je nog te laat.'

Ik kon hem in de spiegel van de kaptafel zien. Hij stond bij de deur onbeholpen te wachten achter het afgrijselijke roze gedrocht op de voorgrond, dat ik was.

'Wat is er?'

Mijn ogen vulden zich weer met tranen. Ik sloeg mijn handen voor mijn gezicht zoals het meisje op de poster. Hij kwam naar me toe en ik voelde zijn arm om mijn schouders.

'Kom, lieverd, zo erg kan het toch niet zijn.'

'Ik zie er niet uit.'

Hij maakte mijn handen los van mijn gezicht. Ik zag hem in de spiegel naast me neerknielen, zijn bezorgde sproeterige gezicht naast mijn rode, glimmende gezicht. 'Dat is helemaal niet waar. Je ziet er heel mooi uit.'

'Echt niet. Ik zie eruit als een lelijke pudding.' Ik droeg een roze bloes die hij voor me op de markt had gekocht. Het was mijn kleur niet.

'Mmm.' Hij keek aandachtig naar mijn spiegelbeeld. 'Ik geef toe dat hij vloekt met je neus. Trek dan iets anders aan.'

'Al het andere is vies,' kreunde ik. 'Of afschuwelijk. Ik heb geen mooie kleren. Trish en Poppy...'

Trish en Poppy kregen kleedgeld. Ze gingen de stad in en kochten kleren bij H&M en Top Shop. Zij waren vanmiddag vast in bikini, en het enige wat ik had, was mijn zwarte schoolbadpak met hoge halslijn en kruisbandjes.

Mijn vaders lippen vormden een harde, rechte streep in zijn gezicht. 'Trish Klein ziet er af en toe uit als een... kleine volwassene. Je wilt niet al te snel opgroeien, Katie.'

'Maar zij groeien op en laten mij achter.'

Mijn vader keek naar me in de spiegel. Hij nam mijn lange donkere haar in zich op, steil als dat van mijn moeder, niet krullend als dat van hem, mijn vlekkerige rode huid, mijn smalle schouders, gebogen van ellende. De bloes was afschuwelijk, de kleur van inwendige organen. Hij deed me op de een of andere manier denken aan een hondentong. Hij was van goedkoop nylon, en mijn vader kocht mijn kleren altijd een maat te groot, op de groei. Hij zuchtte.

'Misschien moet ik mevrouw Owen vragen om je kleren voortaan te kopen.'

'Ne-ee!' jammerde ik. Ik droeg een van die nette A-lijnrokken die ze voor me had gekocht; hij was niet kort, niet modieus lang, maar viel net op mijn knieën. Ik plukte geërgerd aan de bloes, net iets boven de lijn van mijn borsten, die de laatste tijd waren opgekomen: twee harde appeltjes in hun eerste A-cupbeha en vrijwel verdwenen onder het vormloze glanzende roze.

'Ze lachen me alleen maar uit.'

Mijn vader sloot zijn ogen alsof hij om een wonder bad. Hij bleef even stil, maar ik voelde hoe hij zijn arm steviger om mijn schouders legde. 'Kijk,' zei hij ten slotte. 'Kijk in de spiegel.'

Ik keek. Geen magische verandering. Roze gezicht, roze gezwollen ogen, roze hondentongbloes.

'Je bent mooi,' zei hij. 'Ik weet dat het logisch is dat je oude vader dat vindt, maar je bent echt mooi. Je hebt prachtig haar.' Hij strengelde zijn vingers onhandig door de glanzende plukken.

'Zo, spat wat koud water in je gezicht. En als je niet naar dat feestje wilt, neem ik je weer mee naar de klimmuur. Of naar de bioscoop. Ik ben er trots op om met je gezien te worden.'

Ik ging niet naar het feestje. We gingen naar *Rocky* in het Odeon. Toen we na de film door Milsom Street naar de auto liepen, deed ik mijn best om niet in de etalageruiten te kijken.

We liepen langs Jolly's, het grote warenhuis, toen mijn vader sprak.

'Ik denk dat je nu oud genoeg bent om je eigen kleren te kopen. Voortaan krijg je kleedgeld.'

Mijn ogen gleden naar de etalage. Ik zag een etalagepop in een heupbroek en een topje dat onder de borsten werd dichtgeknoopt en het middenrif onbedekt hield.

'Maar niet te gek, hè?' voegde mijn vader er snel aan toe.

'De kleren of mijn toelage?'

'Allebei. Het geld groeit me niet op de rug.' Hij glimlachte naar me, maar ik kon merken dat hij zich ongemakkclijk voelde.

Ik voelde een enorme luchtbel van geluk uit mijn maag komen, zo krachtig dat ik dacht dat ik moest boeren van blijdschap. Milsom Street zag er prachtig uit, het plaveisel nog glanzend van de regen, de zomerse avondhemel lichtblauw en geel boven de daken. De lucht was fris en rook naar natte bladeren. Ik vroeg me af of Poppy en Trish hadden gemerkt dat ik niet op het feestje was. Ik hoopte dat ze me hadden gemist. Maar het kon me niet echt schelen.

'Hé,' zei mijn vader, 'daar is die aardige bibliothecaresse van je.'

Derde graad

De soldaat

Je kunt zien waarom het mithraïsme zo aantrekkelijk was voor het Romeinse leger. Dat kwam door de simpele code die op eer en plicht gebaseerd was. De volgelingen van de god zijn diens soldaten, die een bindende eed afleggen om hem te dienen. *Miles*, de Soldaat, vertegenwoordigt de derde inwijdingsgraad. Zijn symbolen zijn zijn lans en helm; zijn element is de solide, betrouwbare aarde. Zijn trouw moet beproefd, zijn moed bewezen worden. Dit is het punt waarop de beproevingen beginnen.

Uit: *Het Mithras Enigma*, Dr. Martin Ekwall, OUP

9

De hemel is een zich terugtrekkende blauwe cirkel. Het is bitter koud. Mijn adem hangt als een nevel in de schacht wanneer ik de ladder afdaal, die glad is van de vorst.

Gary Bennett is vlak boven me. Wanneer ik opkijk in het schemerige licht kan ik zijn zware schoenen met stalen neuzen op de sporten zien. Zoals Martin zou zeggen: stuur de vrouw als eerste omlaag, zodat je een lekkere zachte landing hebt. Maar in feite zou dit niet meer kunnen verschillen van officieuze bezoeken aan vuursteenmijnen; halverwege de afdaling is een platform om ons op te vangen voor het geval we zouden uitglijden. Tegenwoordig is dit waarschijnlijk de meest gereguleerde, veiligheidsbewuste industrie van Groot-Brittannië. Wel wat laat voor al die vroegere mijnwerkers, die stierven aan stoflongen of gasexplosies in de kolenmijnen.

Boven Gary komt de archeoloog met de rode loopneus en het vlassige haar, wiens ogen maar naar mijn borsten blijven dwalen. Ik hoor hem niezen. Zijn naam is Dickón, met het accent nadrukkelijk op de laatste lettergreep. Ik wou dat hij zijn neus leerde snuiten. Ik weet zeker dat er elk moment een druppel op me kan vallen. Het is misschien toch geen goed idee om op te kijken, hoewel ik vanuit deze hoek graag wat meer van Gary zou zien.

God, wat had ik een kater zaterdagochtend. Rond vijf uur schrok ik in paniek wakker in de overtuiging dat ik Gary's hoofd op het kussen naast me zou zien. Gelukkig niet. Kennelijk had ik mijn bed op eigen kracht gevonden.

Meen ik dat 'gelukkig'?

Ik maak maar een grapje; ik herinner me het meeste van vrijdagavond. Ik heb me met prijzenswaardige zelfbeheersing gedragen, ondanks het feit dat die eerste Laphroaig door verscheidene was gevolgd. Nick zou trots op me zijn geweest. Als je drinkt, zei hij altijd, moet je wel leren om ertegen te kunnen, zoals ik. En dan viel hij om.

Ik geloof niet dat ik al te gênante dingen heb gezegd. Ik herinner me dat ik heel intens over de mijnen heb gepraat, dat onder de grond gaan altijd te maken heeft met een uitdaging aan jezelf, maar dat je altijd moet zorgen dat de kans om er weer levend uit te komen zo groot mogelijk is. En Gary zat maar te knikken en met die grote blauwe ogen naar me te kijken en weer een van die smaakloze sigaretten van hem voor me op te steken. Hij kan goed luisteren, dat moet ik hem nageven.

Mijn voet voelt modder: de bodem van de schacht. Het is al warmer, maar duidelijk vochtig; de temperatuur in de groeven is ongeveer vijftien graden, zomer en winter. Gary slaat de laatste paar sporten over en komt met een sprong naast me neer. Hij loopt naar het schakelbord aan de muur. Hier komt nauwelijks daglicht, dus hoor ik Dickon meer aan het eind van de ladder komen dan dat ik hem zie...

En ik vóél hem. Verdomme. Dat was met opzet; ik weet het zeker. De klootzak streek met een arm langs mijn borst.

Ik beef van woede en sta op het punt hem een uitbrander te geven als Gary het licht aan knipt en ik alles om me heen kan zien.

God, het is prachtig.

In het licht zien we enorme ruimten, als de crypten van een kathedraal, een rotsachtig plafond ondersteund door taps naar de bodem toelopende pilaren. Het gesteente heeft elke tint crèmeachtige geel die je je maar kunt voorstellen. Het is als boter, als honing, als karamel. Als je kalksteen boven de grond haalt, verweert het en wordt het grijsachtig. Maar hier beneden is het vochtig en sappig, zacht en verrukkelijk en goudgeel.

'Ben je eerder in een ondergrondse steengroeve geweest, Kit?' vraagt Gary.

'Ik heb nooit met kalksteen gewerkt. Het meeste stabilisatiewerk heb ik in Cornwall gedaan... oude koper- en tinmijnen.'

Het gesteente is zacht doordat het vol water zit. Onder de grond zuigt kalksteen vocht op: groevesap, wordt het genoemd. Boven de grond verdampt het vocht en wordt het gesteente hard en vulkaniseert. Maar voordat dit gebeurt is het gemakkelijk te verwerken, kun je het als kaas uit de aarde snijden. Het is een soort zandsteen en de mannen die het tot blokken vormden werden vrijmetselaars genoemd. Je kunt het in elke richting snijden, zagen als timmerhout, bewerken als hout. Het is zelfs gemakkelijker te bewerken doordat je geen rekening hoeft te houden met een nerf.

De stenen waarmee de Kurzaal in Bath is gebouwd kunnen precies van de plek zijn gekomen waar ik nu sta. Het is jammer dat ze hier geen rondleidingen kunnen geven; de Amerikaanse en Japanse toeristen zouden het prachtig vinden, cameraflitsen zouden als ondergrondse bliksemschichten van het plafond kaatsen.

De archeoloog snuit zijn neus en het voelt alsof iemand een scheet laat in de kerk.

Gary ziet mijn gezicht en glimlacht. Hij heeft een heerlijke glimlach, een glimlach als het gesteente: zonnig, solide en geruststellend. Even zou ik bijna kunnen vergeten dat deze glorieuze kathedraal met beton zal worden gevuld.

Ik kijk weer om me heen, deze keer met mijn professionele oog. Allemachtig. Ik ben op aardig wat instabiele plekken geweest, maar dit slaat alles.

Grote grotten als deze worden ruimten genoemd. Er lopen kunstmatige stalen en houten tunnels doorheen. Ze zien eruit als lange kooien met grote spinachtige stutten als wanden en solide, versterkte daken. We moeten daarin blijven, want erbuiten is het te gevaarlijk. Het afgelopen jaar, sinds de constructiefase van het project begon, hebben mijnwerkersteams deze doorgangen gebouwd om ons meter voor meter door de groeven te leiden, en ze zijn nog lang niet klaar. Nadat beton in de ruimten is gepompt en de klus is geklaard, ver in de toekomst, zullen de stalen looppaden er nog steeds zijn, wormgaten door de opgevulde groeven, zodat vleermuizen in en uit kunnen vliegen.

'Ben je hier klaar voor, Kit?' vraagt Gary. Hij komt een beetje al te beschermend op me over, maar dat is niet ongewoon voor de mannen met wie ik heb gewerkt. Hij tikt even op de *self-rescuer* aan zijn riem, en kijkt voor ongeveer de vierde keer of wij die van ons nog hebben. Voor het geval het dak instort. Als dat gebeurt en wij eronder terechtkomen, zit er in die flesjes voor ongeveer een uur zuurstof.

Verdomme!

Vreemd genoeg voel ik vooral opluchting. Het elektrische licht en de glanzende stalen paden hebben de spoken verjaagd. Het lijkt helemaal niet op wat ik me herinner van die lange droge zomer lang geleden. Maar de lucht is hetzelfde, die scherpe, vochtige kalkachtige geur die je bijna kunt proeven.

'De mijnwerkers gebruiken de verticale schacht omdat je daarmee het snelst bij de te stabiliseren gebieden bent,' zegt Gary terwijl we op weg gaan door de metalen tunnel, onze schoenen glibberen over de modderige grond. 'Maar de zware machines brengen we via de Stonefield-ingang naar binnen, een paar straten verder. Veel van de ingangen van de groeven zijn horizontale toegangen in de hellingen. Ze zijn nu bijna allemaal afgesloten, al sinds ongeveer 1960.' Hij kijkt me even aan. 'Maar ik neem aan dat je dat allemaal weet.'

'Ga daar maar niet vanuit,' zeg ik. 'Het lijkt totaal niet op mijn vorige klus. Jezus, moet je sommige van die pilaren zien. Die daar ziet eruit alsof hij niet meer dan een twijgje kan dragen.'

'Dit is een van de oudste delen van de mijn,' komt Dickon ertussen. 'Begin achttiende eeuw uitgehakt. De pilaren hebben een typische tapse vorm, deels doordat er door latere generaties steeds weer steen is afgehaald, maar ook om het dak te steunen. Ze zijn van boven zo breed mogelijk om een serie bijna-bogen te vormen. Ze stutten het plafond.'

'Nee, dat doen ze niet,' zeg ik voordat ik me kan inhouden.

'Sorry?' Dickon draait zijn hoofd met een ruk in mijn richting en kijkt voor de verandering een keer naar mijn gezicht.

'Dat dachten de oude steenhouwers misschien, maar ze vergisten zich. Het is waar dat een boog stabieler is dan een vlak plafond, maar deze pilaren staan te ver uit elkaar om goede bogen te vormen. Dat is voor een deel de oorzaak van het probleem.'

Dickons mond zakt open, maar ik kan niet bedenken waarom. Hij moet weten dat een mijnbouwkundig ingenieur verstand heeft van basisconstructies, en hetzelfde zou moeten gelden voor een archeoloog. Hij werpt me een duidelijk giftige blik toe. Nou, ik hou niet van je loopneus, grapjas. Of je losse handjes. Ik zal zorgen dat je heel goed weet dat je van me af moet blijven. Misschien is hij niet gewend om door een vrouw tegengesproken te worden, want hij gaat er onmiddellijk hoofdschuddend vandoor. Met een geamuseerde grijns trekt Gary een wenkbrauw naar me op.

'Je hebt er weer een vriend bij.'

'Het spijt me. Ik was misschien een beetje bruusk. Maar hij legde het uit alsof ik een schoolmeisje was, en nog verkeerd ook.'

'Dit is zijn eerste ondergrondse klus.' Dickon is al om de hoek in de volgende ruimte verdwenen; Gary treuzelt en dempt zijn stem. 'We hadden een briljante vent maar die is met pensioen gegaan; hij wist alles wat er te weten viel over mijnen en groeven. Dickon komt van een andere richting. Zijn specialiteit is spoorwegen en tramlijnen, industrieel transport. Als we bij wielvoren of een ijzeren rail komen, wat vrij vaak gebeurt, is hij onze man. Voor de rest leert hij al doende. Hij is scherp, dat moet ik hem nageven.'

Het stalen looppad is solide en geruststellend; het isoleert ons van de uitgestrekte, onbehaaglijke duisternis daarbuiten. We zouden astronauten kunnen zijn die vanuit de veiligheid van een ruimtestation naar de ruimte kijken. Boven ons hoofd lopen elektriciteitskabels voor de verlichting en de boodschappen van Brendans geavanceerde kanaries doorgeven. Ik begrijp waarom hij de monitors voor de grondbewegingen zo belangrijk vindt; sommige pilaren zijn sterk aangetast. Het is een opluchting wanneer we via het looppad een hoek omgaan en in een duidelijk recenter gedeelte van de groeve komen; de pilaren zijn breder en steviger, en de ruimten zijn beduidend kleiner.

Dickon zal wel over zijn ergernis heen zijn, want hij staat op ons te wachten en wijst naar een pilaar met een donkere wigvormige schaduw aan de voet.

'Kruiwagen.' Zijn ogen glijden terug naar mijn borst. 'Achtergelaten toen de mijn honderd jaar geleden werd gesloten. Het hout is uiteindelijk weggerot en heeft een zwarte plek achtergelaten, precies in de vorm van de kruiwagen.'

Bij die gedachte kreeg ik de rillingen. Ik ben niet de enige met spoken.

'Ik hoor nog steeds niets,' zeg ik. 'Hoe ver zijn we van de plek waar ze aan het werk zijn?'

'Ruim een kilometer van de ploeg in de noordelijke sector,' zegt Gary. 'Hemelsbreed. Er is nog een ploeg die in zuidelijke richting looppaden bouwt. Maar het is spookachtig als je je hele leven in mijnen en groeven hebt gewerkt. Het is doodstil. Waar zijn mijn oorbeschermers?' In gespeelde paniek slaat hij zijn handen om zijn hoofd. 'Maar jij bent er vast aan gewend, als je veel in oude mijnen hebt gewerkt.'

Ik wen er nooit aan. Mijnen en steengroeven vervullen me nog steeds van ontzag en verwondering. Waar haalden mensen – mánnen – het lef vandaan om dit met niets meer dan houwelen en kaarsen te doen, om tunnels te graven in dit ondergrondse gesteente en het risico te nemen van overstroming, mijngas, opgeblazen of levend begraven worden? Mijn voeten glibberen en spatten in crèmekleurige plassen. Hier en daar druppelt water langs de wanden omlaag, glinsterend in het licht.

'Raakt er ooit iemand verdwaald?' vraag ik.

'Onmogelijk,' zegt Gary. 'Niemand, maar dan ook niemand, overtreedt de veiligheidsvoorschriften. Daar heb ik wel voor gezorgd. Iedereen blijft binnen de looppaden, zelfs wanneer we nieuwe bouwen. Hier wordt niet aangekl... aangerommeld, veel te gevaarlijk. Als Dickon wil dat we iets van dichterbij bekijken, bouwen we er een pad naartoe. Geen uitzondering, voor niemand.'

Het ondergrondse pad maakt weer een bocht naar links, langs een van vloer tot plafond lopende, van losse, weggegooide stukken steen gestapelde steunbeer. Ik voel me minder gespannen nu ik weet dat we in noordelijke richting gaan. Zo nu en dan komen we langs een aftakking, een houten of stalen tunnel die naar een ander deel van de mijn loopt. Voor mijn gevoel lopen we daar al een eeuwigheid. De vochtige lucht benevelt het licht; hoe helder het ook is, vanaf de gangen waardoor we lopen dringt het niet ver door.

Dickon begint te fluiten, een irritant toonloos gesis door zijn tanden, wanneer een volgende kathedraalcrypte zich rondom ons opent: een ongelijk landschap met hopen weggegooide stenen. Ik werp Gary een nerveuze blik toe. Wie van ons gaat iets zeggen?

'We zijn onder het centrum van het dorp, waar de winkels zijn,' zegt Gary. 'Hou daarmee op, Dickon. De mijnwerkers worden gek als ze je horen. Probeer in elk geval respect te hebben voor het bijgeloof. Vooral hier.' Hij gebaart naar een paar pilaren, die witte sluiers van gewapend beton dragen. 'We noemen dit de coöpgrot. We hebben hier een paar maanden geleden een instorting gehad, niet al te ernstig, maar het betekende wel dat de arme coöp hierboven de leveranciers moest vragen hun vrachtwagens vijfhonderd meter van de winkel te parkeren en de goederen te voet te bezorgen tot we de pilaren versterkt hadden.'

'Hoe ver is de coöp boven ons hoofd?'

'Zo'n twee meter, meer niet.'

'Godallemachtig.' Hoe kunnen mensen met zo'n onzekerheid leven?

'Heb je al een huis gevonden?' vraagt Gary.

'Nou, niet in Green Down,' zeg ik snel. Beide mannen lachen.

'Het probleem is dat overal in dit gebied uitgravingen zijn,' zegt Dickon. Hij is duidelijk het type dat ervan geniet slecht nieuws te brengen. Hij snuit zijn neus met een vreselijk vochtig, trompetterend geluid. 'Trouwens...' snuf, snuf, hij loopt nog, niet te geloven, en aan het eind valt er nog wat te punniken ook, '...waar jij woont, Gary, daar zit ook een uitgraving onder. Ik zag het vorige week op een oude kaart in het gemeentearchief.'

'Nou, dank je, Díck,' zegt Gary. Hij loopt verder in een tempo dat erop wijst dat hij Dickon graag achter zich zou laten. Maar zo gemakkelijk kom je niet van hem af.

'Ik meen het, Gary, je zou een onderzoek moeten laten doen, want anders is je verzekering misschien niet meer geldig.'

'Die is niet meer geldig als ik een onderzoek laat doen waaruit blijkt dat ik boven op een ramp woon.'

'Verkoop het,' kom ik tussenbeide. 'Laat een andere sukkel er maar achterkomen.'

Gary werpt me een scherpe blik toe om na te gaan of ik een grapje maak. Dickon neemt me serieus.

'Dat zou immoreel zijn.'

'Luister,' zeg ik, terwijl we weer een hoek omgaan en in een nieuwe serie gestutte ruimten komen, 'soms is het immoreel om mensen dingen te vertellen die ze niet hoeven te weten.'

Hij probeert nog te bedenken wat hij daarmee aan moet wanneer ik gedempt gebonk en gedreun hoor. Ik kijk Gary aan en trek mijn wenkbrauwen op.

'Dat zijn de werkzaamheden,' bevestigt hij.

Voor ons uit zien we zo nu en dan een witte lichtflits aan het einde van een lange ruimte, met pilaren die taps toelopen als de romp van Superman. Daarbuiten trekken de uitgravingen zich in de duisternis terug. Ik werp een blik op de plattegrond. We zijn bijna bij het noordoostelijke uiteinde, onder een gebied dat Mare's Field heet.

Het sissende licht van lasgereedschap onthult scherpomlijnde fragmenten van activiteit, de bouw van een nieuw stuk stalen looppad. Ik kan een stuk of tien gehelmde gedaanten onderscheiden. Hun fluorescerende jacks steken als helder zilveren krabbels tegen de duisternis af.

'Deze ploeg bestaat grotendeels uit vrije mijnwerkers uit het Forest of Dean,' zegt Gary. 'Er is wat rivaliteit tussen hen en de Welshe mijnwerkers van de andere ploeg, maar het is een geweldig stel mensen. Zo taai als wat, prima werkers. Het heeft iets met overerving te maken en gaat terug op de middeleeuwen. Ze zijn de enigen die daar de kolen mogen opgraven, maar ik denk niet dat er veel zijn die daar nu nog van kunnen leven.'

Ik stel me hen voor tussen de bomen, donkere, stille mannen met spieren als trossen, het geluid van hun pikhouwelen galmend door de mosachtige takken. Tok, tok, tok, als eksters.

We zijn nu bijna aan het eind van het looppad gekomen en de mijnwerkers hebben ons opgemerkt. Een voor een leggen ze hun gereedschap neer en staan daar, wachtend, hun armen over elkaar geslagen, in de laatste bundel elektrisch licht. De duisternis achter hen is inktzwart.

'Hallo, jongens,' zegt Gary. 'Hallo, Ted. Ik laat de nieuwe ingenieur de uitgravingen zien.'

Ted, de man die het dichtst bij mij staat, is een grote vent met tatoeages die over zijn gespierde armen omhoog kronkelen. Hij duwt de klep van zijn helm omhoog om beter te kunnen kijken. Zijn ogen zijn vuursteenachtig, zijn mond hard als beton.

Zelfs die idioot van een Dickon kan merken dat er iets mis is. In de donderende stilte die is gevallen, hoor ik hem ongemakkelijk van zijn ene voet op de andere wippen.

Ik vermoed dat niemand eraan gedacht heeft hen te vertellen dat de nieuwe ingenieur een vrouw is.

10

Het was het geluid van een hamer dat me wekte; het drong mijn slaap binnen alsof iemand aan de binnenkant van mijn hoofd stond te kloppen. *Tik tik tik.* Heel zachte tikjes. Alsof iemand zijn best deed niet gehoord te worden. Ik keek op mijn wekker in de verwachting dat het vroeg in de ochtend was, maar het was nog niet eens middernacht. *Tik tik tik.*

Ik wist onmiddellijk dat het een hamer was en niets anders, want ik kende mijn hele leven al de verschillende geluiden die hamers kunnen maken. Ik wist dat dit een kleine hamer was, die op de kop van een kleine spijker sloeg, nauwelijks meer dan een speld, en deze zachtjes in hout dreef. Het geluid kwam binnen via mijn slaapkamerraam, dat wijd open stond om wat vochtige zomerlucht binnen te laten. Het kwam uit mijn vaders werkplaats in de garage.

Ik sloeg het laken van me af en zwaaide mijn benen op de vloer. Een oranje schijnsel filterde door de gordijnen van de straatlantaarns op de heuvel boven ons huis. Beau Bunny, het speelgoedkonijn dat ik al had sinds ik heel klein was, zat met een comité van mijn oude teddyberen op een rieten stoel naast het raam. Hun kraaloogjes sloegen me afkeurend gade. Ik zag mezelf als een spookachtige witte gedaante in de kaptafelspiegel. Ik bedacht ineens dat ik me vaak een geest in ons huis voelde.

Ik sloop de kamer uit en de trap af – *tik tik tik* – door de smalle gang die vanavond naar gebakken vis rook – *tik tik tik* – naar de keuken, waar de afwas van die avond nog opgestapeld in de gootsteen stond. De achterdeur stond open en ik glipte naar buiten. De betonnen plaats was zanderig, maar heerlijk koel onder mijn blote voeten. Het oranje licht van de straatlantaarns maakte alles onnatuurlijk: harder, luguber, schaduwachtig, als de kaders van een stripverhaal.

De garage, gescheiden van het huis, stond ver van de straat op een lagergelegen erf dat heuvelafwaarts liep. Mijn vader had een ingang aan de zijkant gemaakt, met een trap van drie treden die toegang gaf tot de garage. Lichtschijnsel viel door de halfopen deur.

Zolang ik me kon herinneren, was het altijd mijn vaders werkplaats geweest. Ik vond het heerlijk om naar binnen te glippen en naar hem te kijken. Hij had er een zware werkbank met een bankschroef staan en metalen schappen aan de achtermuur bevestigd, met haken voor zijn gereedschap en de tientallen bakjes voor spijkers, schroeven, moeren en bouten. Ik mocht op de bovenste trede zitten – 'Niet dichterbij, hè, terwijl ik aan het werk ben' – en ik kon daar uren achter elkaar zitten, terwijl hij mat en zaagde, beitelde en schaafde, timmerde en lijmde. Het grootste deel van de tijd had ik geen idee wat hij aan het doen was. Doordat ik zo stil was, vergat hij mijn aanwezigheid meestal en legde niets uit. Nu liep ik zachtjes om de deur heen, zodat ik naar hem kon kijken terwijl hij bezig was en zoals gewoonlijk te zeer in zijn werk op ging om mij op te merken.

Op de werkbank lag de foto van mijn moeder in zijn beschadigde vergulde lijst. De zijkant was verdraaid en versplinterd als een gebroken been. Het was een studioportret, zorgvuldig geposeerd. De fotograaf had haar zijwaarts op een stoel geplaatst, en ze hield haar hoofd opzij gedraaid, zodat ze over haar schouder naar de camera keek met de halve glimlach van een afgeprijsde Mona Lisa. Ze droeg haar donkere haar in een kort jongenskopje als Audrey Hepburn; een paar dunne plukken waaierden op haar wangen. Vanaf de plek waar ik stond, leek ze naar mijn vader te kijken terwijl hij bezig was te repareren wat hij kapot had gemaakt.

Ik vermoedde dat hij geprobeerd had de oude lijst op te knappen en dat had opgegeven. Hij was bezig een nieuwe te maken van licht, geschuurd vurenhout, en ik zag hem het laatste deel afmeten tegen de half in elkaar gezette lijst om er zeker van te zijn dat het paste. Zijn rug was half naar mij toegewend, zijn concentratie intens, zijn vingers zorgvuldig en nauwkeurig. Tevreden pakte hij een spatel, doopte die in de lijmpot, bestreek de onder verstek gezaagde hoeken en duwde het latje op zijn plaats. Hij zocht langs de planken en pakte een paar kleine spijkers, die hij tegen het hout hield om de lengte te controleren. Toen gebruikte hij een lichtgewicht hamer om de spijkers in de verbindingen te slaan. *Tik tik tik.* Een door mijn vader geslagen spijker ging altijd recht het hout in. Hij zette klemmen op de hoeken, waarbij hij voor de juiste positie een winkelhaak gebruikte, waarna hij elke klemschroef met precies hetzelfde aantal slagen aandraaide om de verbinding onder druk te houden terwijl de lijm droogde.

Mijn vader had me niet leren houtbewerken, maar ik had de principes geleerd door naar hem te kijken. Die verbindingen zouden nooit meer losraken.

Hij pakte de foto op die nog in de oude lijst zat. De hardboard achterplaat zat nog op zijn plaats en hij begon de kopspijkertjes eruit te trekken waarmee hij aan de lijst was bevestigd. Hij bleef met zijn vinger aan een van de spijkertjes haken, legde de foto snel neer en zoog aan de gewonde vinger. Een druppeltje bloed was op mijn moeders gezicht gevallen en met zijn zakdoek veegde hij het zorgvuldig weg. Mijn ogen begonnen te prikken en ik glipte weg over het plaatsje voordat hij me zou zien. Het begon net te regenen, grote dikke druppels die als duimen door mijn nachtpon op mijn huid drukten.

Ik lag nog een hele tijd wakker in bed, luisterend naar de regenbui en het donkere gemompel van de donder. Ik vroeg me af waar mijn moeder was en of ze wist hoeveel mijn vader nog steeds van haar hield.

Ik zag Trish toen ik op maandagochtend de heuvel op kwam. Ze liep vlak voor me, sjokte wat voort met haar schooltas als bijna vergeten over haar schouder geslagen, de boeken over elkaar struikelend in een poging te ontsnappen.

'Je raakt je *Aere Perennius* nog kwijt,' zei ik, een beetje hijgend van de inspanning om haar in te halen. Trish draaide zich geschrokken om en het Latijnse boek viel op de weg. Een passerende fietser kon nog net uitwijken en schreeuwde.

Ik stapte de weg op en pakte het boek. 'Je zult het moeten drogen.'

'Wat maakt het uit?'

Ik veegde het boek af aan mijn mouw. De bladzijden waren al aan het rimpelen. 'Hoe was Poppy's feestje?'

'Smerig. Helen Mansell heeft overgegeven in het zwembad. We moesten er allemaal uit.' Trish stopte het boek terug in haar schooltas en begon weer te lopen. 'Waar was jij trouwens?'

Ze hadden in elk geval gemerkt dat ik er niet was.

'Mijn oma was ziek,' loog ik. Mijn oma was meer dan ziek – ze was al twintig jaar dood.

'Ik dacht dat ze in Blackpool woonde.'

'O ja,' zei ik. Mijn vingers speelden met een pluizige naad in mijn jaszak. 'We moesten erheen. Om vier uur 's nachts waren we pas terug.'

'Is ze erg ziek?'

'Longontsteking.'

'O, Katie, dat is vreselijk. Gaat ze... je weet wel?'

'Dood? Nee, ik denk het niet. Pap zei dat de crisis voorbij was en dat ze het waarschijnlijk wel redt.'

Ik had haar nooit gekend, geen van mijn grootouders. Mijn vaders moeder was nog geen zestig toen ze overleed door een hartaanval, terwijl ze nog rouwde om een echtgenoot die in een Japans krijgsgevangenenkamp was gestorven. Net als hij waren mijn moeders ouders in de oorlog omgekomen, tijdens een van de bombardementen op Bristol, en haar grootmoeder had mijn moeder grootgebracht.

Ik vond het vreselijk als mensen medelijden met me hadden. Toen ik Trish leerde kennen, kon ik het medelijden op haar gezicht niet verdragen toen ze besefte dat mijn moeder ervandoor was gegaan. Dus schonk ik mezelf een levende oma, die aan de andere kant van het land woonde, zodat er geen enkel gevaar was dat ik haar ooit zou moeten laten zien.

'Ze heeft zeker zwakke longen, je oma... had ze vorig jaar niet ook longontsteking?'

De nagel van mijn vinger schoot recht door de voering van mijn zak. 'Mijn vader zegt altijd dat ze moet stoppen met roken.'

'Nou ja,' zei Trish. 'Je hebt niet veel gemist. Ik neem het Helen niet kwalijk dat ze moest kotsen. Ze waren een beetje te veel aan het opscheppen – "wat vind je van ons zwembad? Wil je geen ijs morsen op onze mooie mooie tuinmeubels?" Poppy's ouders zijn een beetje... je weet wel. *Nouveau.*'

'Nieuw?'

'*Nouveau.* Gouden badkranen en zo.'

'O.' Zoals me zo vaak met Trish overkwam, was ik er niet zeker van of ik haar begreep, maar het leek het gemakkelijkst om maar te doen alsof. Bovendien mocht ik Poppy's moeder niet zo. Ze zat altijd een beetje naar me te loeren wanneer ik daar 's middags was, alsof ze verwachtte dat ik met mijn handen zou eten.

We kwamen bij de gebouwen van het ministerie van Defensie, waar Poppy's vader werkte, met de rollen prikkeldraad op de hekken en de schildwacht in zijn marineblauwe uniform en witte slobkousen bij de poort. Er reed net een auto naar de slagboom, een grote grijze auto. De schildwacht liep erheen om het pasje van de bestuurder te controleren. Trish begon te zwaaien. De passagiersdeur ging open en Poppy stapte uit, net toen wij op gelijke hoogte kwamen.

'Geweldig feest!' zei Trish. 'Ik vertelde het net aan Katie. Echt geweldig.'

'Jammer dat je er niet was,' zei Poppy, terwijl ze een kus naar haar vader blies en het portier dichtgooide. 'We hebben je gemist.' Ik keek haar scherp aan. Ze leek het te menen.

Tijdens Latijn gaf Poppy me een briefje.

'Na school gaan we shoppen. Ga je mee?'

'Ja,' schreef ik eronder, en ik gaf het briefje terug. Ik vroeg me af wanneer ze dat hadden afgesproken.

'*Nonne,*' zei meneer Clayton, de leraar Latijn, terwijl hij met het krijtje naar de twee woorden wees die hij op het bord had geschreven. 'En *num.* Twee verschillende manieren om een vraag aan te kondigen. Weet iemand nog wat ze betekenen?' Het bleef stil. Niemand stak een vinger op.

'Iemand wil,' zei meneer Clayton, 'er toch zeker wel een gooi naar doen?' Nou, mooi niet.

'*Nonne* betekent "zeker",' zei meneer Clayton, terwijl hij tussen de rijen schoolbankjes door liep, zijn handen met de vingers omhoog tegen elkaar gedrukt, zoals hij altijd deed wanneer hij wilde aangeven dat hij diep nadacht. 'Het is, met andere woorden, een vraag waarop het antwoord "ja" wordt verwacht. En dus is *num...*' Hij zweeg en keek vol verwachting de klas rond, zijn handen nog steeds omhooggericht, waarbij hij nu zijn pinken naar ons liet wiebelen. Maar we waren geen van allen erg geïnteresseerd in Latijn. '*Num* kondigt een vraag aan waarop het verwachte antwoord "nee" is. Trish, wat is er in godsnaam met je boek gebeurd? Het ziet eruit alsof je ermee bent gaan zwemmen.'

Terwijl iedereen lachte, vroeg ik me af of Poppy de vraag in haar briefje zou hebben aangekondigd met *nonne* of *num*. Ze kon niet weten dat mijn vader me kledinggeld had beloofd. Ze had vast verwacht dat ik niet mee zou gaan.

Nou, pech gehad. Ik had het geld nog niet, maar ik kon alvast kijken wat ik wilde hebben. Ik keek naar Poppy, met haar smeltdraadvlechten, haar mooie, sproeterige gezicht. Ze wierp me een snelle grijns toe en stak haar duimen op. Ik trapte er niet in.

Ik was eerder in Top Shop geweest, in mijn eentje, maar het was anders nu ik wist dat ik er binnenkort geld kon uitgeven. Ik nam de tijd. Disco Tex en de Sex-O-Lettes dreunden op de achtergrond. Er was zoveel: het ene rek na het andere. Ik liet mijn hand over het glibberige weefsel van een satijnen haltertopje glijden. Ik moest zo'n wijde broek met omslagen hebben. En ik zou er zeker goed uitzien in een van die boerenbloesjes? *Nonne?*

Op de een of andere manier had ik een stapel verzameld die zo groot was dat ik over de slepende rokken struikelde toen ik naar de kleedkamers liep.

'Niet meer dan vijf,' zei de verkoopster. Ze had grote pandaogen, omcirkeld met glinsterende zwarte oogschaduw, en kauwde op kauwgom. Ik begon mijn bundel kleren uit elkaar te halen en probeerde te beslissen welke kledingstukken ik mee naar binnen zou nemen en welke ik buiten zou laten.

Het gordijn van de gemeenschappelijke kleedkamer wipte naar achteren. Poppy en Trish kwamen naar buiten. Trish duwde haar stapel kleren, allemaal binnenstebuiten en verfrommeld, in de handen van de verkoopster.

'Waardeloos,' zei ze. 'Het is allemaal goedkoop en lelijk. Kom op, laten we ergens heen gaan waar ze betere spullen hebben.'

Ik gaf mijn stapel ook aan de verkoopster, en probeerde te doen alsof ik ineens het goedkope materiaal en het onregelmatige stiksel had opgemerkt. Het moet wel heel treurig zijn, dacht ik, om in een winkel te werken waar ze zulke slechte kleren verkopen, en terwijl ik mijn stapel overhandigde, vormde ik geluidloos het woord 'sorry'.

Ze negeerde me, kauwde op haar kauwgom en staarde recht over mijn hoofd heen. Ik haastte me achter Trish en Poppy aan.

'Ik heb een idee,' zei Trish toen we weer buiten waren. 'Laten we beha's gaan passen. Ik heb een nieuwe nodig.'

'Marks & Spencers zit aan de andere kant van de stad,' protesteerde Poppy.

Trish wierp haar een vernietigende blik toe. 'Je koopt je beha's toch niet bij Marks? Mijn moeder neemt me mee naar Jolly's.'

'Nou, so-rry hoor,' zei Poppy. 'Neemt u mij niet kwalijk!'

'Ze hebben veel meer keus,' zei Trish terwijl ze een kleur kreeg.

'En zijn veel duurder.'

'Jouw moeder kan het wel betalen, hè?'

Poppy keek even naar mij. 'Bij M & S krijg je meer waar voor je geld,' hield ze vol. 'En ze hebben ook leuke.'

'Jolly's is dichterbij.'

Poppy gaf toe, terwijl ze nog een blik op mij wierp.

Bij Jolly's wilde ik net een voet op de wit met goudkleurige trap naar de bovenste verdieping zetten toen Trish me bij mijn arm pakte. 'Niet daarheen. De lingerie is op de begane grond.'

Lingerie. Ik had het woord, loom, buitenlands en erotisch, nog nooit met mijn eigen mond geproefd. Ik zei het zachtjes bij mezelf, binnensmonds, rekte de nzzzjjj-klank zo lang mogelijk, terwijl ik Trish en Poppy door het warenhuis volgde. Ik droeg onderbroeken, zoals mijn vader ze noemde, en hij sprak het woord zo bruusk en afwijzend uit dat ik wist dat hij zich ervoor schaamde. *De droogkast hangt vol met jouw onderbroeken, Katie, kun je ze niet eens opruimen?* Of broekjes, zoals mevrouw Owen ze noemde. *Hang die broekjes buiten aan de lijn, Katie, kunnen ze een beetje luchten.* Maar hier waren het 'slipjes', zoals op de prijskaartjes stond. Een eenvoudig, discreet, elegant woord. Iets wat vrouwelijke advocaten aanschoten, met mooie lange benen in dunne, zwarte nylons. Of los en zijdeachtig zoals de filmsterren uit de jaren dertig droegen, toen ze directoires werden genoemd. Hoe zou het voelen om die te dragen? Ik stelde me voor dat ze koel en glad zouden zijn. Je zou je heerlijk naakt voelen doordat de wijde pijpen frisse lucht naar je intieme delen bracht. Ik zou er niet in naar buiten durven, dacht ik. Het zou zijn alsof je helemaal geen onderbroek aan had.

Trish en Poppy waren bij de beha's. Poppy stond de clown uit te hangen met een van de grote maten, die ze als een muts op haar hoofd wilde zetten. De verkoopster, zelf met een formidabele boezem, wierp ons een afkeurende blik toe, en Poppy legde de beha snel terug.

'Heb je al iets gevonden?' vroeg Trish zonder op te kijken. De beha's ratelden aan hun plastic hangertjes terwijl ze erdoorheen ging.

'Nee,' zei ik. 'Ik kan niets in mijn maat vinden.'

'Welke maat zoek je?' vroeg Poppy, terwijl ze met een wolk van karamelkleurig kant naar me zwaaide. 'Dit is echt een mooie.'

'Ik heb meestal 70A.' Meestal? Ik had maar één beha, en die droeg ik alleen bij speciale gelegenheden. Hij was van gewone witte katoen en kwam van het beginnersrek bij Marks & Spencers.

'Poppy,' zei Trish van achter een ander rek. 'Zie jij iets fatsoenlijks bij 75C.'

C? Had Trish cup C? Tussen de rijen beha's door probeerde ik een glimp van haar borsten op te vangen. Ze kon toch niet zoveel gegroeid zijn in de week sinds we ons voor het laatst in de kleedkamer op school hadden staan uitkleden voor de zwemles? Ze was toch zeker – *num* – niet zoveel forser dan ik?

Trish kwam achter het rek met beha's vandaan met drie of vier zwarte exemplaren en een echt pikant uitgesneden donkerrode. 'Kom op. Ze gaan over tien minuten dicht.' Ze schoot de paskamer in, op de voet gevolgd door Poppy, die de karamelkleurige kanten beha en nog een roze bij zich had.

Ik griste de eerste twee beha's die bij de hand waren van het rek en vloog achter ze aan naar de paskamer. Maar er was geen gemeenschappelijke paskamer zoals bij Miss Selfridge en Top Shop. Ik zag een rij lattendeurtjes zoals in een western. Onder een ervan kon ik de benen van Poppy en Trish zien, en ik begon de deurtjes open te duwen om me bij hen te voegen.

'Hé,' zei Trish. Ik ving een glimp op van haar borst, een lichtgevende witte boog met een roze punt. 'Geen plaats. We kunnen er niet met zijn drieën in. Neem een eigen hokje.'

'De tieten van Trish nemen alle ruimte in beslag,' zei Poppy.

Ik duwde de deurtjes van het volgende hokje open. Ze klapten achter me dicht als saloondeuren nadat de plaatselijke dronkenlap eruit is gegooid.

'Die is een beetje hoerig,' klonk Poppy's stem uit het hokje naast me. 'Maar hij past goed. Geeft je een enorm decolleté.'

Ik begon mijn schooljurk uit te trekken. In de spiegels aan weerszijden zag ik mijn naakte romp verschijnen. Mijn borsten zagen eruit als een verhaal dat ik had verzonnen. Ze waren amper meer dan puistjes.

'Ik ga op dieet,' hoorde ik Trish zeggen. 'Mijn moeder heeft een grapefruit-eierdieet gevolgd toen ze moest afvallen om ondergoed te kunnen showen.'

'Heeft je moeder ondergoed geshowd?' zei Poppy.

Ik besloot ook op dieet te gaan. Misschien zouden mijn borsten groter lijken als mijn middel smaller werd.

'Nee, niet de roze,' zei Trish achter de tussenwand. 'Die vloekt met je haar. Maar de karamel is goed.'

'Jammer dat je kleren er overheen moeten,' zei Poppy.

Ze gniffelden allebei.

Ik stak mijn armen door de schouderbandjes van de eerste beha. Hij had een afschuwelijke vleeskleur, als die van steunkousen van oude dames. Zelfs op het strakste haakje was hij kilometers te groot. De cups hingen erbij als twee gerimpelde ballonnen.

'Hoe gaat het bij jou?' riep Poppy.

'Prima,' zei ik. 'Hij past goed. Prima.'

Een van hen moest zijn evenwicht hebben verloren, want er klonk een harde bons tegen de tussenwand en daarna volgde een uitbarsting van gilletjes en gegiechel.

'Af,' zei Poppy.

'Af? Volgens mij zit jij aan mijn tieten.' Meer gelach.

Ik maakte de beha los en plukte hem als een korst van mijn borst.

'Hé, Katie,' zei Trish, tussen proestend gelach door, 'Poppy had zaterdag een fantastisch idee.'

'Wat?' Ik voelde hoofdpijn opkomen. En ik had ook pijn in mijn buik.

'Ze zei...'

'Het was jouw idee, Trish. Ik heb alleen bedacht wat we zouden kunnen zeggen.'

'...Ze zei dat we een brief aan Gary Bennett moeten schrijven.'

'Een brief?' Ik hing de beha terug op zijn hangertje. Had het wel zin om die andere nog te passen?

'Een brief waarin we zeggen dat een van ons een geheime bewonderaarster van hem is en dat ze hem graag wil ontmoeten. Een afspraak-je!'

'Dat is een stom idee,' zei ik. 'Wat moet hij dan doen, met ons alle drie een afspraakje maken?'

'We trekken strootjes, suffie. Degene die het langste strootje trekt, gaat naar het afspraakje. Die gaat met hem naar Crow Stone voor een vrijpartijtje in de bosjes.'

Ik stopte mijn borsten in de cups van de tweede beha. Het was hetzelf-de spannende model als die van Poppy, diep uitgesneden en gevuld, en met een contrasterende rand van zwart lint rond de bovenkant van elke cup.

'Het is een kans van één op drie,' zei Trish.

Ik keek naar mezelf in de spiegel. De beha zat perfect. Hij duwde mijn kleine borsten op tot stevige tieten, vulde ze zo op dat ik mezelf voor het eerst met het lichaam van een vrouw zag. Ik draaide me naar de tweede spiegel voor een blik van opzij. Ik had goede contouren, een ech-te vorm. Ik voelde een dwaze grijns opkomen bij mijn mondhoeken.

'Wat vind je ervan?' vroeg Poppy.

'Geweldig,' zei ik. 'Fantastisch. Ik doe mee.'

Ik trok mijn jurk aan over mijn hoofd en keek naar de nieuwe vorm die de beha eronder me gaf. Ik zette mijn handen op mijn heupen, zoog mijn longen vol lucht en zag mijn boezem met mijn ribbenkast om-hoogkomen. Met zo'n boezem kon ik iemand de ogen uitsteken.

'Heb je er een gevonden die je bevalt?' vroeg Poppy uit het hokje naast me. 'Ik neem die met kant en Trish kan niet beslissen.'

'Nee,' zei ik. 'Nee, ik doe het niet. Ze zijn niet zo geweldig.' Ik bekeek mezelf weer in de spiegel. Ik ging op mijn tenen staan, stak mijn borst naar voren en deed alsof ik het meisje was op de hoes van het album van Roxy Music. 'All I want is you,' zong ik geluidloos tegen de spiegel.

Ik hoorde de deurtjes van het pashokje naast me openzwaaien.

'Klaar?' riep Trish.

'Klaar,' zei ik, en ik reikte omhoog en pakte de andere beha van het haakje. Toen pakte ik mijn schooltas en liep het pashokje uit. Trish wierp een spottende blik op de vleeskleurige beha in mijn hand.

'Die ga je toch niet kopen?'

'Natuurlijk niet,' zei ik zo smalend als ik maar kon. 'Ik heb hem al-leen aangepast voor de maat.' Ik liep weg bij de pashokjes en hing de beha terug aan het rek. 'Ik heb stapels beha's thuis. Weet jij al wat je doet?'

'Ik wacht wel tot zaterdag en dan vraag ik mijn moeder of ze mee wil om me te helpen kiezen,' zei Trish. Ik keek naar de beha's die ze terughing. Het waren helemaal geen C-cups; het waren B's. En het was geen wonder dat ze ze niet meteen kocht. Ze kostten meer dan een paar jurken bij Top Shop.

Poppy had haar beha afgerekend en stopte haar portemonnee weg. De verkoopster van middelbare leeftijd met haar boezem als een peluw begon de beha's aan de rekken te ordenen en rammelde met de hangertjes om haar afkeuring te laten blijken over de manier waarop we ze hadden achtergelaten. Ik trok instinctief mijn schouders naar voren om er zo hol mogelijk uit te zien. Maar ik voelde hoe de nieuwe beha me omhelsde, als twee sterke handen die mijn borsten omvatten.

Pas toen we buiten kwamen, begon ik het benauwd te krijgen.

'Goed,' zei Trish, terwijl ze voor Jolly's op de stoep bleef staan. 'Wat gaan we nu doen?'

Ik voelde de elegante poppen in de etalage beschuldigend naar me staren. Ik verwachtte de zware deuren van de winkel te zien openzwaaien en een hele troep verkoopsters onder leiding van Peluwboezem schreeuwend en zwaaiend naar mij naar buiten te zien komen. *Daar is ze.. Dat is dat kleine kreng dat een paar nieuwe borsten heeft gestolen.*

'Laten we gáán,' zei ik, terwijl mijn schouders prikten en ik elk moment verwachtte een zware hand om mijn arm te voelen. 'Ik moet echt naar huis.'

Maar daar hadden Poppy en Trish helemaal geen zin in. Ze wilden naar *Rocky*.

'De film begint over een kwartier,' zei Trish, op haar horloge kijkend. 'Precies op tijd.'

'Ga dan maar gauw,' zei ik. 'Anders kom je nog te laat.'

'Doe niet zo raar,' zei Poppy. 'De bioscoop is hier drie minuten vandaan. Trouwens, ga je niet mee?'

Ik had hem zaterdag al met mijn vader gezien, maar dat kon ik ze niet vertellen. 'Ik moet echt naar huis,' hield ik vol. 'Luister, ik loop naar de bus. Straks mis ik hem nog en moet ik tijden wachten.'

'Wat ben je gespannen,' zei Trish.

'Mijn vader,' zei ik, geïnspireerd. 'Je weet wel. Ik wil hem niet boos maken.'

'O. Sorry. Niet aan gedacht.' Trish tuitte haar lippen en zag er ongerust uit. 'Gaat het wel goed met je, Katie? We maakten ons zorgen zaterdag, toen je niet kwam opdagen. Ik bedoel, we wisten niet van je oma; we dachten...'

'Het gaat prima,' zei ik terwijl ik weer een wanhopige blik op de deuren van Jolly's wierp. 'Niets aan de hand. Ik moet alleen... naar huis.

Voor het geval dat.' Ik liep achteruit weg. Ik wilde me niet opzij draaien voor het geval ze mijn nieuwe contouren zouden opmerken.

'Katie?' zei Poppy. 'Je kunt het ons altijd vertellen, weet je.'

Ik zette de breedste glimlach op die ik had en schudde mijn hoofd om aan te geven dat er niets te vertellen viel. Toen ik de hoek omging, zag ik dat Poppy me nog nakeek, maar Trish had zich omgedraaid naar de verwaande etalagepoppen.

Ik had net een bus gemist. Ik zag hem nog in de verte door de straat tuffen, en ik overwoog achter hem aan te rennen om hem in te halen, maar ik wist niet wat dat met mijn nieuwe borsten zou doen. Ik wist zeker dat ze door de beha zouden gaan groeien. Ik was bang dat ze over de rand zouden zwellen, als deeg dat op een warme plaats is gezet om te rijzen.

Er was een bank bij de bushalte. Ik ging op een hoek ervan zitten en leunde met mijn hoofd tegen de beroete muur erachter. Het plaveisel rook naar verkeer en oude urine. Ik schopte tegen weggegooide bierblikjes onder de bank, sigarettenpeuken als afgevallen bladeren. Vanaf mijn zitplaats had ik een goed uitzicht op de straat in de richting van de winkels in het centrum en zou ik op tijd gewaarschuwd zijn als Peluwboezem met haar troep woedende winkeldetectives op me af zou komen stormen. Dan zou ik het op een lopen zetten.

Toen ik nadacht over wat ik had gedaan, verschrompelden mijn borsten weer tot normale grootte. Kleiner nog. De sterke, geheime handen van de beha omvatten lege lucht. Tot nu toe had ik nooit van mijn leven iets gestolen. Met een misselijk gevoel staarde ik naar de voorbijkruipende auto's. Ik had iets meegenomen waar ik niet voor had betaald. Hoorde je niet een soort kick te krijgen van stelen? Het opgewonden gevoel was verdwenen; ik had alleen een groot brok onverwerkte angst op mijn maag liggen.

'Katie,' zei een vrouwenstem die ik niet herkende. Ik schoot bijna van de bank de straat in. 'Je bent toch Katie Carter?'

Aan de andere kant van de bank stond een vrouw die ik niet kende naar me te kijken. Toch wist ik dat ik haar ergens had gezien. Ze had kort, dik haar, waarvan wat dunne plukken op haar wangen vielen en ze was niet erg lang.

Ik voelde hoe de behahanden op mijn borst zich in mijn lichaam klemden en mijn maag dichtknepen. Even kreeg ik geen lucht. Ik staarde haar aan, zo hoopvol dat het pijn deed. Ik wist niet of ik zou gaan huilen.

'Ik ben Janey Legge. Van de bibliotheek, weet je nog?'

De handen lieten mijn maag los en alle hoop zakte uit me weg op het

smerige plaveisel onder de bank. Ik voelde niets meer, behalve teleurstelling.

'Het spijt me,' zei ze. 'Ik wilde je niet laten schrikken. Je hebt een rare
kleur gekregen, gaat het wel?'

'Het gaat prima,' zei ik. Ik hoopte dat ze de trilling in mijn stem niet
hoorde.

Ze ging met een bezorgd gezicht op de bank naast me zitten. Nu ze
zo dichtbij was, kon ik zien hoe dom ik was geweest. Ze was jaren jonger dan mijn moeder zou zijn. Haar haar was helemaal niet kort; het
was lang, in een knot op haar achterhoofd getrokken, en er waren korte
plukjes uit losgemaakt die op haar romige wangen krulden. Het had een
roodachtige, onnatuurlijke tint. Haar gezicht was ook smaller dan dat
van mijn moeder, met een scherpe, puntige wipneus en hoge jukbeenderen.

'Weet je zeker dat je je goed voelt?' vroeg ze.

Ze was mijn moeder niet. Hoe haalde ze het in haar hoofd om zich
zorgen om me te maken? Hoe haalde ze het in haar hoofd om me te laten denken...

'Ik heb je heel vaak in de bibliotheek gezien,' vervolgde ze. 'En zaterdag heeft je vader me over je verteld. Hij is heel trots op je, weet je.' Ze
glimlachte naar me. Op een van haar voortanden zat een vlek donker-
paarse lippenstift.

'Ik kan me ú niet herinneren,' zei ik. Maar ik herinnerde me haar wel.
Ik had alleen nooit veel aandacht aan haar besteed.

Onder een van haar ogen klopte een adertje. 'Nou, ik ken jou wel,' zei
ze. 'Je haalt altijd boeken over archeologie. We merken zulke dingen op,
de andere bibliothecaresses en ik. We noemen je de kleine graafster.'

In plaats van een jas droeg ze een wollig, lilakleurig wikkelvest over
een jurk die van dezelfde tint probeerde te zijn maar er net naast zat.
Er hing een dun gouden kruisje aan een kettinkje om haar hals. Ik kon
niets bedenken om tegen haar te zeggen.

'Dus, graafster,' zei ze, 'wat een verrassing om je tegen te komen bij
mijn bushalte. Je vader vertelde dat jullie in Green Down wonen. Misschien komen we elkaar wel vaker tegen, nu dat een keer is voorgeko-
men.' Ze ritste een grote schoudertas van meubelstof open. 'Banaan? Ik
krijg altijd trek wanneer ik naar huis ga.'

'Nee, bedankt,' zei ik koeltjes. 'Ik ben op dieet.'

Ze trok haar wenkbrauwen op. Ze had scherpe jukbeenderen, met wat
rouge vlekken eronder. 'Lichaamsbeweging,' zei ze. 'Lichaamsbeweging
is beter dan een dieet. Dans je, Katie?'

Er kwam een bus aan. Ik tuurde ernaar over Janey Legges wollige schouder. Niet mijn bus. Ik vroeg me af of ik hem toch zou nemen, om van haar af te zijn. De bus stopte naast ons en het lawaai van de motor overstemde wat Janey nog zei. Ze keek naar het nummer.

'Nou, dat is mijn bus. Het was leuk om met je te praten. En je doet het wel, hè?'

'Wat?'

'De groeten van mij aan je vader. Het is zo'n aardige man. Je mag hem vertellen dat ik dat heb gezegd.' Ze stond op en hees haar tas hoger op haar schouder. 'Tot gauw.'

Over mijn lijk. Ik staarde de bus na terwijl hij wegreed naar de brug en probeerde hem door middel van telepathie te laten ontploffen. Maar er kwam geen vuurbal, geen paddenstoelwolk. Hij bracht Janey Legge en de rest van de passagiers veilig de rivier over.

11

In het hotel ben ik kleren aan het opvouwen wanneer de telefoon gaat. Het is Gary.

'Sorry,' zegt hij. 'Dat ging niet best, hè?'

'Dat kun je wel zeggen.'

'Juist.' Hij zwijgt even onzeker. 'Wat ben je aan het doen? Je valt steeds weg.'

'Ik ben aan het pakken.'

'Aan het pákken? Alleen omdat een paar mijnwerkers niet aardig tegen je waren?'

Ik hou op met mijn poging een mohair truitje in mijn tas te persen en stop de telefoon wat steviger onder mijn kin. 'Natuurlijk niet. Ik heb iets gevonden om te huren. Morgen of overmorgen vertrek ik uit het hotel.'

'Dat is snel.'

'Ik ben het hele weekend makelaars afgeweest en heb een huis in Turleigh gevonden.'

'Goed gedaan.' Er klinkt afgunst in zijn stem door. 'Daar vind je niet zo vaak iets.'

'Ik had geluk. Het is een weekendhuis van mensen uit Londen, maar ze zijn net overgeplaatst naar Minnesota, de stakkers.'

Ik heb écht geluk gehad. Het huis is ongeveer tien keer zo mooi als mijn huisje in Cornwall, hoe dol ik daar ook op ben. Huizen in Cornwall zijn meestal gebouwd van vochtig graniet en vergiftigen je met radon, maar Turleigh is van knus kalksteen. Het heeft slaapkamers met badkamer en goede douches, massief marmeren werkbladen in de keuken en een garagedeur met afstandsbediening.

'Er moet een addertje zitten,' zegt Gary. 'Misschien spookt het er.'

'Daar kan ik mee leven.'

'Maar goed, ik wilde even zeker weten of je niet van streek bent.'

'Van streek? Waardoor?'

'Nou. Je weet wel. De mijnwerkers.' Hij klinkt ongemakkelijk, en terecht.

'Je went eraan. Zoals zij aan mij zullen moeten wennen.'

'Oké,' zegt Gary. Maar het klinkt niet overtuigend. 'Goed. Dat zal dan wel.'

'Ik moet ophangen,' zeg ik. 'Ik verwacht een telefoontje.'

Nadat ik de telefoon heb neergelegd, denk ik: ja, ja; een telefoontje van oma.

Ik trek de bovenste la open van de ladekast onder het raam en trek er handenvol ondergoed uit om in mijn tas te proppen. Alles zwart of vleeskleurig: eenvoudig, sterk en praktisch. Een van de beha's valt op de vloer; ik buk me om hem op te rapen en bewonder de soepele rondingen die precies om mijn soepele rondingen passen. De vorm doet me denken aan een hangbrug: volmaakte techniek. Was het Howard Hughes, die een beha ontwierp voor Jane Mansfield op basis van het kraagliggerprincipe?

Flauwekul, Kit, zegt Martins stem in mijn hoofd. *Koop een beha in shocking roze.*

's Nachts word ik plotseling wakker en lig in het donker te staren. Op het rode lampje van de tv na en een gele streep onder de deur is het pikdonker in de kamer. Het enige geluid komt van het water van de stuwdam buiten.

De instorting in de vuursteenmijn is bijna zes weken geleden.

Ik ben hier onder valse voorwendselen. Ik had dood moeten zijn.

Ik draai me om en om. Ik zie steeds het gezicht dat ik sinds mijn veertiende niet meer heb gezien. En vingers. Lange gevoelige vingers. Vingers als witte stengels, die in het donker naar me grijpen... Nee. De kamer is te warm. Ik wil slapen, maar ik weet dat het niet lukt. Ik ben bang om te gaan slapen, voor het geval de dood beseft dat hij me heeft gemist en ik niet meer wakker word. Ik proef knoflook van het eten, en waakzaamheid, metaalachtig en droog achter op mijn tong.

Kunnen ze die stuwdam niet afzetten?

Witte ruis. Witte nacht.

De volgende ochtend zit ik op mijn werk achter de computer wanneer ik ontboden word. Het is als de vlaag ijzige lucht die de portakabin binnenkomt met Rosie, de administratie-assistente met wie ik mijn kantoor deel. Het afzonderingsprincipe: stop de vrouwen bij elkaar, zodat je een oogje op ze kunt houden. Daarvoor hebben we onze eigen kantooreunuch gekregen, die op dit moment godzijdank niet aanwezig is.

'Je moet bij Brendan komen,' zegt Rosie. Ze probeert twee tot aan de rand gevulde bekers koffie recht te houden en tegelijkertijd met haar achterwerk de deur dicht te doen. 'We hebben een nieuwe ketel nodig.'

We richten onze ogen allebei automatisch op het derde bureau. Er staat een computer op, waarvan de monitor bepleisterd is met gele post-itbriefjes, een hele apotheek aan vitaminepillen en antihistaminen, en een van die echt vreselijke beeldjes van Priapus die ze in souvenirwinkels in Griekse toeristenoorden verkopen. Een troffel, de derde hand van een archeoloog, staat in de hoek die gevormd wordt door zijn disproportioneel grote lid. Dickon is er op het moment niet, loof de Heer en hier met die munitie: bij voorkeur een fragmentatiebom die ik onder het kussen van zijn speciale stoel kan stoppen. Het is een soort stoel waarin je met rechte ruggengraat moet zitten, maar als Dickon erin zit, weet hij er nog steeds uit te zien als een lange, kromme straal pis.

Rosie en ik hebben vooral vandaag een bloedhekel aan Dickon omdat hij gisteravond tot laat is gebleven en bij het afsluiten de snelkoker aan had laten staan. Die is niet automatisch uitgegaan toen het water kookte en het element is doorgebrand. Dus moeten we steeds als we een kop koffie willen over de bevroren plassen naar de grote keet glibberen, waar de kitchenette is. Voor Rosie en mij is dat ongeveer elk halfuur en we hebben er nu al schoon genoeg van.

'Ik neem aan dat Brendan me niet over de waterkoker wil spreken.'

Rosie trekt een gezicht. 'Ik vrees van niet.'

'En?'

'Dat moet hij je maar vertellen.'

Ze zet de twee bekers koffie neer, één op haar keurige bureau en de andere op het mijne, dat al sedimentaire lagen verfrommeld papier aan het opbouwen is. Ze steekt een middelvinger op in de richting van Dickons speciale stoel.

Rosie en ik kennen elkaar nog maar ruim een dag, maar we zullen het wel met elkaar kunnen vinden. Ik geef haar ongeveer veertig seconden, dan slaat ze door en vertelt me het slechte nieuws. Het moet wel slecht nieuws zijn; ik heb het sinds gisteren voelen aan komen, ondergronds, een kleine beving, maar wel vernietigend.

Ze gaat aan haar bureau zitten, omlijst door een galerij van tevreden stuiterende broers, zusters en vrienden, die allemaal onmogelijke atletische dingen doen op skihellingen of rotswanden of te midden van razende waterkolken. Rosie is eind twintig, een leeftijd waarop de gewrichten nog elastisch zijn, en ik wed dat haar soepele, slanke lichaam daar samen met haar vrienden stuitert, terwijl ze van achter de camera foto's neemt. Misschien staat haar vriend op een van die foto's. Hij is een van de mijnwerkers die bij het project betrokken zijn: Huw, Welsh, uit de Valleys, niet een van Teds mensen.

'Dus?' zeg ik.

Ze draait haar tot op kinlengte geknipte haar tot een kurkentrekker en speldt die met een veerklem boven op haar hoofd. Het valt haar niet gemakkelijk om naar me te kijken.

'Nou...' Ze kijkt me aan en ziet er boos, hulpeloos uit. 'O, verdorie, dit is vreselijk.'

'Gooi het er maar uit.'

'Teds ploeg heeft geklaagd. Ze zeggen dat ze geen vrouw onder de grond willen hebben.'

'Dat dacht ik al. Ik zag het gisteren aan hun gezicht.'

'Maar ze kunnen je toch niet wegsturen, dat zou seksediscriminatie zijn, toch?'

Mijn vingers vinden een uitgedroogd stuk kauwgom aan de onderkant van mijn bureaublad en beginnen eraan te pulken. 'Ja, technisch gezien wel. Maar...' Ik weet niet waarom ik zo kalm ben.

De deur gaat open en laat meer bijtende vrieskou binnen. Het is Gary. Hij is razend. 'Ik heb het net gehoord.'

Hij kan niet stilstaan; hij beent heen en weer door ons kleine vrouwenverblijf, dat hem ongeveer anderhalve stap ruimte geeft voordat hij tegen Dickons kruk knalt. Ten slotte geeft hij het op en laat zich er abrupt op zakken.

'Gehoord?' zeg ik.

'Je moet het weten. Niet te geloven, verdomme. De vrije mijnwerkers zeggen dat het ongeluk brengt om een vrouw onder de grond te hebben.'

'Ja. Brendan wil me spreken.'

'Ik weet niet wat hij eraan zou kunnen doen. Ze dreigen ontslag te nemen. Ik heb er net drie in mijn kantoor gehad. Ze beweren dat de laatste keer dat er een vrouw beneden was de volgende dag de boel instortte. Dat was jij, trouwens, Rosie. Niet te geloven...' Hij slaat met zijn hand op Dickons bureau. Een neusspray wankelt even op de rand en valt op de vloer. Voor het eerst sinds hij binnen is, kijkt hij me echt aan.

'Waarom blijf je er zo kalm onder?'

Ik kijk naar mijn brokkelige nagels. 'Ik ben niet kalm.'

'Dat is niet aan je te merken. Ik neem aan dat je het gewend bent...'

'Nee, dat ben ik niet.' En ineens ben ik toch kwaad, echt kwaad. Ik voel tranen in mijn ooghoeken prikken en mijn lippen beginnen te trillen, maar ik verdom het om eraan toe te geven. 'Ik heb verdorie over de hele wereld gewerkt en niemand heeft ooit geweigerd met me samen te werken. En dan komt er zo'n stelletje bijgelovige, stomme...'

De deur knalt open. Het is Dickon. Achter de bezorgde uitdrukking die hij heeft opgezet, probeert hij te verbergen hoe ingenomen hij met de situatie is.

'Kit, lieve hemel. Ik heb het net gehoord. Wat vreselijk.'
Nee, jij vuile vetvlek, het is een ramp, verdomme. Ik moet echt niet gaan huilen waar hij bij is, verdomme, verdomme, denk aan graniet, serpentiniet, basalt, harde onverzettelijke rotsen onder zwiepende stormwinden, de Cairngorms, Dartmoorpieken... Niet aardig doen, Gary. Niet vriendelijk doen. Als je iets vriendelijks zegt, hou ik het niet meer.
'Kit,' zegt Rosie kortaf. 'Brendan zei onmiddellijk!'

Na de wandeling over de bevroren grond naar het kantoor van de mijnmanager, waarbij ik mijn longen vul met tintelende koude lucht, heb ik mezelf weer onder controle, dankzij Rosie, de redster in nood. Door me voor te stellen dat ik vanaf het plafond toekijk, kom ik het gesprek met Brendan door. Ik zie mezelf bezig: hard, praktisch, geen zelfmedelijdend trillinkje van mijn onderlip.
'Uiteraard geven we niet aan ze toe,' zegt hij. Ik knik.
'Maar het is misschien wel een goed idee om een dag of twee niet ondergronds te gaan,' mijmert hij, kauwend op zijn onderlip en de woorden zorgvuldig door zijn grote bruine snor filterend. Ik kijk hem nadenkend aan.
'Je hoeft toch niet echt vaak onder de grond te zijn, hè?' zegt hij peinzend. Ik kijk opstandig. De snor vlakt af tot een brede, verzoenende grijns en hij krabbelt snel terug.
'Ik bedoel natuurlijk dat jouw rol vooral ligt op het gebied van opzet en monitoren, dus daarvoor hoef je niet dagelijks naar beneden, wel? Ik bedoel, het grootste deel van je werk doe je achter de computer. Je hoeft niet voortdurend op de werkplek...'
Wanneer ze managertaal gaan gebruiken, weet je dat je in moeilijkheden bent.
'Brendan,' zeg ik. 'Ik ga die schacht weer in. Misschien niet vandaag, maar wel binnenkort.'
'Juist. Ja. Natuurlijk.'

'Het punt met die vrije mijnwerkers,' zegt Dickon, zelfingenomen dat hij zijn immense intellectuele deskundigheid aan ons kan tonen, 'is dat ze blijkbaar rechtstreekse afstammelingen zijn van de Keltische ijzermeesters uit het Forest of Dean.'
'O, en dan is het oké?' zegt Rosie scherp.
'Nee, nee. Wat ik bedoelde is dat het bewerken van ijzer een bijna magische, priesterlijke roeping was. Stel het je maar voor: in de aarde graven, het harde metaal smeden.'
'Ja, het zal wel. Heel freudiaans.'

'Nee, nee, néé. Waar ik het over heb, is het gevaar. Sterfelijkheid. Het leven is kwetsbaar onder de grond. Je kon elk moment doodgaan – een instorting, overstroming, mijngas, levend begraven worden! Je moet de goden gunstig stemmen. Daardoor vind je zoveel bijgeloof onder mijnwerkers, net als onder vissers en zeelieden.'

'Op zee zie je vrouwen,' zegt Rosie. 'Ik heb zelf gevaren.'

'Ken je veel vrouwelijke trawlvissers?'

'Dickon heeft een punt,' zegt Gary, die zwijgend tegen de muur geleund stond. Maar hij keek naar mij. Steeds als hij mijn blik opvangt, moet ik wegkijken. 'Wat denk jij, Kit?'

'Ik denk: waarom vrouwen?'

'Hoe bedoel je?' zegt Dickon. Hij is oprecht geïnteresseerd, dat moet ik toegeven.

'Waarom niet de kleur groen, of niezen onder de grond? Waarom moeten het vrouwen zijn die ongeluk brengen? Het lijkt wel of we altijd duivelinnen zijn die mannen verleiden en ze dan van verkrachting beschuldigen.'

En dan zie ik tot mijn verbazing een sluier over Gary's gezicht trekken. Wat heb ik gezegd?

'Jíj bent toch niet bijgelovig wat vrouwen betreft?' zeg ik wanneer we tussen de middag in de kroeg tegenover het werkterrein zitten. Rosie staat aan de door sigaretten geblakerde bar de broodjes te bestellen; ze is vergeten de speld uit haar haar te halen. Gary en ik zitten aan een tafeltje bij de nepopenhaard. Het ruikt er naar verschaald bier en oude tabaksrook en zo nu en dan plakken je voeten aan de vloer, maar hierbinnen hoeven we onze werkschoenen tenminste niet uit te trekken.

'Natuurlijk niet.'

'Alleen...' Ik speel wat met een pakje suiker dat de vorige klanten op het tafeltje hebben laten liggen. Het is zo'n lang worstvormig zakje en de suiker is keihard geworden. Het voelt lekker om het tussen mijn vinger en duim heen en weer te rollen tot het zacht en korrelig wordt. 'Ik heb alleen het gevoel dat niet alleen de vrije mijnwerkers me liever zien gaan dan komen.'

'Onzin. Je ziet spoken.'

'Nou, Dickon is niet bepaald dol op me.'

'Is het niet andersom?'

'Wat?'

'Wat heb jij tegen Dickon?'

Rosie wil ons iets duidelijk maken; iemand heeft de jukebox aangezet en ik kan niet horen wat ze zegt. Ik leg mijn hand om mijn oor.

'Geen kaastosti's,' zegt Gary. 'Klootzakken. Ze hebben nooit tosti's als het koud is.' Hij legt zijn handen op zijn schouders, flappert met zijn ellebogen en vormt met zijn mond het woord 'kip'.

'Ik ga naar beneden wanneer ik wil.' Ik pak een volgend suikerzakje op. 'Ik laat me niet intimideren.'

'Dat had ik ook niet van je verwacht.'

'Weet je zeker dat jij geen problemen hebt met vrouwen op het werk?'

Gary kijkt me aan met die heldere blauwe ogen van hem. 'Kit, de beste ingenieur met wie ik ooit heb gewerkt was een vrouw. In Kazachstan. Ze was de mijnmanager en ze wist echt wat ze deed. Hun industrie is niet zo georganiseerd als bij ons, maar bij haar is nooit een slachtoffer gevallen.' Hij glimlacht vol genegenheid en iets wringt in mijn binnenste. 'Maar het was me een taai klein kreng.'

'Klein?'

'Die flauwekul dat alle Russische vrouwen gebouwd zijn als kogelstootsters moet je maar uit je hoofd zetten. Ze had balletdanseres kunnen zijn.'

'*Twistin' my melon, man*,' zingt de jukebox. Het suikerzakje scheurt in mijn vingers en de suiker verspreidt zich over het tafelblad. Gelukkig merkt Gary het niet.

Hij ziet er nog steeds goed uit. Zonder zijn fleecejack, in een oud, vaalblauw sweatshirt, mochten zijn spieren er nog zijn voor een man van in de veertig. De schouders van een zwemmer, nog geen zweem van een buikje.

– trok me tegen zijn borst. Hij rook naar zeep en tabak. Zijn adem op mijn haar –

Maar het belangrijkste is dat hij Nick niet is.

Rosie komt eraan met de drankjes; plukken blond haar ontsnappen aan de speld en vallen in haar ogen. Er is een cola, een St Clement's en een Becks. De Becks is voor mij. Gary kijkt afkeurend terwijl ik het bier in mijn glas giet.

'Je gaat toch niet naar beneden nadat je dat hebt gedronken?'

'Ik ga niet naar beneden,' zeg ik. 'Niemand wil daar een vrouw hebben, weet je nog?'

Ik heb mijn dag niet. Terwijl we teruglopen naar het werk gaat mijn mobieltje.

'Het spijt me, mevrouw Parry, maar we hebben een probleem met het huis.'

Even kan ik niet bedenken waar hij het over heeft. Of wie hij is. Dan weet ik het weer. Het is de makelaar. Ik zou vanavond in het huis trekken. Mijn spullen liggen in de auto. Ik was van plan er meteen na het werk heen te rijden.

'Het is het warme water. Toen de schoonmaakster er vanmorgen heen ging, kwam ze erachter dat er een probleem was. Het ziet ernaar uit dat de pomp van de centrale verwarming het heeft begeven.'

'Wanneer kan die gerepareerd worden?'

'We hopen er morgen iemand heen te sturen. Maar je weet maar nooit. Kunnen we het op donderdag houden?'

'Luister,' zeg ik. 'Er liggen toch geen mijnen onder het huis, hè?'

'Mijnen?' De makelaar klinkt oprecht geschokt.

'Laat maar,' zeg ik. 'Ik zie spoken.'

Het is over vijven, een smerige, groezelige middag, een druilerige, hatelijke regen bevochtigt de buitenwanden van de kantoren. De jongens zijn buiten het hek weer aan het voetballen. Kennelijk spelen ze graag in het donker. Zo nu en dan schreeuwen ze als twee van hen tegen elkaar knallen, en ik denk niet dat het altijd als tackle bedoeld was.

Het verlichte raam van ons kantoor, dat stralend uit het donker tevoorschijn komt, heeft bijna iets huiselijks. Ik loop weer met een kop dampende koffie over het verharde terrein. Rosie is vroeg vertrokken om onderweg naar huis een nieuwe ketel te kopen, maar ik moet blijven om een goed overzicht te krijgen van de omvang van het werk. Er zijn wat belastingsimulaties die ik op de computer moet doen. Een mijnbouwkundig ingenieur die niet ondergronds werkt – tegenwoordig is het mogelijk vermoed ik, met al die technologie.

En waar zou ik anders heen moeten? Een charmante, maar nietszeggende hotelkamer, de witte ruis van de stuwdam? Ik mag waarschijnlijk nog dankbaar zijn dat ik een bed heb.

Op het parkeerterrein probeert iemand een auto te starten, maar de motor heeft er met die kou weinig zin in. De mijnwerkers hebben hun dag erop zitten; ze zullen nu allemaal thuis zijn. De motor slaat eindelijk aan en begint te lopen, en een stel koplampen stuitert over het terrein in de richting van het beveiligingshuisje en de poort.

Ik moet ook dat CAD-programma onder de knie zien te krijgen. Brendan gebruikt een nieuw systeem dat anders is dan ik gewend was...

O, verdorie. Ik ga naar beneden, nu er toch niemand is.

Ik neem snel twee slokken koffie en giet de rest op de grond, dan ren ik de trap op en pak mijn uitrusting uit het verlaten kantoor, voordat ik van gedachten verander.

Ik verwachtte half gedwarsboomd te worden. Als de mijnwerkers boven zijn, wordt de schacht gewoonlijk afgesloten; niemand wil dat die jongetjes daar beneden naar hun bal gaan zoeken. Maar de klep is open en de bovenkant van de ladder is net zichtbaar in de gapende duisternis, die nog kouder en donkerder lijkt dan toen ik de schacht afgelopen vrijdag voor het eerst zag. Strikt gesproken is het dom om alleen naar beneden te gaan, en nog onwettig ook; volgens de regels van het bedrijf mag je niet ondergronds gaan zonder het iemand te laten weten. Maar ik wil mezelf de tijd niet geven om na te denken. De regels kunnen me gestolen worden – ik wil onmiddellijk naar beneden.

Aan de andere kant zou ik behoorlijk voor gek staan als er iemand langs zou komen die me zou opsluiten. In mijn zak zit een kopie van de werkvoorschriften, vastgeniet aan de plattegrond van de uitgravingen die Brendan elke week bijwerkt. Ik scheur hem af, krabbel een korte boodschap op de achterkant en laat het witte vel papier op de schachtdeksel achter, waar het, bijna lichtgevend in de schemering en verzwaard met een stuk kalksteen, niet over het hoofd kan worden gezien.

Mijn vingers zoeken ter geruststelling naar de kaartzak in mijn jack, om aan te raken wat erin zit. Glad aan de ene, ruw aan de andere kant. Dan begin ik, een beetje buiten adem, de ladder af te dalen.

Zie je demonen onder ogen. Dat zei ze tegen me, steeds opnieuw, wanneer ik examens verknalde en ze over moest doen, wanneer ik weigerde naar feestjes te gaan of met een bleek gezicht thuiskwam van de nieuwe school waar ik niet kon wennen.

Zie je demonen onder ogen. Het is gemakkelijker om ze weg te stoppen. Misschien moet ik het zo maar laten. Het is geen angst, dat denk ik tenminste niet. De dingen die je het meest beangstigen zijn de dingen die je steeds opnieuw moet doen, en dat doe ik, het is alleen...

Mijn voeten landen op de zompige plek onder aan de ladder. Het licht is aan – dat had ik niet verwacht. Iemand heeft het vast vergeten uit te doen. Er hangt een nevelige lichtcirkel rond elk kaal peertje, worstelend tegen de ondoordringbare duisternis buiten het stalen looppad.

Sommigen zijn geboren voor een leven dat hen toelacht, anderen voor een eindeloze nacht... Fragmenten van een gedicht uit het niets, die zich eindeloos herhalen in het ritme waarmee mijn schoenen de ongelijke grond raken. Waar ga ik heen? Geen idee. Ik heb er nog niet echt over nagedacht; ik weet alleen dat ik hier beneden moet zijn, in mijn eentje. De duisternis gaat maar door. De lichtstraal van mijn zaklantaarn valt op stapels puin, scheve pilaren en steunberen. De lucht is zwanger van die scherpe geur van nat cement. Een diepe droefenis nestelt zich als een brok in mijn keel. Eindeloze nacht, eindeloze nacht...

Plotseling zijn er ongelijke rijen pilaren, die zich uitstrekken in de verte, sommige met witte sluiers – de plek die Gary de coöpgrot noemde, denk ik. De plattegrond is moeilijk te lezen; mijn hand beeft. Er zijn ondergrondse paden die in alle richtingen lopen en die ik niet heb opgemerkt toen ik hier gisteren was.

Ik had hier niet alleen moeten komen. Je verdwaalt te gemakkelijk. De tijd blijft op een verontrustende manier verspringen. Ik ben nu terug in een van de smalle, lage tunnels. Mijn geest laat het steeds afweten, geeft het op, als een computer die vastloopt in een of ander intern proces en weigert op de muis te reageren. Druk op een willekeurige toets...

Een donkere gedaante komt met grote stappen uit een zijtunnel voor me, gehaast als het Witte Konijn van Alice, en ziet me niet of negeert me. Mijn hart bonkt tegen mijn ribbenkast en ik laat bijna mijn zaklantaarn vallen. De gedaante snuit luid zijn neus.

'Dickon!' zeg ik, voordat ik me kan inhouden.

Dickon, in een oude waxjas, slaakt een gilletje en draait zich razendsnel om, net zo geschrokken als ik dat hij iemand anders onder de grond aantreft. Net als elke andere archeoloog die ik ooit heb ontmoet, lijkt hij een aversie te hebben tegen fluorescerende kleding. Iedereen die wat minder in zichzelf zou opgaan, had me gevraagd wat ik daar deed, maar gelukkig komt het niet bij hem op.

'Godallemachtig, Kit, je hebt me bijna een hartaanval bezorgd met dat rondsluipen van je.'

'Ik dacht dat ik hier alleen was.'

'Ik ook. Geef me een momentje om bij te komen.' Met zijn zakdoek nog in zijn hand laat hij zich kloppend op zijn borst op een blok steen zakken. We zijn allebei buiten adem van schrik. Als ik mijn hersens had gebruikt, had ik me stil gehouden en hem door laten lopen voordat hij me gezien had, maar nu zit ik aan hem vast. Ik krijg de zenuwen van de manier waarop hij zit te hijgen.

'Het spijt me,' zeg ik. 'Ik wilde net teruggaan.' Ik probeer stilletjes bij hem weg te lopen.

'Je gaat de verkeerde kant op.'

Hij heeft gelijk. Ik ben elk gevoel voor richting kwijt. Zijn schuld, verdomme – het ging prima tot ik hem tegen het lijf liep.

'Je kunt beter bij mij blijven. Er is nog één ding waar ik een foto van wil maken.'

Natuurlijk. Daardoor ben ik zenuwachtig. In plaats van om zijn nek te hangen, zit de camera in zijn daardoor vormeloze jaszak; hij wordt zichtbaar wanneer hij naar voren leunt en de zak open valt. Ik moet er een glimp van hebben opgevangen toen hij ging zitten. Ik doe mijn uiterste best om mijn ademhaling onder controle te krijgen. Er is niets aan de hand; ik kan het aan. Het is verdorie alleen maar een camera om de archeologie te fotograferen, dat is alles. Het is Dickons taak om alles hier beneden te catalogiseren voordat de groeven voor altijd gesloten worden. Ik ben niet bang voor camera's nu. Ik niet. Ik gebruik ze voortdurend wanneer ik met Martin op pad ben.

'Wat zijn ze vandaag tegengekomen?' vraag ik, nog een beetje piepend, als een astmapatiënt die zich plotseling bewust wordt van de aanwezigheid van een dier. Dickon veegt zijn neus weer af en stopt zijn zakdoek in zijn zak, boven op de camera, waardoor ik me iets beter voel.

'Er is een oude kraan waar ik blijkbaar naar moet kijken, net voorbij het punt waar we gisteren waren. De mijnwerkers hebben er een nieuw stuk looppad naartoe gebouwd.' Hij staat op. 'Ik ga meestal naar beneden wanneer hun werk erop zit, zodat ik ze niet in de weg loop. Mijn vrouw zou me vermoorden als ze het wist. Ze vindt al dat ik veel te lange dagen maak. Maar ze is thuis, in Londen, dus ze weet niet wat ik hier uitspook.'

Zijn lach is veel te suggestief. Ik had niet gedacht dat Dickon getrouwd was; ik vraag me af wat voor vrouw hem aantrekkelijk zou vinden. Op het smalle looppad probeer ik zo veel mogelijk uit zijn buurt te blijven; ik kan mezelf wel voor mijn kop slaan dat ik hem heb laten merken dat ik daar was en ben me er scherp van bewust dat ik helemaal niet ondergronds zou moeten zijn. Brendan heeft me heel duidelijk gemaakt dat ik uit de groeven moest blijven, op zijn minst tot alle opwinding een beetje voorbij was. En ik had gedronken tijdens de lunch. Het was maar een klein flesje bier geweest, maar ik kon mijn baan verliezen door met alcohol op ondergronds te zijn. Maar goed, dat weet Dickon niet – hij was niet in de kroeg.

'Het is maar goed dat ik je ben tegengekomen,' zegt Dickon alsof hij mijn gedachten kan lezen. 'Je had kunnen verdwalen, weet je. Je moet hier niet alleen heen gaan voordat je de groeven wat beter kent.'

'Ik heb de kaart bij me,' zeg ik verdedigend.

'De plattegrond van de uitgravingen?' Hij lacht. 'Nou, daar heb je wat aan.'

'Hij is toch nauwkeurig, of niet?'

'O, heel nauwkeurig. Voor zover dat mogelijk is. De uitgravingen zijn nooit helemaal in kaart gebracht. De plattegrond is gebaseerd op bovengrondse metingen, en we hebben al zo'n vijf doorgangen en ruimten gevonden die er theoretisch niet zouden moeten zijn, volgens de kaart. Je hoeft maar een beetje in de war te raken' – iets in zijn stem suggereert dat hij niet anders verwacht; zelfs kerels die rechtdoorzee zijn, en zo een is hij er natuurlijk, weten dat vrouwen lichtelijk gehandicapt zijn op het punt van richtingsgevoel – 'en voor je 't weet zit je dik in de puree.'

Als om zijn stelling te bewijzen, opent zich links van ons een andere doorgang. Dickon laat zijn zaklantaarn over de wand ernaast schijnen. 'Kijk. Steenhouwersgraffiti. Geen erg interessant voorbeeld. Relatief modern.'

Er staat: 'Elke man die op etenstijden een scheet laat in dit ontbijthol krijgt een boete van 6p.'

'Er was niets wat erop wees dat díe doorgang bestond voordat we hier kwamen.' Dickon beweegt zijn lichtstraal minachtend weg van de graffiti en peilt de duisternis. Het licht dringt er een paar meter in door voordat het wordt opgeslokt. 'Doodlopend. Donker, hè? Weet je wat we hier gevonden hebben? Beenderen van een kat.'

'Niet erg prettig,' zeg ik, en ik probeer mijn stem zo beheerst mogelijk te houden.

'Het kan een verdwaald huisdier zijn geweest. Hij kan ook gedood zijn door de steenhouwers.' Hij lijkt van het idee te genieten. 'Misschien is dat nog een reden waarom ze je niet mogen, Kit. Je naam. Ze denken toch dat katten ongeluk brengen in mijnen?'

Hij is zo doorzichtig dat ik bijna moet lachen.

Wat ik wil zeggen is: ten eerste, Dickon, werk ik al zo lang onder de grond dat ik niet zo snel bang ben. Ten tweede raak ik niet opgewonden van angst, oké? Jij hebt niets waar ik opgewonden van raak. Ten derde, hou in het vervolg je handen thuis.

Dus waarom doe ik dat niet?

Omdat ik het gevoel heb dat de duisternis overal om me heen fluistert.

Jij kleine slet.

Lange witte vingers die naar me reiken...

Door de stalen stutten van het looppad lijken de pilaren eindeloos door te gaan tot ze ten slotte in de duisternis oplossen. Gedurende een ogenblik kan ik geloven dat ik mezelf daartussen ben kwijtgeraakt, dat Dickon alleen verder loopt, een kleine gedaante die zich, in zichzelf pratend, terugtrekt in de verte. Maar nee, ik ben nog op het looppad en hij loopt naast me, ongemakkelijk dichtbij. Ik dwing mezelf zo natuurlijk mogelijk te klinken.

'Dus volgens jou kunnen er hele gebieden met uitgravingen zijn waar niemand iets van weet? Groeven die we helemaal missen tenzij we ons buiten de looppaden begeven?'

'Kit, we gaan niet buiten de looppaden.' Dickon werpt me een vernietigende blik toe. 'Je hebt Gary toch gehoord, gisteren? Al het werk moet volledig veilig worden uitgevoerd.'

Het werkgebied ziet er verlaten uit zonder de bedrijvigheid van helmen en gele jacks. Stalen palen en lasgereedschap liggen opgestapeld aan het eind van het looppad. In mijn ogen is er sinds gisteren weinig voortgang geboekt, maar Dickon is buiten zichzelf van opwinding. Hij pakt me bij mijn schouder, en ik kan niet helpen dat ik verstijf, maar hij merkt het niet. Zijn grote neusgaten sperren zich open van enthousiasme; ze zijn zo vochtig en slijmerig als die van een koe.

'Moet je dat zien,' zegt hij. 'Vroegnegentiende-eeuws, dat moet wel.'

Aanvankelijk denk ik dat hij het over de steunbeer heeft – weer een van stapelstenen gevormde muur die de mijnwerkers hebben gebouwd om het plafond te stutten. Het vakmanschap is opmerkelijk: elke steen past precies tegen de volgende en er is geen spat cement te zien. Maar hij wijst met zijn lantaarn in de ruimte ernaast.

Het enthousiasme van mannen voor oude machines heb ik nooit echt begrepen. De kraan is zo zwart van roest dat ik hem in het donker bijna had gemist; het is een hoge, aangetaste zuil die zowel aan vloer als plafond is bevestigd.

Dickon begint te meten en te fotograferen, legt uit over gaten in vloer en plafond, funderingsbouten en andere dingen die me niet interesseren. Het flitslicht pulseert tegen de wanden en bezorgt me hoofdpijn. Het was zinloos om hierheen te gaan. Als ik iets had willen bewijzen, is er niemand die er getuige van is behalve Dickon. Ik ga op een omgekeerde emmer zitten en sluit mijn ogen. Ik wou dat Martin hier was.

'Wil je nooit buiten de looppaden gaan?' zeg ik ineens.

Dickons stem klinkt absoluut hypocriet. 'Dat is veel te gevaarlijk.'

'Kom op, Dick, ik wed dat je het wel doet als er niemand bij is.'

Ik open mijn ogen en er is weer zo'n verontrustend tijdsprongetje geweest. Op de een of andere manier bevind ik me aan de andere kant van de stalen stutten. Ruimte en duisternis omhullen me. Ik draai langzaam driehonderdzestig graden rond, beweeg mijn zaklantaarn mee en zie het lichtschijnsel over het plafond, de muren, de pilaren bewegen als een klein helder insect.

'Kit?' klinkt Dickons stem. 'Kit, waar... o, verdomme!'

'Je wilt me toch niet vertellen dat je dit nooit hebt gedaan?'

'Kit, je moet echt..'

Maar mijn heldere insect is verbaasd tot stilstand gekomen. Is dat alleen een breuk in het gesteente of...

'Dick,' zeg ik. 'Kom hier eens naar kijken.'

'Kit, dat is echt gevaarlijk. Wat het ook mag zijn, we bekijken het wel wanneer ze het looppad verder hebben doorgetrokken.'

'Geef me je camera.'

'Doe niet zo dom.'

In de lichtcirkel van de zaklantaarn is een inscriptie te zien, denk ik, iets wat in het gesteente is gekrast. Ik kan het van de plaats waar ik sta niet goed zien; ik moet er dichter naartoe lopen om het goed te kunnen bekijken.

'Kit, waar denk je in godsnaam dat je mee bezig bent?' klinkt Gary's stem. 'Verdomde idioot. Je gaat níét buiten de looppaden.'

12

'Jij stomme trut,' zegt Gary Bennett. Hij is zo kwaad dat hij staat te trillen. De aderen in zijn hals zijn gezwollen, maar zijn stem is ijzig, minachtend kalm. 'Kom onmiddellijk terug naar het looppad. Dat dak kan elk moment omlaag komen!'

Ik ben verstijfd door zijn stem en beweeg niet. *Als ik dicht genoeg bij hem kom, gaat hij me slaan.* Ik bedoel Gary niet. Er is iemand anders bij me in het donker.

'Kit...' zegt Dickon zwakjes. 'Hij heeft gelijk. Dit is een gedeelte met een hoog risico... zodra het looppad klaar is, gaan ze de boel opvullen.'

Zijn stem brengt me terug in het heden. Dit zou niet vernietigd moeten worden. Ik moet voorkomen dat ze dit deel van de mijn gaan volpompen met beton.

Het teken op de pilaar is klein en klungelig, in het gesteente gekrast alsof iemand het haastig heeft gedaan.

... brengt een boodschap van de zonnegod, die eerst de jacht op, dan de slacht van de stier in de grot gebiedt.

Mijn vingers aarzelen net boven het oppervlak. Ik durf het niet aan te raken.

Uit het op de grond stromende bloed en zaad van het dier, groeien planten.

Wat doet het daar? Als ik gelijk heb, begrijp ik het niet.

'Gooi me de camera toe, Dickon,' zeg ik, en ik zorg ervoor dat ik zijn naam duidelijk uitspreek. 'Ik kom terug zodra ik hier een foto van heb gemaakt.'

'Als je niet als de sodemieter hier komt, kom ik je halen,' zegt Gary. Ik kan de minachting in zijn stem niet verdragen. Mijn voet trilt. Misschien heeft hij gelijk. Ik zou hier niet moeten zijn. Ik breng ons allemaal in gevaar.

Dickon werpt Gary een snelle, gegeneerde blik toe. Maar hij is archeoloog. Archeologen willen weten, zelfs al staat het dak op het punt op hun hoofd neer te komen. Hij werpt me de camera toe. Hij landt als een granaat in mijn vingers; ik moet het koude, glibberige gevoel van de plastic behuizing negeren terwijl ik de zoeker richt.

'Kunnen jullie met je zaklantaarns hierheen schijnen?'

'Stommeling, ik zeg het niet nog een keer,' zegt Gary, maar hij richt zijn lichtbundel op de pilaar.

Drie lichtcirkels komen bij elkaar. En in hun gezamenlijke licht, een vogel, de boodschapper van de zon...

De camera flitst. Ik houd hem stil. Hij flitst weer. En weer.

Ik gebruik de knoppen, bekijk de foto's. 'Hebbes.' En ik loop door de kamer terug en klim door de stutten in veiligheid. Ik beef, maar ik heb het gedaan. Als ik gelijk heb, was het de moeite waard.

Als ik het fout heb...

Daar moet ik niet aan denken.

Ik kan geen rust vinden. De hotelkamer lijkt aan alle kanten een meter gekrompen te zijn. Ik sta op, ga liggen, zit op een hoek van het bed, sta weer op. Dan ga ik weer zitten, aan de kaptafel, waar ik mijn laptop heb aangesloten en de foto's van Dickons camera op het scherm heb staan. Een, twee, drie. Ik bekijk ze steeds opnieuw. Sta op. Been naar het raam; kijk uit over de tuinen aan de waterkant. Rijp glinstert op het gazon, oranje gekleurd door lampen in de bloembedden.

Dickon dacht dat ik gek werd toen we de foto's in de portakabin bekeken.

'Graffiti. Achttiende eeuw, op zijn vroegst. Interessant, ja, maar niet...'

Hij heeft het fout. Ik weet dat hij het fout heeft. Hij weet niet waar hij het over heeft.

En waarom zou jij meer weten dan hij?

Het is een opgeblazen zak. Een windbuil.

Hij is archeoloog! Dat ben jij niet.

Maar hij is geen specialist. Niet op dit gebied. Hij is industrieel archeoloog; hij weet veel van oude kranen en weggerotte kruiwagens, dat is alles. Waarom zou ik vertrouwen op wat hij zegt?

Hij werkt al zes maanden in de steengroeven. Dat maakt hem toch tot een specialist hier, nietwaar?

Ja, maar hij is geen specialist op dit soort...

Ik pak de telefoon. Ik ken iemand die dat wel is.

'Martin, ouwe dwaas. Ik heb iets wat je moet zien. Ik mail je een foto, maar je moet het ter plekke komen bekijken.'

'Nou, voorspel is aan jou niet besteed, hè, Kit? Ik kan niet.'

'Hoe bedoel je, ik kan niet?'

'Californië, weet je nog? Ik ga volgende week.'

Ik staar een ogenblik door het raam naar niets anders dan mijn eigen fronsende spiegelbeeld, het mobieltje tussen mijn kaak en mijn schouder geperst. De nachtportier heeft het licht in de bloembedden uitgedaan en de hoteltuinen zijn in het donker verdwenen. Ergens daarbuiten is de stuwdam: het zwakke geruis klinkt in mijn ene oor, in het andere het sissen van het telefoonsignaal op zijn lange reis naar de satelliet en terug.

'Zeg af.'

'Wat?'

'Er zijn terroristen. Ik hoorde het op het nieuws. Ik heb erover gedroomd. Ze gaan het vliegtuig kapen en op de Golden Gate Bridge laten neerstorten. Kom in plaats daarvan hierheen en bekijk dit.'

'Kit, ik kan niet...'

Ik schop tegen de kaptafel. De laptop trilt. Aardbeving. San Andreasbreuk.

'Kom dan in het weekend. Als je het niet doet, is dit tegen de tijd dat je terug bent onder schuimbeton begraven.'

Ik klap mijn telefoon dicht en ga weer op de rand van het bed zitten. Ik kijk omlaag en zie dat mijn rechterbeen trilt. Ik pak mijn glas wijn van de kaptafel, concentrische ringen rimpelen op het oppervlak.

De hele weg terug naar de schacht heeft Gary geen woord gezegd. Onder het licht van het looppad kon ik zijn kaak zien bewegen; hij leek zijn kaken op elkaar te klemmen om te voorkomen dat hij iets zou zeggen. Zelfs Dickon leek sprakeloos. De wandeling terug leek eindeloos te duren, maar niet lang genoeg. Ik was ademloos van wat ik meende te hebben gezien; ik was bang voor wat Gary zou zeggen wanneer hij uiteindelijk zijn mond open zou doen. Ik wilde niet met zijn minachting geconfronteerd worden, maar ik wist dat ik deze keer gelijk moest hebben. Er is daar echt iets, en ik heb het met de camera vastgelegd: iets wat alle anderen over het hoofd hebben gezien, iets wat echt oud is...

Ik heb hoofdpijn van de inspanning die het me kost om de aanhoudende, sceptische stem in mijn hoofd te negeren, die vraagt: wat? Wat heb je nou echt gezien?

Wat heb je gevonden?

Dickon ging het eerst de ladder op. Toen ik mijn voet op de onderste sport zette, zei Gary: 'We bespreken dit in mijn kantoor.' Hij wendde zich af en begon het licht uit te doen op het schakelbord onder in de schacht.

Deze keer moet ik gelijk hebben. Geen ruimte voor twijfel, geen wensdenken.

Ik slik een slok wijn door en steek weer een sigaret op. Ik heb vanavond een kamer waarin niet gerookt mag worden, dus tip ik mijn as in mijn kopje, waarin het spul op een centimeter koude koffie blijft drijven.

'Word je er nooit eens moe van, Kit?' zei Gary, toen we alleen waren.

'Moe?'

'Van de regels overtreden. Het moet uitputtend zijn.'

Hij heeft gelijk. Ik ben kapot. Het kost me soms zoveel inspanning. Maar ik kan er nu niet mee ophouden. Het is een gewoonte geworden.

'Ik begrijp niet hoe je het in deze bedrijfstak hebt volgehouden, als je je zo gedraagt.'

Zijn stem klinkt zo duidelijk in mijn hoofd dat hij bij mij in de kamer zou kunnen zijn. Hij zat achter zijn bureau; er was niets vriendelijks aan dat praatje.

'Geef me één goede reden waarom ik dit niet zou melden.'

Het is pikdonker buiten; de schijnwerpers zijn aan, maar alle andere kantoren zijn dicht en op slot. Afgezien van de beveiligingsman in zijn wachthuisje bij de poort is er niemand behalve wij. Gary's kantoor, met zijn eigen, aparte ingang, bevindt zich aan de andere kant van de grote cabine, waar we op de eerste dag de bespreking hadden. Ik kon mijn ogen maar niet afhouden van de deur naar de vergaderruimte achter zijn bureau; hij is dicht, maar op de een of andere manier heb ik het gevoel dat er een hele groep van het hoofdkantoor achter staat, wachtend om me te ontslaan.

'Ik maak er geen gewoonte van om me zo te gedragen, zoals jij het noemt.'

'Wat bezielde je dan? Eerst drink je tijdens de lunch, voordat je onder de grond gaat. Je weet verdomd goed dat dat al genoeg reden is voor ontslag. Dan begeef je je buiten de looppaden. Kit, dit project is zo strak gereguleerd, dat niemand ook maar een scheet kan laten onder de grond zonder eerst toestemming te hebben gevraagd aan de mijninspecteur...'

Elke man die op etenstijden in dit ontbijthol een scheet laat...

'... en het moet duidelijk zijn dat we het goed doen, zodat we financiering van de overheid krijgen. Zonder dat geld is er geen project. Geen project, geen werk. Je brengt al onze banen in gevaar.'

... krijgt een boete van 6p.

'Ik weet het. Het spijt me.'

'Hoe kan ik er zeker van zijn dat je zoiets niet nog eens doet?'

Gary's bureau was pijnlijk netjes. Laptop: dicht. Grijs plastic postbakje, bevat één vel papier. Rood plastic pennenbakje, met een Rockdecbalpen, een markeerstift en twee potloden, geslepen. Geen foto, geen ansichtkaart, geen koekkruimel. Het enige wat er niet thuishoorde was de paperclip in Gary's sterke vingers, die draaide, in de een na de andere vorm boog: een herdersstaf, een licht sabel, een pijpenragermannetje met één arm en één been.

'Gary, ik...' De woorden bleven steken, ergens tussen hersenen en mond. 'Ik was echt van slag door wat er vanmorgen is gebeurd. De mijnwerkers...'

Gary keek naar me alsof ik een kiezeltje in zijn schoenzool was. 'Kit, het is niet prettig op dit moment, maar je weet net zo goed als ik dat dat hele gedoe vanzelf overwaait. De mijnwerkers kunnen je niet wegsturen. Ze zullen moeten werken met degene die het bedrijf benoemt.'

'Het is me nooit eerder overkomen.'

'Is dat zo?' Hij geloofde er niets van en hij had gelijk. Er is heel wat seksisme gaande in mijn bedrijfstak. Vrouwen die in de mijnindustrie werken, leren ermee om te gaan door zo professioneel mogelijk te zijn. En nooit te flirten op hun werk...

'Ik bedoel dat ik het nooit zo openlijk heb meegemaakt. Nooit zo rechtstreeks, dat mannen gewoon weigeren met me te werken.'

'Dat is nauwelijks een excuus voor je gedrag. Je hebt ze nu alle reden gegeven om te weigeren nog met je te werken.'

'Nee, het is geen excuus. Dat weet ik. Maar ik raakte er wel van uit mijn evenwicht.'

De paperclip, die als zodanig absoluut niet meer te herkennen was, knapte. Gary gooide de stukjes in de prullenmand onder zijn bureau. Toen keek hij naar het plafond. Hij opende zijn mond, en sloot hem weer. Ik wachtte.

'Ik begrijp dat het geen geweldige start was,' zei hij ten slotte.

Op dat moment wist ik dat het goed zou komen. Hij had besloten mijn slappe excuus te accepteren.

Hij had me op staande voet moeten ontslaan. Alleen wordt tegenwoordig niemand meer op staande voet ontslagen. De juiste procedures moeten gevolgd, formele waarschuwingen, de hele vermoeiende ellende voor het geval de ontslagen werknemer besluit een proces aan te spannen wegens onterecht ontslag. Hij moest erover hebben nagedacht. Hij moest hebben overwogen wat het bedrijf ervan zou vinden om met zo'n toestand te maken te krijgen en ondertussen op korte termijn op zoek te moeten naar een nieuwe mijnbouwkundig ingenieur.

'Oké,' vervolgde hij. 'Ik zou het moeten melden, maar ik doe het niet.'

Er klonk een zwak, aarzelend klopje op de deur. Voordat Gary iets kon zeggen, stak Rupert, de vleermuisexpert, zijn hoofd naar binnen.

'Het spijt me dat ik je stoor, Gary. Ik wil alleen laten weten dat ik tot zaterdag in Londen ben, maar ik heb mijn sleutels aan een studente geleend.'

'Ze had mijn reservesleutels kunnen krijgen.'

'Je was niet in de buurt, dus kon ik het niet vragen, en eigenlijk wilde ik het liever niet. De nieuwe broedmachines zijn trouwens afgeleverd.'

'Mooi,' zei Gary. 'Ik hoor graag over ze, Rupert, maar Kit en ik hebben nog iets te bespreken...'

'O, sorry. Ik begrijp het.' Rupert trok zich verontschuldigend terug. Gary wachtte lang genoeg om te zorgen dat hij buiten gehoorsafstand was voordat hij verder sprak.

'Ik zal het weliswaar niet melden, maar ik hou je in de gaten. Je krijgt nog één kans, Kit. Nog één misser en je bent weg.'

'Bedankt.'

'En er zijn voorwaarden. Ten eerste ga je niet buiten werkuren de mijnen in zonder het mij te melden. Ten tweede moet je me beloven dat je niet meer buiten de looppaden gaat. Wát je ook denkt te hebben gezien.'

'Juist.' Mijn ogen raakten verstrikt in de zijne en gedurende een lang moment konden we ons geen van beiden losmaken, maar tot mijn opluchting wendde hij zijn blik af en ging op zoek naar een nieuwe paperclip. Hij leek zich net zo ongemakkelijk te voelen als ik.

'Laat de archeologie aan de archeoloog over, oké?'

In mijn hotelkamer neem ik peinzend nog een grote slok wijn. Ik ben er nog niet uit hoe ik weer beneden moet zien te komen, laat staan met Martin, zonder dat Gary erachter komt. Om die tekening op de muur te kunnen onderzoeken moeten we er echt dichtbij kunnen komen. Maar daar denk ik morgen wel over na. Ik sta op en open het raam om de sigarettenlucht te verdrijven, en ril van de ijzige windvlaag die binnenkomt.

Ik werd wakker van het geluid van een hamer. *Tik tik tik*: iemand die probeert niet gehoord te worden.

Ik sloeg het laken terug en zwaaide mijn voeten op de vloer. Mijn benen zagen er in het door de gordijnen vallende, oranje schijnsel mager en dun uit. Ik sloop de kamer uit en de trap af – *tik tik tik* – naar de keuken. De achterdeur stond open en ik glipte naar buiten. Het oranje licht van de straatlantaarns maakte alles onnatuurlijk, harder, luguber, schaduwachtig, als kaders in een stripverhaal. Emmer, bezem, opgerolde tuinslang; de vormen namen een buitengewoon grote betekenis aan tegen het metselwerk.

Ik liep zachtjes om de open garagedeur heen om naar mijn vader te kijken terwijl hij werkte.

Op de werkbank lag de foto van mijn moeder in zijn beschadigde vergulde lijst.

Mijn vader stond er als een gek op te slaan met de hamer.

En nu bén ik echt wakker en luister naar het geluid van de stuwdam. Ik voel me alsof ik in een asbak heb gelegen. De kamer stinkt, mijn mond is droog, mijn neus zit verstopt, slaap en kou hebben mijn lichaam als een krakeling opgekruld en ik heb hoofdpijn. Een zwak gelig schijnsel kruipt onder de deur door; in de gang van het hotel blijft het licht de hele nacht aan.

Zo gaat het altijd; 's nachts word ik door iets overrompeld en dan word ik wakker om te voorkomen dat ik blijf dromen. Ik rol op mijn rug en kijk op mijn horloge. Het is vijf uur 's ochtends; ik moet weer gaan slapen, anders voel ik me belabberd op mijn werk. Ik pak een denkbeeldige steen en plaats hem zorgvuldig op een andere, precies als bij een van de stenen stapelmuren onder de grond. Voor de zekerheid stel ik me ook een grote emmer cement voor, zodat ik de scheuren kan dichtstrijken. Ik pak een andere steen, met precies de goede pasvorm. Er zit een ammoniet in, en ik laat mijn vingers over de ribbels glijden, waarna ik de steen zorgvuldig op mijn muur leg. Een troffel met specie erop, dan een andere steen.

Op deze staat een tekening, precies als de inscriptie die ik op de pilaar heb gezien.

Stel dat ik geen gelijk heb! Maar ik heb gelijk; dat moet.

Ik heb de foto's naar Martin op de universiteit gemaild. Hij beweert dat zijn computer thuis te oud en krakkemikkig is om grote bestanden te downloaden. Op mijn werk krijg ik een haastig, opgewonden mailtje terug.

Ik denk dat je gelijk hebt, staat er. *Maar moet het van dichtbij zien om zeker te zijn.*

Ik kijk afkeurend naar de lange gebogen lijn van Dickons rug. Hij zit op zijn ergonomische stoel, die hem dwingt zijn voeten onder zich te stoppen, zolen omhoog, en hij heeft het prijsetiketje niet van een van zijn schoenen gehaald. Het is vuil en versleten, maar ik kan nog net het rode stipje van de uitverkoop zien.

Hij lijkt volledig op te gaan in iets op het computerscherm. Ik denk dat hij Slagschip speelt.

Kom vrijdag per trein 1515, hala me op. Verheug me op verblif in Chateau Parry.

Ik besluit de lunch in de kroeg over te slaan. Er zijn wat belastingberekeningen waar ik moeite mee heb. Ik wil nagaan waarom de laatste ingenieur, de man die de baan in Zaïre heeft gekregen, het zo belangrijk vond om de grote grot waar ze aan het werk zijn, de ruimte waar ik de inscriptie heb gezien, zo snel mogelijk op te vullen. De hoofdweg loopt er vlakbij, maar de ruimte ligt er niet recht onder. Ik heb geprobeerd het gebied virtueel in kaart te brengen, waarbij ik de pilaren die het dak stutten heb ingetekend, om te proberen erachter te komen wat er zou gebeuren als er een zou instorten – zouden ze allemaal als dominostenen omvallen? Maar de computer blijft crashen, alsof hij die mogelijkheid echt niet in overweging wil nemen.

Bovendien ga ik Gary liever uit de weg.

Maar natuurlijk wil ik hem wel zien. Ik blijf denken aan de manier waarop zijn ogen gisteren met de mijne verstrikt raakten, het gevoel dat ze erin bleven haken.

Ineens is het een warme zomeravond en ren ik bij Poppy door de gang, bang dat mijn plateauzolen uitglijden op het parket. Ik trek de voordeur open en daar staan Gary en zijn vrienden.

Ja, nou, kijk wat dat je heeft opgeleverd.

Niet aan denken.

Ik trek mijn bureaula open op zoek naar wat chocolade als maagvulling in plaats van lunch. De deur van het kantoor gaat open en Dickon komt binnen.

'Ik dacht dat je in de kroeg zou zijn met de anderen,' zeg ik.

'Ik heb alleen een broodje gehaald. Ik dacht dat jíj in de kroeg zou zijn.'

Hij gaat aan zijn bureau zitten, zet een kartonnen beker neer die naar echt goede koffie ruikt en trekt het plastic van een driehoekig pakje waarin zijn broodje zit.

'Waar heb je dat vandaan?' vraag ik. In chocola heb ik geen trek meer; ik voel de suiker in mijn ingewanden in gist veranderen.

'Heb je de delicatessezaak nog niet ontdekt?'

'Niemand heeft me verteld dat er een was.'

Hij zet zijn tanden in het broodje en hier en daar komt er wat romige mayonaise uit sijpelen. 'Nog steeds bezig met die belastingberekeningen voor Mare's Hill?'

'Bijna klaar.'

'Het heeft geen zin, weet je. Dans cijfers zijn gecheckt en gedubbelcheckt. Dat gedeelte moet zo snel mogelijk worden opgevuld.'

'Ik begrijp niet waarom. Het ligt niet onder de hoofdweg, er kan geen belangrijk verkeer...'

'Kijk eens wat er bovenop staat.'

Hij zit daar met een grijns op zijn gezicht, alsof hij weet dat hij me te pakken heeft. Ik snap niet waarom hij zo ingenomen is met zichzelf. Wil hij niet redden wat er onder de grond zit? Ik klik om een nieuw venster op het scherm te openen, roep de grootschalige plattegrond op, leg hem op het plan van de uitgravingen...

'Er staan alleen kantoorgebouwen... o.'

Ik begrijp het. Ik kan het verdomme niet geloven. Geen wonder dat we te horen hebben gekregen dat we moeten opschieten en dat deel moeten opvullen. Het ministerie van Defensie staat er bovenop.

'Snap je?' zegt Dickon. 'Serieus, Kit, het bevalt mij net zomin als jou. Maar ik werk al heel lang in de reddingsarcheologie en ik weet wanneer je geen schijn van kans hebt om te redden wat er misschien zit, gewoon door wie de eigenaar is van de vindplaats. Wees realistisch, meid. Zodra de financiering rond is – en door wat er bovenop staat, komt die, eerder vroeg dan laat rond – wordt het schuimbeton erin gepompt om Onze Dappere Jongens van de letterlijke ondergang te redden.'

Ik wip even weg naar de wc, en wanneer ik terugkom, zit Brendan in mijn stoel. Zijn Rockdec-sweatshirt spant zich over zijn grote borst, zijn bruine haar is gaan krullen door de vochtige lucht en met zijn hangende snor ziet hij er meer dan ooit uit als een cowboydiender die naar New York is gekomen om daar eens flink de bezem doorheen te halen. De moed zakt me in de schoenen. Vergeet die vasthakende ogen en hormonale ademloosheid maar. Gary, de klootzak, heeft me toch verraden.

'Kit.' Hij probeert te doen alsof hij verbaasd is me te zien, hoewel hij aan mijn bureau is neergeploft. 'Ik zie dat je de belastingcijfers voor Mare's Hill hebt gecontroleerd.'

Waarom snuffelt hij niet rond op Dickons computer? Het ding wemelt waarschijnlijk van de kinderporno.

'Ik was er niet van overtuigd dat dat deel prioriteit heeft,' zeg ik, en ik houd mijn adem in.

'O, daar is geen twijfel aan,' zegt Brendan. De snor komt omhoog en hij laat al zijn grote grafsteentanden zien, wat er voor mij op wijst dat hij liegt dat hij barst. 'Ik heb die getallen diverse keren met Dan doorgenomen, gewoon voor de zekerheid.'

'Maar het plafond van de grot is solide,' merk ik op. 'Uit de boorgaten blijkt dat de steenwinning niet tot op de ondergrond is gegaan. Je hebt nog minstens zes meter daar, wat meer is dan je onder de hoofdweg hebt, en dát gedeelte hebben we geen prioriteit gegeven.'

'Kijk naar de pilaren,' zegt Brendan. 'Ze zijn in de negentiende eeuw geplunderd voor de steenwinning. Die kraan die we gevonden hebben, bewijst dat in dat deel twee keer steen is gewonnen.'

'Toch denk ik...'

'Gilmerton,' zegt Brendan, zijn troefkaart uitspelend om te laten zien dat deze cowboy uit de provincie zich niet in de luren laat leggen door broodkaarters uit de grote stad. 'Dat zeiden ze ook over de Gilmerton-groeven. Er hoeft maar één pilaar tussen te zitten die het begeeft...' De snor zakt weer om mij eraan te herinneren hoe ernstig dat was. Er waren slachtoffers. Goudvissen hadden gered kunnen worden als er niet van die gevaarlijke optimisten als ik waren geweest. 'Het domino-effect. De hele handel zou in kunnen storten.'

We hebben het over de belastingcijfers. Niemand heeft iets gezegd over ondergronds gaan na een biertje te hebben gedronken of het verlaten van de looppaden. En Brendan speelt alleen maar de grote, vriendelijke broer – *sorry, zusje, je zou die dingen weten als je niet met de handicap van een onderontwikkeld ruimtelijk inzicht zat, maar ik ben hier om te voorkomen dat je je te veel voor gek zet* – in plaats van weer te vervallen in managertaal en me mijn ontslag te geven. Het ziet ernaar uit dat Gary me toch niet heeft verraden.

Ik wil tegen Brendan zeggen dat we Mare's Hill niet moeten opvullen voordat we de inscriptie op de pilaar hebben onderzocht. Maar hij zou zeggen: welke inscriptie op de pilaar? Welke pilaar precies? Hoe heb je dat in godsnaam kunnen zien, juffie, terwijl het looppad er meer dan vijftien meter vandaan is?

Ik kijk hulpeloos naar Dickon, die van de inscriptie op de hoogte is maar weigert de betekenis ervan te erkennen. Hij zit met zijn rug naar me toe en draait zich niet om.

'Maar goed,' zegt Brendan, 'ik ben niet langsgekomen om het over die berekeningen te hebben. Ik ben gekomen om je wat goed nieuws te brengen. We hebben het probleem met de mijnwerkers opgelost.'

Heel even begrijp ik niet wat hij bedoelt, maar dan zie ik Ted met de tatoeages voor me zoals hij op maandagochtend woest naar me stond te kijken.

'Opgelost?'

'Ik heb met de vakbondsvertegenwoordiger gesproken. Hij vond het schandelijk, net als ik.'

Logisch. De vrije mijnwerkers zijn geen lid van een vakbond. Die hoeft hen niet te steunen.

'En hoe helpt ons dat?'

'We hebben een bijeenkomst georganiseerd en hen eraan herinnerd dat het binnen de EU wemelt van de Poolse mijnwerkers die met alle plezier met een vrouw willen werken.'

In het deel van mijn hoofd waar ik mijn paranoia opsla, begint zich een afschuwelijke argwaan te roeren. Is dat allemaal niet ongewoon snel gegaan? Waren Brendan en de vakbondsman soms teleurgesteld dat de vrije mijnwerkers hebben toegegeven? Heeft het bedrijf misschien juist een vrouw aangesteld omdat het de vrije mijnwerkers op de zenuwen zou werken?

Nee, zo doortrapt konden ze niet zijn. Ik ben te lang getrouwd geweest met iemand die in samenzweringen geloofde. Die arme Nick zag overal waar hij zijn journalistieke oog op liet vallen complotten. En hij was ook niet te beroerd om zelf wat emotionele chantage te plegen als hij dacht mij daarmee onderuit te kunnen halen. Brendan en zijn snor zijn daar niet subtiel genoeg voor.

'Nou,' zeg ik, 'dat is goed nieuws.'

'Ik zeg niet dat ze nu als een stel lieve puppy's uit je hand zullen eten,' zegt Brendan, 'maar je bent een grote, sterke meid, nietwaar?'

Ik ga een stukje lopen om mijn hoofd helder te krijgen. Ik heb hoofdpijn, zo'n knarsende, zeurende hoofdpijn die achter je ogen hangt nadat je een ochtend voor je computerscherm hebt gezeten, niet erg genoeg voor pijnstillers maar je hebt bepaald geen zin in tapdansen.

Het gebouwencomplex van het ministerie van Defensie ligt iets van de hoofdweg verwijderd: een departement dat nu iets te maken heeft met bevoorradingsschepen. Van buiten ziet het er triest en verwaarloosd uit: vierkante kantoorgebouwen met platte daken in de stijl van de jaren zestig, achter een hek van harmonicagaas met rollen prikkeldraad erbovenop. Gordijnloze, vettige ramen weerspiegelen een loodgrijze lucht. Ik herinner me het uit mijn jeugd, toen Poppy's vader er werkte: bedrijvigheid, grote gestroomlijnde auto's en strakke militaire groeten. Nu staat er maar één militaire politieman bij de slagboom, stampend met zijn voeten en verlangende blikken werpend op het warme poorthuis. Er gaat niemand naar binnen of buiten. Het grootste deel van de Admiraliteit is jaren geleden van Bath naar Bristol verhuisd.

De militaire politieman bij de slagboom ontwaart een zwarte auto op de weg, groeit vijf centimeter en zet zijn borst uit voor het geval het een hoge piet is. Maar de auto rijdt door. Hij blijft in de houding staan, want er lopen twee jonge vrouwen met wandelwagens voorbij. Ze hebben beiden lang donker haar en dragen een strakke spijkerbroek, maar geen jas, terwijl ik zo ongeveer ingepakt ben als een eskimo tegen de kou. Ze doen alsof ze de soldaat negeren, maar je merkt dat ze zich van hem bewust zijn aan de manier waarop ze lopen, zich naar elkaar toe buigen, lachen en hun hoofd bewegen om hun lange haar over hun schouders te schudden. Precies wanneer ze de soldaat passeren, staat een van de vrouwen stil en buigt zich voorover om de teddybeer van haar kind steviger in de zijkant van de wandelwagen te stoppen.

Ze moet ongeveer zo oud zijn als mijn moeder was.

Ik loop stevig door aan de overkant van de straat, versnel mijn pas om de pijn uit mijn hoofd te verdrijven en kijk niet over mijn schouder om te zien of hij op haar decolleté reageert.

13

Ineens was het voorjaarsvakantie. Mijn vader wist zoals gewoonlijk niet wat hij ermee aan moest. Hij leek altijd weer te vergeten dat er een vakantie aankwam, en toen ik hem er die vrijdagavond aan herinnerde dat ik de volgende week geen school had, keek hij verbaasd.

'Een hele week?'

'Ja.' Ik deed mijn best om niet al te voldaan te kijken.

'Dat is onverwacht.' Hij keek hulpeloos naar de keukenladen, alsof hij hoopte dat er een open zou springen en een brief van school zou ophoesten die me tegensprak. 'Toen ik jong was, duurde de voorjaarsvakantie een dág.'

Ik had dat eerder gehoord. Er hoorden verhalen bij over hoe hard mijn vader zijn best deed op school, over linialen waarmee op open handen werd geslagen en een aardige natuurkundeleraar die mijn vader bijna had overgehaald om verder te leren en naar de universiteit te gaan. Maar mijn vader moest zijn moeder onderhouden, die weduwe was en de hele dag, verlangend naar mijn grootvader die ergens langs de Birmaspoorlijn begraven lag, uit het raam zat te staren. Hij had geen keus. Mijn vader ging van school af en ging in de leer bij een van de steengroeven.

'Maar je examens komen eraan, dus ik denk dat het een goede gelegenheid is om wat te gaan repeteren.'

Nee, dat is het niet, wilde ik zeggen. *Het is een goede gelegenheid om in de velden rond te hangen, die schuimen van fluitenkruid en een brief aan Gary te schrijven die we nooit zullen posten. Of bij Poppy's zwembad rond te hangen. Of te gaan winkelen.* Ik had de gestolen beha de hele week gedragen, in de hoop onderweg naar school Gary tegen het lijf te lopen. Alleen met de grootste tegenzin deed ik hem 's avonds voor ik naar bed ging uit.

Ik zei niets van dat alles. Mijn vaders hulpeloze uitdrukking kon zo snel als een regenwolk op een stormachtige dag in razernij overgaan.

'Ik wou dat ik vrij kon nemen,' vervolgde hij. 'Maar...' Hij staarde uit het raam. 'Een grote klus, weet je.' Hij was net met een groep bouwvakkers aan de renovatie begonnen van een van de chique huizen op de heuvel achter de Royal Crescent.

'Het geeft niet,' zei ik opgelucht.

'Weet je wat? Kom een keer tussen de middag naar me toe,' zei hij opvrolijkend. 'We kunnen in Victoria Park gaan zitten en broodjes eten. Een picknick.'

Praatte hij over mij met zijn collega's? Ik kon me voorstellen hoe hij me aan ze zou voorstellen: dit is mijn slimme dochter, Katie. Hij ging altijd met een trots gezicht naar de ouderavonden op school. Zouden zijn collega's het niet raar vinden als hij met een meisje van dertien ging lunchen in plaats van met hen naar de kroeg te gaan? Maar misschien ging hij niet naar de kroeg. Ik vroeg me af wat ze van mijn vader vonden. Maakte hij grapjes met ze? Of zonderde hij zich af? En zagen ze ooit de kant van hem die mij zo bang maakte?

'Dat lijkt me leuk, pap,' zei ik.

Op maandagochtend liep ik naar Trish' huis. Midcombe, in het dal aan de andere kant van de heuvel, was een dorp dat door een steile laan als een navelstreng verbonden was met Bath. Terwijl ik de heuvel afdaalde, zag ik de tuinen van de huizen als verfspatten tussen de lage stenen muurtjes liggen. Trish' moeder was in hun tuin halfhartig bezig een rozenstruik te snoeien.

Het huis van de familie Klein was mooi. In tegenstelling tot de meeste huizen daar, die natuurstenen gevels hadden, was het wit geschilderd. De ramen, sierlijk en sereen, hadden een boogvorm als de ramen van een kerk.

Ik stond stil bij de grote ammoniet in de tuinmuur en liet mijn vingers over de ribbels glijden. Toen opende ik het hek en liep naar binnen.

'Katie,' riep Trish' moeder, terwijl ze haar snoeischaar zo te zien met opluchting neerlegde. Ik verliet het pad dat naar de voordeur onder zijn smeedijzeren veranda leidde en liep naar haar toe. Ik had mevrouw Klein altijd aardig gevonden. Ze keek niet op me neer, zoals Poppy's moeder deed. Ik had altijd het gevoel dat als Trish en Poppy ooit zouden besluiten mij te laten vallen, mevrouw Klein zou zorgen dat ze me weer zouden oprapen.

Ze droeg een roodachtige linnen jurk, sober maar elegant. Haar lange honingkleurige haar was naar achteren getrokken door een sjaal. Haar armen waren glad en bruin, en haar kin zakte niet uit, hoewel ik wist dat ze maar een paar jaar jonger was dan mevrouw Owen. Ik kwam nauwelijks tot haar schouder en was maar half zo zwaar als zij, maar toch voelde ik me lomp naast haar.

'Hallo,' zei ze, en ze glimlachte alsof ik met mijn verschijning haar ochtend had goedgemaakt. Ik hield ook van haar stem. Zo helder en fris. *Hallo.* Niet *ullo* of *llo*, zoals andere mensen het zeiden.

'Ik kom voor Trish,' zei ik. Natuurlijk kwam ik voor Trish, maar mevrouw Klein had de gave om je het gevoel te geven dat je misschien voor haar was gekomen.

'Trish is niet thuis.' Ze stopte een pluk haar terug onder de sjaal. Ze zag er altijd uit alsof ze klaar was voor een modefoto, net als de foto's die haar volgens Trish begin jaren zestig beroemd hadden gemaakt. Vandaag had ze roodbruine lippenstift op die bij haar jurk paste.

'Robert heeft haar voor een paar dagen meegenomen naar Londen,' vervolgde ze. 'Ze logeren bij haar grootmoeder in Twickenham.' Ze zag mijn gezicht betrekken. 'Ze heeft waarschijnlijk geen tijd gehad om het je te vertellen. Het is pas in het weekend afgesproken.'

'O. Juist.' Ik keek wanhopig de tuin rond, op zoek naar iets om te zeggen. 'Uw rozen zijn prachtig.'

Ze keek even naar de ouderwetse pergola. Lange, kruipende rozenstengels hingen eroverheen als bezwijmende diva's, koperachtige knoppen, bijna in de kleur van haar lippen.

'Albertine. Ik had hem vorig jaar steviger terug moeten snoeien. Wil je misschien een kop koffie?'

En een heel gesprek op gang zien te houden? Maar de weg terug, heuvelopwaarts, was steil en ik had het warm.

'Graag,' zei ik. 'Dat lijkt me heerlijk.'

Ze lachte. 'Katie, je bent altijd zo beleefd.' Was dat een compliment of kritiek?

De keuken was groot, en er hing een groenachtige schemering door de blauweregen rond het raam. Trish' moeder liet me aan de vurenhouten tafel plaatsnemen en zette een koffiepot klaar. Ondanks de hitte buiten lag een oude lapjeskat op het deksel van de warmhoudplaat van het fornuis gedrapeerd. Hij sprong artritisch op de vloer toen mevrouw Klein de ketel opzette.

Ik was verbaasd: ze maalde zelfs verse koffiebonen. Ze mat ze met handenvol af voor de koffiemolen. Er vielen een paar van het betegelde aanrechtblad op de vloer, en ze nam de moeite niet om ze op te rapen. Ik bukte me om te helpen.

'O, laat maar liggen, Katie. Morgen komt de schoonmaakster,' zei ze. Mórgen? In onze keuken hadden ze onmiddellijk opgeraapt moeten worden. Niet dat we verse koffiebonen hadden, laat staan een schoonmaakster.

Stephen, Trish' jongere broer, kwam de keuken binnenslenteren. Hij wierp me een snelle, hatelijke blik toe. Ik wierp stilzwijgend een hatelijke blik terug, maar hij had zich al omgedraaid en leunde tegen het buffet, waardoor ik me ongerust maakte over mevrouw Kleins verzameling blauw-wit porselein. Een bonte verzameling van meer dan honderd

kannetjes en losse kopjes en schoteltjes, allemaal in rommelwinkels gekocht, volgens Trish. Ik vroeg me af of zij daarmee hetzelfde had als ik
met ammonieten.

'Mam, ik verveel me.'

'Je mag het snoeien voor me afmaken.'

'Daar heb ik geen zin in. Kun je niet...'

Trish' moeder zette de koffiemolen aan en het lawaai overstemde de
rest van zijn woorden. Hij trok een gezicht naar haar. Ze trok een gezicht terug en zette de koffiemolen af.

'Doe je het als ik je een pond geef?'

'Oké.' Hij stak zijn hand uit. Mevrouw Klein rommelde in de zacht
leren schoudertas die aan de rugleuning van een van de stoelen hing en
legde een briefje van een pond op Stephens uitgestrekte hand. Hij stopte het snel in zijn broekzak, voordat ze van gedachten kon veranderen.
Haar ogen knepen zich geamuseerd samen terwijl ze hem de deur uit
zag glippen, in een trager tempo gevolgd door de oude kat, met enigszins
slepende achterpoten.

'Die jongen verkwanselt ons op een dag allemaal nog eens.' Ze goot
kokend water op de koffie en bracht de pot naar de tafel. Ik legde een
onderleggertje neer. 'Trek je maar niets van hem aan. Hij is op de leeftijd waarop hij tegen iedereen vervelend doet. Ik kan niet wachten tot
hij toelatingsexamen heeft gedaan en ik hem naar Malvern kan sturen.'

'Waarom stuurt u de jongens wel naar kostschool en Trish niet?' vroeg
ik.

Mevrouw Klein ging tegenover me zitten. 'Wat een verdomd goeie
vraag. Omdat hun vader op kostschool heeft gezeten.'

'En u niet?'

'Katie, als het aan mij lag, hield ik ze allemaal thuis. Ze zijn mijn
schatten en ik mis ze elk moment dat ze weg zijn. Maar zo gaat het in
Roberts familie.' Ze stond weer op. 'Beker of kopje?'

'Een kopje, alstublieft, mevrouw Klein.' Ik zou een hele beker echte
koffie niet aankunnen. Ik zou hartkloppingen kunnen krijgen, net als
mevrouw Owen. Wat dat ook mochten zijn.

Ze schonk ons allebei koffie in, en bood me melk aan uit een blauw-
wit kannetje in de vorm van een koe.

'Mis je je moeder, Katie?'

Ik schrok zo dat ik even geen adem kreeg. Geen enkele volwassene
praatte ooit met me over mijn moeder.

'Ik weet het niet,' zei ik. 'Ik heb haar nooit echt gekend.'

'Ik wed dat ze jou mist.'

Ik keek naar mijn koffie. Kleine zwarte spikkeltjes draaiden trage rondjes op het oppervlak.

'Denk je er ooit over om naar haar op zoek te gaan?' vroeg mevrouw Klein.

Ik wist niet wat ik moest zeggen. Mijn moeder schitterde in mijn leven zo door afwezigheid dat ze aanwezig was. Er was een leegte in me die zonder haar nooit opgevuld zou worden. Maar dat kon ik tegen niemand zeggen, laat staan tegen Trish' moeder. Ze probeerde me naar haar te laten kijken, staarde naar me in de hoop dat ik mijn ogen naar de hare zou opslaan. Ik voelde ze in mijn hoofd boren. Maar ik durfde niet op te kijken uit angst dat ik zou gaan huilen.

'Ze wil niet dat ik haar vind,' zei ik tegen de zwarte spikkeltjes op de koffie.

'Onzin,' zei Trish' moeder. 'Hoe kom je daarbij?'

'Ze heeft nooit...' Het was te pijnlijk om meer te zeggen. Ik begon met mijn nagels in een groef in het versleten tafelblad te graven. Er zat wat plakkerig vuil in vast, te diep om er met een doekje bij te komen, maar ik probeerde het er met mijn pink uit te plukken.

'Ik schrijf de jongens nooit,' zei mevrouw Klein. 'Ik denk altijd dat ik ze daarmee in verlegenheid zou brengen. Ik houd mezelf voor dat ze groot worden en niet geconfronteerd willen worden met een grienende moeder. Is het ooit bij je opgekomen dat je moeder misschien bang is om contact met je op te nemen?'

'Bang?'

'Bang dat je haar zult haten omdat ze is weggegaan?'

'O.' Ik schraapte een kruimel vuil los met mijn nagel en rolde hem tot een balletje op het tafelblad. 'Maar ik ben de reden waarom ze is weggegaan.'

'Wát?'

'Dat denkt mijn vader.' De stilte aan de andere kant van de tafel was zo geladen dat ik wel moest opkijken. Mevrouw Klein staarde me met een uitdrukking van afschuw op haar gezicht aan. O god, ze zou me hier nooit meer laten komen nu ze wist dat het mijn schuld was dat mijn moeder was weggegaan.

'Dat heeft je vader toch niet tegen je gezegd, of wel?'

'Hij...' Ik kon me niet herinneren dat hij het echt had gezegd. Ik wist het gewoon. 'Hij denkt dat.'

'Maar waarom zou je moeder om jou weggegaan? Je was... hoe oud? Twee? Drie?'

'Ze wilde geen kind.'

'Hoe kon jij dat in vredesnaam weten?'

'Ik...' Hoe wist ik dat? Ik was er niet zeker van. Ik probeerde een antwoord te bedenken. 'Misschien heb ik het haar horen zeggen?'

'Katie, ik ben niet bijster slim, maar ik geloof geen moment dat je moeder zo over je heeft gedacht, laat staan dat ze het heeft gezegd. Volgens mij begrijp je het helemaal verkeerd. Ik denk dat je vader en jij er nooit over praten, heb ik gelijk?' Mevrouw Klein richtte haar ogen weer strak op de mijne. In het schemerige groene licht van de keuken zag ik dat ze als die van Trish waren; ze veranderden van kleur, afhankelijk van waar ze naar keken.

Ik knikte.

'Neem het maar van me aan,' zei mevrouw Klein. 'Je moeder denkt aan je. Er gaat geen dag voorbij zonder dat ze aan je denkt.' Tot mijn verbazing zag ik een dikke traan in de hoek van een van haar zeegroene ogen en werd haar neus rood. Ze rommelde achter zich in haar leren tas en haalde er een papieren zakdoekje uit, maar in plaats van het te gebruiken, hield ze het in haar hand en begon een scheurtje in een van de hoeken te maken. Nu keek zij mij niet aan.

'Gaat het wel, mevrouw Klein?'

'Jawel,' zei mevrouw Klein, tussen plotseling verstrakte lippen door. Haar lippenstift had afgegeven op haar koffiekopje en ik zag een zwarte halvemaanvormige mascaravlek onder een van haar ogen. Ze had een dunne reep van het zakdoekje getrokken en begon nu aan een volgende. Ik wist niet wat ik moest doen.

'Alleen...' Ik wilde niets liever dan weggaan. Maar ik kon geen excuus bedenken. Ik had mijn koffie nog niet eens aangeraakt. Mevrouw Klein kwam ertussen voordat ik kon bedenken hoe ik mijn zin moest afmaken.

'Als je naar je moeder wilt zoeken, zou ik je kunnen helpen. Ik weet hoe je dat moet aanpakken. Maar alleen als je het wilt.' Er sprak zo'n intense hoop uit haar gezicht, dat het onbeleefd leek om te weigeren.

'Ik zal erover nadenken,' zei ik. 'Ik... Ik weet nog niet zo goed wat ik van het idee vind.'

Ze stond op van de tafel en haalde mijn kop koffie weg. Ik had er nog steeds niets van gedronken, maar ze leek het niet te merken. Ze zette de kopjes in de gootsteen en stond daar een poosje, met haar rug naar me toe, tussen de blauwe trossen van de blauweregen door naar de tuin te kijken. De plant groeide zo weelderig dat hij door de openingen van de ventilator boven het aanrecht begon te komen. Ik kon het *knip knip knip* van de snoeischaar horen, waarmee Stephen bezig was zijn pond te verdienen.

Op de tafel lagen in een prop de resten van het zakdoekje. Mevrouw

Klein had het tot fragiele strookjes gescheurd. Feeënverband, voor on-
zichtbare wonden.

Ik schrok van het geluid van water dat uit de kranen stroomde. Mevrouw Klein spoot wat afwasmiddel over het blauw-witte servies.

'Ik vind het vreselijk als mijn kinderen weggaan,' zei ze tegen het
raam en de goudenregen. 'Vreselijk. Godzijdank is Trish er.'

Ik stond op. 'Wanneer zei u dat ze terugkomt?'

Mevrouw Klein draaide zich snel om. Ik denk dat ze mijn aanwezigheid was vergeten. 'Wat? Zaterdag pas. Ik zal zeggen dat je langs bent geweest.'

Toen ik op weg naar huis op de top van de heuvel kwam, kwam mevrouw Owen hijgend aan de andere kant van de helling op, met o-benen
als een aap en met haar armen zwaaiend om haar omvangrijke achterwerk omhoog te helpen. Toen ze me zag, rechtte ze piepend haar rug.

'Hemeltje. Het wordt mijn dood nog, die heuvel.'

'U had de bus moeten nemen.'

'Kindje, dit is de enige lichaamsbeweging die ik krijg. Mensen betalen een fortuin in fitnessclubs om zo buiten adem te raken.' Ze had een
schrikwekkend rode kleur gekregen. 'Oef. Laat me even op adem komen.' Ze wapperde met haar handen alsof ze hoopte dat ze genoeg lucht
in beweging zouden brengen om haar longen weer te vullen. Haar borst
ging op en neer als een aardbeving. 'Wat ben jij aan het doen?'

'Niet veel.'

'Ga met me mee naar de coöp, dan krijg je een lolly.'

'Ik eet geen lollies. Ik ben op dieet.'

'Op dieet?' zei mevrouw Owen op een toon die ze ook zou hebben gebruikt voor *ik zit in mijn neus te pulken*. Ze kneep in mijn bovenarm.
'Ga toch weg. Je bent al te mager. Kom op, mijn buik plakt aan mijn ruggengraat. We nemen een kop thee en een broodje in het café. Ik betaal.'

Dat was het einde van mijn dieet.

'Mevrouw Owen,' vroeg ik, terwijl ik restjes glazuur van mijn kin veegde. Mijn ogen prikten van de walm van sigarettenrook.

De wanden van het café waren crèmeachtig geel geschilderd om de ni-
cotinesporen te verbergen. Alle vrouwen van Green Down die voor hun
man deden alsof ze gestopt waren met roken, kwamen hier bij elkaar.
Ze zeiden dat er zelfs onder de kakkerlakken in de keuken een natuur-
lijke selectie plaatsvond door kanker.

'Mmm?' Mevrouw Owen zat tevreden aan haar derde sigaret. Twee
zompige peuken, bevlekt met haar oranje lippenstift, lagen in de alumi-

nium asbak, boven op een stuk of zes andere, die in andere tinten waren gestempeld. Om ons heen klonk een sputterend, fluimachtig gebabbel en uit een cassettedeck galmden de Carpenters.

'Hoe heette mijn moeder?'

Ik verwachtte bijna dat het geroezemoes om ons heen bij die vraag in een verbijsterde stilte zou overgaan. Maar Karen Carpenter begon op perfecte toon aan 'Only Yesterday' en mevrouw Owen zag er eerder verbaasd dan geschrokken uit.

'Weet je dat niet, kindje?'

'Nee. Niemand heeft me dat ooit verteld.'

'Ze heette Kitty.'

'Kitty.' Het smaakte vreemd op mijn tong, te zoet als het geglazuurde broodje. 'En ze noemde mij Katie? Kitty en Katie?'

'Je vader vond het mooi klinken.'

Ik dacht liever niet aan wat Trish daarvan zou vinden, als ze er ooit achter zou komen.

'Wat was haar achternaam? Ik bedoel haar naam voordat ze trouwde?'

'Wat, haar meisjesnaam? Het schiet me even niet te binnen. Iets met kaarten.'

'Kaarten? Hoe bedoelt u? Een plaatsnaam? Kerstmis?'

'Het spijt me, lieve kind. Het is me ontschoten. Je zult zien dat ik het midden in de nacht weer weet.' Mevrouw Owen nam een laatste hoopvolle trek van haar sigaret. Er was nog maar een miniem randje wit over boven het bruine filter. 'Ze kwam uit Brissle, zie je.'

Bristol was maar achttien kilometer bij ons vandaan. Was ze daarheen teruggegaan nadat ze ons had verlaten? Ze was vast verder weg gegaan. En de man? Was ze nog met hem samen?

'Wie was de man?'

'Welke man?'

'De man met wie ze is weggegaan.'

'Hoe weet je dat?'

'Ik heb u een keer over hem horen praten, jaren geleden.'

'Ah.' Mevrouw Owen drukte haar sigarettenpeuk zorgvuldig uit boven op de andere. 'Nou, er werd gezegd dat het iemand van het ministerie van Defensie was. Een van de mannen bij de poort. Ze werd gezien met een man in uniform. Ze liep daar altijd langs als ze ging wandelen, daar bij het speelterrein.'

'En ik dan?' Ik was diep verontwaardigd. Had ze mij thuisgelaten wanneer ze op pad ging met haar minnaar? Ik moest nog een peuter zijn geweest.

'O, kindje, je bent er vast bij geweest. In de wandelwagen. Ze liet je nooit alleen thuis.'

'Dus heb ik hem gezien,' zei ik. 'Ik was bij hen.'

'Dat moet wel.' Mevrouw Owen porde met haar vinger in de berg sigarettenpeuken. De bovenste viel eraf en rolde over de rand van de tafel. 'Maar toen werd hij overgeplaatst. En dat was dat. Ze ging met hem mee.'

Ik wil geen kind. Had ik het toen gehoord? Terwijl ik in mijn wandelwagen zat? Wie had het gezegd, hij of zij?

'Hoe kom je hier trouwens allemaal op?' vroeg mevrouw Owen. 'Luister naar me, Katie Carter. Sommige dingen kunnen maar het best met rust worden gelaten. Ik ben het niet zo vaak met je vader eens, maar ik denk dat hij gelijk heeft dat hij er niet over praat. Het was een slechte tijd, een slechte tijd.' Ze kwam moeizaam overeind, en nog twee sigarettenpeuken vielen uit de asbak op de vloer. 'Het heeft geen zin om in het verleden te gaan graven.'

'Ik wil het alleen weten,' zei ik. 'Aleen... een beetje meer weten.'

'Nou, kijk maar uit dat je vader er niet achter komt. Hij heeft ogen als een stinkende aal. En hij heeft zijn trots.' Ze pakte haar boodschappen en waadde door de gelige walm naar de kassa om te betalen.

14

Na mijn ontmoeting met mevrouw Owen in het dorp liep ik door de straat en hoorde muziek uit Gary's huis komen. Zijn slaapkamerraam stond open; hij had zeker een vrije dag. Toen ik dichterbij kwam, begon er een nieuw nummer en zette iemand het geluid harder. Het klonk als helikopters in een woestijnwind; toen kwamen er drums en gitaren bij, en een verre klaaglijke stem. Ik ging op de tuinmuur zitten luisteren. In de muziek zat iets waardoor ik moest glimlachen, want zelfs ik kon horen dat die schitterend overtrokken was: de elektronische wind loeide en er zat zoveel echo in de stemmen dat ze in een gigantische grot opgenomen hadden kunnen zijn. Dus dat was Gary's soort muziek? Toen ik de treden naar ons huis op liep, begon hetzelfde nummer weer opnieuw.

Ik ging naar binnen en zag in het schemerige licht van de gang een brief op de mat liggen. Er zat geen postzegel op; hij moest persoonlijk zijn bezorgd. Hij was geadresseerd aan mijn vader, en het handschrift helde naar rechts, in opvallend ferme, violette lussen. Ik hoopte dat het een cheque van een klant was, want dan zou ik misschien eindelijk mijn kleedgeld krijgen. Mijn vader werkte officieel fulltime aan het renovatieproject, maar ik had het gevoel dat hij er stiekem nog een baantje bij had. De afgelopen week was hij een paar avonden veel later dan normaal thuisgekomen.

Ik nam de brief mee naar de keuken en legde hem daar voor hem op de tafel.

Zonder Trish wist ik niet goed wat ik met mezelf aan moest. Ik ging naar boven en liet me op mijn bed vallen. De witte chenille sprei was groezelig. Ik zou hem moeten wassen. Stel dat ik in een huis als dat van Trish woonde, waar ik me nooit zorgen zou hoeven te maken over dat soort dingen doordat iemand anders dat deed. In het zonlicht was het glas van mijn ingelijste poster, die van het verdwaalde meisje in het wilde bos, vlekkerig en vuil. Het was nooit bij me opgekomen dat het glas van zo'n lijst zo nu en dan moest worden afgenomen. Hield dat schoonmaken dan nooit op?

Ik zou beneden een vochtige doek en azijn moeten halen. Dat zou mevrouw Owen hebben gezegd. *Een werkje van niks, Katie. Doe het wanneer je het ziet.* Ik plaats daarvan pakte ik het boek over fossielen dat mijn vader uit de bibliotheek voor me had meegebracht.

Tot nu toe kon ik er nauwelijks doorkomen. De taal leek ouderwets, geschreven voor volwassenen. Het was net moeilijke poëzie. Het enige wat ik eruit wist te halen, waren vage halve ideeën die zo snel als zeewater door mijn vingers gleden. Maar er stond wel een uitleg over kalksteen in.

Waar ik nu lag, was ooit een oceaan geweest. De tijd bewoog zich op een andere manier, in onvoorstelbare eons en epochen. Er waren miljoenen en miljoenen jaren voor nodig geweest waarin deeltjes door het blauwe water omlaag waren gefilterd om het gesteente te vormen waar Green Down uit was opgebouwd, hele continenten waren als verlaten schepen op drift, het trage schuren van rots op rots. Je kon het alleen een beetje begrijpen door de beelden als een film te versnellen. Dan knalde het geweld eruit als een vloedgolf: stormen, donder, bliksem, striemende regen, gierende wind, terwijl de aarde een soort galaanval had en bultige heuvels en ruwe bergen uitbraakte. En ik? Ik was slechts een van die deeltjes, omlaag dwarrelend door een uitgestrekte zee, in een oogwenk verdwenen.

Mijn vader had me over de fossielen verteld die uit het gesteente vielen terwijl de steenhouwers er werkten. Hij had in een van de open steengroeven gewerkt. Hij bracht ammonieten mee naar huis en één keer een lang bot. Het was uit het dak van een ondergrondse tunnel gevallen. We gingen ermee naar het museum, en de man daar zei dat het van een bizon was geweest. Hij legde uit dat er een tijd was geweest waarin het klimaat veel warmer was. Er leefden nijlpaarden in de Engelse rivieren, en een aantal van de vroegste sporen van menselijke bewoning op de Britse eilanden was niet ver weg gevonden, in een andere groeve op ongeveer dertig kilometer van hier in de Mendips. De steenhouwers vonden stenen werktuigen van bijna een half miljoen jaar oud. *En gingen die voeten in oude tijden...* Onvoorstelbaar, de eerste Engelsen, lopend over heuvels die vanuit Green Down in de verte te zien zijn.

Het boek sprak van de Vroege Man. Veel belangrijker, uiteraard, dan de Vroege Vrouw. Ik stelde me voor hoe hij na elke ijstijd achter de zich naar het noorden terugtrekkende gletsjers aanging; zij volgde hem en wees hem erop dat het op een dag echt wel weer frisjes zou worden. Toen kwam de kou inderdaad terug en dreef hen naar het zuiden met het ijs op hun hielen. Heen en weer ging het, en elke keer lieten ze sporen achter in grotten en rivierdalen, zoals stenen werktuigen, soms een kaakbeen of een stuk schedel.

Homo heidelbergensis, neanderthalers, de Swanscombe man: ze werden altijd genoemd naar de plaats waar ze waren gevonden. Als je hier diep genoeg zou graven, rond het dal van de rivier de Avon, zou je misschien de Bathampton man of de Midcombe man of de Green Down man vinden.

Het geluid van de telefoon beneden sneed door mijn gedachten. Half slaperig en duizelig sprong ik van het bed af en rende naar beneden.

'Katie,' hoorde ik Poppy zeggen. 'Wat ben je aan het doen?'

'Niets. Aan het lezen.'

'Aan het lezen? Het is prachtig weer. Heb je zin om hierheen te komen? Trish is naar Londen vertrokken.'

Ik was tweede keus natuurlijk. Ze belde me alleen omdat Trish er niet was.

'Nou...'

'O, kom op.'

Door het ondoorzichtige, ruitvormige raampje in de voordeur kon ik zien hoe vrolijk de wereld er buiten uitzag. Ik dacht aan het zwembad bij Poppy in de tuin, in mozaïek betegeld, koel blauw. Het was een ideale dag om te zwemmen.

'Oké, ik ben er over een halfuur.'

Poppy en ik stonden bij het zwembad. Ik kon mijn teleurstelling niet verbergen.

'Hoe bedoel je, het lekte?'

Ze wees naar de barst die dwars door de vloer van het zwembad zigzagde, als een bliksemflits in een blauwe lucht. De mozaïektegels eromheen zagen eruit als losse puzzelstukjes op de bodem van een doos. Aan de andere kant van het bad stond nog zo'n dertig centimeter water. Daarop dreef een schuimachtige laag naalden van de naaldbomen die de tuin omzoomden. Verder was het zwembad volkomen leeg.

'Mijn vader is woest. Hij had het net voor het feestje nog gevuld.'

'Is het gewoon weggelopen?' Ik begreep niet waar het allemaal gebleven was. Het was door de barst gegaan, ja, maar waar naartoe?

'Het is allemaal in één nacht verdwenen. Alsof iemand het gestólen heeft. Vanmiddag komt er een man naar kijken. Mijn moeder zegt dat het een raadsel is.' Haar muilen met plateauzolen klepperden over de rand van het zwembad toen ze zich omdraaide en de schaduw opzocht. Haar benen, gestoken in blauwe hotpants die het jaar ervoor mode waren geweest, leken daardoor op lange, bleke sproeterige stelen, die ineens in het donker waren opgeschoten.

Het huis was tegen de heuvel gebouwd en keek in zuidwestelijke richting uit op de Mendips; de tuin bestond uit een serie uit de helling gegraven terrassen. Het zwembad bevond zich op het terras bij het huis en werd aan één kant beschut door een latwerk waardoor een wingerd zijn hartvormige bladeren krulde, roerloos in de hitte. We zaten op ligstoelen, en ik schopte mijn canvas gympen uit, die naast Poppy's hoge hakken zo plat en kinderlijk waren. Onder mijn zonnejurk prikten mijn blote bovenbenen op de plaats waar ze het hete plastic raakten. Met de naaldbomen rond de tuin hadden we in Italië kunnen zijn.

Het huis leek een en al raam. Het van vloer tot plafond lopende glas weerspiegelde blauwe lucht en een geelwitte zon. Niemand kon naar binnen kijken. De vrijstaande huizen in die wijk waren stuk voor stuk ver van elkaar geplaatst en lagen verborgen door slimme landschapsarchitectuur. Poppy's moeder kwam naar buiten. Ze droeg een oranje halterbikini en een grote Jackie O-bril; haar glanzende donkere krullen stonden als een helm zo stijf van de lak. Ze had een tijdschrift en een pakje sigaretten bij zich, en net als die van Poppy klepperden haar hoge hakken op de tegels rond het zwembad. Ik voelde haar ergernis toen ze zag dat wij de ligstoelen in bezit hadden genomen. Zonder ook maar te groeten liep ze de trap af naar het lagere terras, waar een tafel en stoelen stonden.

De hitte maakte me prikkelbaar. Poppy inspecteerde de nagels van haar tenen, die ze weer roze had gelakt. Ze keek op en zag dat ik haar gadesloeg.

'Zal ik die van jou doen?'

'Nee, dank je.'

Haar ogen schoten weg. Ik had niet zo scherp willen klinken.

'Het is hier te heet,' zei ik.

'We kunnen naar mijn kamer gaan.'

Mijn blote voeten waren glibberig op de glanzende houten trap. Terwijl ik achter haar aanliep, zag ik de ribbels die de plastic zonnestoel op haar benen had achtergelaten. Ik betastte de achterkant van mijn benen onder de zoom van mijn jurk. Die waren ook geribbeld.

Ik was nog nooit in Poppy's slaapkamer geweest. Het huis bestond voornamelijk uit één grote benedenverdieping; de bovenverdieping leek er als bij nader inzien bovenop gestapeld te zijn en was helemaal van Poppy nu haar volwassen halfzuster in het buitenland woonde. Bijna één hele wand van de L-vormige kamer was raam in de vorm van glazen schuifdeuren die toegang gaven tot een terras dat uitzicht bood op het zwembad. Ze stonden half open toen we binnenkwamen, waarbij de voile gordijnen even in beweging kwamen en vervolgens weer tot rust kwamen. De zon kwam net om het huis heen en het zonlicht lag als een gouden bundel op de vloer. Tegen een van de wanden bevonden zich planken, waarop meer barbiepoppen zaten dan ik ooit bij elkaar had gezien.

Poppy was al rood van de zon, maar toen ze me naar de barbies zag kijken werd ze nog roder.

'Ik speel niet meer met ze,' zei ze verdedigend. 'Sommige zijn van mijn zus.'

Geen wonder dat ze Trish en mij nooit in haar kamer had uitgenodigd. Trish zou haar die barbies voortdurend onder de neus wrijven. Maar dat was nog niet het ergste. Er hing een poster van Donny en Mary Osmond. Ze knuffelden een puppy.

'Poppy...' zei ik. Ik wist niet wat ik aan moest met de blik van paniek in haar ogen. 'Het geeft niet,' vervolgde ik, en ik wist dat het slap klonk.

Ze ging op het voeteneind van het bed zitten. Ik kon haar opluchting bijna ruiken. Ik liep naar de barbies om ze te bekijken en zag hoe ze me met haar ogen volgde als een angstig poesje.

Ik pakte er een op die, vanwege het weer, in een groene bikini was gekleed. Ik had mensen horen praten over zandloperfiguren, maar ze deed me niet zozeer denken aan een zandloper als wel aan een wijnglas: benen tot aan haar oksels, zoals mevrouw Owen zou hebben gezegd. Toen ik haar op de plank te midden van de andere poppen terugzette, kwam plotseling de herinnering op aan een dikke pop met roze wangen die ik zorgvuldig te slapen had gelegd in een nestje van dekens onder de tafel in onze zitkamer, waarbij ik haar stijve, lichte nylon haar had gladgestreken en de dekens onder haar kin had gestopt zoals ik me voorstelde dat een moeder zou doen. Het was voor zover ik me herinnerde de enige pop waarmee ik ooit had gespeeld. Ik kon me de naam niet herinneren. Ik had geen idee wat er met haar was gebeurd en wist ook niet van wie ik haar had gekregen.

'Het zijn net hoeren, vind je niet?' klonk Poppy's stem, en in een oogwenk viel het gezicht van de pop uit mijn herinnering in flarden rondvliegend plastic uiteen.

'Hoeren?' Ik vroeg me af of ze bedoelde wat ik dacht.

'Je weet wel. Prostituees. Wachtend op klanten.'

'O.' Ze had gelijk. Ze leunden tegen de achterwand als luie meisjes van plezier in een film. De enige uitzondering was bruid barbie in haar lange witte jurk met sluier, die vriend Kens kleine plastic hand probeerde vast te houden terwijl ze samen star naar hun toekomst staarden. Ze zagen er allebei doodsbang uit.

'Soms stel ik me voor dat ze 's nachts zitten te praten,' zei Poppy. 'Ze vertellen elkaar verhalen over rijke vriendjes en hoe het zal zijn als ze die vinden.'

'Intussen moeten ze Ken met elkaar delen.' We lachten allebei. Poppy kwam van het bed, duwde de terrasdeuren verder open en wapperde met het gordijn als een waaier in een poging wat beweging in de lucht te krijgen. Ik liep naar de wandkasten met hun louvredeuren, opende die en gebruikte ze ook als een waaier.

'Hé,' zei ik. 'Wat een mooie rok.' Hij was crèmekleurig, boerenstijl, had drie lagen en bij de zoom was kant te zien van een valse petticoat.

'Vind je hem leuk?' zei Poppy. 'Neem hem maar.'

'Nee.' Ik staarde haar aan. Ze leek het te menen. 'Echt waar?'

'Pas hem eens aan. Ik heb hem van mijn zus gekregen. Ze heeft hem in Kings Road gekocht. Hij staat me niet echt.'

Ik deed mijn jurk uit en trok de rok over mijn heupen. Ik was vergeten dat ik de gestolen beha droeg, maar gelukkig herkende Poppy hem niet.

'Wat denk je?'

'Er moet iets om je middel. Wacht.' Ze opende een andere louvredeur en ik zag een stang waaraan riemen hingen. Ik had er niet eens één, dacht ik jaloers. Poppy koos een riem van geweven stroken meerkleurig leer. Ze rangschikte hem rond mijn heupen en legde een losse knoop in de kwastjes. Haar handen streken de rok glad, waarbij ze mijn heupen beroerden, en mijn huid tintelde.

'Zo.' Ze draaide me naar de manshoge spiegel. 'Draag hem met die boerenbloes van je, die met de hals waarvan je het koordje aantrekt. Je ziet er echt sexy uit.'

'Was dat bij jou niet zo?'

'Ik heb bredere heupen. Ik zag eruit als een bruiloftstaart.'Ik had het gevoel dat ze niet de waarheid vertelde, maar de rok stond me inderdaad. Ik begon hem uit te trekken, een beetje verlegen nu, hoewel we elkaars lichaam wekelijks zagen wanneer we ons omkleedden om te gaan zwemmen. Ze sloeg me gade met een vreemde uitdrukking op haar gezicht.

'Denk je echt dat het een goed idee is om Gary te schrijven?' vroeg ze, weer met het gordijn wapperend.

'Wat? Ik dacht dat het jóúw idee was.' Ik trok mijn jurk weer aan en legde de rok op het bed.

'Nee, eerlijk niet,' zei Poppy. 'Trish heeft het bedacht. Volgens haar moesten we hem laten weten dat we drie eenzame maagden waren die zijn lichaam uit de verte aanbeden. Hij kon dan kiezen, zoals Paris Helena van Troje koos. Maar ik weet niet of we het wel moeten doen.'

Ik ging op de vloer bij de terrasdeuren zitten om het lichte briesje te vangen dat Poppy creëerde.

147

'Nou, wat kan het voor kwaad?'

'Stel dat hij op ons aanbod ingaat.'

'Hij ziet ons helemaal niet staan. Hij is zeventien.' Maar terwijl ik het zei, was ik teleurgesteld. Ik wist dat we het niet zouden doen, maar ik wilde blijven doen alsof het wel zo was.

'Nou.' Ze trok het gordijn geïrriteerd terug, de geelkoperen haken kletterden langs de metalen stang. 'Trish heeft altijd van die geweldige ideeën waar ze ons in meesleept.'

Van beneden klonk het geluid van de deurbel. Ik keek naar Poppy om te zien of ze open ging doen. Maar ze stond uit het raam te staren. De bundel zonlicht op de vloer was in een vloed veranderd en likte al aan de rand van het bed. Je leek nergens in dat huis aan het licht te kunnen ontkomen.

'Luister,' zei ik. 'Laten we kijken wat Trish zegt als ze terug is.'

'Ik weet wat Trish zal zeggen. Ze zal ons dwingen om het te doen.'

Er werd opnieuw aangebeld. Ik hoorde de hakken van mevrouw Mc-Claren over het parket in de gang klepperen.

'Het is de man van het zwembad,' zei Poppy. 'Laten we gaan kijken.'

We liepen het terras op en gingen op de hete bitumen dakbedekking liggen om over de rand te kijken. Er was een leuning om te voorkomen dat iemand naar beneden zou vallen, maar daar konden we ons hoofd onderdoor steken om als een stel waterspuwers naar het zwembadterras te kijken. Stukjes gravel prikten in mijn benen. Onder ons kwam mevrouw McClaren het huis uit lopen. Haar schedel was wit waar het haar in een scheiding liep en de wortels hadden een doffere, verschoten bruine kleur. Ze had over haar bikini een mannenoverhemd aangetrokken, maar er was nog steeds veel been te zien. De reparateur die haar volgde, hield een afstand van ruim twee meter tussen hen.

'Het is in een nacht verdwenen,' hoorde ik haar zeggen.

'Ja, dat is niet zo raar.' De reparateur sprong aan de ondiepe kant in het zwembad en tuurde naar de barst in de tegels. Hij zorgde ervoor niet te dichtbij te komen. 'Ziet u, dat is het probleem, die barst.'

'Dat begrijp ik ook wel,' zei mevrouw McClaren. Haar toon was ijzig. Ik keek naar het overgebleven water in het zwembad, maar het bevroor jammer genoeg niet.

'Dat is typisch iets voor deze omgeving,' zei de man. 'Hoe lang hebt u het zwembad al?'

'Het was er al toen we het huis kochten. We zijn hier kort na Kerstmis komen wonen, dus hebben we het dit voorjaar pas voor het eerst vol laten lopen.'

'En hebt u het laten nakijken?'

'Mijn man dacht dat dat niet nodig was. Het huis is nog geen tien jaar oud.'

'U had het moeten laten nakijken. Het wemelt hier van de mijnen.' De man trok zichzelf in één soepele beweging uit het zwembad en ging met bungelende voeten op de rand zitten. 'U hebt last van verzakking, begrijpt u.'

'We hebben natuurlijk een onderzoek laten doen,' zei mevrouw Mc-Claren. 'Onze notaris heeft gecontroleerd op mijnactiviteiten.'

'Ja, maar veel van de mijnbouw in deze omgeving is niet in de archieven te vinden,' zei de reparateur. 'Als u het mij had gevraagd... Ik zou gezegd hebben dat het geen zin heeft om hier een zwembad te bouwen.' Hij stond op en klopte het stof van zijn broek.

'Dus wat gaat u eraan doen?' vroeg mevrouw McClaren.

'Doen?' Hij schudde zijn hoofd. 'We kunnen de scheur afdekken met beton, als u dat wilt. Maar laat ik het zo zeggen: met het water gooit u uw geld weg. Recht de tunnels in. Er is geen enkele garantie dat het niet opnieuw gebeurt. De aarde is altijd aan het verschuiven, ziet u.'

'Bedoelt u dat ons zwembad boven een kolenmijn is gebouwd?' vroeg mevrouw McClaren. Haar gezicht stond strak van ongeloof.

'Een steenmijn,' zei de man. 'Waarschijnlijk.' Hij keek op, zag ons en zwaaide lachend. 'U hebt twee tuinkaboutertjes daarboven.'

Mevrouw McClaren negeerde ons. 'Bedoelt u dat het niet véílig is?'

'O, net zo veilig als de huizen, waarschijnlijk.' De man pakte zijn klembord op. 'Niet dat iemand weet hoe veilig de huizen zijn. Maar laat ik het zo zeggen, zolang als ik me kan herinneren hebben we geen grote instorting gehad.'

Hij pakte zijn pen en hield haar het klembord voor. 'Even tekenen, alstublieft. En wilt u de barst laten repareren?'

'Dat zal ik met mijn man moeten bespreken.' Mevrouw McClaren zette de pen op het klembord. 'Hij wil wellicht met onze notaris praten. Of nog iemand anders ernaar laten kijken.'

'U doet maar,' zei de man opgewekt.

'Wat bedoelt hij met tunnels?' fluisterde Poppy.

Ik draaide me op mijn rug en keek naar de wolkeloze hemel. 'Ze hebben hier onder de grond steen uitgehouwen. Bath-steen, voor de huizen. Hij heeft gelijk. Het wemelt hier van de tunnels onder de grond, iedereen weet dat.'

'Echt?' Poppy ging voorzichtig overeind zitten, en ze keek alsof ze dacht dat het huis onder haar gewicht zou kunnen instorten. 'Is dat niet gevaarlijk?'

'Ik denk het niet. Vroeger konden de mensen er gewoon in en zo.'

149

'Geheime tunnels? Fantástich.'

'Maar ze zijn nu allemaal afgesloten, volgens mij. Er bleven maar honden in verdwalen.'

'Die deden dat dan op zijn hondjes.' We lachten en spartelden als vissen.

'Waar was de ingang?' vroeg Poppy.

'Er waren er meer dan één. In de kelders van het café aan de hoofdweg... allemaal dichtgemetseld nu. Er is er een bij Stonefield Lane... daar is alleen een tralierooster, zodat vleermuizen erin en eruit kunnen.'

'Vleermuizen? Jasses!'

Ik vond vleermuizen lief. Onze oude kat had er een keer een gevangen en wist vervolgens niet wat hij ermee moest doen. Het dier lag als een verfrommeld blaadje op het kleed in de hal. Ik had hem omgedraaid om zijn muizenlijfje te zien, een heel klein hijgend ding. Er zat een grote scheur in zijn ene vleugel, waar de kat hem te pakken had genomen. Hij deed me denken aan een gebroken zwart parapluutje. Mijn vader had hem naar de tuin gebracht om hem vrij te laten. Maar ik dacht niet dat hij nog zou kunnen vliegen.

'Meisjes!' klonk mevrouw McClarens stem van beneden. 'Ik wil niet dat jullie op de rand van het dak zitten. Dat is gevaarlijk.'

'O, mám.' Poppy wurmde zich weer naar de rand en keek omlaag. Ik wurmde me achter haar aan. De reparateur was vertrokken, en mevrouw McClaren stond onder ons, handen op haar heupen, de Jackie O-bril naar ons omhoog gericht als koplampen die donkere vertoornde stralen naar ons omhoogzonden.

'Ik meen het, Poppy. Maak me niet kwaad. Ik voel al een migraine opkomen.'

Ze legde haar hand op haar voorhoofd en masseerde haar slaap met haar duim. De koplampen stuurden nog één donkere flits in mijn richting. Het was mijn schuld dat we daar waren, seinden ze.

'Kom op,' zei Poppy terwijl ze van de rand wegkronkelde. 'We kunnen beter doen wat ze zegt.'

Ik keek naar mevrouw McClaren terwijl ze met klepperende hakken om het zwembad heen liep om haar tijdschrift en sigaretten te pakken. Daarna schuifelde ik langzaam achter Poppy aan achteruit.

Onderweg naar huis maakte ik een omweg langs Stonefield Lane. Het was natuurlijk nog uren te vroeg voor vleermuizen. Ik had ze één keer gezien, laat in de zomer in de schemering. Ze zagen eruit als rook die uit het gat in de rotshelling stroomde.

Ik vroeg me af of dat de manier was waarop de Cameraman de tunnels in en uit was geslopen. Het was in feite een oude zwerver. Het verhaal ging – mevrouw Owen had het me verteld – dat het een volkomen normale man was geweest met een volkomen fatsoenlijke baan, maar dat hij afgewezen werd door de vrouw van wie hij hield en gek was geworden, en in een tent in de bossen was gaan wonen. Wanneer het koud werd in de winter verhuisde hij naar de ondergrondse groeven.

Hij werd de Cameraman genoemd omdat hij iets met camera's had. Hij bleef maar in fotozaken inbreken en stal armenvol Nikons, Canons, Brownies, Instamatics, alles met een lens. Hij werd gehypnotiseerd door dat enkele, knipperende oog. Hij bracht zijn buit naar de tunnels en sloeg zijn camera's op in de ontbijtholen van de steenhouwers tot ze bedekt werden door een grijsgroene schimmellaag. Hij maakte er nooit foto's mee; hij verstopte ze alleen. Misschien was hij bang van ze en voelde hij zich op die manier veilig.

Mevrouw Owen had me over de Cameraman verteld, maar mijn vader had me verteld over de honden die in de tunnels verdwaalden. Hij herinnerde zich ook, zei hij, dat er een keer drie jongens waren zoekgeraakt, het jaar voordat de tunnels voorgoed werden afgesloten.

Ik keek naar de smalle opening waaruit de vleermuizen zouden komen. Wat was er met de Camaraman gebeurd toen ze de tunnels dichtmetselden? Was hij doodgevroren in zijn tent in de bossen? Of had hij er op de een of andere manier nog in en uit weten te komen door als een muis door de opening te glippen die ze er voor de vleermuizen in hadden gelaten?

De zon zakte naar de bomen en ik had kippenvel op mijn blote armen. Ik rilde en liep snel naar huis.

15

Wanneer ik op donderdag ondergronds ga, moet ik steeds aan de Cameraman denken. Ik huiver nog altijd bij de gedachte aan hem. Ik stel me lange witte vingers voor, zwetend als het sap in het gesteente, die zijn met schimmel bedekte trofeeën alle kanten op richten terwijl ze de zoeker omhoog brengen naar een bleek wimperloos oog.

Terwijl ik de ladder af loop, houd ik mezelf voor dat iets alleen de moeite waard is als het je angst aanjaagt.

De mijnwerker met de tatoeages is Ted. John heeft dun, touwachtig haar, dat in krullen aan zijn helm ontsnapt; Pat is degene met blond haar en witte wenkbrauwen... Het lukt me nooit om alle namen van de vrije mijnwerkers te onthouden. Maar het moet. Ik zal de vloer moeten aanvegen met alle andere ingenieurs met wie ze ooit hebben gewerkt.

En later, in het café, zullen ze toch nog grappen maken over de grootte van mijn tieten of de vorm van mijn achterwerk wanneer ik van de ladder afdaal. Maar het maakt niet uit, want ik moet me er niets van aantrekken, moet er niet aan denken, moet het uit mijn hoofd zetten... Even heb ik het gevoel dat het me te veel is: het omgaan met die mannen, laat staan het stabiliseren van de mijn, zoals me dat elke keer gebeurt. Tot ik mezelf eraan herinner dat ik niets meer hoef te doen dan die verdomde klus te klaren, en wel zo goed als ik kan, daarvoor word ik betaald. Als ik me daarop concentreer, als ik het goed doe, komt respect vanzelf.

Ted kijkt naar me, wacht op instructies. Het is een blik die ik al zo vaak heb gezien. Kom op, zegt die blik, laat maar zien wat je kunt. We weten dat je in de puree komt te zitten, maar wij gaan precies doen wat je zegt en wachten tot je er middenin zit voordat we je er bij je nekvel uit zullen trekken.

'Tussen die twee pilaren zit een zwak stuk in het plafond,' vertel ik ze. 'Het zit onder de straat die naar de basisschool loopt.' Waar elke ochtend en elke middag tientallen mammies in terreinwagens en personenwagens de heuvel af komen denderen om hun kleine schatjes op te halen. Er geldt een belastingbeperking in die straat, maar die houdt alleen zware vrachtwagens tegen. We moeten die ruimte snel opvullen om te voorkomen dat een dezer dagen midden in Grove Road een groot gat verschijnt – hopelijk niet wanneer een busje vol schoolkinderen over de top komt rollen.

'Ja,' zegt Ted, ergens op kauwend. 'We hebben de kaart gezien.'

Nu, of later? Nu.

'Luister, Ted,' zeg ik. 'Ik begrijp wat je bedoelt. Ik probeer jou met respect te behandelen als jij mij met respect behandelt, oké?'

'Ik snap niet waar ze het over heeft,' zegt Ted tegen de andere mijnwerkers.

Eindelijk installeer ik me in het huis in Turleigh. Het is een opluchting om van het lawaai van de stuwdam af te zijn en mijn spullen uit te pakken op een plek waar ik mezelf kan zijn. Ik sta in de keuken. Het is een prima keuken, groot, laag plafond, lichtgekleurd hout en roestvrij staal, lichtbruine tegels. Kwaliteit, met zorg en smaak gekozen. De vaatwasser is stuk, maar wat maakt het uit want ik heb eindelijk mijn eigen Aga. Dat zou Susie Klein een glimlach hebben ontlokt.

Ineens stromen de tranen uit mijn ogen. Ik haat die verdomde mijnwerkers. Rotzakken. Rotzakken. Ik weet gewoon niet meer hoe ik met ze moet omgaan.

'Wat is er?' zegt Martin door de telefoon die ik onder mijn oor geklemd houd. 'Je hebt mijnwerkers eerder een schop in hun zak gegeven.'

'Dit zijn grotere klootzakken.'

'Flauwekul. Wat jij nodig hebt, is mijn persoontje en wat lekker eten. Na een paar flessen wijn ziet alles er heel anders uit. Heb je nog meer van die inscripties gezien onder de grond?'

'Ik heb ernaar uitgekeken. Ik zou het de mijnwerkers kunnen vragen, maar ik denk niet dat ze het mij zouden vertellen.'

'Als mijn theorie klopt, zijn er meer.'

'Welke theorie?'

'Dat vertel ik wel als ik je zie. Kom je me nog steeds van het station halen?'

'Ik zal er zijn.'

Ik leg de telefoon neer en loop over de betegelde vloer. Kalksteen, maar niét uit de omgeving: Frans misschien. Met vloerverwarming, zodat de kou in de vroege ochtend niet naar je voetjes omhoogtrekt. Misschien zou ik zoiets in mijn huisje in Cornwall moeten doen. Als ik het niet verkoop.

Waar ik ook ben, het voelt tijdelijk. Daardoor kom ik nooit aan verbeteringen van mijn huis toe.

Terrasdeuren naar de tuin; ik stap naar buiten, in het donker, en ruik vorst en houtrook. Drie lage treden omhoog naar het gras; ik draai me om en kijk naar verlichte ramen van andere huizen en donker opdoemende bomen, dan keer ik me helemaal om naar het lichtschijnsel van de iets lagergelegen keuken en mijn voetafdrukken die over het glinsterende gazon vandaan slingeren. Mijn lusvormige slakkenspoor, mijn labyrintische gang. Altijd ergens van weg, nooit ergens naartoe.

Vrijdagmiddag. Ik spijbel van mijn werk, nadat ik tegen Brendan heb gelogen dat ik een gasfitter over de vloer krijg om de boiler te repareren. Ik was vergeten hoe mooi Bath is, zelfs in de regen. Ik steek over bij het stoplicht en loop Pulteney Bridge op met zijn kleine winkels boven de stuwdam. Regen klettert op mijn paraplu, mijn hooggehakte laarzen glijden uit op het plaveisel. Waarom heb ik me mooi gemaakt? Het is Martin maar. Maar ik weet dat hij het fijn vindt als ik een beetje mijn best doe: mijn haar netjes opgestoken, mijn gezicht in de plamuur, een suède rok en knielaarzen.

In een opwelling ga ik de kaartenwinkel op de brug binnen. Er ligt een mooie antieke Speed in de etalage, een kaart van het graafschap Somerset, maar je moet een echte verzamelaar zijn om daar geld voor neer te tellen. Zonder het te hoeven vragen weet ik dat hij duur is. Nick verzamelde oude kaarten. Hij klaagde altijd dat hij net te laat was begonnen, toen de prijzen al stegen, dat je zo'n kaart in de jaren zeventig voor minder dan vijftig pond had gekregen. Hij zou nu achthonderd, misschien wel duizend, waard zijn. Hij nam zijn verzameling mee toen hij naar Wales verhuisde, maar heeft hem inmiddels waarschijnlijk door zijn keel gegoten. Hij had een paar echt mooie kaarten, subtiel ingekleurd, fijn gegraveerd.

De winkel is heel klein; je bent er met één stap doorheen. Hij is vol licht van de ramen die over de rivier uitkijken, en vol kaarten, die elke beschikbare centimeter muur in beslag nemen of in bakken zijn opgeslagen met de namen van graafschappen erop. Met een gevoel van nostalgie denk ik aan het huis in Chiswick, waar Nicks verzameling langs de trap en in de hal hing. Hij hield van die kaarten. Ik herinner me hem met Glassex in zijn hand; in het huishouden stak hij geen vinger uit, maar hij poetste met plezier het glas van zijn ingelijste kaarten. In een antiekzaakje vond hij een kaartentafel met grote ondiepe laden, waarin hij de niet ingelijste exemplaren bewaarde. Hij kon hele zondagmiddagen met die kaarten bezig zijn, haalde ze eruit, bekeek ze en plande reizen in zijn hoofd. Reizen over wegen die waren aangelegd voor rijtuigen en koetsen, door dorpen die nu stadjes waren en platteland dat veranderd was in buitenwijken; reizen die hij, aangezien hij Nick was, nooit heeft gemaakt.

Nostalgie. Is dat alles wat ik kan zeggen over wat ik voelde? Maar het huwelijk was mijn fout. Zelfs toen ik ze samen in bed aantrof, was ik veel bozer op haar dan op hem.

'Zoekt u iets speciaals?'

De eigenaar staat naast me.

'Niet echt. Tenzij u kaarten hebt van de ondergrondse steengroeven.'

Hij schudt zijn hoofd. 'Die heb ik nog nooit gezien. Ik weet niet of iemand ze ooit in kaart heeft gebracht. Er zijn in de loop der eeuwen veel kleine steenwinningbedrijfjes geweest, die hier en beetje groeven en daar in oude uitgravingen actief waren. Als het labyrint van de Minotaurus. Zelfs die mensen die nu in Green Down bezig zijn, hebben geen duidelijk idee hoe het allemaal in elkaar steekt.'

'Jij lelijke geluksvogel,' zegt Martin terwijl we door Bath rijden, dat al vol begint te lopen met vrijdags spitsverkeer. 'Wat ben je toch een bofkont. Het is hier schitterend.'

'Dat zal wel.'

'Laten we een rondleiding doen. Naar de Royal Crescent. Het Circus.'

'Dat is de verkeerde kant op.'

'Waar is de poëzie in je ziel? De Royal Crescent was de kroon op het werk van John Wood. Hij is gestorven voordat hij het kon afmaken. Zijn zoon moest zijn visie voltooien. En jij wilt niet eens een klein stukje omrijden, zodat we hem eer kunnen betonen!'

We gaan naar de Royal Crescent.

'Wood was een genie,' zegt Martin, terwijl ik op mijn stomme hoge hakken over de opdrogende keitjes waggel. 'Hij liet zich niets gelegen liggen aan de geschiedenis om zijn eigen merkwaardige ideeën te kunnen uitwerken.'

De Royal Crescent strekt zich rechts van ons uit, een gladde parabool in lichtgekleurde steen, als een volmaakte potloodstreep. Als ik zoiets zie, zou ik willen kunnen tekenen. Breed uitgesleten plaveisel in lichtgele steen, voordeuren in heldere, vrolijke kleuren. Ik verwacht dat ze allemaal elk moment kunnen openzwaaien en er vijftig zingende en dansende meisjes uit *Oliver!* tevoorschijn komen.

'Hij geloofde dat hij via de tempel van Salomon en de monumenten van de oude Britten de klassieke architectuur kon doorgronden.' Martin geniet en met volle teugen tijdens dit college.

Ik weet dat allemaal. Wood dacht dat er teloor gegane zonne- en maantempels op Lansdown waren, en het Circus en de Crescent waren zijn poging ze te herscheppen. De diameter van het Circus is gebaseerd op de afmetingen van Stonehenge en de megalithische cirkels van Stanton Drew. Geometrie. Vrijmetselarij. Slangen met hun staart in hun bek. 'We hebben dat allemaal op school gehad,' zeg ik. 'We gingen hier picknicken.'

Martin blijft in zijn opgewonden David Starkeyloopje over de keitjes steken, en staart me aan. Boven zijn schouder zakt een grote, vlammende zon in de richting van Midcombe.

'Nou, dat was dan een heel eind lopen vanaf Bournemouth,' zegt hij.

Even benijd ik John Wood. Hij was er veel beter in dan ik om zich niets aan de geschiedenis gelegen te laten liggen.

'Met de bus, grapjas,' zeg ik snel. 'En maar één of twee keer.'

Het is heerlijk om Martin een weekendje te logeren te hebben, want hij vindt alles prachtig, behalve mijn rijstijl, waar hij altijd al over klaagt. Hij vindt de Royal Crescent prachtig; hij vindt de steile weggetjes prachtig, die ons van Bath naar de top van Green Down brengen en vervolgens naar het dal omlaag duiken, waar we de rivier oversteken en weer omhoogklimmen naar Turleigh. 'Het lijkt op de Dordogne,' zegt hij.

'Dat is wel erg jaren tachtig.'

'Heb je iets van de Eurythmics? Ik ben in de stemming voor Annie Lennox.'

'Niet in de auto, Martin. Moderne mensen luisteren in de auto niet naar de Eurythmics.'

'We zetten haar op als we thuis zijn. Remmen. Rémmen, Jezus. Moest je die bocht zo snel nemen? Mijn knokkels zijn zo wit dat je ze in een advertentie voor Vanish kunt gebruiken. O God, is dit het? Ik ga nog dood aan terminale lieflijkheid. Het is prachtig. Veel mooier dan dat vreselijk vochtige krot van je in Cornwall.'

Ik druk op de afstandsbediening voor de garagedeur en hij komt bijna klaar. Zijn enthousiasme wordt enigszins getemperd wanneer hij ontdekt dat de garage zo smal is dat hij over de bestuurdersstoel moet klimmen om de auto uit te kunnen. Ik wijs hem erop dat hij zijn mogelijkheden nog kan vervolmaken waarbij de versnellingspook mogelijk een rol zou kunnen spelen, maar dat nichterige gedoe begint saai te worden en Martin wil niets liever dan een lekkere stoel en een glas koele witte wijn.

Hij snuift afkeurend wanneer ik hem een keus uit de diepvriesmaaltijden van Marks & Spencer aanbiedt. Zoals ik al had verwacht, rommelt hij in de ijskast tot hij de ingrediënten heeft gevonden voor een in zijn ogen fatsoenlijke maaltijd, klaagt dat ik geen schort heb en begint het eten klaar te maken.

'Ik had niet met Nick maar met jou moeten trouwen,' zeg ik terwijl ik met een glas wijn in mijn hand toekijk.
'Dat had je heel wat ellende bespaard,' zegt Martin terwijl hij uien bakt. 'Maar eerlijk gezegd, schat, ben je de slechtste huisvrouw die ik ooit heb ontmoet. Je wilt me toch niet vertellen dat dit blikje olijven alles is wat je hebt?'

Na het eten installeren we ons in de zithoek, vlak bij de open keuken, niet ver van de ijskast voor meer wijn.
'Vertel eens, wat is het plan?' zegt Martin. 'Hoe ga je me onder de grond smokkelen?'
'Breek jij daar je mooie hoofdje maar niet over. Ik heb iets bedacht.'
'Wat? Ga je me in een tapijt rollen, als een Arabische prinses?'
'Beter. Ik ga zorgen dat de beveiligingsmannen de andere kant op kijken.'
'Hoe?'
'We nemen een andere ingang.'

Zelfs in het weekend is er beveiliging op het werk om te voorkomen dat iemand de machinerie of gereedschappen steelt. Ik zou probleemloos via de hoofdschacht de mijn in kunnen, hoewel ik altijd het risico zou lopen dat een beveiligingsman het aan Gary vertelt. Maar Martin ermee naartoe nemen is onmogelijk. Bezoek wordt ontmoedigd, en niemand behalve de mensen die er werken mag ondergronds in verband met de verzekering.
Maar er is nog een ingang die niet helemaal is afgesloten.
'Voilà,' zeg ik wanneer we de hoek omgaan en in Stonefield Lane zijn.
'Voilà? Een rij van zes villa's en een begrafenisondernemer?'
'We nemen het pad dat langs de zijkant van de begrafenisondernemer loopt.' Ik loop naar een paadje tussen de huizen. Iemand heeft met een spuitbus 'Bath rotsen' op de muur geschreven. Bevroren plassen kraken onder onze schoenen. 'En voilà, de Vleermuisgrot.'
Achter de begrafenisondernemer loopt de grond iets omlaag waar zich een allang in onbruik geraakte open groeve bevindt. De begrafenisondernemer gebruikt die nu als parkeerplaats voor de lijkwagen en een paar busjes. Aan de andere kant is een lage rotswand van nog geen vier meter hoog, en daar is de voordeur van de vleermuizen, een ingang die ondergronds leidt. Hij was, afgezien van een opening waardoor de vleermuizen in en uit konden vliegen, afgesloten, maar is weer geopend omdat hij de breedste horizontale toegang tot de uitgravingen biedt. Via die

ingang kunnen we zware machines naar binnen brengen, hoewel Rupert nogal moeilijk doet over het verstoren van de slaapplekken, vooral tijdens de overwintering van de vleermuizen. Het bedrijf heeft de grond rond die ingang met een hoog gaashek afgesloten. Er zit een deur met een hangslot erop. Uiteraard heeft Rupert daar de sleutel van, zodat hij zo nu en dan naar binnen kan en in alle rust zijn vleermuizen kan tellen, maar er zijn twee reservesleutels, één bij de beveiligingsmensen en de andere ligt in Gary's kantoor. Die ga ik stelen.

Ik heb besloten dat niet aan Martin te vertellen. Niet dat hij vreselijk moeilijk zou doen; hij mag dan klagen over mijn rijstijl, maar elke ingang naar de onderwereld is wat hem betreft een prooi waarop gejaagd mag worden. Toen we studeerden heeft hij me geleerd hoe ik hangsloten van grotingangen kon openmaken. Nee, ik heb het niet verteld om hem te beschermen. Als we gepakt zouden worden, ben ik de enige die de wet heeft overtreden, en zo hoort het ook. Natuurlijk mogen we helemaal niet in de groeve zijn, en dat weet hij best, maar ik wil niet dat hij medeplichtig is aan diefstal van bedrijfseigendommen.

'Goed,' zeg ik. 'Mijn sleutels liggen op mijn werk. Dus ik moet erheen om ze te halen. Intussen heb jíj een heel belangrijke geheime opdracht.'

'Geheel tot uw dienst, *mon capitaine*.'

'Iets verder in de straat is een uitstekende delicatessenwinkel. Ga daar wat fatsoenlijke olijven kopen. Ik zie je over tien minuten bij de auto.'

De ingang van het bouwterrein is maar enkele straten verder, en ik slenter naar het huisje van de beveiligingsman bij de poort alsof ik het soort overijverige werkneemster ben dat het niet kan verdragen om niet op kantoor te zijn, zelfs in het weekend niet. Hij zit naar herhalingen van *Buffy The Vampire Slayer* te kijken op een draagbaar teeveetje; met een beetje geluk kijkt hij niet op de cameramonitors om te controleren waar ik heen ga. Wanneer ik langs het raam loop, zie ik mezelf op de monitors, gevangen door de camera boven de poort. De hoek is bepaald niet flatterend; ik zie er klein en gedrongen uit, vermoeid en oud in mijn werkkleding. Ik word ook een beetje te oud om dit soort trucs uit te halen. Ik zet een meisjesachtige uitdrukking op mijn gezicht. Vergeten om een paar bestanden die ik in het weekend nodig heb op mijn laptop te zetten, vertel ik hem. En alsof dat nog niet genoeg was, ben ik weggegaan zonder mijn eigen sleutel van de cabine mee te nemen. Wat ben ik ook een oen. Zijn gezicht zegt: wat verwacht je dan van een vrouw?

'U hoeft niet mee te gaan om de cabine voor me te openen,' voeg ik eraan toe. 'Ik neem even de loper mee en pak wat ik nodig heb. Twee seconden.'

'Weet u dat zeker dat dat goed gaat?'

Nou, hemeltje, ik kan natuurlijk struikelen op mijn hoge hakken en voorover de schacht in duiken, maar ik doe mijn best dat te voorkomen. En als die gemene vampieren uit het Hellegat komen, gil ik gewoon. 'Ik red me wel.'

Hij wendt zich weer tot het scherm, waarop Giles Buffy op zijn donder geeft omdat hij zijn karate niet vaak genoeg oefent. Ik mag die meid wel. Ik drentel het hokje uit en loop naar de portakabins alsof ik nog niet helemaal zeker weet waar ik heen moet. Mocht hij woedend om de hoek komen stormen omdat ik het verkeerde kantoor ben binnengegaan, dan zal ik liefjes glimlachen en zeggen: verkeerd kantoor? O, wat dom van me. Ik ben hier ook nog maar een week en die portakabins lijken allemaal op elkaar.

Maar hij komt niet en ik ga Gary's kantoor binnen.

Gary's kantoor zonder Gary is zo leeg dat het er letterlijk galmt. Zijn bureau is een verwijt na Rosies vrolijke foto's, mijn stapels papieren en Dickons vitaminen. Er staat een dossierkast met een printer erop, een extra stoel, een plank met een woordenboek erop en verder niets. Het is zo'n kantoor waarin wordt gebivakkeerd, door een man die niet aan kantoorleven doet. Waar zijn de foto's van vrouw en kinderen? Ah, geen vrouw, dat was ook zo; haar foto zit in de portefeuille van de Zuid-Afrikaanse rij-instructeur. Maar zijn zoon dan? Misschien doet Gary ook niet aan familie.

Het is tijd om mezelf eraan te herinneren dat ik hier niet ben om Gary's geheime ik te ontdekken, maar om de sleutel van de Vleermuisgrot te jatten, zodat Batman en zijn maatjes de geheimen van de steenmijnen kunnen onderzoeken. 'Raiders of the Lost Mark'. 'Indiana Parry' en de 'Temple of Doom'. En ik weet waar hij de sleutel bewaart. Bovenste rechterla van het bureau.

Maar die zit op slót, verdomme. Kolere. Waarom is hij ook zo geordend? Hij sluit aan het eind van de dag dus niet alleen zijn kantoordeur af, maar ook nog zijn bureau. De sleutel van zijn bureau zit waarschijnlijk aan zijn sleutelring. Zo nu en dan, Kit Parry, word ik bang van je geweldige deductievermogen.

Wat nu, Indiana? Het slot openbreken, zodat hij maandagochtend glimlachend van genegenheid naar het versplinterde hout kan kijken en denken: die vrouw verlangt zo hevig naar me dat ze in het weekend zelfs in mijn kantoor inbreekt! Nee, nee, nee. Waarom is dat bureau in godsnaam op slot? Mannen doen hun bureaus niet op slot. Vrouwen doen hun bureaus op slot omdat ze kantoren delen en allerlei dingen in hun laden bewaren, zoals Tampax en gedroogde rozen die hun geliefden hen op de laatste Valentijnsdag hebben gestuurd en artikelen die ze uit de *Marie Claire* hebben gescheurd over het krijgen van een orgasme als je vriendje niet weet op welk knopje hij moet drukken. Tenzij Gary een echt gênant geheim heeft, zoals een spannende voorbehoedmiddelencatalogus, heeft hij geen enkele reden om die la op slot te doen.

De tweede la glijdt moeiteloos open. Hij bevat een potje paperclips, een stuk of vijf ballpoints en een plastic liniaal. Ik pak het handvat van de bovenste la en trek opnieuw. Hij geeft een millimeter mee, net genoeg om de plastic liniaal ertussen te duwen en hem heen en weer te bewegen. Ha! De la is helemaal niet op slot. Hij blijft ergens door steken.

En dan, terwijl ik mijn ogen ten hemel hef en de liniaal als een blinde met een blindenstok alle kanten op probeer te bewegen om een idee te krijgen van het obstakel, voel ik mijn hart in mijn keel kloppen en slaak bijna een gilletje, want daar is Gary, hij loopt net langs het raam.

Sh-i-i-t! Ik kan nergens heen, behalve via de andere deur naar de vergaderruimte, en dat doe ik, de liniaal in mijn hand geklemd en biddend tot God dat hij de deur niet hoort terwijl hij stilstaat om zijn sleutels te pakken.

Mijn hart gaat zo tekeer dat het op de tussenwand beukt – *hier ben ik, Gary, kom me maar halen* – waar ik tegenaan gedrukt sta.

Ik hoor zijn sleutel in het slot van de buitendeur. Alleen – o, Kit, stommeling – die is natuurlijk niet op slot. Ik stel me voor hoe hij de sleutel probeert te draaien en er dan verbaasd naar kijkt, want er valt niets te draaien. Zal hij beseffen dat er iemand binnen is geweest, of zal hij denken dat hij hem zelf niet op slot heeft gedaan toen hij gisteravond wegging? Ik hoor wat gerammel, dan de klik van de deurkruk. Zijn voetstappen op de vloer. De planken trillen onder mijn voeten. Ik houd mijn adem in. Zal hij de deur naar de vergaderruimte proberen? Ik vraag me af of ik me ergens kan verstoppen en kijk om me heen. Er is niets. Het enige wat ik kan doen, is me achter de deur tegen de wand drukken. Als ik er tijd voor had, zou ik door het vertrek naar de kitchenette lopen en daar naar buiten gaan; die deur zal wel op slot zijn, maar ik kan eruit met de loper...

Verdomme.

Ik probeer me te herinneren waar ik die heb neergelegd. Op de dossierkast, toen ik binnenkwam? Op de vloer, toen ik knielde om die la open te wrikken?

O God. Ik heb hem op het bureau gelegd. Ik zie hem voor me, precies in het midden van dat grote, lege vlak, zilverkleurig glanzend en bezig een sleuteldansje uit te voeren om Gary's aandacht te trekken.

Bovendien, als hij hem door een ongelooflijk wonder niet opmerkt, kan Brian, de fan van Buffy, nu elk moment op komen dagen om te kijken waarom die *twee seconden* inmiddels een eeuwigheid zijn geworden. Ik zet me schrap voor ontdekking. Zelfs de leugens lijken mijn brein in een ordelijke rij te hebben verlaten, geëvacueerd uit het gedoemde bouwwerk.

Maar de deur is nog niet opengegaan.

Er kraakt iets. Gaat Gary aan zijn bureau zitten? Staart hij naar de sleutel? Begint het langzaam tot hem door te dringen? God, kon ik hem maar zien. Als ik Buffy was, zou er een piepklein kiertje in de tussenwand zitten, waar ik mijn oog tegenaan kon drukken, maar dat is er natuurlijk niet.

'Ben je daar?' Gary's stem. Verdomme. Ik verstijf. Misschien schiet hij wel op me, door de wand. Of slaat hij er met een bijl doorheen, om te laten zien wie de baas is. *Hier is... Gary!*

'Ik weet dat je er bent.'

Ik wil wel antwoorden, maar ik kan niet bedenken wat ik moet zeggen. Ik zou hem een pets met de liniaal kunnen geven, die ik als een idioot nog steeds in mijn hand klem. Alles wat ik kan bedenken lijkt... stom. Ik voel me een ontzettende stommeling. Ik voel me een stom klein kind dat Buffy heeft gespeeld, en nu staat er ineens een volwassene die me meewarig aankijkt en me heel langzaam uitlegt dat vampiers niet bestaan.

'Verdomme, Tessa, pak de telefoon op.'

Mijn knieën begeven het bijna van opluchting.

'Ik weet dat je thuis bent, want ik ben net langs gereden en zag je auto op de oprit staan,' zegt Gary.

Wie is Tessa? (Het kreng.)

'We moeten praten. Je bent volkomen onredelijk. We moeten dit niet via advocaten doen. Bel me, oké? Dit is het derde bericht dat ik achterlaat. Is die zak van een Jeff soms bezig ze te wissen? Ik heb je door, Jeff! Zorg dat Tess me belt.'

De telefoon wordt met een klap neergelegd.

Ik kan amper lucht krijgen terwijl ik wacht tot Gary de sleutel op het bureau opmerkt. Ik hoor niets. Ik stel me voor dat hij voor zich uit zit te staren en peinst over wat de ontrouwe Tessa heeft gedaan. Het moet zijn vrouw zijn. Ex-vrouw. Blijf staren, Gary. Kijk nergens naar. Sta op en ga weg, terwijl je de slet zo hard vervloekt dat je gewoon niet ziet wat recht voor je neus ligt.

Wat bezielt hem eigenlijk om op zaterdag naar kantoor te gaan? Dat is tríést. Echt triest. Ik wou dat ik kon zien wat...

Het onmiskenbare deuntje van Windows op zijn laptop. Verdomme. Straks zit ik hier de hele ochtend vast. Martin zal wel op de motorklep van de auto leunen en zich afvragen waar ik in 's hemelsnaam ben gebleven...

Nee. Nee, alsjeblieft. Bel me niet, Martin.

Ik kijk wanhopig op mijn horloge. Er is minstens een kwartier voorbijgegaan sinds ik Martin achterliet, en ik zei dat ik met tien minuten terug zou zijn. Hij is niet de geduldigste man. De telefoon zit in mijn zak, en omdat ik er geen gewoonte van maak om in te breken, is het niet bij me opgekomen om hem uit te zetten. Ik laat mijn hand in mijn zak glijden en pak de telefoon, maar ik kan er helemaal niets aan doen want het is zo'n piepklein schelpachtig ding dat elke keer dat je het open of dicht doet zo'n suizend geluid maakt, en ik kan het natuurlijk niet uitzetten zonder het open te maken. Ik klem mijn hand eromheen. Ik zou het kreng met alle liefde smoren.

De deur naar het keukentje aan de andere kant wenkt verleidelijk. Als ik daar weet te komen, gaat de telefoon in elk geval niet als een bom af. Waar heb ik hem mee geprogrammeerd? Ik kan het me niet herinneren. Beethovens Vijfde waarschijnlijk. Maar toen Gary zijn kantoor binnenkwam, voelde ik elke voetstap onder mijn eigen voetzolen. De vloer moet één grote, wippende plaat multiplex zijn – hij merkt het als hierbinnen iets beweegt.

Zweet drupt uit mijn oksels, sijpelt onder mijn beha, stroomt over mijn rug. Jezus, waarschijnlijk verspreidt zich langzaam een plek tussen die verdomde tussenwand door. Raar, denkt Gary, vocht op een tussenwand? Kit-vormig vocht? Alsof het de Turijnse lijkwade is van port-akabin-wanden.

Naast mijn oor komt aan de andere kant van de wand plotseling de printer tot leven en bezorgt me bijna een hartaanval. *Zoef, zoef, zoef...* Lieve God, laat dat printen betekenen dat hij klaar is met wat hij hier kwam doen. Ik voel de trillingen weer wanneer Gary opstaat en naar de printer loopt. Hij is letterlijk centimeters van me verwijderd. Ik kan hem bijna voelen ademen. Ik verwijder me zachtjes zo ver mogelijk van de wand zonder echt mijn voeten te bewegen of te struikelen, om te voorkomen dat hij mijn piepende rokersademhaling door de wand heen zou horen.

Jezus, hoe lang moet het duren? Met mijn geluk is hij bezig een hele roman uit te printen die hij stiekem in de kleine nachtelijke uurtjes aan het schrijven is.

Zoef. De printer komt eindelijk tot rust. *Tingel.* De laptop is uitgezet. Dag, Gary. Bezig je instellingen te saven. Dag, dag. Ga weg, alsjeblieft.

Het is weer stil, maar ik weet dat hij niet weg is. Ik heb de deur niet horen sluiten. Ik zie hem voor me, starend naar die sleutel. Zich afvragend hoe die daar in vredesnaam terecht is gekomen. Een loper, aan een ring met een groen plastic kaartje eraan waarop 'Beveiliging' staat.

Ik hoor een tikje wanneer het deksel van de laptop dichtklapt. De vloer trilt weer; de buitendeur gaat open en dicht. Gary is weg.

Instinctief laat ik me langs de wand omlaag zakken voor het geval hij in het voorbijgaan door het raam van de vergaderruimte naar binnen kijkt. Niet dat het had geholpen. Ik zie zijn profiel duidelijk voorbijkomen, maar hij kijkt niet naar binnen. Zijn gezicht staat strak, bezorgd, gefronst.

Voordat hij kan besluiten zich om te draaien en terug te komen (*wat deed die sleutel op mijn bureau?*) stort ik me de deur door naar zijn kantoor.

Het bureaublad is leeg.

Leeg?

Ik staar er verbijsterd naar. Shit, hij moet hem hebben meegenomen. Gaat hij ermee terug naar de beveiliging? *Brian, je hebt je loper op mijn bureau laten liggen. Luister* (veelzeggend lachje tussen twee mannen), *ik weet niet precies wat je daar hebt uitgespookt, maar laten we het zo zeggen, ik zal jou niet verraden als jij niks zegt over mijn voorbehoedmiddelencatalogus.* Brian kijkt hem verbijsterd aan. *Catalogus? Sleutel? Ik heb hem aan Kit geleend.*

Ik weet niet hoe ik me eruit moet bluffen als ze terugkomen, elk moment nu, maar het zal bepaald niet helpen als ik dan nog steeds het bezwarende inbrekersinstrument, de liniaal, in mijn hand houd. Ik trek de tweede la open om het ding zo snel mogelijk terug te leggen, alsof het een nog rokend pistool is.

De loper ligt in die la.

Goed, nu ik erover nadenk en mijn hart niet meer zo tekeergaat, heb ik hem natúúrlijk niet op het bureau laten liggen. Ik herinner me dat ik hem in de geopende tweede la heb gelegd om beide handen vrij te hebben toen ik de bovenste probeerde open te wrikken. En dat ik zo verstandig was om de la zachtjes dicht te schuiven voordat ik de benen nam naar de vergaderruimte. Of eigenlijk herinner ik me dat allemaal niet precies, maar er zit een soort instinctieve logica in. Ineens zit ik op de vloer en vouwen mijn benen zich onder me zoals ze de laatste tien minuten al hebben willen doen. God, het had maar een haartje gescheeld of ik was betrapt.

De telefoon ontploft in mijn zak met de openingsmaten van 'There

163

Must Be An Angel (Playing with My Heart)' van de Eurythmics. Martin, de idioot, moet hem gisteravond opnieuw geprogrammeerd hebben. Natuurlijk is hij het die belt.

'Waar ben je in godsnaam?'

'Ik werd opgehouden. Sorry. Ik ben zo bij je. Ik moet alleen nog...' Ik wrik de liniaal in de smale spleet tussen de bovenste la en het bureaublad. '... één ding pakken.'

'Ik heb de olijven. Niet babbelen, Martin. Hou je mond, terwijl ik...'

'Wat ben je in godsnaam aan het doen, Kit? Het klinkt alsof je de spaarpot van een arm kind probeert te plunderen.'

'Ik probeer alleen een la open te krijgen die blijft steken. Ik kom zo.' Ik verbreek de verbinding voor hij nog meer kan zeggen en concentreer me op de la. Eindelijk glijdt de liniaal over wat het obstakel dan ook mag zijn. Hebbes... Ik weet het net genoeg omlaag te drukken om de la los te krijgen, trek hard aan het handvat en het hele ding schiet open.

De sleutel van de Vleermuisgrot, met een keurig labeltje 'Ingang Stonefield' eraan, ligt voorin. De rest van de ruimte wordt in beslag genomen door boeken die tegen de bovenrand van de la geklemd liggen. Ik zie een prospectus van de Open Universiteit, een dik boek met de titel *Filmtheorie en filmkritiek* en een catalogus van kleuterscholen. Geen van die dingen passen in mijn beeld van Gary. Zit hij hier artikelen over Eisenstein en de semiotiek van de cinema te lezen, terwijl de rest van ons op onze computers patience zit te spelen?

Het is verleidelijk om met gekruiste benen op de vloer te zitten en een kijkje te nemen in Gary's leven zoals dat zich onthult door de inhoud van zijn la. Maar ik wil het niet weten – nog niet, in elk geval. Ik ben bang het mysterie te ontrafelen. Ik ben misschien niet zozeer bang catalogi van gummiwaren te ontdekken, maar stel dat ik tijdschriften over wielrennen vind die erop wijzen dat Gary's voorkeur van vrijetijdskleding uit gaat naar strakke zwarte lycra wielrenbroekjes, of dat ik beduimelde exemplaren zal vinden van tijdschriften over duiven houden of stoomlocomotieven. Ik vrees een vakantiekiekje van hem tegen te komen waarop hij sokken en sandalen draagt of waarop hij met witte instappers aan zijn voeten en een gouden kettinkje om zijn hals aan het stappen is met zijn vrienden. Ken zijn vrijetijdschoeisel en je kent de man.

Ik denk niet echt dat Gary een van de bovenstaande types is, maar laten we het risico maar niet nemen. Ik wil mijn droom over de echte man nog in stand houden. Ik pak de sleutel en ga weg.

Wat zou hij met me hebben gedaan als hij me had betrapt?

Martin staat tegen de auto geleund de *Guardian* te lezen, een paar boodschappentassen aan zijn voeten.

'Wat heb je allemaal gekocht?'

'Maak je daar maar niet druk over. Doe gauw die auto open. Mijn ballen vriezen er nog af.'

'We hebben geen tijd om je te laten ontdooien. Stop de tassen in de kofferbak en laten we ondergronds gaan.' Ik pak de helmen uit de auto.

'Dat trek ik niet aan,' zegt Martin, wanneer ik een fluorescerend jack voor hem tevoorschijn haal.

'We moeten eruitzien alsof we daar thuishoren.'

'In dat ding zie ik eruit als een half afgepelde banaan. Het is lang niet groot genoeg.'

Ik accepteer mijn verlies wat de jacks betreft en duw hem de hoek om naar Stonefield Road en het pad af dat langs de begrafenisondernemer loopt. De helmen zorgen er in elk geval voor dat we er redelijk officieel uitzien, mochten we iemand tegenkomen. Ik maak met de sleutel het hek open en we zijn binnen.

'Ik hoop dat je de weg weet,' zegt Martin, wanneer we door de smalle opening schuifelen die toegang geeft tot de ondergrondse uitgravingen.

'Ik ken het daar beneden als mijn broekzak,' verzeker ik hem.

'Hoe lang werk je hier al?'

'Zeur niet.'

De Vleermuisgrot is ook de nooduitgang. Wanneer bij een grote instorting de mijnwerkers afgesneden zouden zijn van de hoofdschacht, kunnen ze hierdoor naar buiten. Ergens aan de muur bij de ingang moet een stroomverdeeldoos zijn, waarmee je het licht aan kunt doen. Het probleem is dat ik hier nooit ben geweest en geen idee heb waar die precies zit. Ik laat mijn zaklantaarn voortdurend over de wanden schijnen in de hoop dat ik hem snel vind.

'Verdomme.' De tunnel komt uit op een grote ruimte, die door het gebruikelijke stalen looppad in tweeën wordt gedeeld. Ik moet de verdeeldoos hebben gemist. Martin loopt te slenteren als een toerist en is een eind achter me. De lichtbundel van zijn zaklantaarn flikkert over het plafond.

'Hoe ver is het volgens jou tussen ons en het benedenniveau?' vraagt hij, terwijl ik terugloop in zijn richting.

'Maak je geen zorgen, het plafond is hier behoorlijk solide. Ze hebben niet veel uit deze groeve gehaald... inferieur gesteente.'

'O.' Martin klinkt nogal teleurgesteld. Hij vindt waarschijnlijk dat een beetje risico de expeditie wat pikanter maakt. 'Staan alle afzonderlijke groeven ondergronds met elkaar in verbinding?'

'Niet allemaal, maar veel wel. Elk afzonderlijk steenwinningbedrijf ging maar door om er zoveel mogelijk steen uit te halen. Niemand reguleerde de zaak behalve zijzelf. Wanneer ze doorbraken naar een andere groeve, stopten ze. En bouwden ze een muur. Of soms ook niet, als ze dachten dat ze daarmee weg konden komen.'

'Dus daardoor is het zo instabiel?'

'Duim maar dat het niet vandaag besluit omlaag te komen.' Terwijl ik dat zeg, voel ik een steekje angst bij de gedachte aan de instorting in de vuursteenmijn. Op de een of andere manier heeft Martin mijn onbehaaglijke gevoel in de gaten.

'Wil je dit echt wel doen?'

'Hé, ik heb jou gevraagd. Ik voel me prima.'

'Mooi, want dat geldt niet voor mij. Ik doe het in mijn broek.'

Ik geloof hem niet – Martin is geboren zonder het vermogen om ook maar enigszins over zijn eigen dood na te denken – maar de gedachte dat ik niet als enige nerveus ben, is geruststellend. Wanneer hij zijn zaklantaarn weer rondzwaait, zie ik de kabeldoos, rijkelijk gecamoufleerd met vleermuispoep.

De grote grot komt goudkleurig tot leven wanneer ik de schakelaar omzet.

'Aah,' zegt Martin. Hij is net zo onder de indruk als ik was toen ik voor het eerst beneden kwam. 'Wauw. Het lijkt wel een kerk.'

'Als je maar niet aan het refrein begint van "O, God, die droeg ons voorgeslacht".'

'Mijn vader had het prachtig gevonden.' Martins vader, de grotonderzoekende dominee, is vijf jaar geleden overleden aan kanker.

Eén enkele vleermuis, opgeschrikt door het licht of onze stemmen, scheert langs het dak van de grot.

'Kom,' zeg ik, 'we willen niet de hele kolonie wekken.' Maar Martin lijkt nog geen zin te hebben om naar het looppad te gaan. 'Weet je wat mijn vader altijd zei, wanneer hij me meenam onder de grond? Hij zei het altijd – bijna altijd, het was een soort mantra voor hem, en ik vond het vreselijk als hij dat deed wanneer een van mijn vrienden mee was – maar goed, hij wachtte tot we in een grote grot kwamen zoals deze en dan trok hij zijn handschoenen uit en zei: "Weet je, jongen, er zijn mensen die de hemelgoden aanbidden en er zijn mensen die de aardgoden aanbidden. Ik vind mijn God op donkere plaatsen."'

'Hij liet je toch niet bidden, hè, ter plekke, in het bijzijn van je vrienden?'

'Zo ongevoelig was hij nou ook weer niet. We keken dan allemaal heel ernstig en lachten ons dood om hem wanneer we alleen waren.'

Ik kan het me voorstellen. Ik kan me ook voorstellen wat het voor Martin moet hebben betekend om, in het geheim homo, op te groeien te midden van robuuste christendom en tiener-grotonderzoekers, gniffelend om de donkere plaatsen die de dominee zou bedoelen. Hij had me dat pareltje nog niet eerder verteld.

'Vond je het erg?'

'Wat?'

'Dat anderen om je vader lachten?'

Martin zucht. 'Misschien wel. Het enige wat ik me herinner is een verlammend gevoel van schaamte. Maar elke keer dat ik onder de grond ga, denk ik aan zijn woorden. Misschien had hij gelijk.'

'Je gelooft niet in God.'

'Nee.' Martin trekt zijn helm omlaag en steekt zijn duimen in zijn beste imitatie van de Village People achter de banden van zijn rugzak. 'Ga voor, Lara Croft. Laten we naam gaan maken.'

Doordat het de nooduitgang is, is er een goede verbinding tussen de Vleermuisgrot en het deel van de mijn waar op dat moment wordt gewerkt. Er lopen een paar tunnelaftakkingen bij vandaan, maar we kunnen ons niet vergissen in het hoofdpad en als je dat blijft volgen, kun je niet verdwalen.

'Ik mis hem vreselijk, weet je,' zegt Martin, terwijl we in de richting van de grot lopen waar ik de inscriptie heb gevonden. 'Weet je wat hij aan me vroeg in het ziekenhuis? Hij vroeg wanneer ik nou eindelijk eens met jou ging trouwen.'

Ik weet dat Martins moeder altijd de geheime hoop heeft gekoesterd dat ik erin zou slagen haar zoon de vergissing van zijn seksuele voorkeur te doen inzien, maar ik dacht dat zijn vader realistischer was geweest.

'Was dat onder invloed van de morfine?'

'Nee, hij dacht echt dat dat zou gaan gebeuren. Ik ben er nooit aan toegekomen hem te vertellen dat ik homoseksueel was.'

'Mmm,' zegt Martin. 'Mmm, interessant.'

We staan buiten het zijlooppad dat gebouwd is om Dickon in staat te stellen de oude kraan te inspecteren, die als een kreupele, donkere vogel naast ons opdoemt. Dit is bijna zo ver noordelijk als de mijnwerkers zijn doorgedrongen, tot onder het complex van het ministerie van Defensie. Martins krachtige zaklantaarn is op de pilaar met de inscriptie gericht.

Ik had me niet gerealiseerd dat ik mijn adem inhield, tot ik het er allemaal uit flapte.

'Alleen maar interessant? Niet: allemachtig, Kit, onze naam is gevestigd?'

'Nou, ik vind het vreselijk om je teleur te stellen, maar ik denk dat die Dickon van je gelijk heeft,' zegt Martin. 'Het is op zijn vroegst achttiende-eeuws. Misschien nog later. Deze inscriptie is niet door Romeinen gemaakt.'

'Hoe weet je dat?'

'Eerlijk gezegd, hadden zij het beter gedaan. En die markeringen lager op de pilaar zijn van wiggen die de steenhouwers in de achttiende eeuw gebruikten om de steen eruit te halen.' Ik heb me er nog wat in verdiept. Ergo, de pilaar is achttiende-eeuws, ergo de inscriptie moet uit die tijd of van latere datum zijn. Je zou trouwens een foto van de markeringen moeten maken.

'Verdorie. Ik doe mijn rugzak af om de camera te pakken.'

'Maar...' Hij laat zijn vingertoppen licht over de vogelinscriptie gaan, zonder het oppervlak van het gesteente echt aan te raken. 'Ik denk toch dat het interessant is. Het is wel wat je zegt: een mitraïstisch symbool. Een raaf. Het eerste stadium van het inwijdingsproces van de cultus. Want wat ernaast staat is onmiskenbaar een caduceus.' Hij wijst naar het andere deel van de inscriptie, een dunne lijn met een paar cirkels en een kruis. 'De magische staf van Mercurius. Daaruit blijkt dat de raaf de boodschapper is van de zonnegod.'

Op de zondagavond na mijn weekend bij Martin, het weekend waarin ik bijna de dood had gevonden in de vuursteenmijn, had ik een bijna identieke afbeelding van de raaf en de caduceus gezien. Ik was terug in Cornwall, maar kon weer niet slapen. Ik was bang dat ik nooit meer wakker zou worden als ik zou gaan slapen. Terwijl ik onrustig op mijn rug rolde, had ik het gevoel dat ik nog steeds in de vuursteenmijn was, onder een berg kalk; ik hallucineerde dat ik was gered en in mijn eigen bed lag te dromen.

Ik moest opstaan. Ik moest rechtop staan. Wanneer ik op mijn rug lag, voelde ik het enorme gewicht op mijn borst. Ik stond op en ging naar beneden. Ik ging aan de keukentafel zitten, mijn mooie oude tafel uit een rommelwinkel, met poten waaraan door generaties katten was gekrabd, en probeerde de vuursteenmijn uit mijn hoofd te zetten. Maar wat maar terug bleef komen, was het beeld van die grote vogel, als een onheilspellend voorteken, die grotesk over de open plek de bomen in fladderde.

Ik bleef maar denken aan het hoofdstuk van Martins boek dat ik had gezien. Ik wenste dat ik het mee naar huis had genomen. Er was een woord – ik kon het me niet herinneren. Psycho... psychopomp? De gids die je naar de onderwereld leidt. Ik ging naar mijn werkkamer, zette de computer aan en riep Google op. Raven... EN mythe. Martin had gelijk. Raven en mysteriegodsdiensten hoorden bij elkaar als brood en honing. In de Keltische mythologie wemelde het van de raven. Er waren raafgodinnen, raafgoden, en het zag ernaar uit dat raven rechtstreeks terug te voeren waren op de bronstijd als vogels die in verband werden gebracht met zon en licht – pas later werden vogels als onheilstekens gezien. En in de Romeinse tijd...

Ik ben een ster die je vergezelt en schijnt vanuit de diepten

Op een gegeven moment werd de vogel geassocieerd met het eerste inwijdingsgraad van een mysteriecultus die de Romeinen meebrachten uit Perzië. De cultus van Mithras, de stierendoder, god van het etherisch licht tussen hemel en aarde.

'Je zei dat de inscriptie volgens jou Romeins zou kunnen zijn,' zeg ik tegen Martin. 'Je bent hier helemaal heen gekomen, dus je moet hebben gedacht dat het iets bijzonders was.' Mijn stem klinkt een tikje geprikkeld.

'Dat weet je alleen zeker als je het in de context ziet,' zegt Martin. Hij schetst de pilaar met zijn handen. 'De foto die je me had gemaild was niet duidelijk genoeg om de tekens op de stenen pilaar te kunnen dateren. Maar je had volkomen gelijk wat de iconografie betreft. Een raaf is gewoon een raaf, of misschien een grote zwarte vogel, maar de caduceus die erbij staat betekent dat er vrijwel zeker een verband met het mithraïsme is. Deze inscriptie lijkt heel veel op een serie iconen die gevonden is in Ostia, de oude haven van Rome.'

Dat is wat ik op het internet heb gevonden. Op een website over tempelmozaïeken zag ik de raaf met Mercurius' magische staf, net als de inscriptie op de pilaar.

'Het mithraïsme was een Romeinse cultus,' zeg ik, niet van plan het op te geven, 'die met het Romeinse Rijk is verdwenen. Als het geen Romeinse inscriptie is, vraag ik me af waarom iemand anders een mithraïstische inscriptie zou aanbrengen.'

'Precies.' Martin staart nog een ogenblik naar de inscriptie en loopt dan de duisternis achter de pilaar in.

'Hé. Wacht.' Ik blijf maar denken dat Gary ineens schreeuwend achter een pilaar vandaan zal komen, en dat maakt me erg nerveus. 'Niet weglopen. We kunnen daar verdwalen.'

'Ik wil alleen kijken of deze grot nog een andere uitgang heeft.'

'Ruimte. Ze heten ruimten. Er is vrijwel zeker een andere uitgang, maar het is niet veilig om rond te lopen op plaatsen waar nog geen looppaden zijn gebouwd. Weet je nog wat ik zei over verbindingen tussen alle uitgravingen? Serieus, Martin, ik heb geen plattegrond. Niemand heeft een volledige plattegrond. Ik denk dat we niet het risico moeten nemen dat we hier verdwalen.'

'Wat? Je bedoelt dat we het niet alleen niet zullen overleven, maar dat je ook nog je baan zult kwijtraken?'

'Hou op. Ik blijf hier. Een van ons moet op een plek blijven waar het licht en het looppad te zien zijn.'

'Wat ben je ineens verstandig,' zegt Martin, al op enige afstand. 'Maar vrees niet. Je ziet die lampen van kilometers ver, waarschijnlijk... O. Ik begrijp wat je bedoelt.' Het licht van zijn zaklantaarn is volledig verdwenen. 'Het is dus niet gewoon één grote ruimte. Er zijn verdorie overal muren en kamers.'

'Martin!' Het maakt me niet uit of hij de paniek in mijn stem hoort.

'Oké, schat, ik kom terug.' Zijn zaklantaarn verschijnt weer; ik zie het licht op enige afstand op en neer deinen. Maar in plaats van in mijn richting te komen, zwenkt het af en schijnt op iets wat een uit stapelstenen bestaande muur kan zijn die van vloer tot plafond loopt. De lichtbundel schijnt eroverheen en komt tot rust bij iets wat zich op de grond bevindt. Ineens krijg ik het ijskoud en wil hier alleen nog maar weg, naar het licht.

'Martin, we moeten gaan.'

'Wel heb ik ooit.'

'Heb ik ooit wat?'

'Er is er nog een.'

'Nog een raaf?'

'Nee, veel interessanter. Dit kan Mithras zelf zijn. Hij heeft de juiste hoed. Kom eens kijken.'

Ik werp een snelle, nerveuze blik achterom naar het looppad en ga dan in de richting van zijn zaklantaarn, terwijl ik mezelf ervan probeer te overtuigen dat het niet echt ver weg is. Niet gevaarlijk ver. Zelfs niet zo ver dat ik mijn eigen zaklantaarn hoef aan te doen. Maar ik doe het wel. De veiligheid van het verlichte looppad trekt zich steeds verder terug. Tegen de tijd dat ik Martin bereik, is het nog slechts een schijnsel in de verte, tussen twee pilaren.

De stapelmuur is zo'n muur die de steenhouwers hebben gebouwd om het plafond te ondersteunen. Dickon heeft me verteld dat je de latere exemplaren kunt herkennen aan het feit dat ze cement hebben gebruikt, maar de vroegere hebben de echte constructie van de stapelmuur en zijn gebouwd door mannen die precies de juiste stenen wisten te kiezen om ze volmaakt op elkaar te kunnen passen. De muur lijkt deels te zijn ingestort, of is misschien nooit helemaal afgebouwd, want aan de onderkant lijkt een hoop stenen te liggen die eruit lijken te zijn gerold. Martin zit op zijn knieën en laat zijn lichtbundel over een van de stenen glijden. Onze lichtbundels kruisen elkaar: de steen is bewerkt in bas-reliëf, incompleet doordat hij doormidden is gebroken. Het overgebleven deel toont een man die schrijlings op een of ander dier zit.

'Het is *Noddy*,' zeg ik. En dat is zo – hij heeft een puntmuts, die omlaag krult doordat er een belletje in lijkt te zitten.

'Doe niet zo dom, mens. Dat is een Frygische muts. Naar het model van de Perzische god van het licht, Mithras. Eerlijk gezegd kan ik het mis hebben, want er is ook een geheimzinnige Pers die bij de inwijdingsbeproevingen komt opdagen, maar aangezien deze Noddy een stier lijkt te bonken, denk ik dat het de grote man zelf is.'

'Waarom bonkt hij een stier?'

'Hij bonkt hem niet, hij doodt hem. Ik dacht dat je al die dingen wist. De oude Mithraslegende.'

'Eerlijk gezegd, heb ik alleen aandacht aan de raaf besteed. De rest is niet blijven hangen.'

Martin zucht. Sléchte leerling. De grote geleerde zal onderricht moeten geven.

'Goed. De korte versie. Mithras, de Perzische godheid van het licht, geboren uit het levende gesteente, krijgt opdracht van de zonnegod dat hij op de heilige stier moet jagen. Hij drijft hem een grot in en doodt hem, en maakt daardoor het goddelijke bloed vrij dat de levenskracht is. Om die reden zijn alle mithraïstische tempels – *Mithraea*, om de juiste Latijnse naam te gebruiken – onder de grond of met verzonken schip gebouwd... om de aanbidders te herinneren aan de heilige grot.'

'Ik wist dat ze zich ondergronds bevonden. Daarom dacht ik...'

'Nou, het zou mogelijk kunnen zijn. En dit...' hij zwaait met zijn zaklantaarn naar de inscriptie, '...maakt het waarschijnlijker. Ik denk dat dit een fragment is van een tauroctony, het icoon van Mithras die de stier doodt, die een voorname plaats zal hebben ingenomen in elk Mithraeum. Iemand zal het fragment ergens hebben gevonden en gedacht hebben dat het precies de goede vorm had voor zijn muur – en het hierheen hebben gebracht.'

'Waar is de rest dan?'

'Geen idee. Het kan in een ander stuk muur zitten...' zijn lichtbundel speelt over een ontmoedigend oppervlak aan muur. 'Het kan zich ook nog in het Mithraeum bevinden, waar dat ook mag zijn. Het zou ook daarin kunnen zitten.' De lichtbundel schijnt op een andere enorme stapelmuur, die zich verderop tussen twee rotswanden bevindt. 'Het enige wat erop zit, is gaan kijken. Als jij hier verder zoekt, ga ik daar een kijkje nemen.' Hij loopt doelbewust weg, waarbij de rugzak zwierig tegen zijn rug wipt.

Ik richt mijn aandacht weer op de hoop stenen en vraag me net af waar ik moet beginnen wanneer het licht uitgaat.

Wat bij me opkomt, is een ander fragment uit Martins manuscript, waarin de beproevingen worden beschreven die aan de inwijdingen waren verbonden. De inwijdeling moest naakt en geblinddoekt in de grot neerknielen. Zijn handen waren geboeid met kippendarmen. Hij kon, gekneveld en hulpeloos, over diepe kuilen met water of vuur worden gegooid – van eerdere bezoeken aan het heiligdom wist hij wat die kuilen bevatten. Eén misstap, één fout bij het vangen... Ten slotte kwam zijn 'bevrijder' naar hem toe en bood hem, op de punt van een zwaard, een kroon of lauwerkrans aan als beloning voor zijn moed gedurende de test. Maar dat was een vals aanbod, een verleiding, en de soldaat herkent dit. Met het uiten van de woorden: 'Alleen Mithras is mijn kroon,' wijst hij het aanbod af.

Dan laten ze hem volkomen hulpeloos alleen in het donker achter.

16

De ochtend waarop mijn vader en ik zouden gaan picknicken was bewolkt en benauwd. De avond ervoor was hij in de keuken druk bezig geweest met het bereiden voor onze sandwiches. Toen ik opstond, was hij al naar zijn werk, maar er lag een briefje in de keuken.
HAM IN KOELKAST. OOK HARDGEK. EIEREN, SLA, TONIJNMAYONAISE! BROODJES IN TROMMEL. VERGEET TOMATEN NIET!!!! YOGHURT!!!
Er was genoeg voor een weeshuis, dus zeker voor ons tweeën. Ik vond acht broodjes in de broodtrommel, maar twee ervan waren zwaar op de maag liggende, bruine dingen. Ik bekeek ze weifelend. Wat had mijn vader bezield? We aten altijd knapperig witbrood. En we zouden er nooit vier per persoon eten. Ik besloot die zware bruine hompen niet mee te nemen. Tonijnmayonaise was ook iets nieuws. Het renoveren van chique huizen sloeg zeker terug op mijn vaders smaak.

Ik belegde de zes witte broodjes. In de koelkast stonden ook wat bekertjes yoghurt die ik kennelijk mee moest nemen. Ik hield van aardbeien en hij van zwarte bessen, kauwgomroze en dieppaars, in plastic bekertjes met plaatjes erop. Maar deze bekertjes waren gewoon wit en toen ik de dekseltjes opende, zag ik dat de inhoud wit was en nogal klonterig. 'Jennets Farm Organic Live Bioculture' stond op de slecht gedrukte etiketten; het klonk meer als iets uit een sf-verhaal dan als yoghurt. Ik keek er bedenkelijk naar, maar stopte er twee in de tas bij de broodjes en de tomaten en een paar zakjes chips die ik in de keukenkast vond. Mijn vader had heel wat moeite gedaan, besefte ik, dus ging ik terug naar boven om me om te kleden in de gelaagde rok die Poppy me had gegeven en bond de geweven riem met kwastjes om mijn heupen. Ik zag eruit als een zigeunerin, dacht ik. Een wilde, gevaarlijke vrouw.

Victoria Park liep al vol met kantoormensen die op zoek waren naar wat zon tussen de middag, hoewel die er niet was. De mannen zaten op banken met hun boterhammen, en de meisjes lagen in het gras en lieten hun benen zien. Niemand keek naar me toen ik met mijn boodschappentas voorbijkwam, behalve één enge man die in zijn eentje op een bank onder een paar sparren zat. Zijn ogen volgden me toen ik over het pad liep. Toen ik hem gepasseerd was, durfde ik niet om te kijken om te zien of hij naar mijn achterste keek.

Toen ik bij het grasveld onder de Royal Crescent kwam, was mijn vader er al. Hij had een geruite plaid gekocht, die ik nog nooit had gezien, en op het gras uitgespreid. Ik voelde een absurde vreugde. Door het kleed werd het iets bijzonders, een echte picknick, en niet alleen een broodje eten met mijn vader. Hij had ook een tas bij zich, waar de donkergroene hals van een fles wijn uitstak. We hadden nog nooit samen wijn gedronken. Hij ging soms na zijn werk naar een café, en op zijn verjaardag opende hij heel plechtig een blikje bier en dronk het bier bij zijn avondeten, maar volgens mij was er nog nooit een fles wijn in huis geweest.

Ik ging op het kleed zitten en begon de broodjes uit mijn tas te halen, die stuk voor stuk netjes in keukenfolie waren verpakt, precies zoals je ze in een winkel zou kopen. Ik kon mijn ogen niet van de fles wijn afhouden; ik voelde me trots en opgewonden. Mijn vader vond me volwassen genoeg om bij een picknick wijn te drinken. Trish mocht bij speciale gelegenheden wijn drinken van haar ouders. Poppy moest van haar vader altijd een glas wijn drinken wanneer ze uit eten gingen, omdat ze er volgens hem zo mee leerde omgaan. Wijn had te maken met volwassen worden, met verstandig leren drinken.

Maar mijn vader trok de fles niet open.

Hij keek me stralend aan, boog zich over het kleed naar me toe en haalde zijn hand door mijn haar.

'Is dit niet geweldig? Ik heb een lunchafspraak met mijn dochter, heb ik op mijn werk verteld. Ze heeft een picknick voor ons klaargemaakt. Ze waren stikjaloers.'

Hij had zijn werkoverall uitgetrokken. Hij droeg zijn gebruikelijke verschoten sweatshirt, maar terwijl ik naar hem keek, glimlachte hij weer en trok hem over zijn hoofd. Hij droeg er een blauw overhemd met korte mouwen onder.

'Het is benauwd, hè?'

De vorige avond had ik hem dat overhemd zien strijken. Op de ruwe huid van zijn handen zaten kleine witte verfvlekjes, maar zijn nagels waren schoongeborsteld, afgezien van de dunne rand verf en lijm die altijd aan zijn nagelriemen leek te blijven plakken.

'Je hebt je helemaal opgedoft, pap,' zei ik, en ik kreeg een onbehaaglijk gevoel vanbinnen.

'Omdat dit een bijzondere dag is,' zei hij. 'Een afspraak met mijn dochter. Ik ben trots op je, Katie. Jij hebt je ook helemaal opgedoft in je mooie rok. Je groeit zo snel op; soms wou ik dat het niet hoefde, maar ja, zo is het leven, hè. Je kunt de dingen niet tegenhouden.'

In het struikgewas verder heuvelafwaarts kwetterde een merel. Iemand liep over het grasveld in onze richting, een vrouw met donker haar dat los over haar schouders golfde die op plateauzolen met enkelbandjes zorgvuldig haar weg koos. Ze wuifde.

'Nee maar, wat een verrassing,' zei mijn vader. 'Wie had dat gedacht? Het is je vriendin, de bibliothecaresse.'

Ook Janey Legge had een tas bij zich. 'Hallo,' riep ze. 'Wat een verrassing dat jullie er ook zijn.'

Wat een verrassing. Ik kon wel huilen.

'Kom bij ons zitten,' zei mijn vader. 'Als je wilt.'

Ja, kom toch bij ons zitten. Nee! Ik wilde haar in haar zelfgenoegzame, te dik gepoederde gezicht krabben.

'Katie, schuif eens op. Maak plaats voor Janey. Nou, wat toevallig dat jij hier ook bent.'

'O, ik ga tussen de middag altijd graag naar het park.'

Janey Legge was ook helemaal opgedoft. Ze droeg een geel rokje, uit de mode en te kort voor een vrouw van haar leeftijd, en een strak wit T-shirt. De cups van haar opgevulde beha waren te groot, waarin op de plek van haar tepels deuken zaten. Toen ze ging zitten strekte ze haar benen voor zich uit, zodat mijn vader haar knieën kon bewonderen. Ze waren vreselijk knokig en haar panty had een afschuwelijke oranjeachtige kleur.

'Nou, is dit niet enig?' zei ze tegen mij. 'Zullen we alles maar bij elkaar doen?'

Er zaten geen broodjes in Janey Legges tas. Ze haalde er een zak kersen en een plastic bak uit. Er zat bruine rijst in met iets erdoorheen en het zag er walgelijk uit.

'Haal de broodjes tevoorschijn, Katie,' zei mijn vader.

'Ik heb ze er al uitgehaald.'

'Waar zijn de volkorenbroodjes?' Hij zag er ontzet uit. 'Ik had een paar volkorenbroodjes gekocht.'

'Die klonterige bruine dingen? Die heb ik niet meegenomen. Ik wist niet dat er nog iemand bij zou zijn.' Maar jij wel, dacht ik koud. Je hebt die broodjes voor haar gekocht.

'Wit is ook prima,' zei Janey. Haar gezicht vertelde het tegenovergestelde toen ik haar een broodje ham gaf. 'Nee, het spijt me, Katie. Ik eet geen vlees.'

'Er is tonijn,' zei mijn vader snel. 'Je hebt toch een paar broodjes met de tonijnmayonaise belegd, hè?'

Ik wilde dat ik die ook in de koelkast had achtergelaten – of erin had gespuugd. Ik troostte mezelf met de gedachte dat ik maar twee bekertjes yoghurt had meegebracht.

'Ik krijg altijd geweldige honger in de buitenlucht,' zei Janey. 'Macrobiotische rijstsalade, Katie? Beter voor je ingewanden dan die dingen,' voegde ze eraan toe, terwijl ik mijn hoofd schudde en een zakje chips opentrok. 'O, ja, Col, een glas van die heerlijke wijn gaat er wel in. En nog gekoeld ook. Hoe heb je dat voor elkaar gekregen?'

Col. Alsof ik nog bewijs nodig had gehad dat dit eerder was gebeurd. Hoe vaak hadden ze elkaar al in het park ontmoet?

'Mijn vader heet Colin,' zei ik. 'Niemand noemt hem Col, toch, pap?'

'Je mag me noemen zoals je wilt,' zei mijn vader. Hij wierp me een teleurgestelde blik toe. Ik wist dat ik me onaardig gedroeg, maar ik kon het niet helpen.

Een felle zon probeerde door het wolkendek heen te branden. Het was verstikkend warm. De ellendige picknick ging maar door, maar ik wist dat ik de enige was die het ellendig vond. Janey Legge was vrolijk en koket. En mijn vader – ik wist niet hoe ik mijn vader moest beschrijven. Ik had hem nog nooit zo gezien. Hij was langer dan Janey, maar hij zat lager op de helling waardoor hij steeds naar haar moest opkijken. Zij zat heel recht, met haar benen netjes opzij gebogen en trok zo nu en dan haar gele rokje omlaag, wat alleen maar de aandacht vestigde op het donkere tussen haar dijen eronder. Ze strekte heel vaak haar hals, alsof ze hem de witte huid en de blauwe adertjes daaronder wilde laten zien. Maar dat had ze niet hoeven doen. Zijn ogen volgden haar voortdurend. Soms wreef hij in zijn nek, alsof hij daar jeuk had. Wanneer hij dat deed, kon ik het zweet onder zijn armen ruiken en aan het krullen van haar neusvleugels zag ik dat zij het ook rook. Maar dat leek haar niet af te schrikken. Integendeel, haar ogen werden donkerder, en op de een of andere manier ook helderder.

Ze hadden het nérgens over, maar ze zaten maar te praten. Ik merkte dat ze niet zozeer naar elkaar luisterden als wel elkaar opzogen, absorbeerden. Ze leken niet te merken dat ik niets zei. Mijn vingers waren met de grond bezig, trokken er grassprietjes uit, krabden, groeven.

'Wil je ons een bakje yoghurt geven, Katie?' zei Janey. 'O, Col, dit is mijn lievelingsyoghurt. Levend en gevaarlijk.' Ze lachte, een heet geluid dat uit haar opengesperde neusgaten leek te komen. Ik hoopte dat ze de donkere halvemaantjes onder mijn nagels zou zien en walgend terug zou deinzen, maar ze keek naar hem. 'Spannend, net als jij.'

Mijn vader lachte ook, maar het was een lach die in zijn keel bleef steken, minder zelfverzekerd dan die van haar. Ik wist dat hij nerveus was. Ik begreep niet waarom. Ik wilde weg, weg van hen beiden. Maar ik wist dat zij dat ook wilden, diep vanbinnen. Dus bleef ik, en liet de aanblik van hen beiden steeds opnieuw door me heen snijden.

'Goed,' zei mijn vader ten slotte. 'Goed, ik moet weer aan het werk.' Hij kwam niet in beweging. Hij lag nu vrijwel languit op het kleed, gesteund op een elleboog. Janey, die nauwelijks langer was dan ik, leek boven ons uit te torenen.

'Ik ook,' zei ze. Zij kwam ook niet in beweging. Hun ogen versmolten met elkaar. Ik begon de resten van de picknick op te ruimen in de hoop dat ze daardoor in beweging zouden komen.

'Goed,' zei mijn vader weer. Er was een tederheid in zijn stem die, dacht ik, voor mij moest zijn, want ik had die zo vaak gehoord wanneer hij me in bed stopte toen ik klein was, wanneer hij me vertelde hoe trots hij was op mijn rapportcijfers. Maar toen ik opkeek, staarde hij nog steeds naar haar.

'Je moet jammer genoeg gaan, hè?' zei Janey Legge. 'Goed, Col. Je wilt vast niet te laat terug zijn.'

'Nee,' zei mijn vader. Hij liet zich ineens op zijn buik rollen, kwam met een verrassend lenige beweging overeind en keek met genegenheid op ons beiden neer. 'Goed, meisjes, ik ga. Katie, het kan zijn dat ik vanavond weer moet overwerken. Janey, ik...' Hij raakte zijn mond aan met zijn middelvinger. 'Ik, eh... zie je weer.' Zijn ogen zeiden iets anders.

Ik stond ook op en pakte de plastic tas vol afval. Ik wilde niet alleen achterblijven met Janey Legge. Ik wachtte tot hij met tegenzin de helling begon op te lopen, in de richting van het huis waaraan hij werkte, waarbij hij zo nu en dan omkeek naar Janey en een beetje gegeneerd naar haar zwaaide. Toen zei ik: 'Daghetwasleukjeweerteontmoeten,' en ik rende de helling af naar het pad dat het park uitliep.

De felle zon had zich een weg door de wolken heen gebaand, en ik kookte; het zweet prikte onder mijn boerenbloes en mijn polsen waren knalrood terwijl ik, marcherend als een soldaat, mijn armen heen en weer zwaaide om me op gang te houden. Ik wilde de bus niet nemen. Ik wilde niet zitten. Ik moest blijven bewegen. Hoe meer ik bewoog, hoe minder ik hoefde te denken. Terwijl ik half rennend het park verliet, had ik de plastic tas in een vuilnisbak geramd. Er waren nog twee broodjes ham over – mijn vader had er maar één kunnen eten, en ik ook – maar ik wilde nooit meer een broodje ham eten, en ik had het ding zo hard in de vuilnisbak geprop dat het scheurde.

Het was een heel eind naar huis, en het was grotendeels heuvelopwaarts, maar ik merkte niet hoelang het duurde. Bedenk een plan, zeiden mijn benen tegen me, terwijl mijn voeten het steile plaveisel bij elk stap zo hard raakten dat mijn bovenbenen ervan trilden. Bedenk een plan. Hou hem tegen. Mijn rok plakte vochtig aan mijn benen, mijn spieren trokken en deden pijn. Ik bedacht een plan.

'Mevrouw Owen,' zei ik, staande voor haar deur, 'ik wil dat u me álles vertelt wat u weet over mijn moeder.'

Mevrouw Owen keek me verbaasd aan. 'Je bent helemaal paars, Katie. Je hebt last van de zon. Kom binnen en drink iets kouds voordat je uit elkaar ploft.'

Ik had inderdaad dorst. Ik had het me niet gerealiseerd, maar het leek alsof mijn ingewanden waren verschrompeld en alle vocht uit mijn lichaam in mijn bloes was gelekt, die doornat was. Ik volgde haar naar de keuken. De rode, oranje en groene groenten op het behang deden pijn aan mijn ogen. Haar glanzende witte keukenkastjes keken me boos aan. Ze maakte haar grote, lawaaiige koelkast open en schonk me een glas troebele zelfgemaakte limonade in. Ik dronk het meteen leeg.

'Hoe kom je daar nu ineens weer bij?' zei mevrouw Owen. 'Ik heb het je gezegd! Het heeft geen zin om dingen op te graven die pijn doen.'

'Ik ga haar zoeken,' zei ik. 'Ik ga haar zeggen dat ze thuis moet komen. Papa houdt nog steeds van haar. Ze moet naar huis komen.' Voor mij was het volkomen logisch, maar mevrouw Owen schudde haar hoofd en legde een hand op mijn voorhoofd. Toen ze hem wegnam, had ik hoofdpijn.

'Je moet gaan liggen,' zei ze. 'Je hebt die koude limonade veel te snel opgedronken. Ga zitten of je valt nog om.'

'Sorry,' zei ik. 'Ik moet... Ik voel me misselijk, denk ik.' De dikke glanzende groenten op het keukenbehang dansten voor mijn ogen.

'Je hebt een rare kleur,' zei ze. 'Maar vergis je niet, onder die kreeftkleur ben je zo wit als een doek.'

Ik knielde bij de wc in de gang neer, maar er kwam niets. Mevrouw Owen kwam achter me staan en klopte me bemoedigend op mijn rug.

'Gooi het er maar uit, kindje,' zei ze. 'Beter eruit dan erin.' Maar wat het ook was, het wilde er niet uit komen.

'Misschien moet je maar even in de logeerkamer gaan liggen,' zei ze. 'Je bent zo klam, dat bevalt me niet...' Maar ik wist wat ze dacht. Mijn vader zou haar een bemoeial vinden.

'Ik ga thuis wel even liggen,' zei ik. 'Pap kan zo van zijn werk komen.'

Mevrouw Owen zag er opgelucht uit. 'En denk eraan, niet van die rare praatjes over je moeder waar hij bij is, hè?'

Terwijl ik door de straat naar huis liep, zag ik Gary in zijn met verf besmeurde overall van de andere kant aankomen. Hij had hem tot op zijn middel opengeknoopt en hij droeg er niets onder, dus kon je zijn bleke borst zien. Mijn maag draaide zich weer om, maar deze keer had het niets met misselijkheid te maken. Ik wilde niet dat hij me zou zien met mijn rood-wit gevlekte gezicht en de grote zweetkringen onder mijn armen. Zo snel als ik kon liep ik ons tuinhek door en de betonnen treden naar de voordeur op. Voordat ik daar was, hoorde ik hem roepen: 'Hallo!'

Ik draaide me om, heet en koud.

'Je hebt je riem verloren,' zei hij. Hij stond bij ons tuinhek, de riem in zijn hand. Ik wilde zeggen: nee, die is niet van mij, en naar binnen rennen. Maar met mijn ogen strak gericht op de diepe, bleke V van zijn borst liep ik langzaam terug. Zijn borst glom. Hij zweette ook. Toen ik dichterbij kwam en Gary zijn arm omhoogbracht en me de riem toestak, kon ik hem ruiken, zoals ik mijn vader had kunnen ruiken. Maar hij rook anders. Ik rook hem in een ander deel van me. Ik rook zijn zweet niet in mijn neus, maar achter in mijn keel; ik rook hem diep in mijn buik en in mijn kruis.

Ik reikte over het tuinhek om de riem aan te pakken. Onze vingers beroerden elkaar. Ik vergat mijn rode gezicht, mijn zweterige bloes – nee, ik was ze niet vergeten, maar ik vond het niet erg dat mijn gezicht vuurrood was, ik vond het niet erg dat hij mijn zweet zou ruiken terwijl ik mijn hand uitstak, net als ik het zijne had geroken.

Zodra ik de riem had aangepakt, glimlachte hij, draaide zich om en liep weg. Ik staarde hem na. Ik was vergeten dank je te zeggen, bedacht ik. Maar mijn mond wilde niet werken, hij was te droog. Ik draaide me ook om, liep de treden op en ging naar binnen.

De hele avond voelde ik me vreemd. Het zware juni-groen van de bomen in de straat leek veelbetekend te zinderen. Ik wist niet wat het betekende, maar kon het bijna bevatten. Mijn hoofd klopte, ik was nog misselijk en had een vermoeid, zeurderig gevoel in mijn buik. Maar tegelijkertijd voelde ik me vreemd verrukt. Ergens op de wereld gonsde extase. Ze verborg zich in de bladeren aan de bomen, ruiste in de warme, bleke lucht. De vibraties maakten ook mijn lichaam aan het gonzen. Ze had me nog niet bereikt, maar het zou komen.

De televisie stond aan, maar ik kon niet kijken. In plaats daarvan las ik mijn boek. Ik dacht na over de Eerste Engelsman. Hij wachtte op me, wist ik, over de heuvels, in de velden.

Mijn vader was pas om halfacht thuis. Hij kwam de kamer niet binnen; ik hoorde hem meteen naar boven lopen. Toen kwam het geluid van de douche.

Ik ging naar de keuken en zette water op. Er was nog wat ham in de koelkast, en ik rangschikte het zorgvuldig op een bord, met wat salade en een van de zware bruine broodjes. Terwijl ik de keukentafel voor hem dekte, kwam hij beneden, binnensmonds zingend, in schoon overhemd en broek. Zijn haar was nat en naar achteren gestreken, en hij zag er jonger uit, als op de trouwfoto met mijn moeder.

'O, Katie, dat hoeft niet. Het spijt me. Ik had moeten zeggen dat ik onderweg naar huis een hapje zou eten.'

'Met háár?'

De glimlach viel van zijn gezicht. Hij keek alsof ik hem een schop had gegeven. 'Niet doen, Katie. Niet jaloers zijn. Dat is niet nodig.'

'Jaloers? Ik ben niet jaloers. Ik begrijp niet dat je haar niet doorziet. En waarom je mij dat... dát vandaag moest aandoen. Me laten denken dat de picknick voor mij was. Die was voor haar!'

'Dat is niet waar. Het was voor jullie allebei. Ik wilde met mijn twee speciale vrouwen lunchen.'

'Speciaal? Sinds wanneer is zíj speciaal?' Mijn ingewanden wonden zich op als een springveer. Hij keek gekwetst. Hij had niet verwacht dat ik zo zou reageren. Ik leende woorden die ik op de tv had gehoord. 'Kom op, ik ben niet achterlijk. Hoe lang is dit al aan de gang?' Maar ik lette op zijn ogen. Ik kon niet ophouden, maar ik wist dat ik op zijn ogen moest letten.

Zijn mond ging open en ik dacht dat hij iets zou zeggen, maar hij zag er alleen maar verloren uit. Hij liet een beverig zuchtje ontsnappen en zijn ogen flitsten door de keuken alsof hij de juiste woorden op de muur zou kunnen vinden. 'Janey is een schat van een vrouw,' zei hij ten slotte. 'Ze is echt in jou geïnteresseerd. Ze geeft...'

Even vroeg ik me af hoeveel anderen er wellicht in de loop der jaren waren geweest, schatten van vrouwen over wie ik nooit had gehoord omdat ze níét in mij geïnteresseerd waren geweest. Het was nooit bij me opgekomen dat mijn vader vriendinnen kon hebben gehad in de tien jaar sinds mijn moeder was weggegaan.

Maar nog kon ik niet ophouden.

'Geeft om me? Ik wil niet dat ze om me geeft...'

'Katie, alsjeblieft...'

'En mijn moeder dan? Hoe kun je dat mijn moeder aandoen?'

Ik miste hem bijna, de flits waarmee zijn ogen van open en glanzend overgingen naar vlak en uitdrukkingsloos, en zijn hand die een boog door de lucht in mijn richting maakte. Ik zag het net op tijd en dook opzij om de hoek van de tafel tussen ons in te plaatsen. Hij verloor bijna zijn evenwicht, deed een stap naar voren om te voorkomen dat hij zou vallen en raakte met zijn been de hoek van de tafel. Het moet echt pijn hebben gedaan. Mijn fout was dat ik aan zijn pijn dacht; ik had meteen moeten ontsnappen. Vanaf dat moment ging alles heel traag, als in een droom. Zijn andere hand maakte een zwaaiende beweging, waarmee hij het bord van de tafel sloeg en de salade op mijn rok kieperde. Ik hoorde het bord op de vloer kletteren en voelde de scherven op mijn voeten neerkomen. Toen zwaaide die harde rechterhand, die hand die me ondanks zijn uitdrukkingsloze ogen altijd precies leek te vinden, door de lucht en raakte mijn schouder met een klap die me de adem benam. Ik voelde een elektrische tinteling door mijn sleutelbeen gaan en mijn hele arm werd gevoelloos. Hij is gebroken, dacht ik. O god, hij heeft hem gebroken. Wat moeten we doen? Met een arm die nutteloos omlaag hing, stond ik hem aan te staren. Maar zijn ogen waren een en al pupil; hij kon me nog steeds niet zien. Ik moest de keuken uit zien te komen, maar mijn voeten leken aan de vloer vastgenageld. Ik maakte een schijnbeweging en dook als een rugbyspeler in een herhaling in slow motion onder zijn arm door, en ik wist langs hem heen de deur uit, de trap op en in de badkamer te komen, de enige ruimte in huis waarvan de deur op slot kon.

Ik ging hijgend op de toiletpot zitten. Zweet drupte uit mijn haar in mijn ogen; ik was bang dat het bloed was en bracht mijn hand naar mijn wang. Hij had toch niet ook mijn hoofd geraakt? De hele gebeurtenis leek zo op een droom dat ik het niet zeker wist. Het gevoel in mijn linkerarm kwam terug. Mijn schouder schreeuwde het uit toen ik mijn hand op mijn schoot probeerde te leggen, maar mijn arm bewoog. Misschien was hij toch niet gebroken. Ik zag mezelf in de badkamerspiegel; ik was doodsbleek. Mijn schouder zag er normaal uit. Ik voelde me duizelig, en misselijk, en dat zware gevoel in mijn onderrug was sterker, maar ik zou het wel overleven, dacht ik.

Ik zag een dunne veeg bloed op mijn voet; hij moest geraakt zijn door de scherpe rand van een van de scherven. De zigeunerrok zat onder de vlekken van de salade en bietjes. Dat was er waarschijnlijk niet meer uit te krijgen. Ik trok hem uit; ik moest hem meteen in de week zetten. Mijn arm werkte alweer beter. Ik voelde alleen nog een doffe pijn, die pas scherper werd wanneer ik hem zonder erbij na te denken bewoog.

Ook op mijn been zag ik een streep bloed. Ik stond op en hinkte met de rok naar de wastafel. Hoe dichter ik bij de spiegel kwam, hoe bleker ik eruitzag. Alle kleur van de zon leek verdwenen. Ik was slasaus, geen rode biet. Ik draaide de koude kraan open – *een vlek altijd in koud water weken, Katie*, hoorde ik mevrouw Owens stem in mijn hoofd – en legde de rok eronder. Sliertjes roest kwamen uit de stof kruipen.

O, nee. Ik haalde de rok uit het water en draaide hem om. Aan de voorkant waren de vlekken doorzichtig en vettig, een donker bietenrood. Aan de achterkant zat een roodbruine vlek. Een kramp schoot door mijn onderlichaam, alsof die had gewacht tot ik zou beseffen wat er aan de hand was. Ik voelde dat mijn onderbroek tussen mijn benen glad en nat was.

Ik staarde vreemd afstandelijk naar het bloed. Dit was het dus. Datgene waar al die drukte over werd gemaakt. (Oef, weer een kromtrekkende kramp.) Dit was wat mevrouw Owen de vloek noemde, wat Trish en Poppy ongesteld noemden. Al mijn ingewanden trokken zich samen en probeerden er van onderen uit te vallen. Ik stopte de rok terug in het water en liet me zwaar op de wc zakken. Aan mijn arm dacht ik niet meer. Niets zou ooit nog hetzelfde zijn. Ik voelde het langzame druppen van het bloed, en er kwam heel veel bij dat vreemd maar ook vreemd vertrouwd was. Je weet nu wat het betekent een vrouw te zijn, zei mijn lichaam. Je wéét het.

Trish had het al, maar Poppy niet. Háár had ik in elk geval verslagen.

O god, had ik de hele middag al gebloed? Had iemand de vlek op mijn rok gezien? Had Gary het gezien, toen ik me omdraaide om naar binnen te gaan? Mijn gezicht werd zowel warm van schaamte als van de middag in de zon. Maar mevrouw Owen had het toch zeker gezegd als ze het had gezien... Ik trok mijn onderbroek omlaag en keek naar het inzetstukje. Ik had het gevoel dat ik al minstens een liter had verloren, maar de natte, donkere plek in het kruis van mijn onderbroek was klein. Hij rook naar vlees dat te lang op een warme plek heeft gelegen, zwaar en bedorven. Dat waren mijn ingewanden. De bekleding van mijn baarmoeder. Misschien een eitje dat te klein was om te kunnen zien en dat een baby had kunnen worden.

Maar ik had er niets voor. Als ik een moeder had gehad, had ze geweten wat ik moest doen. Ze zou er iets voor hebben gehad, maandverband, tampons. Ik had niets. Ik was er niet op voorbereid.

Ik maakte een prop van wc-papier en stopte die tussen mijn benen. Ik vond een schoon broekje en een schoon bloesje in de droogkast. Ik trok ze aan en luisterde aan de deur. Er was geen enkel geluid in huis te horen. Wat gebeurd was, was nu voorbij. Waarschijnlijk was de kust nu veilig.

Mijn vader was in de keuken, op handen en knieën zorgvuldig bezig de scherven van het bord en de resten van de salade op te vegen. Ik stond in de deuropening, anders nu. Ik was niet het meisje dat hij had geslagen. Ik was een vrouw nu. Hij kon me niets meer doen.

Hij draaide zich langzaam om en keek naar me. Ik wilde dat hij zag dat ik veranderd was. Ik was zijn kleine meisje niet meer. Ik was nu de gelijke van Janey Legge. Maar mijn stem klonk helemaal verkeerd, klein en angstig.

'Pap, ik bloed,' zei ik.

Hij schrok zich dood. 'Jezus Christus, Katie O god, het spijt me zo. Jezus, laat me eens kijken...'

'Niet door jou. Ik blóéd.' Hij keek me niet-begrijpend aan. 'Je weet wel... zoals vrouwen bloeden.'

Hij liet zich op zijn hielen zakken. Zijn ogen vulden zich met tranen. Als in een reflex deden de mijne dat ook.

'O god, Katie. O god.' Hij legde zijn armen om mijn knieën, begroef zijn gezicht een ogenblik in mijn dijen en deinsde toen achteruit. 'Het spijt me. Het spijt me echt.' Zijn gezicht was nat. 'Vergeef me. Je moet me vergeven.'

Nu geneerde ik me. Om medelijden mee te krijgen gewoon. Ik voelde me weer sterk, volwassen. Maar hij was nog steeds mijn vader. Ik raakte zijn haar aan, heel licht.

'Ik heb iets nodig.'

'Wat?'

'Spullen. Wat vrouwen nodig hebben. Voor het bloeden.'

'God, ja.' Hij keek me volkomen verdwaasd, volkomen hulpeloos aan. 'Spullen. Juist. Mevrouw Owen?' Ik schudde mijn hoofd. Te oud.

'Oké. Dan moet ik maar... Jij blijft hier. Ik zal... Ga liggen. Doet het pijn?'

'Een beetje.'

'O god. Ik weet niet... Ik ben zo terug. Oké? Doe rustig aan. Ik ben zo terug.'

Ik ging op de bank liggen en hoorde hem van de oprit rijden. Toen hij een halfuur later terugkwam, gaf hij me een plastic tas. Er zaten een gordel en dik, onhandig maandverband in. Het was alsof ik een peluw tussen mijn benen droeg. Ik wist waar de spullen vandaan kwamen. Van Janey Legge. De trut! Ze had zelfs dit moment voor me weten te bederven.

17

'Kit?' Martins stem, ongewoon onzeker. 'Wat is er gebeurd?'

Ik zie op enige afstand het licht van zijn zaklantaarn. Nu de lampen die langs het stalen looppad zijn gespannen allemaal uit zijn, ben ik gevangen in de kleine lichtcirkel van mijn eigen zaklantaarn. Verder is er alleen één grote donkere ruimte – geen hier, geen daar, vormloos en angstaanjagend.

'Ik weet het niet. Maar wat je ook doet, blijf waar je bent.' Ik weet mijn reservelamp uit mijn rugzak te halen en knip die ook aan, meer als troost dan iets anders. Hij verlicht in elk geval niet veel, want ik ben vergeten de batterij te controleren voordat we vertrokken. Ik kan mezelf wel voor mijn kop slaan dat ik er niet voor heb gezorgd dat we de fluorescerende jacks dragen.

Het donker is op zichzelf niet angstaanjagend. Je verwacht het onder de grond. Wat je bang maakt, is de gedachte aan wat zich in het donker bij je kan bevinden. *Lange witte vingers...*

'Kom onmiddellijk hierheen,' roep ik tegen Martin.

Het schijnsel van zijn zaklantaarn deint door het donker naar mij toe. Het lijkt eindeloos te duren. Hoe ver was hij in godsnaam bij me vandaan? Ergens loopt het angstaanjagende monster Verdwaald rond, met zijn poten die zich tot in het oneindige uitstrekken en zijn honderden armen die in verschillende richtingen wijzen.

'Nou, het enige voordeel hiervan is dat we een authentieke mithraïstische ervaring opdoen,' zegt Martin. Hij probeert te doen alsof hij zich geen zorgen maakt, maar erg overtuigend is het niet. 'Alle plechtigheden vonden in bijna volledige duisternis plaats, alleen verlicht door flakkerende toortsen.'

'Geweldig.' Ik kan niet zeggen dat ik op dit moment al te enthousiast ben over de authentieke mithraïstische ervaring. Ik wil hier alleen maar weg kunnen. Ik denk dat ik weet waar het looppad is. Dat dénk ik. Ik schuif zorgvuldig een van de losse stenen opzij, zodat de smalste kant in de goede richting wijst.

Martin verschijnt aan mijn zij, geruststellend solide. Ik ruik zijn zweet, en ik weet dat hij zich net zo onbehaaglijk voelt als ik. Wat ons nog meer bezighoudt dan het donker, is de vraag waardoor het licht plotseling is uitgegaan.

'Nerveus?' vraag ik.

'Natuurlijk niet, schat. Ik vertrouw op jouw uitgebreide kennis van deze uitgravingen om ons terug te kunnen brengen naar het land der levenden.' Hij houdt de zaklantaarn onder zijn kin en laat zijn wenkbrauwen wiebelen. 'Het is niet eerlijk, hè? Of moet ik bidden dat Mithras zal ingrijpen?'

'Kniel neer. Ik heb al beloofd een paar stieren te offeren.'

'Dat zal je niet helpen. Hij luistert niet naar meisjes. Het is uitsluitend een mannencultus.'

Ik laat mijn zaklantaarn rondgaan in de hoop een glinstering van het stalen looppad op te vangen. Geen glimp. We zijn er best een stukje vandaan gelopen, waarbij we tussen massieve steenpilaren door zijn gegaan.

'Heb jij stappen geteld?' vraag ik. Het is de bedoeling dat je dat doet, zodat je altijd weet hoe ver je hebt gelopen.

'Nee, jij?'

Het heeft geen zin om te zeggen dat ik niet had verwacht dat het licht zou uitgaan. Er zijn twee idioten voor nodig om de boel echt te verknallen.

'Kun je ook even je mond houden?' zeg ik tegen hem. 'Het kan een stroomstoring zijn, maar misschien is er iemand naar beneden gekomen en heeft het licht uitgedaan.'

'Uit?' zegt Martin, niet op zijn gemak.

Het is stil, doodstil. Je hoort zelfs geen water druppelen, hoewel delen van de uitgravingen er vol mee zitten. De aarde isoleert ons van de geluiden van de bovenwereld, en we moeten ons recht onder de lege kantoren van het ministerie van Defensie bevinden. In elk geval hoor ik niet wat ik vreesde: voetstappen.

Als het iemand is die de hoofdschakelaar bij de ingang heeft omgezet, duurt het nog even voor die persoon ons heeft bereikt. En het licht is uitgedaan, niet aangedaan.

Hoe gemakkelijk je in zo'n ruimte bang kunt worden, blijkt wel uit het feit dat ik me voorstel dat er iemand door de tunnels sluipt, in volledige duisternis, om ons te verrassen. Maar nee, het is hoogstwaarschijnlijk een stroomstoring. Gebruik je verstand, Kit – wie zou hier op zaterdag nou rondlopen?

'Je vleermuisdeskundige,' zegt Martin. 'Werkt die in het weekend?'

'Dat zou kunnen, ja.' Ik voel een geweldige opluchting. 'Hij zal hebben gedacht dat het licht per ongeluk is aangelaten. Hij gaat niet helemaal de uitgravingen in, alleen ver genoeg om bij de vleermuizen te kijken.'

Het is stil, maar de duisternis om ons heen is dicht en zit vol leven, vol geesten. Ik probeer mijn zenuwen in bedwang te houden, maar ze blijven de kop maar opsteken.

'We moeten in beweging komen,' zeg ik. 'Hoe langer we het uitstellen, hoe meer we in de war raken.' Ik richt mijn zaklantaarn op de vloer om de steen te vinden die ik daar heb neergelegd. 'Blijf jij maar hier. Ik ga proberen het looppad te vinden. Ik weet zeker dat het deze kant op is. Geef me jouw zaklantaarn, die is sterker dan de mijne. Zodra ik het looppad heb gevonden, roep ik je en kun je me volgen.'

'Wacht even,' zegt Martin. 'Wat doen we met de tauroctony?'

'Wat vind je dat we moeten doen?'

'We hebben een foto nodig om die Dickon van jou ervan te overtuigen dat die tekening er is,' zegt Martin.

Ik heb de camera achtergelaten bij de pilaar met de tekening van de raaf.

Deze keer twijfel ik niet. Ik weet dat hij daar is. Ik haalde de camera net tevoorschijn toen Martin me riep om naar de tauroctony te komen kijken. Ik herinner me dat ik hem voorzichtig op de grond heb gelegd. Voor de zekerheid controleer ik mijn rugzak, maar de camera zit er niet in.

'We halen hem op de terugweg wel op, als we het looppad hebben gevonden,' zegt Martin geruststellend. Ik wou dat ik ook zijn eenvoudig vertrouwen in mijn richtinggevoel had. 'Ik wil de tauroctony liever niet verplaatsen voordat we hem gefotografeerd hebben...'

De lichtbundel van mijn zaklantaarn dwaalt over de hoop steenbrokken. 'Je hebt gelijk. Als je die steen eruit trekt, kan de hele zaak instorten. Die muur heeft een functie, hij stut vast het dak, en hij ziet er al instabiel genoeg uit.'

Wanneer ik in de richting begin te lopen die volgens mij de juiste is, kijk ik over mijn schouder om opgewekt naar hem te grijzen. Zijn gezicht is niet te zien; het enige wat ik zie, is het schijnsel van zijn zaklantaarn, dat op mij is gericht. Het kost me moeite mijn ene voet voor de andere te zetten. Mijn knieën knikken. De duisternis doet me steeds meer denken aan gordijnen, dikke zwarte gordijnen die zich tegen mijn tastende handen verzetten, zich rond mijn benen verstrikken, mijn gezicht in verstikkende plooien wikkelen. Het looppad kan niet ver zijn; tenzij ik helemaal in de verkeerde richting ga, moet ik er spoedig tegenaan lopen. Het enige wat ik moet doen is met mijn zaklantaarn in het donker blijven schijnen en uiteindelijk zal ik als reactie een glinstering van metaal zien.

Maar waarom duurt het dan zo lang? Ik moet me in de richting hebben vergist. Of misschien ben ik ongemerkt uit koers geraakt. Ik sta stil en probeer mijn persoonlijke radar te activeren; ik hoop dat het looppad trillingen uitzendt om me te roepen.

'Kit...' Martins stem, niet van recht achter me, zoals ik verwacht, maar meer naar links. Ik begin me naar hem om te draaien, maar blijf staan wanneer ik besef dat ik daardoor nog meer gedesoriënteerd raak. Hij klinkt een beetje nerveus. 'Ik denk dat je iets meer naar links moet lopen, tussen die twee grote pilaren daar.'

'Kun je me nog zien?' vraag ik, en ik doe mijn best mijn ogen niet in zijn richting te draaien om mijn richtinggevoel niet kwijt te raken.

'Gemakkelijk.'

'Breng me niet in de war. Ik weet zeker dat het deze kant op is. Kijk naar de steen die ik op de grond heb gelegd.'

'Welke steen? Er liggen er hier zo'n driehonderd, op een grote hoop.'

'Ik heb er één neergelegd die in de goede ring wijst. Nou ja, de richting die volgens mij de goede is. Volg ik die nog?'

'Ik weet het niet. Ik weet niet welke steen je bedoelt en bovendien staan er geen pijltjes op.'

'Verdomme. Probeer een beetje te helpen.'

'Ik help je. Ik denk dat je uit koers bent.'

'Je weet helemaal niet of ik uit koers ben. Ik doe mijn best, weet je.'

'Niet zo nijdig worden. Ik probeer je alleen duidelijk te maken dat het volgens mij iets meer naar links is.'

Ik krijg het benauwd. Hij brengt me in de war. Als hij zijn mond zou houden, zou ik het misschien kunnen voelen, terugkomen bij wat ik instinctief weet... Maar ik weet ook dat je je richtinggevoel in die duisternis heel gemakkelijk kwijtraakt. Ik zwaai de zaklantaarn hulpeloos rond. Ik ben echt in de war. Ik heb geen idee meer welke kant ik op moet.

'Wacht!' Martins stem weer, deze keer van vlak achter me. Is hij dichterbij gekomen of ik? 'Daar! Zwaai de zaklantaarn terug.'

Daar is het. Niet meer dan een knipoog, tussen de pilaren links van me.

'Dat is het, denk ik.' Ik zet een aarzelende stap naar voren, terwijl ik de zaklantaarn zo onbeweeglijk houd als ik kan. De knipoog wordt een schittering. Nog een stap en ik zie iets glanzen. Nu kan ik de schaduwachtige stalen stutten van het looppad onderscheiden. Ik heb het gered. Godzijdank. We zijn veilig.

Maar ervaring herinnert me eraan dat 'veilig' onder de grond soms een illusie is.

Overal langs het looppad zijn afzonderlijke lichtknoppen, maar ze werken alleen als de hoofdschakelaar op de kabeldoos bij de ingang op 'Aan' staat. Hoopvol probeer ik er een paar in het voorbijgaan, voor het geval de verduistering niet meer is dan een plaatselijke kabelfout, maar tevergeefs. Bij het licht van onze zaklantaarns vinden we onze weg terug naar de vleermuisingang.

'Sorry,' zeg ik na een poosje. 'Ik had niet zo kribbig moeten worden.'

'Je was het spoor helemaal bijster.'

'Nietwaar.' Ik richt mijn zaklantaarn op zijn gezicht om te kijken of hij een grapje maakt. 'Nou ja, een graad of twee misschien, maar ik ging wel in de juiste richting.'

'Ik heb je nooit zo gespannen meegemaakt. Ik dacht dat je door het lint ging.'

'Alleen een beetje beverig.'

'Ik weet wat je bedoelt,' zegt hij, om mij een beter gevoel te geven, denk ik. 'Ik heb me sindsdien ook niet helemaal gelukkig gevoeld onder de grond.'

Hij denkt dat het te maken heeft met de instorting in de vuursteenmijn. Eerlijk is eerlijk, we hadden daar allebei de dood kunnen vinden. Hij is zo groot en stevig en kalm dat ik vergeet dat hij ook nerveus kan worden.

Het is niet vreemd dat het hem verbaast dat ik zo bibberig werd. Ik raak in principe nooit in paniek. Zelfs toen we een keer, op zoek naar de geparkeerde auto, in de schemering verdwaald waren in de veenmoerassen van Derbyshire – en dat was mijn schuld; ik was het kompas vergeten en had ons in kringetjes rond laten lopen – raakte ik niet in paniek zoals me vandaag overkwam.

'Nou, het kan gebeuren. Ik wilde daar zo snel mogelijk weg. Sorry.'

'Maar we hadden terug moeten gaan om de tauroctony te fotograferen,' zegt hij op een licht verwijtende toon. We hadden de camera bij de pilaar met de raaf opgehaald, maar ik was niet bereid geweest zonder het licht van het looppad terug te gaan voor de tauroctony.

'Wat, en nog een keer verdwalen?'

'Ik had alleen kunnen gaan,' zegt hij. 'Jij had kunnen wachten en me terug kunnen leiden.'

Vergeet het maar. Ik heb er genoeg van om in het donker alleen te zijn. We komen bij een aftakking van het looppad en ik zet de schakelaar bij de ingang om. Nog steeds niets.

'Luister, als het geen grote stroomstoring is, kunnen we het licht weer aandoen wanneer we bij de kabeldoos zijn en dan teruggaan, oké?' Ik zou echt veel liever meteen naar buiten gaan, maar ik heb hem hierheen gehaald om een Mithrastempel te vinden; het zal hem bevreemden als ik het ineens geen goed idee meer vind.

Plotseling klemmen Martins vingers zich om mijn arm.

'Wacht.' Een fluistertoon. 'Ik hoor stemmen.'

'Verdomme.' Ik knip mijn zaklantaarn uit, en Martin doet dat ook. We staan in totale duisternis. We voelen een zweem lucht op ons gezicht, een luchtstroom die binnenkomt via de toegang die niet ver weg is, dus zijn we maar enkele tunnelbochten verwijderd van de Vleermuisgrot. Martins adem kriebelt in mijn oor.

'Je vleermuisman?'

'Waarschijnlijk.' Rupert heeft zo'n hoge, ver dragende stem die moeiteloos door alles heen snijdt. Ik beweeg me zo geluidloos mogelijk naar voren.

'... *tweehonderd Hoefijzerneuzen. In het voorjaar gaan de wijfjes op zoek naar broedplaatsen, maar met de nieuwe broedstoven kunnen we ze misschien aanmoedigen om te blijven.*'

'*De hele zomer?*' Het geluid draagt ver, maar die 'r' heeft een ontstelde Schotse klank: Brendan, geschokt bij de gedachte dat hij het hele jaar door op een kolonie van de zeldzaamste vleermuizen in Engeland moet passen.

Martin is achter mij komen staan.

'Kunnen we er niet langs?'

'Dan horen ze ons.' We hebben geluk dat we, schijnend met onze zaklantaarns, niet recht tegen ze aangelopen zijn. 'We zullen moeten wachten tot ze weggaan.'

'*En waar hebben je mijnwerkers die vleermuis gevonden?*' Rupert, luider wordend – ze komen in onze richting. '*Ik zal je onderweg de broedstoven laten zien.*'

Martins vingers klemmen zich nu strak om mijn schouder.

'Terug,' fluister ik. We durven niet te rennen; ze zouden ons beslist horen. Martins schoenen stappen spetterend in een plas, maar Rupert praat gelukkig nog steeds door.

'*Als hij alleen was geweest, had het een Brandt-vleermuis kunnen zijn, hoewel die soort meestal op de koudere plaatsen bij een ingang slaapt. Maar we zijn er bij lange na niet in geslaagd om alle plaatsen waar de vleermuizen naar binnen en buiten kunnen in kaart te brengen. In de bossen in het zuiden zijn waarschijnlijk nog heel veel ingangen die we niet kennen.*'

De kans dat ze ons inhalen is niet zo groot, maar het gevaar is dat ze onze lichtbundels zien wanneer we op een lang recht stuk komen. Namen ze maar een afslag... Ik ken dit gedeelte van de groeven gewoon niet

189

goed genoeg. Welk looppad leidt naar de broedstoven?

'Ik zou de idioot die het licht heeft aangelaten graag in mijn handen krijgen. Ik heb je mijnwerkers herhaaldelijk gezegd dat ze het licht niet moeten gebruiken op de slaapplaatsen van de vleermuizen.' Ik hoor Rupert een hoge toon aanslaan. *'Dat licht is daar alleen voor noodgevallen. Ze lijken niet te begrijpen hoe zeldzaam sommige van die vleermuizen zijn. De stroomverdeler zou zich dieper in de groeve moeten bevinden, dan zou het niet gebeuren.'*

Ik kan Brendans antwoord niet horen, maar ik kan me wel voorstellen dat zijn snor tamelijk recht overeind staat en dat hij iets zegt in de trant van: helaas, veiligheidsregels... We komen bij een stalen aftakking van het looppad en Martin staat op het punt erin te duiken. Ik grijp hem bij zijn fleecejack en trek hem terug. Het staal maakt het pad tot een permanente route, een route die open zal blijven nadat de mijnen zijn opgevuld, dus moet het een vleermuispad zijn. Ik hoop dat het de aftakking is die naar de broedstoven leidt.

Voor ons buigt het hoofdpad naar rechts en komt in een van de grotere ruimten. Als ze ons nog volgen, zullen ze ons in dit gedeelte beslist zien. We hebben geen keus; ik klauter tussen de stutten door van het looppad af en Martin volgt me. We doen onze zaklantaarns weer uit en drukken onszelf plat in een holte halverwege de rotswand.

'Welke kleur had die vleermuis?'

'Ik heb geen idee,' zegt Brendan. Hun stemmen komen dichterbij en worden duidelijker. *'Zijn ze niet allemaal zwart?'*

'Beslist niet. Brandts zijn middenbruin en zilvergrijs. Het kan uiteraard een baardvleermuis zijn geweest... die zijn vrijwel identiek aan de Brandts. Je kunt ze onderscheiden aan de vorm van de penis.'

'De penis?' Het is duidelijk nooit bij Brendan opgekomen dat een vleermuis een penis zou kunnen hebben, laat staan hoe je die zou kunnen bekijken. *'Je bedoelt dat je echt naar de penissen van vleermuizen kijkt en ze vergelijkt?'*

'Die van een baardvleermuis is langer en dunner. Als hij knuppelvormig is, is het een Brandt...' maar Ruperts stem sterft weg. Ze hebben het stalen looppad naar de broedstoven genomen. Ik sluip terug en kijk voorzichtig om de hoek; deinende lampen verdwijnen door de afgetakte tunnel. Brendan loopt voorop, zijn fluorescerende jack met het Rock-Dek-logo gloeit in het donker, gevangen in de straal van Ruperts zaklantaarn. Ten slotte verdwijnen hun lichten. De kust is veilig om het looppad naar de Stonefield-ingang te nemen.

Martin haalt me over om in de delicatessenwinkel te gaan eten, die het vroegere favoriete café blijkt te zijn van mevrouw Owen. Ze hebben nu wat mooie beukenhouten tafeltjes en stoelen achterin staan waaraan je kunt lunchen. Ik snak naar een sigaret, maar het is de eenentwintigste eeuw, dus dat kan ik wel vergeten. Ik herinner me de wankelende hopen peuken, de asheuvels die in de tijd van mevrouw Owen over randen van de aluminium asbakken vielen.

'We gaan vanmiddag toch wel terug om de tauroctony te fotograferen, hè?' zegt Martin met zijn mond vol *panini*.

'Nee, we zijn al twee keer bijna betrapt...'

'Twee keer?'

Ik was vergeten dat ik niets over de toestand met Gary had verteld.

'Ik wil gewoon geen risico nemen.'

'Hé, schoonheid, is de interesse weg? Ik heb een foto nodig voor een vergelijking met een aantal van de klassieke vondsten in Mithrastempels. Ik kan mijn nek niet uitsteken als ik niet zeker ben.'

'Je kunt je nek niet uitsteken zonder dat míjn kop gaat rollen,' merk ik op. 'Als iemand erachter komt dat wij vandaag beneden zijn geweest, word ik geheid ontslagen.'

Het is een onmogelijke situatie. Als we bekendmaken wat we hebben gezien, raak ik mijn baan kwijt omdat ik zonder toestemming iemand mee onder de grond heb genomen. Ik zou mijn carrière kunnen vergeten! Het is het soort zonde dat het op je cv niet goed doet. Maar zonder mijn baan wordt de tauroctony nooit gevonden.

'Is het een tauroctony?' vraag ik Martin gespannen wanneer we teruglopen naar de auto. 'Ben je er absoluut zeker van?'

Martin snuift. 'Ik kan er alleen zeker van zijn als ik een goede vergelijking kan maken. Maar ik denk dat het er een is. Het enige probleem is...' Hij trekt zijn neus op alsof hij iets viezigs ruikt. '... het mithraïsme is een soldatencultus. Een heel oude cultus in Perzië, die misschien wel van veertienhonderd voor Christus dateert, maar die door het Romeinse leger is meegenomen en door het Romeinse Rijk is verspreid. Alle Britse Mithrastempels worden met garnizoenen in verband gebracht... er waren er verscheidene bij de Hadrianuswal. Maar niets wijst erop dat het Romeinse leger ooit echt in Bath aanwezig is geweest.'

'Hoe bedoel je? We hebben hier toch zeker de Romeinse baden? Het Romeinse leger móét hier wel tijdens zijn invasie langsgekomen zijn.'

'De Romeinen hebben in deze omgeving niet veel tegenstand ontmoet. Ze zijn waarschijnlijk langs Bath getrokken en rechtstreeks naar de Mendips gemarcheerd – ze hebben de lood- en zilvermijnen daar rond

43, 44 na Christus overgenomen, slechts enkele jaren na de invasie. Uiteindelijk werd Bath een religieus centrum en een kuuroord, maar tegen die tijd was alles alweer pais en vree. En het mithraïsme werd pas veel later populair. In de tweede of derde eeuw.'

We zijn bij de auto gekomen en ik druk op de automatische ontgrendeling. Ik begrijp echt niet waarom het onmogelijk zou zijn. Hoewel ik begin te begrijpen waarom Dickon bleef volhouden dat ik me vergiste ten aanzien van de inscriptie. 'Maar er moeten hier toch soldaten zijn geweest, al was het alleen maar om van hun oude oorlogsverwondingen te genezen.'

Martin werpt me die blik toe die zegt dat ik niet weet waar ik het over heb. 'En dan nog iets. Er is geen enkel betrouwbaar bewijs dat de Romeinen steen uit Green Down hebben gehaald. Het is min of meer geaccepteerd dat ze steen hebben gehouwen in Bathampton Down, maar elke expert die ik deze week heb gesproken, zegt dat het vrijwel zeker open steengroeven zijn geweest, dat ze er nooit ondergronds voor zijn gegaan.'

Ik stap in en gooi het portier chagrijnig dicht. 'Maar als ze geen steen hebben gehouwen in Green Down, en als er verdomme geen soldaten waren en dus geen Mithrastempel, wat doet een tauroctony dan als steun voor een muur onder de grond?'

'Ik heb geen idee, Kit. Ik zal zelf een beetje moeten gaan graven.' Hij stapt in en steekt zijn vinger wantrouwig naar de cd-speler uit. 'Kunnen we nu Brian Ferry draaien?'

'Ik heb Brian Ferry niet in de auto liggen. Hij is gereserveerd voor avonden waarop ik sentimentele herinneringen heb aan de tijd dat Nick aardig voor me was. The Clash?'

'Als het niet anders kan!'

Ik moet de cd erin stoppen, want Martin doet niet aan technologie tenzij die een paar duizend jaar oud is. We gaan op weg naar Turleigh. Martin staart uit het raam, kauwend op zijn wang, een teken dat hij in diep archeologisch gepeins is verzonken.

Het is nog maar vier uur, maar volgens Martin kost het hem minstens tweeënhalf uur om het eten klaar te maken en is het dus tijd om daarmee te beginnen. Dus we gaan dan ook in de keuken zitten, en terwijl hij dingen hakt en ik op mijn laptop het internet afzoek naar tekeningen van tauroctony's om te kunnen vergelijken, valt langzaam de winterse schemering in.

'Waar is je knoflookpers?'

'Je denkt toch niet dat ik die heb. Altaarsteen? Klinkt dat goed? O nee, dat is grotendeels tekst. *Deo Invicto Mith...* nee, *Mitrae M.-een-of-andere-simpele-ziel-vslm.*

Hij komt over mijn schouder kijken. 'Marcus Simplicius Simplex, wie dat ook moge zijn, heeft zijn gelofte aan de god ingelost.' De geur van citroenschil komt van Martins vingers terwijl hij ze door de lucht zwaait. 'Ze verwijzen altijd naar Mithras als *invictus*, onoverwonnen. Daarom vonden soldaten hem geweldig. Het had allemaal te maken met moed en waarheid, eer en discipline. Hij was echter ook populair bij marginale sociale groepen, zoals vrijgemaakte slaven en kooplieden.'

'Zie je wel... dat zei ik toch. Er moeten hier vrijgemaakte slaven en kooplieden zijn geweest, dus waarom zou er geen Mithraeum in Bath zijn?'

Hij legt zijn schilmesje neer. 'Omdat er in Groot-Brittannië nooit een gevonden is behalve in een garnizoensstad. Er is er een in Londen, er zijn er verscheidene langs de Hadrianuswal, er is er een in Segontium, in Noord-Wales waar het altijd één smeltkroes van rebellie was. Oké...' hij pakt het grotere mes en begint peterselie te hakken, '... ik geef toe dat het niet onmogelijk is, maar...'

'Maar wat?'

'Het maakt het wel heel moeilijk om vooraanstaande wetenschappers ervan te overtuigen dat er hier een geweest kan zijn. Goed, als ik zeg broodkruim, dan weet jij toch wel een brood voor me te vinden, hè?'

'Wat ben je aan het maken?'

'Dat is geheim. De verborgen kennis van de man, die niet gedeeld wordt met de vrouw. Net als het mithraïsme. Net als vrijmetselarij.'

Ik vind het fijn dat Martin hier bij me is, in deze warme lichtbruine keuken die gezellig naar geperste knoflook en gebakken uien geurt. Ik vind het heerlijk als hij voor me kookt.

'Ze noemden de steenhouwers in de groeven vrijmetselaars,' zeg ik, 'omdat ze vrije steen in blokken zaagden.'

'John Wood, die de Royal Crescent heeft ontworpen, was een achttiende-eeuwse vrijmetselaar,' zegt Martin. Met een hoofdletter V. Daardoor heeft hij het waarschijnlijk goed gedaan in zijn leven. Een arme jongen die zo verstandig was de juiste contacten te leggen.'

Het dringt tot me door dat ik weer naar een afbeelding van Noddy kijk op de computer. 'Hé,' zeg ik, 'het is niet dezelfde afbeelding. Maar wel dezelfde vent. Met zijn muts.'

Martin buigt zich naar me toe en tuurt naar het scherm. 'O ja,' zegt hij. 'O, ja! Dat is hem. Mithras, oprijzend uit de Levende Rots.'

Het is een schildering, vervaagd door ouderdom, op een gepleisterde muur. Hij draagt een mantel, tuniek en broek. Er zitten verbleekte sporen rood in de mantel en zijn gezicht is glad en wit. Hij houdt een toorts in zijn ene, en een zwaard in zijn andere hand. Rond zijn hoofd is een stralenkrans.

'Die stralen zijn vast door en door in een holle nis in de muur gekerfd,' zegt Martin. 'Daar hebben ze vervolgens een brandende lamp in gezet. Wel indrukwekkend. De herboren god, oprijzend achter het altaar, met een halo van flakkerend licht.'

Het doet me ergens aan denken. Iets dieps en primitiefs, dat samengaat met wierook en chanten gezang.

'Is het niet een beetje als... nou, een kerk?'

'Ja, nou, mensen hebben Mithras van alles toegeschreven,' zegt Martin. 'Het is een cultus met een verlosser, offer en wedergeboorte. Hij heeft zelfs een Laatste Avondmaal genoten. Maar anderen zeggen dat hij Lucifer was. Vuur, dageraad, de ochtendster. De huidige theorie is dat het allemaal te maken heeft met astrologie. Doordat het een mysteriecultus is, kun je er eerlijk gezegd alle kanten mee op. Er is nooit iets over opgeschreven. Het meeste van wat we weten komt van de iconografie – wandschilderingen zoals die, inscripties, altaarstenen, votiefoffers. Zie je die twee kerels aan weerszijden van hem?'

In de schildering zijn ze net te zien, twee figuren in een lang gewaad en een toorts. De ene houdt zijn toorts omhoog, die van de andere wijst omlaag.

'Cautes en Cautopates,' zegt Martin. 'De tweeling. Ze vertegenwoordigen het opgaan en ondergaan van de zon, of hoop en verdriet.'

Ik ken die twee. Een opdringerig stel; als je ze eenmaal hebt ontmoet, blijven ze maar terugkomen. Ik kijk uit het raam. Cautopates heeft zijn werk gedaan: de zon is al achter de heuvel aan de andere kant van het dal gezakt, koude, nevelige duisternis marcheert vanaf de rivier de velden op en onverschrokken sterren verschijnen aan een ijsblauwe hemel. Ik sta op en trek de gordijnen dicht. Dat is genoeg mithraïsme voor vanavond. Maar Martin staart nog nadenkend naar het scherm. 'Het zou geweldig zijn als daar een tempel was,' zegt hij. 'Echt geweldig! Heel, heel bijzonder.'

'Met een heel, heel grote massa beton die er elk moment in gepompt kan worden.'

'Dat kunnen ze niet doen. Dat zouden ze niet doen als wij zouden bewijzen dat daar een tempel is.'

Ik ben er niet zo zeker van. Ik denk dat ze het desondanks zouden doen. Maar dat zeg ik niet. Ik breng hem een boterham, mijn dienaressenoffer, en kijk toe hoe hij hem verkruimelt voor de vulling. Er ligt een afwezig glimlachje op zijn gezicht bij de gedachte aan de roem van het vinden van zijn eigen onontdekte Mithrastempel.

Het eten, dat uit gevulde eend en rollade met een saus van paddenstoelen en salie blijkt te bestaan, staat in de oven te sudderen, waardoor in mijn keuken een geur van een gelukkig gezinnetje hangt. Misschien zou ik Martin eens moeten vragen of hij me kookles wil geven. Hij ligt languit op de bank, met een raar klein brilletje dat ik nooit eerder heb gezien op de punt van zijn neus, opgravingsrapporten te lezen die hij heeft gedownload. Ik nip van mijn wijn en vraag me af waarom mannelijke religies altijd over eer lijken te gaan.

'Waarom denk je dat je vader dat zei, over trouwen met mij?' vraag ik.

'Mmm?' Martin duwt zijn bril hoger op zijn neus, beseft dat hij me daardoor bepaald niet beter kan zien, en duwt hem zo ver omlaag dat hij bijna van de punt valt. 'Ik kan maar niet wennen aan die rotbril. Zie ik er met dat ding slimmer uit? Of meer als een trieste ouwe nicht? Geef daar maar geen antwoord op. Waarom had hij niet gewild dat ik met een aardige meid zou trouwen?'

'Ja, maar...' Ik probeer de vinger te leggen op wat me er vreemd aan lijkt, ook al had Martins vader geen idee van zijn zoons seksuele voorkeur. 'Waarom dacht hij in godsnaam dat ik een aardige meid was. Ik heb hem... hoe vaak, twee keer ontmoet? En de eerste keer was ik nog stevig getrouwd met Nick.'

'Eigenlijk denk ik dat dat het was,' zegt Martin. 'Hij vond dat Nick en jij niet bij elkaar pasten. Hij zei tegen me: waarom is ze in 's hemelsnaam met die nietsnut van een Nick Parry getrouwd? Ze heeft een aardige jongen als jij nodig, zoon.'

'Hij wilde je dus wel opofferen.'

'Nee, suffie, hij moet hebben gedacht dat het ook voordelen voor mij zou hebben. Maar hij mocht zich graag een beetje in het leven van anderen mengen, en hij was er ook goed in om ze samen te vatten. Zoals... nou, nee.'

'Zoals wat?'

'Nee, ik dacht aan iets anders wat hij heeft gezegd. Dat is nu niet aan de orde. Dat komt wel een keer.'

Ik zou erop door zijn gegaan, als de deurbel niet was gegaan. Dat is onverwacht. Ik zou niet weten wie bij me langs zou kunnen komen. Halfzeven op een zaterdagavond is een beetje al te enthousiast voor iemand die wat te verkopen heeft of Jehova's getuigen; misschien is het een van de buren, die zich komt voorstellen.

Het is Gary.

Hij staat op de stoep, beweegt heel licht van zijn ene been op het andere, als een atleet die zich voorbereidt op de aanloop voor het hoogspringen, en heeft een bos bloemen in zijn ene en een fles wijn in zijn andere hand. Hij draagt deze keer niet zijn mooie pak, maar een net zo netjes geperste zwarte spijkerbroek en een lichtblauwe kasjmier trui met ronde hals. Er is een zwakke, discrete geur van aftershave en alles aan hem schreeuwt ik-doe-heel-hard-mijn-best. Hij vertedert me.

'Hallo,' begint hij, 'ik dacht ik ga even langs om je te verwelkomen in je nieuwe...' En dan ziet hij Martin.

De voordeur geeft rechtstreeks toegang tot de woonruimte, die een open verbinding heeft met de keuken, dus zweven die heerlijke geuren van het gelukkige gezinnetje recht naar Gary's neus, terwijl hij tegelijkertijd Martin met zijn schoenen uit op de bank ziet liggen. Het is waar, Martin houdt een archeologisch rapport in zijn hand – laat het zachtjes zakken, Martin, laat Gary niet zien dat er in vette letters 'Mithrastempel' boven staat – maar hij heeft het zichzelf gemakkelijk gemaakt op een manier die suggereert dat ik net voordat ik opstond mijn vingers door zijn borsthaar heb gehaald, dat net boven zijn niet dichtgeknoopte kraag uit krult. De situatie verslechtert wanneer Martin zijn truc met de bril weer uithaalt, want hij kan Gary niet duidelijk zien en in plaats van eruit te zien als een trieste ouwe nicht heeft hij veel meer weg van een robuuste, heteroseksuele, intellectuele alfaman die meneer bèta de maat neemt omdat hij het lef heeft gehad een bezoek aan zijn vrouw te brengen.

'O,' zegt Gary. 'O, het spijt me. Je hebt gezelschap.' En het verscheurt mijn hart.

'Kom binnen,' zeg ik veel te hartelijk, en ik hoor mezelf klinken als de Opgewonden Gastvrije Huisvrouw, met het eten in de oven en het sperma van de meester in haar mond. 'Echt, kom binnen. Laat me die in het water zetten...' Verdomme, verdomme, ik maak het alleen maar erger. 'Drink een glas wijn. Het is geen gevrey chambertin, sorry...'

Martin, die gewend begint te raken aan het idee van een bril als mannelijkheidssymbool, laat hem weer van zijn neus zakken en trekt zijn wenkbrauwen op alsof hij wil zeggen: gevrey chambertin? Waar heb je het over? Dat is dure drank voor sufferds die niets van wijn afweten.

Gary stapt als een robot over de drempel en biedt me de bloemen aan, maar houdt de wijn in zijn hand geklemd alsof hij ervan overtuigd is dat ik bij het zien van het etiket in lachen zal uitbarsten.

'Heerlijk,' zeg ik terwijl ik hem de fles ontfutsel. 'Ooo, heerlijk. Rioja.

Geweldig. Fantastisch. Daar ben ik dol op. Nietwaar, Martin?' Verdomme. 'O, hemel, ik vergeet mijn manieren. Laat me je voorstellen. Martin, een oude vriend...' Martin duwt de bril weer omhoog; hij probeert eruit te zien als Eric Morecambe, denk ik, maar het enige resultaat is dat hij nu een agressief bezitterige indruk maakt. 'En Martin, dit is Gary. Van het werk. De voorman. Van de vindplaats, bedoel ik.'

'En wat doe jij, Martin?' zegt Gary beleefd.

'Ik ben docent archeologie,' zegt Martin. Dan ziet hij mijn uitzinnige gezicht achter Gary, dat hem duidelijk probeert te maken dat hij geen enkele informatie moet geven die Gary ook maar een vermoeden zou kunnen geven van onze kleine expeditie onder de grond. Een verbaasde uitdrukking glijdt over zijn gezicht. Dan snapt hij het. 'Ik ben gespecialiseerd in... o, van alles. Veel paleolithisch werk, uiteraard.'

'Paleolithisch, juist,' zegt Gary, deze keer zo beleefd dat hij duidelijk geen idee heeft wat Martin bedoelt.

'Dat is natuurlijk de oude steentijd. Maar ik neem aan dat je dat wist. Hoewel, waarom zou je dat eigenlijk weten?' Verlegenheid is besmettelijk. Martin heeft er nu last van, merk ik, maar voor iemand die hem niet kent, ziet hij eruit als een opgeblazen zak.

'Natuurlijk,' zegt Gary instemmend. Hij staat daar en ziet er hulpeloos uit, alsof ik hem met de bloemen en de wijn van zijn mannelijkheid heb beroofd.

'Ga zitten, Gary. Rood of wit? We hebben ze beide open.' Ik ga tekeer als een kapotte paraplu in een storm. 'Martin is een weekendje op bezoek.' Tenzij ik zeg: ik denk dat hij meer geïnteresseerd is in jouw kont dan de mijne, weet ik niet hoe ik de aard van onze relatie duidelijk kan maken.

Maar wat doet Martin? O, god. Hij doet zijn best om te helpen. Hij doet zijn vader, de dominee. Hij doet: *ik hoop dat je bedoelingen met deze jongedame eerbaar zijn, jongeman.* Het probleem is dat het er niet uitziet alsof hij dat doet. Het ziet eruit alsof hij: *sodemieter op, ze is van mij* doet.

'Luister,' zegt Gary. 'Ik verstoor jullie avond. Het spijt me. Ik kan beter gaan.'

'Nee,' roept Martin, veel te overdreven. Hij had net zo goed kunnen schreeuwen: *Ja! Ja! Alsjeblieft, ga weg!* 'We hebben verder geen plannen. Blijf toch eten. Ik weet zeker dat we genoeg hebben voor drie.' Hij bedoelt dat hij tegen een andere man wil opscheppen over zijn kookkunst, maar dat kan Gary niet weten.

'Nee, echt. Ik kwam de wijn en de bloemen alleen brengen als een housewarmingcadeautje. Ik moet sowieso weg. Een ander weekend misschien.' Hij beweegt zich al in de richting van de deur. Net wanneer hij hem opent, ben ik bij hem.

'Gary, dat is echt heel aardig van je.' Ik wil dat onze ogen weer in elkaar verstrikt raken, maar hij weigert me recht aan te kijken. 'Eerlijk, ik vind het echt heel aardig dat je me de wijn en de bloemen hebt gebracht. Dank je.'

'Graag gedaan, Kit,' zegt hij, en heel even krijg ik een flits van die blauwe ogen, maar hij houdt mijn blik niet vast, en dan loopt hij de straat op, zijn handen in de zakken van zijn spijkerbroek, zijn schouders gebogen, en zonder naar me om te kijken loopt hij onder Turleighs enige straatlantaarn door naar zijn jeep. Die lijkt er anders uit te zien. God, hij heeft hem schoongemaakt! Ik zie nu pas dat hij groen is.

'Jezus, je bent een ramp, liefje,' zegt Martin wanneer ik terug ben in de kamer.

'Een ramp? Moet jij nodig zeggen. Je hebt die arme stakker de stuipen op het lijf gejaagd met die truc met je bril.'

'Ik weet niet wat je bedoelt. Ik heb die bril nodig. Ik lijd aan verziendheid.'

'Je lijdt aan een ernstige vorm van academisch snobisme.'

'En jij bent helemaal weg van hem.'

'Dat is toch niet zo duidelijk te merken?'

'Niet voor hem. Waarom heb je hem niet gekust?'

'Hem gekust?'

'Ik heb het niet over tongzoenen. Gewoon een kusje op de wang, als bedankje voor de bloemen. Meer was niet nodig.'

Ik doe niet aan dat soort kussen. Ik raak mensen niet gemakkelijk aan. Martin weet dat, want wij kussen nooit; we omhelzen elkaar zelden.

Hij kijkt naar me met een vreemd soort bezorgdheid in zijn ogen.

'Je bent soms zo'n domkop,' zegt hij. 'Als jij hem niet wilt, trek je dan terug. Hij weet zich niet echt te kleden, maar hij heeft een geweldig stel borstspieren.'

Eerlijk is eerlijk. Na het eten mag Martin op de laptop en doe ik de afwas, staande aan de gootsteen en uitkijkend over het terras, want ik heb de makelaar nog steeds niet verteld dat de vaatwasser stuk is.

Terwijl ik de ovenschaal schoonboen, vang ik buiten in de donkere tuin een beweging op, niet meer dan een flits, iets wits als een gezicht voorbij het terras, op de plaats waar de appelboom zijn knoestige armen naar de maan opheft. Ik tuur met een onbehaaglijk gevoel door het raam, tot ik besef dat het mijn eigen weerspiegeling in het glas was;

wanneer ik naar de schuurspons grijp om weer te gaan boenen, zie ik het opnieuw. Wanneer mijn trouwring het licht vangt, ziet het er precies uit alsof zich iemand schuilhoudt onder de boom, iemand die me gadeslaat en zich dan snel terugtrekt voor het geval hij is gezien.

Ik weet wie het is. Het is Katie. Ik heb altijd geweten dat ik haar onder ogen zou moeten komen als ik terug zou gaan.

Ik ben er nog niet aan toe. Ga weg.

18

We ontmoetten elkaar op het station in Bath. Ze zei dat ze me zou ophalen met haar grote stationcar, maar ik wilde niet dat ze bij ons thuis zou langskomen voor het geval iemand het zou zien en aan mijn vader zou vertellen.

Ik wachtte bij het kaartjesloket toen ik haar zag aankomen. Ik wist dat zij het was, al van een afstand, door de lichtbeige linnen jurk en de lange sjaal. Haar benen deden iets raars maar elegants onder het lopen: ze zette elke voet precies voor de andere, waardoor haar heupen zwaaiden en haar benen heel lang leken. Ze droeg sandalen met lage sleehakken en aan haar schouder een enorme strooien tas met leren banden. Afgezien van de sjaal en haar lippenstift was alles in tere, neutrale kleuren, maar ze zag er twee keer zo levendig uit als Janey Legge in haar violette en gele tinten en haar ruches.

Mijn hart klopte in mijn keel. Dit was angstaanjagend. Kon ik er wel mee doorgaan? Door de gedachte aan de dag die voor me lag en wat ik zou kunnen ontdekken, had ik nauwelijks geslapen.

'Het spijt me,' zei ik toen ze bij me was, 'maar zou u mijn kaartje kunnen betalen, ik heb me niet gerealiseerd dat het zo duur was.'

'Ik was toch al van plan het te betalen,' zei mevrouw Klein. 'Lieve hemel, Katie, ik ben degene die erop stond dat we dit zouden gaan doen.' Ze liep al naar het loket.

'Ik betaal u terug.'

'Doe niet zo mal.'

'Eerlijk,' protesteerde ik.

'Ik trakteer,' zei ze resoluut over haar schouder. 'En ik trakteer echt. Ik ga hiervan genieten.' Er was een glinstering in haar ogen, iets hards. Ze was een vrouw met een missie. 'Twee kaartjes tweedeklas naar Paddington, alstublieft.'

'Kan uw dochter op een kinderkaartje?' vroeg de man achter het glas.

'O hemel. Kan dat, Katie? Ik weet niet meer wanneer je jarig bent.'

De man achter het glas keek lichtelijk bevreemd naar mevrouw Klein.

Nee, zei ik vastberaden. 'Ik moet op een volwassenenkaartje.'

Het duurde nog een paar weken voordat ik veertien zou worden, maar wat mij betrof was ik volwassen.

Mijn benen voelden onvast toen we de naar pis ruikende, stenen trap beklommen, en op het perron kwamen. De rails strekten zich in een enorme bocht weg van het station en richting Londen. Richting mijn moeder, hoopte ik. Of op zijn minst richting een idee van waar ze was.

Toen ik haar belde, de dag nadat ik ongesteld was geworden, had mevrouw Klein helemaal niet verbaasd geleken over mijn vraag of ze me kon helpen mijn moeder te vinden.

'Een heel goed idee, Katie,' zei ze. 'Het kan even duren voordat we haar vinden, maar het zal het beste zijn wat je ooit hebt gedaan.'

De plek om te beginnen, zei ze, was het bevolkingsregister. Als we één aanknopingspunt vonden, konden we een heel eind komen om mijn moeder op te sporen door na te gaan of ze was hertrouwd.

'Wat voor aanknopingspunt?' vroeg ik.

'Ah,' zei mevrouw Klein. 'Ah. Dat hangt ervan af. Maar hé, we komen er wel. Probeer zo veel mogelijk uit te vinden over je moeder. Volledige naam. Meisjesnaam. Geboortedatum. Namen van ouders. Adres van ouders. Dat soort dingen, alles helpt.'

'Maar haar ouders zijn gestorven,' zei ik. 'Die waren al dood voordat ik geboren werd.'

'Alles helpt,' zei mevrouw Klein, en ze klonk een beetje boos. 'Alles helpt.' Haar stem werd opgewekter. 'We moeten natuurlijk naar Londen. Alle registers worden bewaard in St Catherine's House.'

Ik was maar één keer in Londen geweest, op een dagtochtje met mijn vader. 's Morgens waren we naar Madame Tussaud en het Planetarium gegaan en 's middags naar het Natuur Historische Museum om naar fossielen te kijken.

'Na het bevolkingsregister kunnen we naar South Kensington gaan,' vervolgde ze. 'Harrods en Harvey Nicholls. Of Bond Street en Fenwicks. Ik ben dol op Fenwicks.' Ik meende een zuchtje te horen aan haar kant van de telefoonlijn. 'Trish is nog bij haar grootmoeder in Londen, maar ik heb eerlijk gezegd een bloedhekel aan Roberts moeder. Je vindt het toch niet erg als we ze niet laten weten dat wij naar Londen gaan?'

Maar hoe moest ik dat ene aanknopingspunt vinden, wat dat ook mocht zijn? Ik doorzocht de laden van de kaptafel in de slaapkamer aan de voorkant, maar ik vond geen brieven of documenten die konden helpen. Mijn moeder moest alles hebben meegenomen toen ze wegging. Ik stak de straat over naar mevrouw Owen.

'Je ziet nog steeds pips,' zei ze, terwijl ze een van haar glanzend witte keukenkasten opende om de koektrommel te pakken. 'Weet je zeker dat je niet ziek bent? Ik legde niet uit hoe het kwam dat ik nog bleek zag. Ik voelde me ook behoorlijk volwassen omdat ik haar niet vertelde dat ik ongesteld was geworden.'

Ze was de enige hoop die ik had om meer over mijn moeder te weten te komen. Mevrouw Owen had de meedogenloze nieuwsgierigheid van een roddeljournalist. Wanneer er nieuwe mensen in de straat kwamen wonen, stond ze onmiddellijk voor de deur met een halfje melk en een kopje suiker – 'Voor het geval jullie aan een kop thee toe zijn voordat je gaat uitpakken' – en gewapend met een hele lijst vragen om achter hun antecedenten en sociale status te komen. Als iemand wist waar mijn moeder vandaan kwam, was zij het.

'Ik wil echt iets over haar weten,' zei ik, terwijl mevrouw Owen de kopjes op tafel zette. 'Ik bedoel, stel dat ze op een dag naar mij gaat zoeken. Wat voor dochter zou niet iets over haar moeder willen weten?'

Mevrouw Owen zuchtte en nam een koekje. 'Je bent niet van plan dit los te laten, hè, kindje?' zei ze.

'Nou, zeg maar met wie ik anders over haar kan praten.'

'Ze was natuurlijk veel jonger dan ik,' zei mevrouw Owen, alsof ik dat misschien niet had bedacht. 'En ze was erg op zichzelf. Jij was nog heel klein toen jullie hier kwamen wonen – ik denk dat je in datzelfde jaar was geboren...'

We waren op weg. Ik doopte een zandkoekje in mijn thee en wachtte op de rest van het verhaal.

Het eerste wat mevrouw Klein deed toen we ons eenmaal in de trein hadden geïnstalleerd, was een sigaret opsteken en ze stak hem geroutineerd aan. Ze zag mijn verbaasde blik.

'Niet aan Trish vertellen,' zei ze. 'Thuis rook ik nooit. Rob vindt het vreselijk. En het is een slecht voorbeeld. Begin er nóóit aan.'

'Natuurlijk niet,' zei ik braaf.

De trein schokte even en reed weg van het station. Ik keek uit het raam om Bath voorbij te zien komen, maar mevrouw Klein had al een notitieboekje uit haar enorme tas gehaald. 'Barst maar los,' zei ze. 'Wat heb je ontdekt?'

Het was niet veel. Mijn vader had mijn moeder ergens eind jaren vijftig leren kennen, waarschijnlijk in een danszaal in Bristol. En mevrouw Owen had zich eindelijk herinnerd waarom haar naam haar aan een auto deed denken.

'Haar meisjesnaam is Trumper,' zei ik. 'Haar voornaam was misschien Katherine. Kitty, als roepnaam.'

'Katherine met een K of een C?' vroeg mevrouw Klein terwijl ze het opschreef. 'I-N-E of Y-N?'

Dat wist ik niet. Ik was nergens zeker van. Mevrouw Owen had zich een gesprek van dertien jaar geleden herinnerd. Maar Trumper was een ongewone naam, en het was hoopgevend dat ze zich die naam zo goed herinnerde.

'Geboortedatum?' vroeg mevrouw Klein.

'Het spijt me. Volgens mevrouw Owen was ze halverwege de twintig. Niet ouder dan vijfentwintig of zesentwintig.'

'Hmm,' zei mevrouw Klein. 'Twijfelachtig. Verder nog iets?'

'Haar beide ouders zijn in de oorlog omgekomen, bij een bombardement. Ze is grootgebracht door haar oma. Zij kwam uit Bedminster,' voegde ik eraan toe. 'In Bristol. Maar het adres weet ik niet. Ze was niet erg lang, zoals ik, zei mevrouw Owen.'

'Dat is mooi,' zei mevrouw Klein dapper. 'Heel bruikbaar.' Ik kon aan haar stem horen dat het niet zo was. 'Maar goed, ze heet in elk geval niet Smith of Brown.'

Vlak voordat we Londen binnenreden, sloegen lange, grijze strepen regen diagonaal over de ramen. Het was de eerste regenbui in weken, maar die nam de hitte niet weg; toen we op Paddington uitstapten, was de lucht zwavelachtig en dampig. We namen de metro naar Holborn, waar mevrouw Klein een opvouwbare paraplu uit haar tas haalde. Hij paste precies bij haar roodachtige sjaal. Had ze er soms een heleboel, in verschillende kleuren, passend bij al haar kledingstukken?

St Catherine's House was een groot gebouw op de hoek van Kingsway en Aldwych. Alles leek twee keer zo groot als normaal. Verkeer raasde voorbij, kwam met tegenzin tot stilstand voor het zebrapad, en zoefde weer verder. Mijn hart begon weer te bonzen toen mevrouw Klein door een draaideur de hal binnenliep. Het wemelde er van de gewichtige mannen in portierachtige uniformen, die daar heen en weer beenden. Mevrouw Klein marcheerde recht langs hen heen. Ze leek precies te weten waar ze moest zijn.

Het was een grote ruimte, als een bibliotheek, maar hij deed me denken aan de tijdmachine van Doctor Who, maar dan andersom, want er was amper ruimte om je te bewegen en hij leek daardoor klein en benauwd. Aan de andere kant stonden groene, stalen kasten vol grote boeken, en daartussen waren rijen houten lessenaars waaraan mensen in meer van die lijvige boeken stonden te bladeren. Tussen de boekenkasten en de lessenaars was nauwelijks ruimte, en elke lessenaar was bezet. De meeste mensen in het vertrek waren ouder, afgezien van een

paar jong uitziende mannen in sjofele pakken, die hun vingers razendsnel over de bladzijden lieten gaan en zo nu en dan iets in een multo-
mapje krabbelden. Het stonk er naar natte wol en droog, broos papier,
zweet en verschaald oudedamesparfum.

'Oké, diep ademhalen,' zei mevrouw Klein. 'Duik erin.'

Ik begreep wat ze bedoelde toen we bij de kasten kwamen. Het leek
uiteindelijk helemaal niet op een bibliotheek. Een horde ongemanier-
de groep mensen vocht om de boeken. Vrouwen van middelbare leeftijd
zetten hun ellebogen in de goed bedekte ribben van stevig gebouwde oudere heren om als eerste bij een plank te zijn, en ik zag een kranige oude dame met wit haar een boek ontfutselen aan een jongere man in een
vochtige regenjas.

'Het spijt me,' zei ze tegen hem, 'maar ik heb de hele ochtend al gewacht op het derde kwartaal van 1869.'

Ik begreep het. Ik voelde me ook heel sterk, klaar om iedereen te
weerstaan die tussen mij en de boeken zou komen, want ergens in die
boeken was mijn moeder te vinden. Wij leverden onze bijdrage aan het
ellebogenwerk en kwamen ten slotte uit bij een relatief rustig gedeelte,
1930 tot 1940.

'Hier lukt het wel,' zei mevrouw Klein. 'De meesten van hen doen
onderzoek naar de geschiedenis van hun familie en zijn dus alleen geïnteresseerd in de negentiende eeuw, de tijd waarin hun grootouders zijn
geboren. We moeten misschien nog een paar notarisklerken bevechten
die op zoek zijn naar ontbrekende erfgenamen, maar verder zullen we de
twintigste eeuw grotendeels voor onszelf hebben.'

Mijn buik zat vol vechtende slangen.

'Sorry,' zei ik. 'Ik moet eerst even naar de wc.'

In het wc-hokje van het damestoilet liet ik mijn hoofd tegen de deur
rusten. Het grijze formica was koel tegen mijn warme huid. Even vroeg
ik me af of ik moest overgeven, maar de misselijkheid ging net als de vorige avond voorbij. In mijn zak had ik de ammoniet die mijn vader me
had gegeven. Ik liet mijn vingers over de ribbels glijden en telde de hob-
bels om te kalmeren. Ik trok door, waste mijn handen en ging terug naar
mevrouw Klein tussen de boekenkasten.

Het geboorteregister was gebundeld in boeken met rode omslag. Het
huwelijksregister in boeken met groene omslag, en de sterfgevallen waren zwart. Er zat een greep aan de rug van de boeken, zodat je ze van de
planken kon trekken, en elk boek bevatte één kwartaal voor het hele
land, lange namenlijsten in alfabetische volgorde. Mevrouw Klein had
besloten dat we ruim voor de Tweede Wereldoorlog moesten beginnen
met het zoeken naar mijn moeders geboortedatum, voor het geval me-

vrouw Owen haar leeftijd verkeerd had geschat.

'Voorzichtig,' zei mevrouw Klein toen ik mijn armen uitstrekte om het rode boek voor januari tot en met maart van 1930 van de plank te trekken. 'Ze wegen een ton.'

Ik vroeg me af hoe de oude dames dat deden. Ze moesten spieren als kogelstootsters hebben. We gingen terug door vijftien jaar van geboorten om die van mijn moeder te vinden; met vier kwartalen per jaar betekende dat vier keer vijftien, dus zestig boeken in totaal. Zestig! Hoe lang zouden we daarmee bezig zijn? Ik had niet beseft hoeveel werk eraan vastzat. De enige troost was dat mevrouw Klein heel snel door elk register bladerde. We hadden geen lessenaar weten te bemachtigen, dus hurkte ze in een hoek aan het eind van de kasten neer en balanceerde de zware boeken op haar knieën. Zo nu en dan kwam er iemand langslopen die bijna over haar struikelde. Het was mijn taak om de boeken te brengen en weer op te halen. Ik bracht haar twee delen tegelijk, die ik bij de handvatten droeg. Na een paar keer heen en weer lopen, was ik ervan overtuigd dat mijn armen tot gorillalengte waren opgerekt.

Ik begreep nu hoeveel geluk we hadden dat mijn moeders naam Trumper was. Namen als Smith gingen rij na rij door. Maar er waren nooit meer dan een stuk of tien Trumpers, verspreid door het hele land. Soms stond er geen Trumper in.

'Waarom moeten we met haar geboorte beginnen?' vroeg ik. Een oudere man, die waarschijnlijk per ongeluk in de twintigste eeuw was beland, fronste afkeurend zijn wenkbrauwen. Ik dempte mijn stem. 'Dat kost heel veel tijd. Kunnen we niet gelijk naar de huwelijken gaan?'

'Zo krijgen we de benodigde details die we nodig hebben waarmee we er zeker van zijn dat we het juiste huwelijk vinden. Dan weten we haar precieze geboortedatum, haar tweede naam en de namen van haar ouders. Tenslotte heette ze geen Trumper meer na haar huwelijk met je vader. Ze zou in haar tweede huwelijksakte geregistreerd kunnen staan als Carter, gescheiden, en er zijn veel meer Carters dan Trumpers, dus hebben we de geboortedatum nodig om zeker te zijn.'

Carter, gescheiden. Ik had mijn vader nooit als een gescheiden man gezien. Hij had het er nooit over gehad. Ik wist niet goed wat ik vond van het idee dat ze een andere man had. Ik wilde dat ze vrij was om terug te komen bij mijn vader, maar hoe moest ik haar anders vinden als ze niet getrouwd was? Mevrouw Klein zei dat ze misschien in de kiesregisters te vinden was, maar dat was lastiger. Daarvoor moest je weten waar ze woonde en naar die stad gaan.

'Hoe weet u dat allemaal?' vroeg ik.

Ze boog zich over de inhoudsopgave alsof ze bang was de plek op de bladzijde kwijt te raken.

'Ik heb Roberts stamboom uitgezocht,' zei ze. Maar dat was vreemd, want Trish had me verteld dat haar joodse grootouders in de jaren dertig uit Duitsland naar Engeland waren gevlucht, dus waarom zou mevrouw Klein de familie van haar man in de Engelse geboorteregisters hebben opgezocht?

Er waren maar weinig ramen en er kwam nauwelijks zon binnen. Groezelige fluorescerende vierkanten wierpen een ziekelijk licht. De airconditioning zoemde en piepte, maar bracht de lucht niet in beweging. Ik liep terug naar de boekenkasten en haalde meer banden. Een vrouw met dof zilvergrijs haar en een behaarde kin zocht haar weg langs de stapel en glimlachte naar me. Ze liep door, een grijze fluistering in haar chiffon bloes en flanellen rok.

Ik liep terug naar mevrouw Klein met het volgende kwartaal. Op de punt van haar neus stond een bril met halvemaanvormige glazen op de punt van haar neus.

'Gevonden,' zei ze met een lage stem, en ze draaide het boek naar me toe. 'Kijk eens. Dat is je moeder.'

Ik legde mijn vinger aan het begin van de rij onder TRUMPER. Ik beefde. Mijn vinger was onvast terwijl ik langzaam de lijst met namen afging. Waar was ze? Mijn mond was droog, en er kroop iets kouds door mijn maag.

Derek... Edgar J... Mary... Mijn trillende vinger gleed omlaag langs de rijen. Derby... Wolverhampton... Luton... Ze zaten door het hele land, al die Trumpers. Michael, Sarah L... Ik zag haar niet.

Begin opnieuw.

Alexandra... Jennifer... Ruth... Stephen...

De airconditioning boven mijn hoofd zoemde maar door, mmm mammm, mamm, mam.

En daar was ze.

'Trumper, Kathleen...'

Mevrouw Klein hield het grote boek schuin, zodat ik erin kon kijken, en het was alsof de woorden heuvelafwaarts rolden en in elkaar overgingen. Ze werden helemaal wazig.

'Hier heb je een zakdoekje.'

Dat was mijn moeder. De geboorte van mijn moeder.

Hoe had ze eruitgezien? Was ze zo'n baby geweest die op een kleine bleke knop lijkt, of was ze rood en gekreukeld en luidruchtig geweest? Had haar moeder (meisjesnaam Elaine Billings) haar in haar armen gewiegd als een kostbare porseleinen pop en haar tere hoofdje in de krom-

ming van haar arm gesteund, terwijl haar man (Jack Trumper, vishande-
laar, geh. m. Elaine Billings 23 maart 1932) trots toekeek?

Nu ik de namen op schrift zag, terwijl ik met gekruiste benen op de
vloer zat en mevrouw Klein heen en weer vloog en met steeds meer informatie kwam, werd mijn moeder voor het eerst werkelijkheid voor
me.

Ze was een late baby geweest, enig kind van ouders die al in de dertig
waren toen ze trouwden en bijna veertig toen Kathleen werd geboren.
Ze moet heel bijzonder voor hen zijn geweest na al die jaren proberen.
Was haar grootmoeder (Kathleen Billings, dus Kitty was naar haar genoemd, overleden 18 juni 1959) er ook bij geweest, glimlachend naar de
kleindochter die ze slechts twee jaar later onder haar hoede zou nemen,
nadat Elaine en Jack op dezelfde dag (2 juni 1942) onder het puin van
hun huis waren gestorven? Waar was baby Kathleen die dag geweest?
Hoe was ze ontkomen?

Ik zou het waarschijnlijk nooit weten. Tenzij ik haar zou vinden.

Het was lunchtijd. Er waren bijna geen mensen meer, waar ik blij om
was want de tranen bleven maar komen.

Mevrouw Klein moest ook een beetje huilen. Ze had mascaravlekken
onder haar ogen en haar neus was rood. Ze omhelsde me stevig.

'Moet je ons zien,' zei ze, terwijl ze zich terugtrok. Ik had een glinsterend slakkenspoor op de voorkant van haar jurk achtergelaten. 'Robert
zegt altijd dat hij nooit een vrouw heeft gekend die zo gemakkelijk huilt
als ik. Maar het is geweldig. Hoe voel je je?'

'Vreemd,' zei ik. 'Gewoon... vreemd. Ik kan niet geloven dat ik naar
haar kijk. Want het is echt alsof ik naar haar kijk.'

Trumper, Kathleen. Roepnaam Kitty. Net als ik kon ze zich waarschijnlijk haar moeder niet herinneren, of haar vader. De enige die ze
had was haar grootmoeder, de andere Kathleen, die al in de zestig was
toen haar dochter en schoonzoon de dood vonden. En toen stierf zij ook,
voordat Kitty twintig was. Had ze mijn vader toen al ontmoet? Ik stelde me mijn overgrootmoeder voor – ik wilde dat ze op mevrouw Owen
leek, een grote sjokkende vrouw – zittend tegen een paar kussens en
mijn moeders hand vasthoudend. *Ik ben zo blij dat je hem hebt, kindje,*
zei ze hijgend. *Ik moet er niet aan denken dat je helemaal alleen zou
zijn zonder mij...*

Kitty Trumper, geh. m. Colin Carter, elektricien, 15 maart 1960. Colin, de slimme jongen, van wie iedereen dacht dat hij het ver zou schoppen in het leven. Hij had namelijk een vak. Kitty hield van hem, maar
hij was zo druk bezig zijn best te doen, dat hij nooit thuis was. Zij zat
thuis met haar baby, en maakte soms een wandeling door Green Down,

langs de schildwacht bij de poort van het ministerie van Defensie...
'Laten we een pauze nemen,' zei mevrouw Klein. 'Eerlijk gezegd hebben we het wel verdiend. En ik snak naar een peuk, na al die emotie.'

'En wat doen we als we erachter komen dat ze is hertrouwd?' vroeg ik, terwijl we de lunch gebruikten in het ernaast aan Kingsway gelegen cafetaria Kardomah. Mijn armen deden pijn van het sjouwen van de boeken.

'Van alles,' zei mevrouw Klein. 'Als haar nieuwe man echt een soldaat was, kunnen we hem zodra we zijn naam weten via het ministerie van Defensie opsporen. Het is zelfs mogelijk dat ze nog op het adres wonen dat op de trouwakte staat. Zie het maar als een jacht, Katie.' Haar ogen glansden van opwinding. 'We achtervolgen haar via deze registers en de kiesregisters.'

Ja, maar wiens jacht was het? Ik legde mijn broodje neer. Het bleef steeds in mijn keel steken en in mijn maag voelde ik een misselijkmakende knoop. Wat zou mijn vader zeggen wanneer hij zou ontdekken waar ik mee bezig was? Misschien zou hij denken dat ik niet meer van hem hield. Maar dat deed ik wel, dat deed ik wel, ik wilde alleen niet dat hij met Janey omging.

Mevrouw Klein glimlachte. 'Maak je geen zorgen, we vinden haar; ik beloof het. En wat zal ze blij zijn dat je naar haar op zoek bent gegaan.'

Mijn vingers kropen naar de ammoniet in mijn zak, die zo geruststellend was als de kalme stem van mevrouw Klein. Ze had gelijk. Ik zou mijn moeder vinden. Ik moest wel.

Het Kardomah was vol kantoorlui, mannen die hun colbert over de rugleuning van hun stoel hingen, meisjes in keurige grijze gerende rokken. Mevrouw Klein, elegant in haar lichtbeige linnen jurk, die als een zak om Janey Legge zou hebben gehangen, torende boven de meesten van hen uit, zowel boven de mannen als de meisjes.

En mijn moeder? Zou mijn moeder zo'n jurk ook staan?
'U was vast heel mooi toen u jong was,' zei ik tegen mevrouw Klein.
'Dank je, Katie.' Haar mond vertrok even op een manier die suggereerde dat ik iets grappigs had gezegd.
'Hebt u altijd geweten dat u model zou worden?' vroeg ik.
Ze lachte. 'Trish overdrijft altijd. Ik heb een paar jaar een beetje als model gewerkt, dat is alles. Ik was nog geen twintig toen ik met Robert trouwde. En ik zal je een geheim vertellen. Ik ben alleen model geworden omdat ik van huis was weggelopen.'
'U bent van húís weggelopen?' Ik kon me niet voorstellen dat iemand als mevrouw Klein zoiets had gedaan.

'Ik had een vreselijke ruzie gehad met mijn ouders,' zei ze. 'Afschuwelijk. Dus kwam ik op een middag uit school en nam de trein naar West End. Ik ben nooit meer naar huis gegaan.'

'Nooit meer?'

'Nou ja, ik ging wel op bezoek natuurlijk. Toen ik getrouwd was, toen ik Marcus had, ben ik bij ze op bezoek gegaan omdat Robert dat wilde. Maar één keer was genoeg. Een paar jaar later heb ik mijn moeder nog in het ziekenhuis bezocht toen ze stervende was aan borstkanker, maar ik heb mijn vader al jaren niet gesproken.'

'Goh.' Ik wist niet wat ik moest zeggen. Het leek onbeleefd om door te vragen, hoewel ik graag wilde weten waarom ze zo'n hekel had aan haar vader. Haar grote zeegroene ogen waren nu strak op mij gericht, en ik wist dat ze mijn reactie peilde.

'Het was geen erg aardige man,' zei ze. 'Hij...'

Een van de kantoormensen botste tegen ons tafeltje toen hij zijn colbert aantrok. Mijn glas sinaasappelsap, tot de rand toe vol, begon te wiebelen en het sap klotste over het marmeren tafelblad. Mevrouw Klein stak snel haar hand uit om het op te deppen voordat het over de rand zou lopen, maar het enige wat ze deed was het glas helemaal omgooien.

'O, Katie, het spijt me...' Ze pakte het glas net voordat het van de tafel rolde. De jongen in het pak merkte er niets van en slenterde de deur uit. 'Mijn schuld. Ik ben zo onhandig. Ben je doorweekt?'

'Nou, nee.' Ik keek naar mijn benen. Ik droeg de zigeunerrok weer. De meeste vlekken waren eruitgegaan, op een paar vage rozeachtige plekjes na, waar zich nu een spat sinaasappelsap bij had gevoegd. 'Het stelt niet veel voor.'

'Weet je het zeker? O, hemel, je rok is echt verpest. Als we gaan winkelen kopen we een nieuwe. Robert zegt altijd dat ik de onhandigste vrouw ben die hij ooit heeft ontmoet.'

'Nee, het geeft niet!'

'Het geeft wel. Maar goed,' vervolgde ze, 'laten we betalen en naar het archief teruggaan. Ik wed dat we het tweede huwelijk van je moeder binnen een halfuur vinden.'

Maar dat lukte niet.

'Ze heeft de tijd genomen om te hertrouwen,' zei mevrouw Klein terwijl ze weer een van de grote groene boeken dichtsloeg. 'Heb je daar 1972?'

Mijn moeder had mijn vader in 1965 verlaten.

'Misschien vergis ik me en heeft ze na de scheiding je vaders naam niet aangehouden, dan is het toch Trumper. Of misschien is ze helemaal niet met haar soldaat getrouwd.'

Er ging een golf van opluchting door me heen. Dat betekende dat ze bij mijn vader terug kon komen.

'Tenzij ze gewoon zijn gaan samenwonen. Het waren de jaren zestig. We hebben natuurlijk de scheidingspapieren nodig; wat ben ik ook een oen...' Mompelend in zichzelf zette ze haar leesbril af en begon hem te poetsen: 'Er moet een adres zijn, daar zouden we mee kunnen beginnen... Of kinderen. Misschien hebben ze kinderen gekregen, en als ze niet getrouwd waren, zouden die dan onder haar in plaats van zijn naam geregistreerd staan?'

Kinderen. Er sneed iets heets door mijn borst. 'Bedoelt u dat ik broers en zusjes zou kunnen hebben?'

'Nou ja, hálfbroers en -zusjes natuurlijk. Als ze bij hem is gebleven, moet ze bijna meer kinderen hebben gekregen.'

'Maar...'

'Dat zou fantastisch kunnen zijn, Katie. Je zou een hele nieuwe familie kunnen hebben.'

'Laten we ermee ophouden. Het is genoeg voor vandaag. Ik... wil stoppen.'

Mevrouw Klein duwde haar bril weer op haar neus en keek over de glazen heen naar mij. 'Stoppen, nú?'

'Ja, alstublieft. Ik weet niet,' zei ik. 'Ik weet eigenlijk niet of ik haar wel wil vinden.'

'Maar we zijn zo dichtbij.'

Ik herinnerde me het gesprek tussen mevrouw Owen en haar vriendinnen op die dag dat ik onder de tafel verstopt zat. *Ze was in verwachting toen ze vertrok.*

Als ze andere kinderen had, waarom zou ze mij dan willen zien? Ik kneep mijn ogen dicht om de tranen binnen te houden – andere tranen nu, tranen die als blaren, heet en schroeiend, uit het harde, hete brok in mijn borst opkwamen. Mijn vingers kropen weer naar de ammoniet in mijn zak. Hij voelde dood en levenloos. Het was tenslotte maar een stenen omhulsel.

Ik betekende niets voor haar. Ze was tenslotte bij me weggegaan, net als bij mijn vader. Er was een nieuwe baby, een betere baby.

'Ze is me vergeten,' zei ik. 'Wat haar betreft BESTA IK NIET.'

Een man aan een van de lessenaars een eind verder keek op, fronste zijn voorhoofd en legde zijn vingers op zijn lippen. Alles veranderde. Niets voelde nog veilig.

'Sst, Katie. Katie. Rustig maar.' Ik voelde mevrouw Kleins armen om me heen. Ik hield mijn ogen dicht en boog me naar achteren, verzette me tegen haar troost. 'Maak je geen zorgen. Je bent er nog. Ik kan je voelen.' Haar armen verstevigden zich om het te bewijzen. 'Rustig. Je bent zo stijf als een plank. Zo. Goed zo. Rustig maar.'

Ik ontspande mijn nek en begroef mijn gezicht in haar borst. Ik kon de harde randen van haar beha voelen en rook zweet door de zoete, poederachtige geur van haar deodorant heen. Ze liet haar kin op mijn hoofd rusten.

'Ik heb je al gezegd dat je moeder vast van je gehouden heeft. Ze heeft je niet willen achterlaten, maar ze moest wel. Om je een beter leven te geven. Dat hoopte ze althans.' Haar stem haperde even. 'Misschien hadden ze niet veel geld. Misschien was haar soldaat net overgeplaatst naar een post die moeilijk zou zijn geweest voor een peuter. En je vader heeft er waarschijnlijk een stokje voor gestoken dat ze naar je terug kon komen.'

De stilte bleef maar duren.

Zou mijn vader dat hebben verhinderd? Zou mijn vader er bewust voor hebben gezorgd dat ik mijn moeder nooit meer zou zien? Misschien had ze geprobeerd mij te schrijven, maar had hij haar brieven verstopt. Ja, dat kon wel kloppen, dat begreep ik nu, maar waarom dacht mevrouw Klein dat mijn vader zoiets zou doen? Ik hoorde het geritsel van bladzijden terwijl de oude mannen en vrouwen op zoek waren naar hun voorouders, het geknars van zware boeken die van de planken werden getrokken, het verkeer dat voorbijsnelde op Aldwych.

'Katie...'

Het was te verwarrend. Er was geen plaats in mijn hoofd voor al die informatie.

'Ik wil naar huis,' zei ik.

'Wacht even,' zei mevrouw Klein. 'Ik denk dat we dit nog even moeten uitzoeken.'

'Nee,' zei ik. 'Ik kan het niet... Laten we gaan.' Ik greep me aan de rand van de lessenaar vast om te voorkomen dat ik weg zou zweven, pijnlijk licht, een niets. Ik had iets stevigs nodig, iets zwaars om me op de grond te houden. Ik voelde de ammoniet in mijn zak aan me trekken, maar hij was lang niet zwaar genoeg. Thuis was toch niet de juiste plek.

'U zei dat we naar South Kensington konden gaan.' Mijn stem klonk als die van de oude dames, dun en beverig.

Ik dacht aan het Natuur Historische Museum: slenteren langs de koele glazen vitrinekasten met hun delicaat geëtste stenen, gaasachtige sporen van bladeren in zandsteen, varens ingebed in schalie, gladde, gepolijste ammonieten en trilobieten en doornige visskeletten; licht dat in sterke, duidelijke bundels door de hoge ramen omlaag valt, in tegenstelling tot deze groezelige, vieze ruimte vol gefluister en verdwenen mensen. Ik herinnerde me een bezoek daaraan met mijn vader. Als ik daar weer heen zou kunnen gaan, zou dit alles worden uitgewist.

'Harrods,' zei mevrouw Klein tevreden. 'Precies wat je nodig hebt. We gaan naar Harrods.'

Op elk andere moment was winkelen met mevrouw Klein geweldig geweest. Je kon merken dat ze snel en besluitvaardig was, en haar voornemen voor die middag was mij met zo veel mogelijk tassen met inhoud te overladen.

Ik wilde niet onbeleefd zijn. Ik kende haar niet goed genoeg om uit te leggen dat dit niet kon werken. Ze was een natuurkracht, wervelend van rek naar rek, onstuitbaar van de ene naar de andere verdieping golvend. Het was nog niet bij me opgekomen dat ze misschien haar eigen demonen probeerde af te schudden.

'Nee,' zei mevrouw Klein resoluut toen ik een lichtblauwe top met ruches pakte, die ik alleen bekeek om haar een plezier te doen. 'Daar ben je niet lang genoeg voor. Als je klein bent, kun je het beste duidelijke lijnen en effen kleuren dragen. Wat vind je hiervan...?' en ze hield een oranje T-shirt omhoog. 'En geen blauw, Katie. Je ziet eruit als een lijk in blauw; je huid is te bleek. Ga voor warmere kleuren.'

Waarom zei ze dat tegen me? Het interesseerde me niet. Ze stuurde me met armen vol kleren naar de kleedkamer en zei dat ik eruit moest komen en alles moest laten zien, of ik het nou vond staan of niet. Ik wist niet of de kleren me stonden, want ik zag geen meisje voor de spiegel staan, maar iets wat verlaten, zoekgeraakt, vergeten was. Of iets wat opgeborgen en verstopt was. Of mijn moeder me nou had verlaten, of mijn vader haar had belet met mij in contact te komen, het was allemaal afwezigheid, een lege ruimte. Ik was als een vampier zonder spiegelbeeld. Stoffen en patronen waren doorzichtig, rook in de lucht. Mijn ogen keken recht door ze heen naar ongelijke letters in grote rode boeken; ik zag lijsten van namen en geen ervan behoorde mij echt toe.

'En dan nog iets,' zei ze, een jersey truitje rechttrekkend. 'Goedkoop betekent niet altijd een slechte pasvorm of lelijk materiaal. Maar als je niet veel geld kunt uitgeven, kun je beter één goed kledingstuk kopen dan zes goedkope. Kwaliteit is te zien.' Een laatste ruk. 'Maar dit was een juiste keuze van je. Het ziet er goed uit. Je hebt er oog voor.' Ik had het van een plank getrokken zonder ook maar te zien wat ik pakte.

Ineens waren er een heleboel winkeltassen. Waar kwamen die allemaal vandaan?

'Geniet je een beetje?' vroeg ze. Ik kon merken dat het belangrijk voor haar was.

'O, ja!' zei ik. 'Dit is geweldig. Winkelen met u, bedoel ik.'

'Nou, vertel dat maar aan Trish. Ze wil niet meer met me winkelen. Staat tegen me te schreeuwen in de kleedkamer, ondankbaar kind.'

Ik keek snel in een van de tassen. Er zat een rok in, veel beter dan de rok die ik droeg, die nog steeds plakkerig was van het gemorste sinaasappelsap. Ik herinnerde me vaag dat ik hem had gepast.

'Ik kan u dit niet allemaal laten betalen,' zei ik, maar ik was me ervan bewust dat het al te laat was.

'Doe niet zo raar. Ik heb die rok verpest,' zei ze. 'Ik vond het leuk. Een oud New Yorks gezegde: *When the going gets tough, the tough go shopping*. Het wordt tijd om de trein te pakken. Voel je je wat beter?'

Eerlijk gezegd wist ik dat niet, want ik herinnerde me nauwelijks iets van wat er gebeurd was sinds we St Catherine's House hadden verlaten. Ik hoorde de airconditioning nog steeds mam, mam, mammm zoemen, en het geluid overstemde de zachte muzak van de winkels die we hadden bezocht. Ik voelde me nog steeds licht en gevaarlijk zweverig. Maar ik zag dat mevrouw Klein zich beter voelde, dus knikte ik.

'We nemen een taxi,' zei ze, hoopvol zwaaiend met haar kleine rode paraplu terwijl we op de stoep in Knightsbridge stonden. 'Misschien gun ik mezelf zelfs wel een heel kleine gin-tonic in de trein. Niet te drinken zonder ijs natuurlijk, maar het was me het dagje wel.'

Ik was van plan me zo lang mogelijk op het toilet van de trein te verstoppen. Maar ik zag plassen op de vloer en een heleboel vochtig wc-papier liggen, dus ging ik niet eens naar binnen. Het toilet aan het eind van de volgende wagon zag er precies hetzelfde uit, en het daaropvolgende was bezet door iemand die duidelijk hetzelfde idee had gekregen als ik en absoluut niet van plan was er nog uit te komen. Misschien verstopte hij of zij zich voor de conducteur.

'Gaat het?' vroeg mevrouw Klein toen ik terugkwam. 'Je was lang weg.'

'Prima. Ik ben alleen moe.'

'Luister, ik wil je niet onder druk zetten, maar we zouden binnenkort nog een keer naar St Catherine's House moeten gaan. En het zou geweldig helpen als je je vaders scheidingspapieren kon vinden.'

Ik verlangde er wanhopig naar met rust gelaten te worden.

'Ik zal erover nadenken,' zei ik. 'Het is veel om te verwerken.'

We ratelden door Didcot. Mevrouw Klein keek naar de belletjes in haar gin-tonic; ik keek naar de heuvels in de verte. Ergens was daar een inscriptie van een Wit Paard. Ik herinnerde me het van de treinreis naar Londen met mijn vader.

Pleegde ik verraad ten opzichte van hem? Of had hij mij verraden? Ik dacht aan de wandelingen in de winter, ammonieten opgravend. De ijsjes. De roze bloes. Hij had voor me gezorgd sinds mijn moeder was weggegaan. Zij had me verlaten, met haar nieuwe baby in haar buik.

'Katie,' zei mevrouw Klein. Ik wendde mijn blik af van het raam. Haar ogen waren nog steeds strak op het plastic bekertje met gin gericht. 'Katie, ik wilde nog ergens met je over praten. Maar dit is misschien het verkeerde moment...'

'Ja,' zei ik. Ik bedoelde, ja, het is het verkeerde moment, welk moment het ook mag zijn.

'Je vader,' zei ze. 'Trish heeft me verteld...'

'Heeft u wat verteld?' zei ik. Dat hete, verstikkende gevoel was terug.

'Ik denk dat je niet tegen je vader moet zeggen wat we vandaag hebben gedaan,' zei mevrouw Klein. 'Nu ik weet hoe hij is.'

'Wat heeft Trish u verteld?'

Mevrouw Klein leek niet op haar gemak.

'Katie, ik weet hoe het is,' zei ze. 'Ik weet het precies.' Ze dempte haar stem. 'Je denkt waarschijnlijk dat jij de enige op de hele wereld bent die dat overkomt, maar geloof me, het overkomt heel veel meisjes. Mijn vader... nou, waarom denk je dat ik van huis ben weggelopen?'

Het was duidelijk nu. Dacht ze dat ik het niet had begrepen? Haar behoefte aan de baby die ze had laten adopteren lag opgevouwen in die winkeltassen op het bagagerek boven ons hoofd. Maar ik zei niets; ik wendde me alleen af en keek uit het raam, wachtend op het Witte Paard.

'O God.' Mevrouw Klein legde haar hoofd in haar handen. 'Ik pak het helemaal verkeerd aan.' Ze praatte tegen het tafelblad tussen ons. 'Ik ben weggelopen omdat mijn vader me sloeg. Hij sloeg mijn moeder ook. Ik wilde dat ze weg zou gaan, maar ze weigerde; ze wilde er niet eens met me over praten. Ik ben niet alleen weggelopen omdat hij me sloeg, maar ook omdat ik er niet meer tegen kon om te zien hoe hij haar sloeg.' Toen ze opkeek, stonden er tranen in haar ogen. 'Geweld is vreselijk, vreselijk, en je moet moedig zijn en in opstand komen en het aan iemand vertellen, Katie.'

'Trish heeft weer eens overdreven,' zei ik zo koud als ik kon. 'Ik weet niet waar u het over hebt.'

Vierde graad

De leeuw

Hoe meer je je verdiept in het mithraïsme, des te meer zie je de weer-klanken ervan in de wereld die wij nu bewonen. Iedereen die zijn horo-scoop leest in de krant zal bijvoorbeeld een aantal mithraïstische sym-bolen herkennen. Taurus, Stier, geofferd in de lente; Gemini, Tweeling, Hoop en Wanhoop; terwijl Virgo, Maagd, beslist iets gemeen heeft met Nymphus, onze transvestitische mannelijke bruid. Net zo bekend is de naam die aan een inwijdeling van de vierde graad wordt gegeven: Leo, Leeuw. Zijn element is vuur, net als in het teken van de dierenriem.

Uit: *Het Mithras Enigma*, dr. Martin Ekwall, OUP

19

'Je moet zorgen dat ik zo snel mogelijk weer onder de grond kan,' brengt Martin me in herinnering terwijl ik het stationsplein in Bath op rijd. Forenzen op weg naar de vroege trein naar Londen stromen over het asfalt en dwingen ons stapvoets verder te gaan. 'We hebben een foto van die tauroctony nodig.'

'Het wordt te ingewikkeld.' Er is alleen nog een gehandicaptenplaats vrij, dus laat ik de auto daarop glijden. 'Ik dacht dat je de tekening op de pilaar alleen zou onderzoeken, zodat niemand zou hoeven te weten dat ik je mee naar beneden had genomen. Vergeet het voorlopig even, oké? Aan het eind van de week ga je naar Californië. We komen er na Kerstmis op terug.'

Achter me wordt getoeterd. In de spiegel zie ik een man in een kleine rode auto, die met twee vingers en een blauwe gehandicaptenkaart zwaait. Martin stapt uit en pakt zijn tas achter de stoel vandaan.

'Dit is niks voor jou, Kit. Jij bent hiermee begonnen. Waarom durf je ineens niet meer?' vraagt hij. 'Je lijkt niet te beseffen wat een grote vondst het zou zijn. Weet je wat mijn vader over je heeft gezegd? Hij zei dat je principieel nooit ook maar iets zou geloven van wat een man je vertelde.' Hij recht zijn rug, slingert zijn tas over zijn schouder, buigt zich dan weer naar binnen als een geliefde die nog een laatste kus wil geven. 'En dat je met een man was getrouwd van wie je wist dat hij je in de steek zou laten.' Hij slaat ongewoon chagrijnig het portier dicht en loopt het station in.

Brendan heeft een pot echte koffie gezet, extra sterk, aangezien het maandagochtend en nog vroeg is. Gary komt de kitchenette binnen. Hij knikt me nors toe, wat voelt als een verwijt. Niet eerlijk: tenslotte was ik niet degene die onaangekondigd kwam opdagen met bloemen en wijn. Ik moet hem duidelijk maken, zonder dat het al te doorzichtig is, dat Martin en ik geen stel zijn.

Máák het duidelijk, zegt Martin in mijn hoofd. Het is niet erg als je een figuur slaat. Daar gaat het allemaal om.

Martin is, op zijn minst, drie keer gewaarschuwd nadat hij het in openbare toiletten wat al te duidelijk had gemaakt.

'Ik moet je spreken,' zegt Gary tegen Brendan. 'Over de grondmonitors. Wanneer je maar even tijd hebt.'

'Koffie?' vraagt Brendan, terwijl hij de zeef in de cafetière drukt.

'Nee.' En Gary loopt terug naar zijn kantoor aan de andere kant.

'Hij is chagrijnig,' merk ik op.

'Ach, ja. Het is een groeveman. Hij wantrouwt mijntechnologie. En hij heeft natuurlijk problemen met zijn vrouw,' zegt Brendan, terwijl hij met een glimlach die zegt dat wij mannen dat soort dingen begrijpen koffie in zijn beker schenkt.

'Ik dacht dat hij gescheiden was,' zeg ik voordat ik me kan inhouden.

'En maar goed ook. Maar hij lijkt het niet helemaal te kunnen loslaten.'

Dat was niet wat ik wilde horen, maar Brendan heeft het grote harige stopteken op zijn mond gehangen en loopt met zijn koffiebeker ter grootte van een halve liter naar de deur. Wanneer ik de cafetière oppak om mezelf koffie in te schenken, is er nog ongeveer een vingerhoed over.

Buiten staat de eerste ploeg mijnwerkers klaar om onder de grond te gaan. Grote Ted en zijn mensen werken zich in hun uitrusting. Ze kijken allemaal naar me wanneer ik voorbijloop, en een van hen zegt, net zacht genoeg om er zeker van te zijn dat ik het zou horen: 'pot'.

Wanneer ik op weg naar mijn kantoor het smalle pad tussen de opslagloodsen op loop, werp ik een blik over mijn schouder; Gary heeft zich bij de mijnwerkers gevoegd die rond de ingang van de schacht staan. Ik kijk net lang genoeg tot ik zeker weet dat hij naar beneden gaat en wip terug naar zijn kantoor om de geleende sleutel in zijn bureaula terug te leggen, opgelucht dat ik er vanaf ben.

Green Down komt tot leven wanneer ik naar de tijdschriftenwinkel loop om een krant en sigaretten te kopen. Ik ga op de muur van het kerkhof zitten om er een te roken en na te denken over Martins laatste opmerking. Het is niet waar. Nick was... Nee, hij gedroeg zich zo door de drank, en toen ik met hem trouwde wist ik daar niets van.

IJs kraakt nog steeds op ondiepe plassen, maar de lucht is blauw. Aan de overkant van de straat hangen nog een paar laatste rode bladeren van een klimop aan het metselwerk van een Georgian terras. De jaren hebben de boterachtige gele steen in een comfortabel verweerd grijs veranderd.

Toen ik jong was liep ik bijna elke dag door deze straat. Om me heen gaan mensen door met hun leven. Vrouwen rijden in lege personenwagens door de smalle straat, remmen af om plaats voor elkaar te maken.

Kinderen in schooluniform lopen voorbij met zakjes chips. Het zijn zowel jongens als meisjes. St Anne's is zeker gemengd geworden. Een man met wit haar dat over een roze schedel is geplakt, komt door het hek van het kerkhof lopen; een basset met over het grind slepende tepels, waggelt achter hem aan. Hij glimlacht en heft zijn hand op alsof hij me kent.

Ze lijken zich opmerkelijk weinig zorgen te maken over het feit dat ze boven op het gevaar wonen. De mijnen zijn hier al minstens tweehonderd jaar, waarom zouden ze nu instorten? In de oorlogsjaren, heeft mevrouw Owen me verteld, gebruikte de marine de tunnels om er dieptebommen in op te slaan, en niemand maakte zich daar druk om. In de loop van enkele maanden raakten de bommen aangetast door het vocht en schraapten vrouwen en bejaarden de roest eraf om hun steentje aan de oorlog bij te dragen. Toch vraag ik me af of die mensen 's nachts niet wakker liggen met het gevoel dat de muren van hun huizen bewegen.

Ik loop terug naar het bouwterrein. Gilmerton. Brendan heeft gelijk. Wat er in Schotland gebeurde, was bijna op een ramp uitgelopen. Als je je huis was kwijtgeraakt, zou je het woord 'bijna' niet gebruiken. Ik heb die wankelende pilaren gezien, weggeknaagd door hebzuchtige steenhouwers. Waarom probeer ik ook maar iets te bedenken om het opvullen uit te stellen? We moeten het zo snel mogelijk doen. Wat zich daar bevindt, moet maar verborgen blijven. De steengroeven mogen hun geheimen behouden.

De eerste website die de zoekmachine geeft wanneer ik 'Gilmerton' en 'steenmijn' intik, is een krantenarchief. Tekst en foto's: een rij naoorlogse bungalows op de dag van de evacuatie. Je zou niet zeggen dat er iets mis was, alleen zijn er geen mensen, en geen auto's. Een tuinhek hangt open, daarachter een verlaten speelgoedpaard op het pad. Sommige bewoners van de huizen hebben de gordijnen dichtgetrokken alsof ze de gedachte niet konden verdragen dat iemand na hun vertrek naar binnen zou kijken. De straat is volledig verlaten. Het is als kijken naar het gezicht van een dode: er is iets niet wat er wel zou moeten zijn.

Hoe voelden ze zich toen ze te horen kregen dat ze moesten vertrekken? Was het vroeg in de ochtend, vrouwen die badjassen aantrokken, ongeschoren mannen in onderhemd, hun kinderen de deur uit drijvend, achterom kijkend terwijl ze zich over het tuinpad haastten en zich afvroegen of ze hun huis langzaam in de grond achter hen zouden zien zakken, de kinderen teleurgesteld toen dat niet gebeurde? Of misschien was de politie midden op de dag gekomen, en waren sommige mensen aan het werk en wisten het niet, zodat ze toen ze die avond thuiskwamen niet begrepen waarom er geen spelende kinderen waren en nergens licht brandde en er niemand te zien was...

Ik huiver. Dat raakt me echt, de gedachte dat ze thuiskwamen en niet wisten dat er iets mis was. Heel even had ik kunnen zweren dat ik de wanden van mijn kantoor voelde bewegen.

Ik stik. Ik moet eruit. Mijn hand...

Rustig, Katie, Geen pijn. Twee, drie en je bent wakker...

Ik kan me niet herinneren dat ik ben opgestaan, maar wanneer de deur opengaat, ben ik op de been en wrijf over het witte litteken in mijn handpalm.

'Goeiemorgen,' zingt Dickon. 'Goeiemorgen, goeiemorgen, het is een mooie nieuwe dag, doedeliedoe, doe, doe...' Hij kijkt bevreemd naar me. 'Gaat het wel goed met je? Je hebt zo'n rare kleur.'

'Prima,' zeg ik. Ik hoor iemands onregelmatige ademhaling. Dat zal die van mij wel zijn.

'Nee, het gaat helemaal niet goed met je, hè?'

Hij komt op me af en ik deins achteruit, alleen is er geen ruimte om achteruit te deinzen, dus eindig ik met mijn kont op de rand van het bureau. Laat me met rust! wil ik snauwen, maar er zijn op het werk al genoeg vraagtekens met betrekking tot mijn geestelijke gezondheid, dus doe ik wat ik altijd doe wanneer ik in het nauw zit.

'Ik heb het uitgemaakt met mijn vriend,' zeg ik. 'Dit weekend. Sorry, Dickon. Ik haat het om emotioneel te zijn. Het gaat zo weer beter, eerlijk.' Dat laatste is waar: ik voel me veel beter. Het verstikkende gevoel is verdwenen. Waarschijnlijk heeft de nabijheid van Dickon het uit mijn hoofd verdreven.

'O, Kit,' zegt hij met valse bezorgdheid in zijn ogen. Hij staat nog steeds veel te dichtbij. 'Dat is vreselijk. Heb je een zakdoek nodig?' Hij zoekt in zijn zak. 'Ik begrijp het. Hoe ouder je wordt, hoe moeilijker, hè?'

Rot op, Dickon. Hij is zo ongevoelig – hij kan die dingen toch niet menen? – dat ik niet weet of ik hem een mep moet verkopen of lachen.

'Breek me de bek niet open als het om liefdesverdriet gaat,' vervolgt hij, terwijl hij eindelijk een zakdoek tevoorschijn haalt, die echter zo gekreukeld en gevlekt is dat zelfs hij het fatsoen heeft om het ding meteen weer terug te stoppen in zijn zak. 'Misschien heeft Rosie zakdoekjes in haar bureau. Geloof het of niet, ik heb mijn portie afwijzingen ook gehad.'

Het is zo'n zeikerd.

'Maar je moet gewoon blijven geloven dat er voor elk potje een dekseltje is. Op dit moment voel je je natuurlijk diep ongelukkig, maar ik verzeker je...'

God, nee. Laat hem zijn mond houden.

'...dat je op een ochtend wakker wordt en beseft dat je een hele nacht niet van hem hebt gedroomd...'

De deur gaat open. God bestaat, en haar naam is Rosie.

'Ik hoop dat je de ketel op hebt staan,' zei ze. 'Het is stervenskoud buiten.'

'Kit heeft de bons gekregen van haar vriend,' zegt Dickon plechtig.

Rosies donkere wenkbrauwen verdwijnen in haar blonde plukken.

'Echt?' zegt ze met een scherpe blik naar mij, de persoon die haar vorige week nog vertelde dat ze alleen was en geen vriend had. 'Heeft hij je gedumpt? Hoe-heet-ie-ook-weer?'

'Het was meer met wederzijdse instemming,' zeg ik. 'Het zat er al een tijdje aan te komen. Het gaat prima met me, Rosie. Dickon kwam gewoon op een verkeerd moment binnen.'

'Ga de ketel opzetten, Dickon,' zegt Rosie, terwijl ze me aan blijft kijken.

'Eh, ja,' zegt Dickon. 'Begrepen. Meisjes onder elkaar...'

'Nee, het is jouw beurt om koffie te zetten,' zegt Rosie. 'Wegwezen!'

Dickon haast zich weg en de deur slaat achter hem dicht. Ik weet niet hoe ze het doet, maar wat het ook is, ik zou er best wat van kunnen gebruiken voor Ted en zijn ploeg in de mijn.

Ze trekt één wenkbrauw op om duidelijk te maken dat uitleg noodzakelijk is.

'Het spijt me,' zeg ik. 'Maandagochtend. Ik zie op tegen de confrontatie met de mijnwerkers, maar dat wilde ik hem niet vertellen.' Het is geen mijlen bezijden de waarheid, maar technisch wel een leugentje.

Rosies gezicht verzacht van medeleven. 'Maak je geen zorgen. Ze leren je wel te respecteren. Huw vind je prima.'

'Jouw vriend is een beetje moderner.'

'Ik heb een idee om je op te vrolijken,' zegt Rosie. 'Laten we naar beneden gaan. Huw zegt dat ze wat steen gaan verplaatsen vanmorgen.'

Zo nu en dan komen de mijnwerkers die de ondergrondse looppaden bouwen in gedeelten waar de oude steenhouwers grote gezaagde steenblokken hebben achtergelaten. Niemand weet waarom die blokken nooit boven de grond zijn gebracht; misschien vonden ze de kwaliteit te slecht of had de kraan het begeven en zat de eigenaar van de groeve zonder geld.

Rosie legt dat allemaal uit terwijl we de ladder afdalen. Als administratief medewerkster maakt het niet bepaald deel uit van haar werk om ondergronds te gaan, maar Rosie is Rosie en beschouwt het als een van de extraatjes.

'En wat is er zo bijzonder aan het verplaatsen ervan?' Ik heb in mijn leven genoeg steen zien verplaatsen om de piramides ermee te kunnen herbouwen; ik kan me niet voorstellen dat het de moeite waard is om nog een paar van die blokken te zien. Maar Rosie heeft een brede grijns op haar gezicht.

'Je ziet het wel.'

Rosies vriend Huw werkt met de ploeg uit Wales in een sector waar de uitgravingen tot in de twintigste eeuw zijn doorgegaan. In plaats van uit grote grotachtige ruimten is het gesteente uit vierkante gezaagde kamers gehouwen, die bereikt worden via brede doorgangen die de steenhouwers wegen noemen. Een daarvan moet opgeruimd worden. We voegen ons bij de groep mijnwerkers die bij een kruising van twee gangen staan. De bocht naar rechts wordt geblokkeerd door verscheidene massieve steenblokken, elk ongeveer zo groot als een tweepersoons bed.

'Jullie komen voor de show?' vraagt Huw.

'Onverbeterlijk, die Rosie van jou,' zegt Cennydd, de ploegleider.

Van ver weg, uit de gang links van ons, klinkt een diep, primitief gegrom. Mijn huid prikkelt. Er komt iets aan; het klinkt luider en luider. Ineens is er licht, veel feller dan dat van de peertjes die boven de metalen stutten hangen. Het stuitert van de muren, terwijl wat ook aankomt een hoek om stampt en dan met een oorverdovend gebulder tevoorschijn stormt.

'Godallemachtig!'

Iedereen doet instinctief een stap achteruit. Het is een beest, een groot geel metalen monster met één helder oog en lange gemene hoorns. Het springt, de kop omlaag, over de kruising en begraaft zijn hoorns diep onder een van de enorme stenen blokken. Dan, met een volgende machtige brul, danst het terug. Ik zweer dat het dat stuk steen in de lucht probeert te gooien, ermee probeert te jongleren. Het tolt en zwenkt, draait in het midden, stuitert op grote dikke banden, stormt met een zo te zien krankzinnige snelheid voor de besloten ruimte vooruit en achteruit, waarbij het ons eerst zijn grote starende oog toont en vervolgens de vier gloeiende lampen op zijn achterste. Modder van de worstelende wielen bespat ons. We staan allemaal in elkaar gedoken tegen de muur, met open mond en half verblind door de zwaaiende lampen, niet in staat onze blik af te wenden van dat primitieve gevecht tussen machine en steen. Al die tijd gromt het beest, schuddend met zijn prooi als een woeste dinosaurus, tot hij het enorme blok steen op de een of andere manier in evenwicht heeft gebracht op de metalen vorken aan de voorkant; dan draait het razendsnel om en rijdt de kamer uit. De lichten verdwijnen de gang in en de donder neemt langzaam af tot we daar in een galmende stilte staan.

Ik heb over mijn hele lichaam kippenvel en alles tintelt.

'Wat was dát in godsnaam?'

'Gary,' zegt Rosie. 'Wat een staaltje, hè?'

Maar de donder komt terug en overstemt ons. Terug komt het gloeiende oog, de stotende hoorns, langs ons heen stormend naar het volgende gigantische steenblok. Deze keer kan ik een gedaante onderscheiden in de cabine van de scharnierende lader, vaag herkenbaar als Gary's profiel onder een helm en met oorbeschermers op. Ik denk dat hij grijnst.

Godallemachtig.

Hij ramt de lange metalen vorken onder het stuk steen, gaat dan in een hogere versnelling en de hele machine trilt. De vier achterlichten zwaaien naar ons toe wanneer de achterkant van de lader over de modderige vloer slipt. We stuiven uiteen, hoewel Gary precies lijkt te weten wat hij doet en de schuiver onder controle lijkt te hebben. We lopen niet echt het gevaar door de enorme wielen te worden verpletterd – het voelt alleen zo. Hij stormt weer op het blok steen af, en deze keer komen de wielen recht van de grond terwijl de lader zuchtend en brullend het gewicht op zich probeert te nemen.

'Hij is aan het opscheppen,' schreeuwt Huw in mijn oor.

De lader gaat weer achteruit, tolt met gierende versnelling door de kamer en brengt de vorken omlaag om het blok steen aan te vallen. Tot nu toe heeft hij met het blok gespeeld, maar nu wordt het serieus en lijkt hij zich recht in de steen te boren, duwend en gooiend tot de motor giert. Uiteindelijk rust het blok steen op de vorken; de machine heeft waar hij voor is gekomen en brult weer triomfantelijk of van voldoening. Het oog zwaait rond om ons allemaal te verblinden en dan gooit Gary de lader in zijn achteruit en verdwijnt door de ondergrondse gang.

Ik sta daar volkomen overdonderd en bezweet naar adem te happen.

'Fantastische machine,' zegt Cennydd. 'Geweldig werkpaard. 270 pk, hydraulische knuppel, bladvormige drijfassen. En hij weet precies hoe hij eruit moet halen wat hij wil, hè? '

Rosie en ik kijken elkaar aan.

'Het is een beest!' zegt Rosie wanneer we over het looppad teruggaan. 'De eerste keer dat ik hem zag, reed Cennydd erin en dacht ik aan een mier, je weet wel, moeizaam bezig tien keer zijn eigen gewicht te verplaatsen. Ik bedoel, het ding heeft een soort mierenvorm. Ik geloof dat sommige mijnwerkers hem zelfs de mier noemen. Tot ik Gary erin zag rijden.'

'Ja,' zeg ik. 'Dan is het helemaal geen mier, hè, wanneer hij aan het stuur zit.'

'Ik dacht wel dat je het leuk zou vinden.'

Een halfuur later ongeveer komt Gary schuchter het kantoor binnen. Hij lijkt zich een beetje te schamen. 'Wat doe je donderdagavond?'

Ik krijg een kleur. Eigenlijk heb ik het helemaal een beetje warm.

'We hebben dan de informatieavond,' vervolgt hij, 'maar Brendan heeft me gevraagd zo veel mogelijk van onze mensen op te trommelen.'

O. Ik herinner me vaag een discussie van mijn eerste middag op het werk; ik was die informatieavond vergeten.

'Waarom moeten we er allemaal zijn?' vraag ik.

'Pr, in feite. Dan komen we over als aardige, vriendelijke mensen. Hij wil vooral graag dat jij erbij bent.'

'Moet ik ook nog een jurk aan?'

'Sorry?'

'Laat maar. Ik kan het Vriendelijke Mijngezicht wel spelen.' Eerlijk gezegd, heb ik toch niets beters te doen.

'Zal ik je ophalen? We moeten toch dezelfde kant op.'

Dickon zit boos in onze richting te kijken.

'Ja, graag.'

Gelukkig zijn ze allebei ergens anders als mijn mobieltje afgaat: Martin, aan het geluid te horen nog in de trein.

'Ben je nog niet thuis?' vraag ik. 'Het verkeerde soort ijs op de rails? Typisch.'

'Nee.' Zijn stem klinkt vervormd en ik mis een deel. '... conservator. Een heel interessant gesprek. Veel om over na te denken. Ik overweeg zelfs mijn reis te...' Alles klinkt weer dyslectisch en ik vang alleen nog iets op in de trant van: eenzame oude nichten die niets beters te doen hebben. 'Sorry,' vervolgt hij. 'Ben je er nog? Ik denk dat we bij de Boxtunnel komen.'

'De Boxtunnel? O dat is maar vijf minuten van Bath. Wat heb je de hele ochtend gedaan?' vraag ik.

'Dat heb ik je net verteld. Ik ben naar de Romeinse Baden geweest. Ik heb de conservator een keer op een congres ontmoet...'

De lijn begeeft het weer. Ik stel me voor hoe de trein als een worm de mond van de Boxtunnel in kronkelt, nog een kalkstenen rots waarin het wemelt van de ondergrondse steengroeven.

20

De winter is de beste tijd om naar ammonieten te zoeken, wanneer de velden net zijn geploegd en de losse donkere grond in de voren gemakkelijk wegvalt. Het was niet verstandig in een droge zomer naar ze op zoek te gaan. De aarde lag hard gebakken onder een mat van geel wordend gras. Ik lag op mijn buik onder de boom in het weiland waar Trish biologieles had gegeven. Zelfs de koeienvlaaien waren droog en hard; de koeien waren naar een ander weiland gebracht.

In de winter had ik met mijn vader door dit weiland gelopen en waren we thuisgekomen met twee bijna volmaakte ammonieten, waarvan één bijna zo groot als een schoteltje.

Ik klauwde met wilde, razende stoten in de grond. Maar het tuinschepje dat ik uit de garage had meegenomen, maakte weinig indruk. De aarde wilde haar geheimen niet prijsgeven.

Ik had mijn vader niet gezien sinds ik terug was uit Londen. Had hij mijn moeder echt belet om mij te vinden? Ik wist nog steeds niet wat ik ervan moest denken.

Nadat mevrouw Klein me de vorige avond boven aan de straat had afgezet, had ik de winkeltassen ongeopend achter in mijn klerenkast gegooid. Maar ik was te gespannen om ook maar aan slapen te denken. In plaats daarvan snuffelde ik in huis rond, opnieuw een geest in mijn eigen huis. Mijn vader had gewaarschuwd dat hij laat thuis zou zijn. Vrijdagavond, met Janey Legge; ik stelde me hen samen in een café voor, of in een danszaal, bezig met van die stijve rock-'n-rollpassen die je mensen van mijn vaders generatie in zwart-witfilms op de televisie zag doen.

Ik ging naar mijn moeders oude kamer. Het ambergele licht van de straatlantaarn scheen op de vensterbank waar ik op mijn hurken Gary had bespied. Ik opende de laden van de kaptafel en liet mijn hand door de zijden sjaals glijden. Ze voelden koel als water aan. Maar na een poosje werden de sjaals warm en begon mijn arm pijn te doen. Ik ging op de vensterbank zitten en keek de donkere avond in. Er was nog een vage gloed aan de westelijke hemel. In Gary's kamer aan de overkant brandde geen licht. Het was vrijdagavond. Hij zou wel uit zijn met zijn vrienden. Misschien met een meisje. Onder in mijn buik draaide zich iets om.

Ergens in huis lagen mijn vaders echtscheidingspapieren, met mijn moeders adres erop. En misschien, als mevrouw Klein gelijk had, een stapeltje brieven geadresseerd aan mij, die van haar waren gekomen. Wie van hen had me dit aangedaan, moeder, vader? Wilde ik echt weten hoe het zat?

Waar zou hij ze bewaren?

Ik had al eerder naar de scheidingspapieren gezocht, toen ik op zoek was naar inlichtingen over Kitty. Er was één plaats waar ik nog niet had kunnen zoeken: mijn vaders bureau, beneden in de voorkamer. Daar deed hij zijn boekhouding, schreef hij elke zondagavond in zijn keurige handschrift de rekeningen uit, terwijl ik aan de eettafel mijn huiswerk afmaakte.

Bij het licht van de straatlantaarns stond ik voor het bureau. In de schuine voorkant zat een sleutelgat, nog een sleutelgat in de la eronder en daaronder was een kastje dat op slot zat. De eerste keer dat ik op jacht was gegaan naar de papieren was mijn vader aan het werk geweest en had hij zijn grote sleutelring bij zich gehad. Vanavond was hij gaan dansen met Janey. Zou hij nu al zijn sleutels bij zich hebben? Als hij van plan was iets te drinken, zou hij niet met de bestelwagen gaan.

De sleutels lagen in zijn slaapkamer, glanzend op zijn ladekast samen met wat losse munten. Ik wilde ze pakken, maar hield me in. Ik kon het niet. Mijn vader zou me vermoorden... En hij zou gelijk hebben. Het was verraad.

Maar verraad van wie? Waarom was hij niet eerlijk tegen me geweest? Mijn vingers klemden zich om de sleutels.

De bovenste helft van het bureau lag vol papieren: kwitanties, rekeningen, kopieën van facturen. Maar die waren gemakkelijk te doorzoeken doordat ze allemaal gerangschikt waren in vakjes met een etiket erop; typisch mijn vader. Alles hier hield verband met zijn werk.

De lade eronder bevatte niets anders dan blanco briefpapier, opnieuw keurig opgestapeld en gescheiden in vakjes die hij zelf had gemaakt.

Dan was alleen het kastje nog over. Ik draaide de sleutel om; de deur zwaaide open en een warboel aan papieren, tijdschriften en oude schoenendozen gleed op de vloer.

Ik staarde er ontzet naar. Hoe moest ik die onverwachte chaotische aardverschuiving er weer in zien te krijgen zonder dat mijn vader zou merken dat ik in zijn bureau had gesnuffeld? Ik leek wel gek dat ik zijn papieren had doorzocht. Het was al tien uur geweest; hij kon elk moment thuiskomen. Ik begon de bende haastig in het kastje te stoppen.

Toen ik de laatste schoenendoos erin duwde, gleed de gedeukte deksel er vanaf en keek ik plotseling in mijn moeders ogen, die ik onmiddellijk herkende van de foto naast mijn bed. Kitty's ogen, dacht ik. Kitty, de vrouw die me had verlaten, zonder er ook maar bij na te denken, en ervandoor was gegaan met haar soldaat. Even had ik geen medelijden, maar toen dacht ik aan de stapel wanhopige, met tranen bevlekte brieven in haar handschrift die misschien onder die foto in de schoenendoos lagen.

Het was een grote doos, waarin ooit een paar werkschoenen van mijn vader hadden gezeten; er zat een prijskaartje op van jaren geleden. Ik zag niet meteen brieven, wel heel veel foto's en beduimelde tijdschriften die een muffe geur afgaven. De foto van mijn moeder stak onder het bovenste tijdschrift uit, zodat alleen haar gezicht en haar schouders te zien waren. Het was zo'n ouderwets studioportret, dacht ik. Kitty was gefotografeerd met naakte schouders om de sierlijke ronding van haar hals te laten uitkomen. Haar hoofd was iets afgewend, zodat ze van opzij in plaats van recht in de camera keek en er daardoor verlegen en kwetsbaar uitzag.

Ik haalde de foto uit de doos om hem beter te kunnen bekijken. Er ging een koude rilling door me heen. Niet alleen mijn moeders schouders waren onbedekt; ze was volledig naakt; kleine borsten met grote, donkere tepels die zich parmantig naar de camera leken te verheffen, een gladde, stevige buik. Ze zat op een verkreukeld laken, haar benen gespreid, het linkerbeen recht voor zich uitgestrekt, het rechterbeen gebogen, de knie omhoog. Haar ene hand lag op haar dijbeen, maar de andere lag losjes tussen haar benen en beschermde zedig wat zich daar bevond. Rond haar vingers was een donkere schaduw van schaamhaar te zien.

Mijn hart klopte in mijn keel. Er was iets vreselijks aan de foto, ondanks Kitty's ogenschijnlijke zedigheid, haar verlegen blik, de beschermende hand. Ik wist niet wat het was, maar het gaf me een onbehaaglijk gevoel. Waarom had ze zichzelf zo op de foto laten zetten? En wie was de fotograaf geweest? Mijn vader? Of iemand anders?

De foto trilde in mijn vingers. Ik wilde hem niet aanraken, maar op de een of andere manier was hij ook fascinerend. De uitdrukking op Kitty's gezicht, wat betekende die? Haar mond was licht geopend, en er lag een glimlach om haar lippen die misschien geforceerd was, maar ook oprecht plezier kon zijn. Een stemmetje in mijn achterhoofd zei: *je weet het, je weet het,* maar ik wilde er niet naar luisteren.

Ik liet de foto op de tijdschriften in de doos vallen, en pas toen drong het tot me door wat voor tijdschriften het waren. Er ging een golf van duizeligheid en verwarring door me heen; ik was zo geschokt dat ik me licht in het hoofd voelde. Het bovenste exemplaar was het ergst. De rest kon grotendeels gekocht zijn bij de tijdschriftenwinkel in Green Down. Trish en Poppy en ik hadden zulke bladen daar gezien: *Mayfair* en *Forum* en *Double-D-Plus*. Trish had er een keer een gepakt en erdoorheen gebladerd voordat de man van de winkel het van ons afpakte en ons naar buiten joeg. Maar het blad dat boven op mijn moeders foto had gelegen, was anders.

Op het omslag zat een naakte vrouw op haar hurken. Ze keek over haar schouder in de camera en ontblootte haar tanden in iets wat meer van een grom dan een glimlach weg had; haar achterste doemde gigantisch op, een grote gespleten perzik, en om haar nek droeg ze een halsband voorzien van nagels, waaraan een riem zat die strak getrokken werd door een getatoeëerde mannenhand. Op het eerst gezicht zag het er wel grappig uit, maar ik wist dat het niet grappig was, niet echt. Ik sloeg het tijdschrift open en daar was dezelfde vrouw weer; ze keek nog steeds over haar schouder, maar deze keer had ze haar ogen dichtgeknepen, hing haar mond open en was haar grote, blote kont verborgen door een paar gespannen, harige billen.

De gedachte die bij me opkwam was: o god, ze zijn het aan het doen. Die mensen zijn het echt aan het doen. En er schoten te snel om ze te kunnen onderscheiden verwarrende beelden en ideeën door mijn hoofd, *maar hij doet haar pijn – vindt ze het fijn? Doen alle mannen dat doet Gary het hoe voelt het waarom heeft mijn vader die tijdschriften wat doet mijn moeders foto daarbij nee niet mijn moeder niet mijn vader...*

Ik drukte de kapotte deksel terug op de kartonnen doos en duwde hem zo ver mogelijk in de kast, maar de deur wilde niet dicht, er zat iets in de weg, het was een hoek van de doos en ik duwde ertegen tot hij indeukte en ik de deur dicht kon duwen en op slot, op slot, op slot kon doen...

Ik liep naar boven en legde de sleutels terug in mijn vaders kamer. Daarna maakte ik een hete Ovomaltine voor mezelf en trok mijn pyjama aan. Wat er verder ook in die kast mocht liggen, ik wilde het niet weten. Ik ging boven in Kitty's kamer op de vensterbank zitten en staarde naar Gary's donkere raam aan de overkant. Kort na elf uur kwam mijn vader de straat in. Toen hij onder een straatlantaarn doorliep, zag ik een glimlach op zijn gezicht. Hij was een man die vrede had met de wereld.

Ik rende naar mijn bed voordat zijn sleutel het deurslot raakte.

Toen ik die zaterdagochtend thuiskwam van het ammonietenveld was mijn vader vroeg terug van zijn werk en maakte de lunch klaar. In de keuken stond de radio aan. Op zaterdagen luisterde hij altijd naar het plaatselijke radiostation. Hij hield van Old Pete en Big Eval, twee figuren uit Bristol die elkaar 'popje' noemden en gouwe ouwen draaiden. 'Every night, I hope and pray, Ba-da-da-da, A dream lover will come my way'.

Bobby Darin, mijn vaders favoriet, zong 'Dream lover'. Mijn vader zong mee. De deur stond open en ik kon hem zien, wiebelend met zijn kont en tomaten snijdend op het ritme van de muziek. Het ritme veranderde voor het refrein en mijn vader maakte een dansje, tollend op zijn tenen, draaiend met zijn heupen, zijn mes naar een onzichtbaar publiek in een hoek van de keuken gericht.

'So I want ...

A girl ...

To call ...

My own ...

I want a dream lover ...

So I don't have to dream alone.'

Ik zou hem een keer onder ogen moeten komen. Ik liep de keuken in.

Met een verontschuldigende, schuldbewuste grijns op zijn gezicht hield mijn vader op met dansen. 'Katie, waar ben je geweest?'

Nou, dat kan ik jou ook vragen.

'Nergens.'

'Alles in orde?'

'Ik kon niet slapen. Te heet.'

Hij trok een keukenstoel naar achteren. 'Ga zitten. Voel je je beroerd?'

'Ik voel me prima.'

'Soms kan ongesteld zijn...' Hij dempte zijn stem. Wie dacht dat hij voor zich had? '... heel zwaar zijn voor vrouwen. Voor mijn moeder was het een marteling. Ik wist altijd wanneer ze het was.'

Ik zag een eenzame jongen voor me die op zijn tenen door het huis liep, terwijl zijn moeder zacht kreunend op haar bed lag en een koud kompres tegen haar voorhoofd hield. Ik was opgegroeid zonder moeder, maar mijn vader had zijn vader nooit echt gekend.

Hoe had hij Kitty van me weg kunnen houden? Hij moest weten hoe het was om met maar één ouder op te groeien.

'Als jij net zo ongesteld bent als zij was,' vervolgde hij, 'zul je...'

'O, hou toch op,' schreeuwde ik. 'Hou op met die stomme huichelarij! Ik weet het, pap. Ik weet het...'

Mijn vader staarde me hulpeloos aan.

'Zo was zij nou ook altijd,' zei hij. 'Precies zo. Ik zorgde altijd dat ik bij haar uit de buurt bleef.'

Ik kon de woorden niet vinden om hem onomwonden te vragen of mijn moeder ooit geprobeerd had in contact met me te komen. Elke keer dat ik zei dat ik het wíst, dacht hij dat het over Janey en hem ging. En mevrouw Klein had gelijk gehad; ik moest uitkijken voor die vlakke blik in zijn ogen, het eerste waarschuwende teken van zijn duistere, chaotische kant, want ik had gezien dat hij in een oogwenk kon veranderen wanneer hij dacht dat ik kritiek op Janey uitte. Hij was vriendelijk en begripvol doordat hij aan zijn moeder dacht, maar ik kende de manier waarop de spieren rond zijn ogen zich konden samentrekken. Heel even zag ik het gebeuren, en het ging bijna mis, maar hij beheerste zich.

Ik hield mijn mond.

Zou er iets veranderd zijn als ik dat niet had gedaan?

Nee, niets.

Ik stormde het huis weer uit. Ik wilde niet in de buurt van mijn vader zijn, die elke keer die dwaze verliefde uitdrukking op zijn gezicht kreeg wanneer hij Janeys naam uitsprak.

Uit Gary's slaapkamer hoorde ik weer die muziek komen die als helikopters en woestijnwind klonk. En daar was hij; hij stond in een wit t-shirt tegen het raamkozijn geleund en keek uit over de straat.

Ik wilde als een insect langs hem schieten, maar hij zag me en zwaaide.

Hij zwááide. Ik overwoog te doen alsof ik het niet had gezien. Mijn gezicht was knalrood. En in een flits zag ik de strakke, harige billen uit het tijdschrift voor me. Ik dribbelde nog sneller dan ik van plan was geweest.

Ik was zijn huis bijna voorbij toen ik stilstond en me omdraaide. Hij stond nog voor het raam naar me te kijken, een grijns op zijn gezicht.

'Wat is dat voor muziek?' riep ik omhoog. 'Het klinkt als vliegtuigen of zoiets.'

'Het heet *Silver Machine*,' riep hij terug. 'Het gaat over ufo's.'

'Wat een raar onderwerp voor een liedje.'

'De groep heet Hawkind. Die geloven echt in ufo's.'

'O.' Ik kon niets meer bedenken om te zeggen. 'Lekkere muziek.' Ik wapperde zwakjes met een hand en liep verder, en ik wou dat ik wist hoe ik onverschillig moest doen.

De maandag na de vakantieweek gingen we weer naar school.

Trish, Poppy en ik zaten tussen de middag op de bank die uitkeek over de sportvelden. Trish was vol van haar logeerpartijtje en de dingen die ze in Londen had gezien.

'We gingen naar de King's Road omdat mijn vader daar mijn moeder heeft ontmoet in een café. Ze had een kamer daar in de buurt, en het was ongelooflijk, we gingen naar datzelfde café en er liep een vent rond in een geribbeld zwart T-shirt en een spijkerbroek die van veiligheidsspelden aan elkaar hing, en hij had ook een veiligheidsspeld in zijn óór...'

Trish had een zwart T-shirt gekocht waarop SEX op het voorpand stond.

'Wat, echt dat woord?' vroeg Poppy.

Trish knikte met een wilde, gelukkige blik in haar ogen.

'Dat kun je niet dragen,' zei ik. 'Ik bedoel... je wordt nog gearresteerd.'

'Mijn vader heeft het voor me gekocht,' zei Trish. 'Hij vindt het niet erg. Hij vindt het grappig.'

Een spin had tussen de bladeren van een rododendron een web gebouwd. Hij had net een vlieg gevangen. De spin zat boven op het hulpeloze insect en op de een of andere manier liet hij de vlieg draaien, als een man die zijn rock-'n-rollpartner laat rondtollen, rond en rond en rond, zo snel dat het hele web schudde in het zonlicht.

Ik dacht erover de vlieg te bevrijden, maar het was waarschijnlijk al te laat.

Ik kon Trish en Poppy niet vertellen over alle verwarring in mijn hoofd. In nog geen week tijd had ik Poppy en haar barbies achter me gelaten, en mevrouw Klein had me gevraagd niet aan Trish te vertellen dat wij in Londen waren geweest. Maar het leven ging voor ons alle drie snel.

Trish had die week een idee gekregen. Ze vertelde het ons toen we op woensdag naar huis liepen.

'Jij bent toch binnenkort jarig?' zei ze tegen me.

'Nou... eind juli. Vlak voor de vakantie.'

'Laten we een feest organiseren. Het is vlak na de examens. We kunnen het vieren.'

We liepen de Avenue af met zijn geknotte bomen, langs het speelterrein. Een paar jongens waren aan het voetballen. Ze hadden hun T-shirts op een hoopje op het gras gegooid en liepen met bloot bovenlijf rond.

'Voor mij?' zei ik. 'Hoe moeten we dat doen? Mijn vader zal me nooit een feest laten geven.'

'Niet bij jou thuis. Ergens anders.'

'Nee,' zei ik. Maar ze negeerden me allebei.

Het idee stond Poppy wel aan. 'We kunnen mensen vragen cider mee te brengen.'

'We nodigen een paar jongens uit. Die weten altijd hoe ze aan drank moeten komen,' zei Trish. Ze begon te zwaaien. 'We zouden Gary kunnen uitnodigen.'

Daar was hij, voetballend met zijn vrienden. We bleven bij het hek staan kijken. Die borst begon duidelijk vorm te krijgen en was goudgeel in de namiddagzon. Ze besteedden geen aandacht aan ons, dacht ik bij mezelf; ze gingen te zeer op in hun spel. Je zag de tackles harder worden, het duiken overdrevener, en toen Gary ten slotte een doelpunt maakte tussen de T-shirt-palen door, maakte hij zwaaiend met zijn armen en zijn krullen schuddend als Kevin Keegan een sprong van trots.

Toen ik het huis binnenkwam, ging de telefoon. Ik liet hem rinkelen. Het geluid hield op, maar toen ik bezig was de ketel te vullen, begon het gerinkel weer. Het klonk hard en doordringend in het lege huis, als een gekarteld mes dat door een touw zaagt. Ik liet hem weer rinkelen en liep met mijn thee naar boven om me in mijn moeders oude kamer op de vensterbank te nestelen, waar ik de deur dichtdeed om het geluid te dempen.

De hele week ging de telefoon al wanneer ik alleen thuis was. Hij ging 's ochtends vroeg, nadat mijn vader naar zijn werk was gegaan. Hij ging nadat ik uit school was gekomen, maar het hield voor zes uur op en het gebeurde nooit 's avonds. Ik nam niet op omdat het alleen iemand kon zijn met wie ik niet wilde praten. Het was ofwel Janey Legge, op zoek naar mijn vader, of het was Trish' moeder.

'Katie, kan ik je even spreken?'

Nog iemand met wie ik niet wilde praten: mevrouw Ruthven, de le+ res Engels. Ze kreeg me in het oog toen ik over het schoolplein liep, alleen; ik had mijn ontmoeting met Trish die ochtend gemist. Alle anderen liepen langs me heen op weg naar het ochtendappel.

'Ik wil niet te laat komen,' zei ik zenuwachtig.

'Het duurt maar even,' zei mevrouw Ruthven. Ze stond op de onderste trede van de stoep naar de ingang, versperde me de weg en klemde een stapel oefenschriften tegen haar borst. Met een ontmoedigd gevoel besefte ik dat het de schriften waren die we gisteren hadden ingeleverd.

'Wat is er precies aan de hand met je dit trimester?' vroeg ze. 'Ik begrijp het niet meer. De laatste keer dat ik met je sprak waren je cijfers al teleurstellend, maar nu zijn ze bespottelijk slecht. Je hebt een zes voor wiskunde en je haalde altijd negens... Nee, val me niet in de rede. En je hebt de moeite niet eens genomen om de opdracht af te maken die ik je voor de vakantie had opgegeven.'

'Het spijt me, mevrouw Ruthven,' zei ik met neergeslagen ogen. 'Het zal niet meer gebeuren.'

'Dat hoop ik dan maar. Je beseft toch dat je wiskunde nodig hebt als je een bètastudie wilt doen?'

'Ja, mevrouw Ruthven.'

'Nou, zorg dat je wat beter gaat werken. De examens zijn over drie weken, en je hebt nog heel wat te doen wil je fatsoenlijke cijfers halen.' Ze draaide zich om en begon de trap op te lopen. We waren de enigen die nog buiten stonden, afgezien van een paar laatkomers die hijgend de poort door kwamen. Een van hen was Poppy.

Ineens bleef mevrouw Ruthven staan en keek over haar schouder.

'Juf Millichip heeft me verteld dat je een poosje geleden onwel werd tijdens haar biologieles,' zei ze. 'Heeft dat er iets mee te maken?'

'Nee,' zei ik. 'Helemaal niet. Ik zal harder werken, mevrouw Ruthven. Eerlijk.'

Ze kneep haar ogen samen en verdween door de glazen deuren. Ik had een misselijk gevoel in mijn maag.

Poppy haalde me in voordat ik boven aan de trap was.

'Wat wilde Ruthven?' vroeg ze.

'Ze klaagde over mijn wiskunde,' zei ik. Deze keer kon ik niet liegen; ik maakte me te veel zorgen. Stel dat mevrouw Ruthven mijn vader zou bellen. Hij zou me vermoorden. 'En ik was vergeten de opdracht voor de vakantie af te maken. Ik denk dat ze me een vijf heeft gegeven.'

Terwijl de week verstreek, bleef ik mijn vader uit de weg gaan. Maar meed hij mij ook? Hij ging vroeg de deur uit en kwam zelden thuis voordat ik klaar was met eten. Wanneer ik mijn huiswerk deed, keek hij televisie. Wanneer ik televisie keek, ging hij naar zijn werkplaats in de garage.

Op een avond werd ik wakker, heel laat, doordat de matras inzakte toen hij op de rand van mijn bed ging zitten. Ik hield mijn ogen dicht en probeerde zo rustig en ondiep adem te halen als iemand die slaapt. Hij streelde mijn haar, zat daar een poosje en ging toen weg.

Het feest begon een obsessie voor Trish te worden. Ze praatte bijna nergens anders meer over. Ze was ervan overtuigd dat ze de ideale plek zou vinden om het te houden.

'Als je zo graag een feest wilt, waarom kan het dan niet bij jou thuis?' zei ik. Niet dat ik daar een feestje wilde.

'Het kan niet bij mij thuis als het jouw feest is,' zei Trish. 'Bovendien heeft Marcus vorig jaar een feest gehad en mijn vader heeft gezegd dat

dat eens en nooit weer was. Hij zag iemand in het vogelbad pissen.'
'Dan zou jij afvallen, hè?' zei Poppy.
'Een jóngen,' zei Trish. 'We moeten jongens uitnodigen, daar gaat het
om. Zullen we in de school inbreken en het daar doen?'
'Hoe?' zei Poppy.
'We hoeven er alleen maar jongens bij te hebben,' zei Trish. 'Die we-
ten hoe ze dat soort dingen moeten doen.'
'De conciërge patrouilleert 's nachts,' zei ik. Ik was niet geïnteres-
seerd in het feest. Het was niet voor mij, het was voor Trish, maar ik
speelde het spelletje mee omdat ik begreep dat het er toch niet van zou
komen.
'Wat denk je van de tunnels?' zei Poppy.
'De tunnels?' zei Trish.
'Die tunnels onder ons zwembad. Katie zegt dat er kilometers en kilo-
meters geheime tunnels zijn onder de grond.'
Trish keek me weifelend aan. Maar ik was het ammonietenmeisje. Ik
wist wat er onder onze voeten gebeurde.
'Meen je dat?' vroeg ze.
'Je kunt er niet in. Ze zijn allemaal afgesloten.'
'Een detail,' zei Trish, met een vermoeid handgebaar dat ze had over-
genomen van een Bondfilm die de afgelopen week op televisie was ge-
weest. 'Dat is fantastisch. We moeten erover vergaderen. Laten we za-
terdag afspreken. Kom bij mij lunchen. Mijn moeder blijft maar vragen
of het goed met je gaat.'
'Ik kan niet,' zei ik snel. 'Ik ben bezig.'
'Bezig? Met wat?'
'We kunnen wat vroeger in de stad afspreken.'
'Oké, maar jij moet uitzoeken hoe we in die tunnels kunnen komen.'
'Luister,' zei ik. We liepen langs de Avenue. 'En als je niet wilt luisteren, kijk!' Ik trok haar bij de mouw van haar blazer naar de hoek van
Stonefield Lane en wees naar het pad dat langs de begrafenisondernemer
liep. 'Dat is de ingang van de mijnen daar onder. Tenzij je een Dracula-
act kunt doen en kunt slinken tot de grootte van een vleermuis is het
onmogelijk om daar binnen te komen.'
'Er moet een manier zijn om binnen te komen,' zei Trish koppig. 'Ik
wed dat de jongens het weten.'
'Wélke jongens?' zei ik. 'Gebruik je verstand, Trish. We kennen helemaal geen jongens.'
'En Gary dan?'
'Ik ken Gary niet. Ik heb nog nooit van mijn leven met hem gepraat.'
Je hebt je riem verloren.

De geur van zijn zweet.
'Toe nou. Je woont recht tegenover hem.'
'Ik ga hem niet vragen.'
Ik zou het niet kunnen!
'Het zou geweldig zijn,' zei ze. 'Niemand zou weten waar we zijn. We zouden recht onder hun voeten zitten en de muziek zo hard aan kunnen zetten als we wilden, en ze zouden niet weten waar ze ons moesten zoeken.'

Net als de vermiste jongens, die de weg naar binnen hadden gevonden en nooit meer naar buiten waren gekomen... of de Cameraman. Een lichte rilling beroerde mijn huid.

Mevrouw Owen had geen zoons, maar haar dochters waren getrouwd met mannen die in de jaren zestig, toen de mijnen werden afgesloten en verzegeld, jongens waren geweest. Zij wisten vast of er een manier was om binnen te komen. Een van hen was onze melkboer. Hij ging 's morgens altijd een kop thee drinken bij mevrouw Owen nadat hij de hele straat van flessen melk had voorzien.

Trish zag me denken.
'Toe nou,' zei ze. 'Vraag Gary.'
'Oké,' zei ik. Ik was het niet van plan, maar dat hoefde ze niet te weten. Ik zou het aan de schoonzoon van mevrouw Owen vragen.

Ik was van plan vroeg op te staan. George legde al voor halfzeven zijn witte spoor langs de voordeuren. Het was vijf voor halfzeven toen ik het de volgende zaterdag door de straat volgde. Mijn vader sliep nog, na weer een avond met Janey Legge. Ik had even bij hem gekeken om er zeker van te zijn.

De hemel was helderblauw, de straat als een filmdecor over het einde van de wereld: klaarlichte dag, geen mensen. De gordijnen in de slaapkamer van Gary's huis waren stevig dichtgetrokken. De melkwagen van George stond voor het huis van mevrouw Owen geparkeerd.

Mevrouw Owen zag er vreselijke geschrokken uit toen ze de deur opende en mij op de stoep zag staan.
'Wat is er, kind?'
'Niets,' zei ik. 'Ik was wakker en had zin in een kop thee.'
'Waar is je vader?'
'Nog in bed.' Ik voelde me gekwetst omdat ik geen warmer welkom kreeg. 'Mag ik binnenkomen?'
Mevrouw Owens ronde, gerimpelde gezicht straalde bezorgdheid uit. Ze was gekleed in haar ochtendjas, een enorme pluizig roze peignoir.
'Is er echt niets aan de hand?'

'Echt helemaal niets.' Ik liep langs haar heen en voelde haar ogen in mijn rug terwijl ik door de smalle gang naar de keuken liep.

'Dit is onze George,' zei mevrouw Owen overbodig. George zat aan de tafel een kom Rice Krispies te eten en bij zijn elleboog stond een kop thee. Ook hij leek te schrikken toen hij me zag. Zijn ogen schoten van mijn gezicht naar dat van mevrouw Owen achter me, en zijn bossige wenkbrauwen raakten in het midden met elkaar in de knoop.

'Niets aan de hand,' zei mevrouw Owen. 'Katie kon niet slapen.'

George klopte op de stoel naast hem. 'Ga zitten, popje.' Het was een kleine man, net als mevrouw Owens echtgenoot, Keith, met een rood gezicht onder een recht geknipte pony van vettig bruin haar. Hij had zijn melkboerjasje uitgetrokken en over de stoelleuning gehangen. Onder de armen van zijn witte, nylon overhemd waren vochtkringen te zien. 'Het wordt snikheet,' zei hij.

Het leek verkeerd om hem te overvallen, dus wachtte ik tot de thee was ingeschonken voordat ik naar de tunnels vroeg.

'Wat, de ondergrondse groeven?' De wenkbrauwen van George raakten weer in elkaar verstrikt. 'Waarom wil je daar wat van weten?'

'Voor een schoolproject.'

'Nou, ik weet dat ze d'r zijn,' zei George. 'Maar ik ben geen expert. Daar moet je iemand anders voor hebben.'

'Ben je er als jongen nooit in geweest?' vroeg ik.

'Wie, ik? Mijn vader had me ervan langs gegeven. Hij werkte in de steengroeven in Crow Stone, en hij zei dat ze gevaarlijk waren...'

'Dat zijn ze ook. Blijf daarbij uit de buurt, Katie,' zei mevrouw Owen.

'En toen hadden we die jongens die verdwenen, in 1963, en hij bleek gelijk te hebben. Nee, het is goed dat ze die ouwe tunnels hebben afgesloten. Er kan geen konijn meer in nu. Alle ingangen zitten potdicht. We hebben het ze zien doen. Vrachtwagens vol cement en sintelblokken.'

'O.' Ik had niet echt gewild dat de tunnels open waren, maar was toch teleurgesteld.

'Soms denk ik trouwens dat het wel jammer is. Allemaal oude dingen in die tunnels. Mensen zeggen dat ze teruggaan op de Romeinen, of misschien nog vroeger.'

'Wat, prehistorisch?'

'Zelfs daarvoor nog. Maar je kunt het ook aan je vader vragen. Hij was leerling-elektricien in Crow Stone, in zijn tienerjaren, voordat jij kwam, en mijn vader kende hem toen. Als jongen had hij grote praatjes, zei dat hij in de tunnels was geweest. Volgens hem waren het niet zozeer tunnels maar grote ruimten met pilaren, die allemaal met elkaar verbonden waren, als een doolhof. En af en toe een muur van stapelstenen, van vloer tot plafond. Hij heeft er een keer een dode hond gevonden.' Hij nam een grote slok thee. 'Mijn vader zei dat dat wel bewees dat ze gevaarlijk waren. Dieren vielen erin en konden er niet meer uit, dan konden mensen dat ook niet.'

'Dat klopt,' zei mevrouw Owen. 'Dat heb ik je gezegd, weet je nog? De enige die de tunnels echt kende, was de Cameraman, en die moet al jaren dood zijn.'

Ik dronk mijn thee op.

'Heel erg bedankt,' zei ik. 'Ik kan nu beter gaan.'

Mevrouw Owen keek naar de klok. 'Blijf ontbijten,' zei ze. 'Keith staat zo op, en op zaterdag bak ik altijd spek en eieren voor hem. Blijf zitten, dan maak ik ook wat voor jou.'

Ik dacht na over de mogelijkheid dat mijn vader wakker zou worden en me zou missen, terwijl ik zat te ontbijten met de man van mevrouw Owen. Waren spek en eieren het waard?

'Nee, dank u,' zei ik. 'Dat kan ik beter niet doen.'

George wierp mevrouw Owen een blik toe. Het leek wel of ze aan het samenzweren waren, maar ik wist niet waarover.

'Ja, dan moet je maar gaan,' zei mevrouw Owen instemmend. 'En voorzichtig, hè, meisje.'

Toen ik terugliep naar ons huis keek ik omhoog naar Gary's raam. De gordijnen waren nog steeds strak dichtgetrokken.

Ik had om halftwaalf met Poppy en Trish afgesproken in de Parade Gardens bij de rivier. Maar na mijn bezoek aan mevrouw Owen was ik weer in bed gekropen met de bedoeling alleen te blijven liggen tot mijn vader op was en naar zijn werk was gegaan. In plaats daarvan was ik in slaap gevallen, dus rende ik nu vanuit het busstation verhit Pierrepont Street op, minstens een kwartier te laat.

Ik had onderweg diep nagedacht. Voorlopig zou ik de zoektocht naar mijn moeder opgeven. Als ik haar zou vinden, zou dat ofwel betekenen dat ik haar weer zou kwijtraken, helemaal, voor altijd, als ze me zou vertellen dat ze een reden had gehad om mij achter te laten, waarom ze niets meer met me te maken wilde hebben. Of ik zou mijn vader kwijtraken, als ik erachter zou komen dat hij mijn moeder echt had verhinderd met mij in contact te komen.

Uiteindelijk zou ik er misschien weer met mevrouw Klein over praten. Maar niet voordat de examens achter de rug waren. Ik moest aan het werk. Als ik mijn wiskunde niet zou ophalen, zou ik misschien geen natuurkunde kunnen studeren, en ik moest natuurkunde kunnen studeren want ik wilde paleontoloog worden. Of misschien archeoloog. Zoiets. Mijn toekomst lag in stenen en botten. Ik zou de Eerste Engelsman ontdekken, die ergens in de verre heuvels op me wachtte.

Maar eerst ging ik Poppy en Trish vertellen dat het onmogelijk was om in de tunnels te komen, dus dat het geen zin had om dat feest te plannen. Zij konden doen wat ze wilden, maar ik ging aan het werk voor de examens. Ik zou niet meer aan moeders, verjaardagen of jongens denken.

Ik rende de trap af naar Paradise Gardens. Ik zag Poppy en Trish op een bank bij de muziektent. Ik wist het doordat Trish helemaal in het zwart was, zoals ze gezegd had dat ze dat voortaan zou doen. Toen ik dichterbij kwam, zag ik geschrokken dat er een scheur in haar T-shirt zat. Haar ene mouw hing bijna los, en haar knokige witte schouder stak eruit. 'Wat is er?' vroeg ik. 'Ben je gevallen?'

Trish keek me aan alsof ik gek was. 'Dit is de mode!'

'Maar het is gescheurd.'

'Dit dragen ze op Kings Road.'

'O.'

'Je bent erg laat. We hebben alles al gepland.'

'Het spijt me,' zei ik opgewekt. 'De tunnels zitten potdicht. Het is onmogelijk om erin te komen. Ik heb het nagevraagd.'

'Vergeet de tunnels,' zei Trish. 'Oud plan. Ons nieuwe plan is tienduizend keer beter. We houden het feest bij Poppy.'

Ik keek haar verbaasd aan. Poppy knikte – gelukkig? Nee, ze zag er gespannen uit. Trish had ook haar duidelijk onder druk gezet.

'Hoe krijg je je ouders zover?' vroeg ik. Ik wist heel goed dat haar moeder mij niet mocht, dus zou het nooit mijn feest kunnen worden.

Poppy zag er nu twee keer zo benauwd uit, maar ook uitdagend. 'Dat hoeft niet,' zei ze. 'Het weekend voor jouw verjaardag zijn ze weg. Trish heeft het allemaal uitgewerkt.'

Het plan was heel simpel, zei Trish, en bovendien geniaal en het kon niet misgaan. Poppy's ouders zouden weer naar Schotland gaan. Voor een bruiloft in de familie. Maar Poppy kon niet meegaan, want ons laatste examen was de week erna.

'Je zult weer bij Trish moeten logeren, lieverd, ' had haar moeder gezegd. 'Kun je vragen of dat goed is als je haar vandaag ziet?'

Dus zou Poppy's huis, met zijn zwembad en eindeloze glazen ramen, het hele weekend uitgestorven zijn. Genoeg plaats voor een feest en genoeg tijd om op te ruimen.

'Briljant, niet?' zei Trish.

'Nee, dat is het niet,' zei ik. 'Het is stom. Poppy en jij zijn bij jou thuis, toch? Hoe wil je daar weg zien te komen om bij Poppy te gaan feesten? Je moeder wordt razend als ze erachter komt.'

'Zij weet het ook niet, oen,' zei Trish. 'Want Poppy zegt tegen haar ouders dat ze bij mij logeert en ik zeg tegen mijn ouders dat ik bij haar logeer.'

'Ze komen er vast achter,' zei ik. 'Stel dat jouw moeder de moeder van Trish belt, Poppy, om te vragen of je daar mag logeren?'

'Dat doet ze niet,' zei Poppy. 'Ik moet het altijd zelf vragen. En als ze zou bellen om het te controleren, nou... ik logeer ook bij Trish op zaterdagavond. We houden het feest op vrijdagavond. Ze is hopeloos met datums; we zeggen gewoon tegen de moeder van Trish dat ze zich in de datum heeft vergist.'

'Het gaat vast fout,' zei ik. Maar ik zag wel in dat het goed kon gaan.

'Ik zeg tegen mijn moeder dat ik vrijdag na school met Poppy meega omdat we samen willen studeren,' zei Trish.

'Dat gelooft ze nooit.'

'Ja, dat gelooft ze wel, want we zeggen tegen haar dat jij ook meegaat.'

'Ik krijg nooit toestemming van mijn vader om de hele avond weg te blijven.'

'Jawel, dat krijg je wel als hij denkt dat je gaat leren.'

Daar kon Trish wel eens gelijk in hebben. Mijn vader wilde dat ik het goed zou doen op school. Hij was trots op zijn intelligente dochter. Hij mocht Trish en Poppy niet echt, maar hij wist dat Trish meestal goede cijfers haalde.

'Wacht even,' zei ik. 'De examens zijn dan nog niet afgelopen. Ik moet echt leren.'

'O, flikker op met dat leren,' zei Trish.

Er viel een geschokte stilte. Niemand van ons had dat woord ooit eerder gebruikt.

'Ik kan er niet aan meedoen,' zei ik. 'Het spijt me.'

'Je moet wel op je eigen feest komen,' zei Trish. Haar zeegroene ogen vernauwden zich. 'Anders schrijf ik je vader een brief om hem te vertellen dat je slechte cijfers haalt voor wiskunde.'

Ik wierp Poppy, de verraadster, een verwijtende blik toe. Ze had het fatsoen beschaamd te kijken.

'En nog iets,' zei Trish. 'Je moet Gary uitnodigen. Zeg niet dat het ons feest is, maar doe alsof Marcus een feestje geeft, zodat hij niet denkt dat het alleen voor pubers is. Maar zorg dat hij komt.'

Ik kon het Gary niet vragen. Ik kon het niet. Ik zou de woorden nooit uit mijn mond krijgen.

Maar als ik toch naar dat stomme feest moest, zou het door Gary nog enigszins draaglijk zijn.

Nee, het was onmogelijk.

Ik stapte uit de bus en liep de heuvel op naar Green Down. In een van de tuinen bloeide een boerenjasmijn; de geur zweefde over de straat en maakte me duizelig.

Trish zou het niet aan mijn vader vertellen; ze wist...

Maar ze had haar moeder verteld dat hij me had geslagen, terwijl ze beloofd had dat niet te doen.

Ik kon Trish niet vertrouwen. Ze zou precies doen wat haar het beste uitkwam. En ik herinnerde me dat het, volgens haar, nog steeds mijn feestje was. Dus wie zou de schuld krijgen als er iets fout zou gaan?

O god. Wat moest ik doen? Ik sloeg van de hoofdweg af en liep onze straat in. Gary's raam stond open. Muziek galmde naar buiten. Hij had Hawkind weer opstaan, *Silver Machine*. Dat nummer over ufo's. Als ik geluk had, zou er misschien een landen en me ontvoeren.

21

Het is donderdagochtend, de dag van de informatieavond, en de vorst is overgegaan in motregen. Ik sta aan het aanrecht en kijk naar een merel die op het gazon zit. Hij zet een paar kleine stapjes, maakt dan een grote sprong, kijkt alle kanten op om zeker te weten dat er geen katten op de loer zitten die hem willen oppeuzelen en houdt vervolgens zijn kopje scheef om te luisteren naar wat zich onder zijn pootjes bevindt. Dan port zijn gele snavel in de door de regen zacht geworden grond en komt omhoog met een dunne, kronkelende draad. Hij lijkt zeer ingenomen met zichzelf. Hij brengt de worm nog een paar steken toe. Dan, onverklaarbaar, laat hij hem liggen en strijkt met fladderende vleugels op de vensterbank van het keukenraam neer. Hij houdt zijn kopje weer scheef, en dat heldere kraaloogje kijkt naar mij terwijl ik de ontbijtspullen afwas. Dan fladdert hij weer weg en hupt over het gazon op zoek naar zijn worm.

Ik maak me zorgen over zo'n brutale vogel. Het maakt hem kwetsbaar. De kat van de buren zou hem te pakken kunnen krijgen terwijl ik op mijn werk ben, en bij thuiskomst zou ik een paar zwarte veren vinden, een hoopje dons, verder niets.

Regen geeft me altijd een onbehaaglijk gevoel onder de grond. Het oude mijnwerkerssinstinct: mijngangen overstromen snel. Martin heeft een vriend verloren die als een bundel kleren in een wasmachine door de spleten in de aarde viel.

Volgens de hydrologie staan steenmijnen niet snel onder water. Maar langdurige regen kan het dak instabiel maken. Ik vind het hier beneden niet prettig wanneer ik weet dat het buiten regent. Het ruikt zelfs anders, als groenten die te lang onder in de ijskast hebben gelegen.

De beide mijnwerkersploegen zijn vandaag in de zuidelijke sector aan het werk, niet ver van elkaar, omdat er gistermiddag een nieuwe doorgang is gevonden. Bovengronds zijn gaten geboord, en wetenschappers zijn met radarapparatuur dwars door de tuinen van mensen gelopen om metingen te doen, zodat we in theorie weten wat zich beneden bevindt, ook al zijn de kaarten niet compleet. Maar de steengroeven kunnen ons nog steeds verrassen. Ted en zijn ploeg zijn erheen gestuurd om een nieuw stuk looppad in de onbekende tunnel te bouwen, zonder dat iemand weet of hij ergens heen leidt of niet.

Intussen is de ploeg uit Wales, allemaal mannen uit de Valleys, bezig een noodvulling aan te brengen onder de weg naar de basisschool. Dat is genieten, puur genieten. Niets is ze te veel moeite.

'Denkt u dat we hier moeten beginnen, mevrouw Parry?' vraagt Huw, Rosies vriend.

'Noem me maar Kit.' Heeft Rosie hem dat ingefluisterd om mijn zelfvertrouwen op te krikken? 'Ja. Is er een kans dat jullie het vandaag af krijgen, zodat we vanavond tijdens de informatieavond kunnen zeggen dat het klaar is?'

'Doen we. Het is zo gepiept. We lopen hier niet te lanterfanten, weet je.' Hij werpt een blik in de richting van het deel waar Teds ploeg aan het werk is. 'In tegenstelling tot die Engelsen.'

'Nou, als jullie aan het eind van de dag nog tijd over hebben, mogen jullie allemaal bij mij thuis komen en de tuin opknappen.'

'Sorry, Kit. We hebben een wachtlijst voor tuindiensten. De baas is je voor geweest.'

'Wat denk je van de muur?' vraag ik Cennydd, de ploegleider. 'Stabiel? Of moeten we hem meteen wat steun geven?'

Hij werpt er een lange, nadenkende blik op.

'Hij ziet er voorlopig wel stabiel uit. De bovenste rij stenen vertonen geen sporen van afbrokkeling.'

'Dat dacht ik ook.'

'En er is graffiti daar van de steenhouwers, dus moeten we de archeoloog ernaar laten kijken.' Op plaatsen waar de archeologie de moeite waard is om bewaard te worden, moeten de groeven gevuld worden met zand in plaats van beton, zodat die vondsten niet voor altijd verloren gaan.

'Laten we hem maar hierheen halen,' zeg ik. 'Hij is op kantoor vandaag, dus moeten we maar zorgen dat de klootzak ook werkt voor zijn geld.'

Als ik niet ook verantwoordelijk was voor Ted en zijn ploeg, kon dit een droombaan zijn – werken met ervaren mensen die instinctief weten wat er moet gebeuren. Er is al iemand weggegaan om Dickon te halen; Huw houdt toezicht op de pompverbindingen.

Uit mijn ooghoeken zie ik een beweging op de plaats waar het looppad rond een van de grote pilaren loopt. Dat kan Dickon nog niet zijn...

Het is de blonde Pat van Teds ploeg. Hij zweet. Niemand ziet er goed uit onder deze lampen, maar hij lijkt onnatuurlijk bleek.

'We hebben een probleem,' zegt hij. Mijn borst verkrampt.

'Een ongeluk?' vraagt Cennydd. De mijnwerkers uit Wales hebben hun werk neergelegd; ze luisteren, klaar om in actie te komen.

Pat schudt zijn hoofd. 'Tovenarij,' zegt hij. 'Zwarte magie. Een heksenpop, botten en zo.'

Er gaat een huivering door me heen die ik niet kan onderdrukken. 'Waar?' vraag ik zo rustig als ik kan.

'Op een richel in de zijtunnel. John heeft het ontdekt. Ted zei dat ik jou moest halen.'

'De archeoloog is onderweg hierheen,' zeg ik, terwijl ik de muren op me af voel komen. 'Zeg tegen de anderen dat ze niets mogen aanraken.'

Terwijl Pat over het looppad teruggaat raakt Cennydd licht mijn arm aan.

'Bijgelovige sukkels,' zegt hij. 'Ze zullen het wel als excuus gebruiken om het werk neer te kunnen leggen.'

Dat is de man die ik zag spugen voor geluk voordat hij vanmorgen de schacht in ging.

'Eerlijk gezegd,' voegt hij eraan toe, 'zou het me niet verbazen als ze die dingen er zelf hebben neergelegd.'

Dickon richt zijn zaklantaarn op de richel. Het licht valt op de kleine verzameling, die met zoveel zorg is uitgestald als in een etalage.

'Tovenarij, ammehoela.' Hij begint te lachen. 'Ik hoop dat je er niet in bent getrapt, Kit. Kinderen. Dat moeten kinderen zijn geweest.'

Ik zie de heksenpop van de mijnwerkers nu ook en begin ook te lachen. Het ding is kort en gedrongen en lelijk, misschien negen centimeter lang en heeft lang samengeklit haar; het haar is langer dan het lichaam en het gezicht van klei zit onder het vuil.

'Het is een trol,' zeg ik. 'Ik herinner me die poppetjes. Ik had er een toen ik een jaar of negen was.'

Als het ding niet zo smerig was geweest, was meteen duidelijk geweest dat het niet van klei maar van plastic was gemaakt. Je kon ze met verschillende kleuren haar krijgen, oranje, groen, violet, hoewel de hemel mocht weten welke kleur dat exemplaar oorspronkelijk had gehad.

'Hij moet uit de jaren zestig zijn,' zei Dickon. 'Toen hebben ze de ingangen afgesloten, dus moet hij van voor die tijd zijn.'

'Nee,' zeg ik. 'Je kon er daarna nog in.'

Ik wil de pop al pakken, maar Dickon legt zijn hand op mijn arm.

'Wacht even. Ik moet eerst een foto maken.' Alles wat gevonden wordt, moet worden vastgelegd, gefotografeerd, beschreven, van etiket worden voorzien. De cameraflits legt de pathetische kleine verzameling op de richel vast. Dickon heeft gelijk; het moeten kinderen zijn geweest. Veren, kiezelsteentjes, een vogelnest. Een stompje kaars en gebruikte lucifers. De flitsen volgen elkaar op, terwijl Dickon het geheel vanuit elke hoek fotografeert. Dan begint hij de afstanden tussen alle voorwerpen te meten.

'Dickon, dat is toch niet...'

'Ik doe gewoon mijn werk,' zegt hij scherp, mij eraan herinnerend wie de echte archeoloog hier is.

Ik loop terug naar de mijnwerkers, die op hun hurken bij de steiger zitten en uit thermosflessen drinken. Voor mannen die een halfuur geleden nog over tovenarij klaagden, lijken ze opmerkelijk onbezorgd. Ted zit op een omgekeerde plastic krat een Mars te eten.

'Kinderspul,' zeg ik.

'O ja?' Ted kon niet minder geïnteresseerd zijn.

Het was dus gewoon flauwekul. De klootzakken. Ze waren helemaal niet bang; ze probeerden alleen mij de stuipen op het lijf te jagen. Alsof ik zou schrikken van een paar veren en een plastic poppetje. Als hij zijn beker naar zijn mond brengt, valt het licht op Teds tatoeages op zijn armen. Ze zien eruit als verbleekte neptatoeages, zielige pogingen om mannelijk te lijken.

'Dit loopt dood,' zeg ik. 'Het heeft geen zin om in die richting verder te gaan met het looppad.'

'Dat is niet wat meneer McGill vanmorgen zei.'

'Er leek daarachter nog een andere passage te zijn. Maar die is er niet.'

'Hoe weet je dat?'

Ik sta en hij zit, maar hij is zo lang dat we evengoed bijna net zo lang zijn. En hij is volkomen ontspannen, terwijl mijn handen tot vuisten gebald in mijn jaszakken zitten. Mijn duim doet zeer doordat ik aan de nagelriem heb geplukt. Hij neemt weer een lange, rustige slok van zijn thee en kijkt me geamuseerd aan om duidelijk te maken dat hij de leiding heeft over het gesprek.

'Je kunt het eind van de tunnel nu zien,' zeg ik, meer in de verdediging dan ik van plan was. 'Het is gewoon een dichte stenen muur.'

'Ben je er geweest?'

'Natuurlijk niet.'

'Hoe weet je dan waar de tunnel naartoe loopt? Moeilijk te zien, niet, vanaf het looppad, zelfs met het grote licht.'

'De geofysica geeft niets aan.'

'Geofysica geeft niet alles aan.'

'Ted,' zeg ik, en zijn naam komt er bijtend uit. 'Doe verdomme gewoon wat ik zeg. De doorgang loopt nog maar een paar meter verder. Het is niet de moeite waard op het looppad verder door te trekken. Gesnapt?'

'Oké, Kit,' klinkt Dickons stem. 'Klaar. Kun je een krat brengen, zodat we het spul kunnen opruimen?'

Ted komt in één soepele beweging overeind. Voor zo'n grote vent is hij bijzonder lenig. Met een handgebaar biedt hij me de krat aan waarop hij zat.

Ik wil er niet op ingaan, maar het is de dichtstbijzijnde. Wanneer ik hem omdraai, voelt het versleten blauwe plastic onaangenaam warm aan, alsof het de geur van zijn grote mannelijke kont uitstraalt. Terwijl ik door de tunnel naar Dickon loop, voel ik zijn ogen in mijn rug.

'Prima,' zegt Dickon. 'Leg ze voorzichtig in de krat. Er zijn een paar breekbare dingen bij.'

Ik had hem niet eerder gezien. Hoe kon ik hem hebben gemist? Klein, volmaakt, geelachtig wit: broos als een eierschaal. Het is de schedel van een vogel, misschien een kraai, misschien een duif; het is moeilijk te zien want de snavel ontbreekt, wat hem een onverwacht menselijk aanzien geeft. Ik pak hem voorzichtig op en leg hem in mijn handpalm, waar hij in past als een ei in een nest. Ik krijg een brok in mijn keel bij de herinnering aan de merel die vanmorgen op mijn vensterbank zat. Heel zachtjes raak ik de bovenkant van de schedel met een vingertop aan, bang dat hij zelfs daardoor zou kunnen breken. Hij heeft de glans van fijn porselein. Ik laat mijn vinger langs de kleine, lege oogkassen glijden, de ruwe holte op de plaats waar de snavel is afgebroken. Mijn huid tintelt van tederheid; ik probeer me te beheersen: mijn schokkerige bewegingen, mijn onbeholpen strelingen, de grote, dikke tranen die in mijn ogen komen en over mijn wangen biggelen. Ik voel de ziel van de vogel fladderen onder mijn vinger in een poging zich te bevrijden van de schedel, uit mijn omvattende handen. Ik kan niet loslaten, maar ook niet vast blijven houden...

'Ik vraag me af waar dit om ging,' zegt Dickon. 'Wat ze dachten, waarom deze dingen, waarom hier, begrijp je? Als een soort schrijn.'

'Jongens,' zeg ik. Ik hoor mijn stem haperen. Alsof hij niet aan mij toebehoort. 'Die verzamelen alles.'

'Gaat het wel, Kit?'

'Het gaat prima,' zeg ik. Het vogeltje ligt in mijn hand. Het kan niet weg; het heeft geen vleugels meer. Ik zal het meenemen, hiervandaan, waar dingen verloren raken, en het het daglicht tonen.

'Ik haal je om kwart voor zeven op,' zei Gary toen ik naar huis ging.

Ik heb te weinig tijd. Ik had onderweg niet langs de supermarkt moeten gaan.

Ik neem de bocht naar het dorp te snel en moet uitwijken voor een rode kat die de weg over kuiert. Nu staat de auto in een verkeerde hoek voor de garage. Wat kan het schelen; ik laat hem op straat staan.

Wanneer ik me met mijn boodschappentassen over de drempel haast ligt er een dikke envelop op de mat. Ik schop hem opzij. Laat er alsjeblieft heet water zijn voor een douche. Nee, de klok van het fornuis zegt dat het al over halfzeven is. De boodschappentassen kunnen wachten op de keukentafel.

De suède rok hangt aan de binnenkant van de slaapkamerdeur, maar het bijpassende truitje ligt gekreukeld in de wasmand. Iets anders dan, als het maar schoon is.

De deurbel. Moet hij zo nodig te vroeg zijn? Ik haat mannen die te vroeg komen.

Een oranje trui was een vergissing, maar het is nu te laat.

Waarom blijft de rits van je laarzen altijd steken wanneer je haast hebt? Ik wip met één wapperende laars de trap af.

Verdomme, mijn ogen vergeten.

'Gary! Sorry, ik ben een beetje laat. Kom binnen...'

Hij draagt zijn pak, met een fris wit overhemd en een ijsblauwe stropdas. Zijn kleren zijn altijd net iets te overdreven voor de gelegenheid. Zijn kin is keurig geschoren en er komt een schone geur van zeep en tandpasta van hem af.

Ik voel me als iets wat haastig van de restjes in elkaar is geflanst toen alle andere vrouwen klaar waren.

'We moeten opschieten. Brendan zei dat we er op tijd moesten zijn.'

'Sorry, de rits van mijn laars zit vast... Jezus, hij wil niet meer omhoog of omlaag; ik weet niet wat ik heb gedaan...'

'Laat mij maar.'

O – lieve – god.

Maar hij is veel te efficiënt. De rits is los, de laars is dicht en hij staat al weer overeind voordat ik de tijd heb gehad om van het moment te genieten.

'Kom op. Het is al tien voor,' zegt hij.

Handtas?

'Wacht...'

Sleutels! Verdomme!

'Start de auto vast; ik kom eraan...'

Ik praat tegen zijn rug. Hij loopt de straat al op. Ik graai de sleutels van de keukentafel, vind een jas, sla de deur dicht en draaf zo snel als die stomme rok me toestaat achter hem aan.

'Wat ben je aan het doen?'

'Gewoon, mijn mascara.'

'Als ik ineens moet remmen, ben je een oog kwijt.'

Ik probeer me te concentreren op het niet kwijtraken van een oog, maar ben me zeer bewust van Gary's hand op de versnellingspook die heen en terug schakelt om de bochten te nemen.

'Je kunt muziek opzetten, als je wilt,' zegt hij. 'De cd's zitten in het handschoenenvak.'

U2, Bruce Springsteen, Green Day: allemaal groot en hard en niet echt mijn muziek. Een cassettebandje dat onder de krassen zit, ontlokt me een glimlach. Het bandje is losgeraakt en ik zie lussen van glanzend bruin plastic.

'Hawkind,' zeg ik voordat ik me kan inhouden, en ik begin te lachen.

'Daar heb ik al jaren niet naar geluisterd,' zegt hij verdedigend.

'Ik denk niet dat hij het nog doet. Hawkind, godallemachtig. Muziek om bij naar ufo's te kijken. Ik heb nog nooit iemand ontmoet met een bandje van Hawkind in zijn auto.'

'Ja, nou...' Hij is duidelijk niet op zijn gemak. 'Ik zou het weg moeten gooien, de auto eens goed opruimen.'

De jeep is veel netter dan de vorige keer en heeft de blikachtige geur van schoonmaakmiddel. Hij moet elk oppervlak hebben gepoetst.

'Je moet het bandje niet weggooien,' zeg ik. Ik heb er spijt van dat ik hem heb geplaagd. 'Het herinnert me aan vroeger. Aan de jaren zeventig, bedoel ik.'

'Mij ook.' Ik heb het gevoel dat hij glimlacht, maar zijn gezicht is afgewend om op het verkeer op de kruising te letten.

We zijn op een achterafweg die ik niet herken, en plotseling zijn er straatlantaarns en de eerste huizen van Green Down, huizen die in de laatste twintig jaar zijn gebouwd. Verbouwde schuren en opritten van duurdere huizen lopen over de heuvel waar vroeger boerderijen en steengroeven waren. Gary rijdt het parkeerterrein van de basisschool op. Er zijn amper plekken over. Licht schijnt door de wand van glas en hout van de grote hal, waar de bijeenkomst wordt gehouden. Aan de muur hangt een glanzende gedenkplaat: 'Geopend op 27 april 1982 door HKH prinses Anne. Architecten: R. Klein & Partners.'

'Er is een grotere opkomst dan de vorige keer.' Gary volgt me naar de drukke hal. 'Ik hoop dat het niet betekent dat we problemen krijgen.'

Brendan staat bij de deuren die toegang geven tot de zaal; zijn snor doet dappere pogingen omhoog te blijven staan, maar blijft halfstok hangen. Naast hem staat een kordate vrouw van de gemeente met kortgeknipt haar, en ik herken een man in pak, van het hoofdkantoor van

RockDek – hij is afgezien van Gary de enige die formeel is gekleed voor de bijeenkomst. Hij draagt een custardgele das met bruine spikkels erop, als tekenfilmacne.

'Ga voorin zitten,' sist Brendan. 'Ik heb steun nodig.'

'Nee, beter achterin,' zegt de gladde jongen van RockDek.

'Het maakt niet uit waar,' zegt de vrouw van de gemeente. Ze klinkt vermoeid.

Een man met een videocamera op zijn schouder filmt de mensen die binnenkomen, en de man met de acnedas werpt ongeruste blikken in zijn richting.

Er komt een meisje met een blocnote aan. '*Western Daily Press,*' zegt ze tegen Gary. 'Bent u van RockDek?'

'Ja.' Acnedas dringt naar voren en gaat voor Gary staan. 'Alan Prince. Public relations. Als u een interview wilt, kunt u met mij praten. Ik wil niet dat u iemand anders van het team rechtstreeks benadert.'

De vrouw van de gemeente werpt hem het soort blik toe dat ik voor Dickon bewaar en steekt haar hand uit naar de verslaggeefster. 'Ik ben Lucy Mackintyre,' zei ze. 'Projectleider voor de gemeente. Ik ben na de bijeenkomst graag bereid met u te praten.'

'Dan spreek ik u straks,' zegt het meisje. 'Neem me niet kwalijk. Ik zag net...' Ze verdwijnt in de menigte.

'Waarom is de pers hier?' vraagt Brendan klaaglijk.

'Luister,' zegt de man van RockDek, 'het is heel belangrijk dat we allemaal hetzelfde deuntje zingen.'

'Steun me, alsjeblieft,' zegt Brendan. 'Kit, als ik een beroep op je doe...'

'Doe niet zo mal,' snauwt Acnedas. 'We moeten niet hebben dat iedereen zich er een beetje tegenaan gaat bemoeien.' Hij kijkt me dreigend aan. 'Zeg geen woord.'

Brendan ziet er wanhopig uit.

Al die tijd kijk ik onderzoekend naar de gezichten die ons passeren; er is hoop en vrees met betrekking tot wie er zouden kunnen zijn. Maar er is niemand die ik herken. Ze zijn allemaal dood, of lang geleden verhuisd. Een breed, schommelend achterwerk dat de bordjes richting Toiletten volgend de trap op gaat, doet me denken aan mevrouw Owen, maar ik weet zeker dat ze niet meer leeft: een hartaanval; ze was nog geen zestig. Niemand hier kent me.

Er zou niet veel voor nodig zijn om hun geheugen op te frissen.

Er is wat opschudding bij de deur. Een oudere man probeert binnen te komen. Een vrouw met een paarse stola om haar schouders verspert hem de weg. 'Ik ben bang dat u uw hond niet mee naar binnen kunt nemen,' zegt ze luid.

Achter de man sleept een oude bassett zijn tepels de trap op; hij ziet er niet uit alsof hij binnen wil komen. De eigenaar is de man met het witte haar, die naar mij glimlachte bij het kerkhof. 'Ik kan Riley niet buiten laten op zo'n koude avond,' zegt de man, terwijl hij nog steeds tegen de deur duwt. 'Daar is ze te oud voor.'

De vrouw met de stola om kijkt alsof ze tegen hem wil zeggen: dat ben jij ook.

'Geen honden,' herhaalt ze. 'Dit is een school.'

'Wat maakt dat nou uit?' zegt de oude man. 'Ik wil binnenkomen en mijn woordje doen.'

'Nou, u zult moeten kiezen,' zegt de vrouw met de stola om. Ze heeft de opgewekte, engelachtige glimlach van een Tafeltje-dek-je-dame. 'Binnen, zonder hond; met hond, buiten.' Het is alsof ze hem pudding met gedroogde pruimen aanbiedt op een plastic bordje. 'Neem een beslissing.'

De oude man kijkt naar de hond. Ik vind het hartverscheurend.

'Ze moeten nu eindelijk eens opschieten met die verdomde steenmijn,' zegt hij. 'Dat is alles wat ik wilde zeggen. Dan kunnen sommigen van ons misschien eindelijk hun huis verkopen.' Hij draait zich om en trekt aan de riem van de hond. Riley, die net de trap is opgewaggeld, volgt hem gehoorzaam weer naar buiten.

'Nou, dat is één ontevreden klant minder, godzijdank,' zegt Alan Prince. 'Alle beetjes helpen.'

Gary pakt me bij mijn arm en duwt me door de glazen deuren de hal in.

'Hé,' zeg ik, terwijl we langs een rij stoelen schuifelen en mensen op de tenen trappen. 'Dat was een beetje plotseling.'

'Ik moest daar weg, anders had ik die lul in dat pak een dreun verkocht,' zegt Gary.' Om te beginnen stond die oude man aan onze kant. Hij wil dat we opschieten met het werk. Hij begrijpt niet waarom we de hele handel niet meteen kunnen opvullen. En die arme Brendan is ten einde raad. Ik vertrouw die klootzakken van het hoofdkantoor niet. Er is iets gaande vanavond. Ik snap niet waarom de pers er is.'

Eindelijk vinden we twee lege stoelen.

'Wie is er nog meer?' vraag ik.

Gary kijkt de zaal rond voordat hij gaat zitten. 'Niet veel mensen die we kennen,' zegt hij. 'Rupert is net binnengekomen. Die laat geen kans voorbijgaan om over zijn verdomde vleermuizen te praten.'

Brendan, Acnedas en Lucy Mackintyre komen de zaal binnen en lopen naar gereserveerde plaatsen op het podium. Wanneer hij de treden op gaat, draait Brendan zich om en zwaait even wanhopig naar ons.

'Het is een goeie vent,' zegt Gary. 'Ik hoop dat hij zich niet voor gek laat zetten.'

Aanvankelijk lijkt alles normaal te verlopen. De voorzitter van de Bewonersvereniging, een lange, oudere man, die me een beetje aan Poppy's vader doet denken, stelt iedereen op het podium voor. Lucy opent met een toespraak over de gemeente, hoe tevreden iedereen is, enzovoort enzovoort, de financiering nog maar een kwestie van tijd, niet meer dan een formaliteit eigenlijk... Brendan staat op en schetst met behulp van een PowerPointpresentatie wat er tot nu toe is bereikt; het gaat maar twee keer fout, maar het leidt er wel toe dat hij verbijsterd naar het scherm zit te kijken. Hij herstelt zich echter goed, en er klinkt zelfs een verspreid applaus wanneer hij weer gaat zitten, nadat hij ons heeft voorgehouden dat we dankzij zijn geavanceerde verklikkers veilig in ons bed kunnen slapen. De mensen worden op tijd gewaarschuwd als ze het risico lopen met huis en al in de afgrond te verdwijnen.

'Zijn er nog vragen?' vraagt de voorzitter.

Hierop volgt de gebruikelijke beladen stilte, waarin iedereen afwacht wie het lef heeft als eerste het woord te nemen. Dan begint het.

'Kan iemand uitleggen waarom het al vijftien jaar geleden is dat de mijnen voor het eerst onveilig werden verklaard en we nog steeds niet weten of het probleem wordt opgelost?'

De spreker is een man die een paar rijen voor ons zit. Aan zijn stem te horen – luid en zelfverzekerd – behoort hij tot de hogere middenklasse van Green Down die in de duurdere huizen woont. Hij draagt een lichtelijk versleten leren jasje, en donkere, grijzende krullen vallen over de achterkant van de kraag.

'Heb je enig idee wie dat is?' fluister ik tegen Gary.

Hij schudt zijn hoofd. Lucy buigt zich naar voren en legt geduldig uit dat de mijnen opgevuld zullen worden, dat de financiering er zeker door zal komen, dat de gemeenteraad het probleem serieus neemt en dat hetzelfde geldt voor alle partners die aan het project werken...

Maar de man in de leren jas lijkt iets te hebben verwoord wat al een poosje broeit. Er klinkt geroezemoes en gemompel, terwijl Lucy nogmaals uitlegt wat ze ook al in haar inleiding had uitgelegd.

'Intussen wonen we boven op een ramp!' roept iemand achter ons. Ineens zie ik het rode knipperende lampje op de tv-camera. De nieuwsploeg is van achter uit de zaal naar voren gekomen; de cameraman staat met zijn benen gespreid om het gewicht van de camera op zijn schouder te kunnen dragen, terwijl het donkere, filmende oog langs het publiek dwaalt. Ik wend me instinctief af, wat me in contact brengt met Gary's antracietgrijze schouder. Onze armen raken elkaar, en ik wil dichter tegen hem aanleunen. In plaats daarvan schuif ik onhandig bij hem weg. 'Ze zijn zo boos,' zeg ik. 'Wanneer je ze overdag ziet, zien ze er niet uit als boze mensen. Ik begrijp het niet. De mijnen zijn er altijd geweest.' 'Nou, zo verbazingwekkend is dat niet,' zegt Gary. Hij lijkt me mijn onbegrip kwalijk te nemen. 'Maar ja, ik neem aan dat je mijn moeder niet hebt gekend, die geen koper kon vinden voor een huis dat volgens haar elk moment in een zwart gat kon verdwijnen met haar erbij. Ze had voor het bedrag waarop haar huis drie jaar geleden werd getaxeerd nog geen fatsoenlijk tweekamerflatje in Bath kunnen kopen.'

'Woont je moeder hier nog in de buurt?'

'Ze is vorig jaar in een verzorgingstehuis gestorven. De verkoop van het huis dekte net de kosten.'

'Dat spijt me voor je.'

Het gemompel en geschuifel wordt luider, en hij laat me dat stijve glimlachje zien dat zegt: 'Dank je dat je zo beleefd bent, maar waarom zou je?' Maar het spijt me echt, hoewel ik me haar amper herinner: een incidentele gast in de keuken van mevrouw Owen, een vage gedaante die de gordijnen dichttrekt in Gary's slaapkamer.

Acnedas van RockDek heeft het woord genomen en probeert de gemoederen te kalmeren, maar het publiek is nauwelijks onder controle te krijgen. Brendan ziet er bleek uit. Nu komen andere mensen overeind en beginnen te schreeuwen. Waarom kan het opvullen niet onmiddellijk beginnen?

'We moeten wachten tot de vicepremier de financiering bevestigt,' herhaalt Lucy Mackintyre geduldig en kalm. 'Jullie denken toch niet dat de gemeente dit zelf kan doen? Het gaat meer dan honderdvijftig miljoen pond kosten.'

'Ik heb begrepen dat we moeten wachten tot de routes voor de vleermuizen zijn vastgesteld,' roept een vrouw op de derde rij. 'Sinds wanneer zijn vleermuizen belangrijker dan mensen?' Rupert maakt aanstalten om op te staan, terwijl de pr-man van RockDek hem met zijn blik op zijn stoel probeert te houden, maar voordat hij de kans krijgt om te zeggen dat hij nog eerder een hoefijzerneus zal redden dan de vragensteller, komt een man twee rijen naar achteren overeind.

'En wie betaalt voor het onderhoud?' Iemand anders begint te klappen. 'Het werk is over zes jaar misschien klaar, maar iedereen weet dat zoiets nooit echt klaar is. Wie gaat al die ondergrondse looppaden onderhouden die jullie hebben gebouwd?'

Op het podium valt een ongemakkelijke stilte. De officiële richtlijn is dat de mensen die boven de looppaden wonen juridisch verantwoordelijk worden voor het onderhoud ervan nadat de stabilisatie is voltooid. Lucy Mackintyre begint het uit te leggen en dat maakt een stortvloed van woedend geschreeuw los.

Een kleine man, die het vormloze gekreukelde pak draagt van een provinciale boekhouder, staat op. Hij maant vergeefs met handgebaren tot stilte, geeft het op, trekt zijn schoen uit en slaat ermee op de zitting van zijn stoel.

Het wordt stil

'Mijn naam is Graham Schofield,' zegt hij. 'U zegt dat wij juridisch verantwoordelijk zijn voor dat deel van de mijnen dat recht onder ons huis ligt?'

'Daar komt het ongeveer op neer,' zegt Lucy.

'Als dat zo is, waarom heeft niemand mij dan iets laten tekenen waarmee ik instem met de werkzaamheden die onder mijn huis worden uitgevoerd?'

Lucy Mackintyre trekt wit weg. Er gaat een golf van protest door de zaal.

'Waar het op neerkomt,' schreeuwt de kleine man boven het lawaai uit, 'waar het op neerkomt, is dat u mijn toestemming nodig hebt. En aangezien u mij dat door een of andere vergissing niet hebt gevraagd, laat ik u hierbij weten dat ik nergens mee instem voordat ik absoluut zeker weet dat wat u daar beneden instopt milieutechnisch honderd procent veilig is.'

Op het podium begraaft Brendan zijn hoofd in zijn handen. Acnedas ziet eruit alsof hij door de bliksem is getroffen en wendt zich boos tot Lucy Mackintyre, die haar hoofd schudt. In de zaal breekt een geweldig tumult los. Het zou me niet verbazen als een lynchmenigte het podium op zou stormen en de kleine boekhouder ter plekke zou opknopen.

'Verdomme,' zegt Gary.

'Ik begrijp het niet,' zeg ik tegen hem. 'Wat is er aan de hand?'

'Die etter van een Graham Schofield heeft het net voor elkaar gekregen om het werk in één klap stil te leggen,' zegt Gary.

In het café, waar we elkaar ontmoeten nadat we ontsnapt zijn aan wat bijna een opstand was geworden, legt Brendan het uit.

'Het ziet ernaar uit dat iemand de zaak behoorlijk heeft verkloot,' zegt hij. 'Sorry voor mijn taalgebruik, Kit. Lucy Mackintyre zweert dat het geen fout van de gemeente kan zijn geweest, maar ik wed dat er koppen gaan rollen. Een tijdje geleden is er een grote bespreking geweest waarbij alle inwoners een document hadden moeten tekenen waarmee ze ons toestemming gaven om het werk onder hun grondstuk uit te voeren. Het schijnt dat meneer Schofield precies toen dat gaande was zijn huis heeft gekocht. Op de een of andere manier is hij overgeslagen. Lucy is ervan overtuigd dat de voormalige eigenaar getekend heeft voordat hij zijn huis aan Schofield verkocht, maar ze kunnen het document niet vinden, en Schofield zweert dat zijn advocaat en hij er niet van op de hoogte zijn gesteld. Het is een juridisch wespennest en niemand weet wie wie voor de rechter moest slepen.'

'Dus alles ligt stil?'

'Nee. We kunnen het werk voortzetten, als we maar niet onder de grond van de heer Schofield komen.'

'En dat is...?'

'Net voorbij het punt waar Ted en de jongens het noordelijke looppad hebben gebouwd.'

'Wat? Dat is toch de grond van het ministerie van Defensie?'

'Meneer Schofield is de buurman. Zijn tuin, en het is een grote, loopt tot aan hun grond.'

Brendan klinkt alsof hij dit allang wist. 'Waarom heeft niemand mij gewaarschuwd?'

'Het is besproken tijdens de vergadering op de vrijdag dat je kwam,' zegt Brendan verdedigend.

'Nou, als dat zo is, heeft niemand het even aan me uitgelegd,' zeg ik. 'Ik snap het niet... als jullie het allemaal wisten, waarom heeft niemand er dan iets aan gedaan?'

'We hoopten dat hij tot rede te brengen zou zijn en zou tekenen. Niemand wist dat het een stiekeme milieubeschermer was die iets tegen schuimbeton heeft.'

'Ik denk niet dat hij dat is,' komt Gary ertussen. 'Volgens mij is het gewoon een betweterige zeurpiet die gebruik wil maken van de macht die hij over ons heeft.'

Brendan staart somber in zijn biertje, als een waarzegger in een glazen bol. Misschien hoopt hij een klein mannetje in een slecht zittend pak erin te zien verdrinken. Ik neem een grote slok zurige wijn. Voorlopig zijn de tauroctony en de mithraïstische inscriptie veilig.

Wanneer Gary me naar huis rijdt, zeggen we geen van beiden veel. Misschien denkt hij aan zijn moeder in haar gele huisje aan de goedkope kant van de heuvel, voordat ze naar een verzorgingstehuis ging. Maar ik denk aan haar zoon.

Een tegenligger passeert ons, en even zie ik Gary's gezicht in het licht van de koplampen: krachtig, maar niet meer zo mooi als ik het me herinner van de zomer waarin ik veertien werd. Hij ziet er solide en betrouwbaar uit, een man in pak die om zijn moeder gaf. En dan denk ik aan de lader die door de tunnels bulderde, de manier waarop hij het stuk steen aanviel, de manier waarop hij het liet dansen, op het randje van controle.

'Ik vroeg me af,' begint Gary. Dan valt hij stil, ziet er verloren uit.

'Ach, je hebt het waarschijnlijk te druk.'

'Wanneer?' zeg ik iets sneller dan de bedoeling was.

'Zaterdagochtend. Luister, ik ga mijn keuken opknappen en ik vind die keuken in jouw huis heel mooi, dus vroeg ik me af of je me zou willen helpen met het uitzoeken van tegels en zo...'

Wat? Een beetje naar tegels gaan kijken? Waarom vraagt hij me niet gewoon mee uit? Of beter nog, waarom gaat hij niet gewoon op de rem staan, rijdt de jeep de heg in en neukt me helemaal suf?

'Natuurlijk wil ik je helpen.'

'Geweldig,' zegt Gary. 'Je hebt echt een goeie smaak, zie je...'

Het dertigkilometerbord flitst voorbij in de koplampen wanneer we van de heuvel af Turleigh in rijden.

'Het is mijn keuken niet. Ik huur alleen maar.'

'O. Natuurlijk. Hmm. Maar je hebt die keuken uitgekozen om te huren...'

'Ik wil je met alle plezier helpen.'

'Goed.' Hij stopt de auto aan de rechterkant, precies voor mijn huis. 'Geweldig. Dan zie ik je morgen op het werk.'

'Bedankt voor de lift,' zeg ik, en ik wip de auto uit zonder te weten of ik er verstandig aan heb gedaan.

'Geen dank.' Hij draait zijn raampje open wanneer ik aan die kant van de auto kom. 'Ik weet dat het raar klinkt, maar ik heb van de avond genoten.' Hij zet de auto in de versnelling en rijdt weg voordat ik tijd heb gehad om nog iets te zeggen.

Wanneer ik mijn jas ophang, raakt mijn voet de grote envelop die al eerder op de mat lag. Reclame, verwacht ik. Maar het is een gewone bruine envelop met daarop een getypt wit etiket. Dan moet hij van Martin zijn, informatie over mithraïstische tempels. Ik zal het onder het eten doorlezen. Ik neem hem mee naar de keuken en vraag me af wat voor snelle hap ik kan klaarmaken. Ik heb een pakje kipfilet in de boodschappentas zitten, en roerbakken gaat snel.

Ik snijd de plastic verpakking open met een mes, en omdat ik het toch in mijn hand heb, gebruik ik het mes ook voor de bruine envelop. Ik loop naar het rek om de braadpan te pakken terwijl ik de inhoud eruit haal. Het ziet eruit als een stapel van het internet gehaalde pagina's. Bovenop ligt een vel gewoon wit papier, waarop in het midden met grote letters GENIET ERVAN staat.

Dat is niets voor Martin.

God.

Ik word misselijk.

Nee, alleen duizelig. Waar is de stoel? De foto's liggen op de vloer, en als ik ze opraap, zal ik er weer naar moeten kijken. Maar ze zitten nu toch al in mijn hoofd. Walgelijk.

De klootzakken.

Mijn mond is droog... Water.

Nee, dan ga ik kotsen.

Ik ben in de woonkamer nu, op de bank, voeten opgetrokken en armen om mijn lichaam geslagen. Bevend als een rietje. Ik kan niet geloven dat iemand dat zou doen. Zelfs van deze afstand zijn de foto's afschuwelijk. Ik kan ze vanuit mijn ooghoeken zien, verspreid rond en onder de keukentafel. In close-up grotten van vlees, gevuld en geperd en gepeild met gigantische instrumenten en humorloze wreedheid. De stukken kip liggen ook op de vloer, dikke, bleke kussentjes, die te veel lijken op sommige dingen op de foto's, vochtig en paarsrood aangelopen.

Mijn ogen sluiten is niet genoeg. Ze zijn er nog. Het zijn vooral de gezichten van de vrouwen die me achtervolgen. Dode, uitgedoofde ogen, slappe mond, niemand thuis. Hoe konden ze dat doen? Ze moeten bedwelmd zijn geweest: net zo bij de tijd als Poppy's barbies.

Ik zal erheen moeten om ze op te rapen. God mag weten wat ik er mee moet doen. Ik zou ze linea recta in de houtkachel moeten stoppen.

Eerst doe ik alle lampen aan. Ik wil het donker afweren dat uit de tuin binnensijpelt. Dat is geen goed idee: het licht komt niet verder dan de rand van het terras.

Er zou iemand buiten kunnen staan, die naar me kijkt, zich helemaal rotlacht om de reactie van mevrouw de mijningenieur op een stapel smerige internetporno. Ze denkt dat ze hard is? Nou, we zullen haar eens laten zien wat hard is...

Voor het eerst sinds ik in het huis woon, trek ik de gordijnen dicht.

Dan dwing ik mezelf naar de keuken te gaan en schuif de pagina's zo goed als ik kan met mijn voet op een stapel, zonder ernaar te kijken. Ten slotte buk ik me om ze op te pakken, en opnieuw probeer ik er niet naar te kijken, maar iets aan de schunnigheid ervan maakt dat je kijkt en ziet wat je niet wilt zien. Godzijdank zijn er geen kinderen bij. Of misschien wel, ergens in de stapel. Ik heb meer dan genoeg gezien om mijn maag nu al te laten omdraaien.

Een vrouw op haar knieën met een halsband om, de riem strak getrokken en vastgehouden door een grote, mannelijke hand... Even was ik er zeker van dat ik dat had gezien, maar nee, het is een vrouw die vastgeketend ligt met vier ringen, de armen en benen gestrekt in de vorm van een X, een gemaskerde man die zijn arm om haar keel heeft gelegd en haar van achteren neemt, terwijl een andere man tussen haar benen knielt. Wie vindt dat soort dingen erotisch? Het is gewoon ziek. Dan draai ik de pagina om en haar arm is eraf; hij is eraf gehakt en hangt los en bloederig aan het eind van de ketting. God, ik kan niet geloven...

Wanneer ik alles zo snel mogelijk in de envelop terug probeer te stoppen zonder het een beetje recht te leggen, valt de helft van de pagina's weer op de vloer en ik huil van frustratie – ik wil die foto's niet eens aanraken...

Ik krijg het laatste vel papier in de envelop en loop naar de gootsteen om mijn handen en gezicht te wassen, maar eerst trek ik de jaloezie omlaag. Ik zou liever boven gaan douchen, maar ik ben bang om naakt te zijn, voor het geval iemand me van buitenaf gadeslaat.

Waar is de theedoek? Ik open mijn van zeep prikkende ogen en draai me om om hem te zoeken.

Op de vloer onder de tafel ligt nog een vel papier dat ik over het hoofd moet hebben gezien. Nog een vel gewoon wit papier, met in het midden, zo groot dat ik het niet kan missen, één woord erop geprint.

BEVREDIGD?

22

Ik werkte aan mijn wiskunde tot ik scheel zag. Ik was elke dag tot laat op de avond aan het studeren. Als ik betere cijfers zou halen, dacht ik, kon ik misschien onder het feest uitkomen, want dan had Trish' dreiging om het aan mijn vader te vertellen geen zin meer. Maar zo leek het niet te werken: ik had nog steeds moeite met mijn schoolwerk. Waar was al mijn slimheid gebleven? Hoe harder ik mijn best deed, hoe dommer ik me voelde. Ik begreep er niets meer van.

Ik zat beneden in de voorkamer met mijn boeken verspreid over de eettafel, terwijl Gary's muziek vanaf de overkant van de straat door het open raam naar binnen zweefde.

Mijn vader keek elke avond wanneer hij thuiskwam om de hoek van de deur en knikte.

'Goed zo,' zei hij altijd. 'Ga zo door.'

Ik wist dat hij bijna elke avond na het werk met Janey Legge afsprak, want hij kwam meestal pas na zeven uur thuis en dan rook ik dat hij bier had gedronken. Haar naam werd door geen van ons beiden nog genoemd. Als ik haar negeerde, zou ze dan weggaan? Maakte het iets uit als dat niet zou gebeuren? Ik had besloten niet meer aan mijn moeder te denken, maar de herinnering aan die foto in het bureau achtervolgde me. En stel dat haar brieven daaronder verstopt waren?

Op een avond kwam hij de voorkamer binnen, en in plaats van alleen te knikken en te zeggen dat ik zo door moest gaan, trok hij een stoel naar achteren, ging aan het uiteinde van de tafel zitten en keek naar me.

Ik keek op van de wet van Ohm.

'Ja?' Het kon me niet schelen of het bot klonk. Die avond, waarop niets in mijn vermoeide hersenen leek te beklijven, was ik bereid een risico te nemen. Zijn ogen gaven me een onbehaaglijk gevoel.

' Je werkt erg hard.'

'Ik heb volgende week examens.'

'Je kunt ook te hard werken, weet je. Je moet ook plezier maken.'

Ik staarde hem aan. Hij snapte er niets van. Hij had het te druk met zijn eigen plezier om te weten hoe ik me voelde.

'Je weet toch dat ik heel veel van je hou, hè?' zei hij ineens. 'Je bent alles wat ik heb, Katie.'

Nee, dacht ik, je hebt Janey Legge nu. De gordijnen bewogen in de zachte wind. Gary's muziek dreunde over de straat. Achter mijn vader stond het bureau, een nette, ordelijke stapel enveloppen erop. De deur van het kastje eronder leek door te buigen onder de druk van de chaos erachter. Ik zag het hout bijna splijten.

'Hier,' zei hij. Hij stond op en stak zijn hand in zijn zak. 'Je hebt zo hard gewerkt dat ik je iets wil geven waaruit blijkt hoe trots ik op je ben.' Hij haalde er een langwerpig doosje uit. 'Je kunt hem gebruiken voor je examens. Hij zal je geluk brengen.' Hij legde het op tafel en schoof het naar me toe.

Door de doorzichtige plastic deksel kon ik zien dat het een vulpen was, slank, zilverkleurig, en een vergulde dop in de vorm van een pijl. Hij had mijn initialen, *K. C. C.*, er in krullerige letters in laten graveren.

'O, pap,' zei ik. Ik raakte de pen niet aan. 'Niemand gebruikt nog een vulpen. Je krijgt er vieze vingers van.'

Zijn oogspieren verstrakten, maar deze keer van verbijstering en pijn. Hij had het verkeerde gekocht, en ik zag dat hij zichzelf vervloekte om zijn onhandigheid. Ik wou dat ik de woorden terug kon nemen, maar ze waren er al uitgeflapt. Ik had mijn hand moeten uitsteken en het doosje moeten pakken – het was nog niet te laat, ik had iets kunnen zeggen, dat de pen heel mooi was, want dat was hij, en dat ik hem altijd zou koesteren en zou bewaren voor het schrijven van speciale brieven. Maar dat deed ik niet.

Hij probeerde er het beste van te maken en pakte het doosje met een glimlachje op.

'Nou,' zei hij, 'je oude vader doet het altijd fout. Het spijt me, Katie. Ik zal iets anders voor je kopen. Wil je een boekenbon? Zodat je precies kunt nemen wat je wilt?'

'Ja, prima,' zei ik. 'Maar ik moet nu weer door, pap. We hebben morgen een repetitie.'

Ik kon mezelf er nog steeds niet toe brengen om Gary voor het feest uit te nodigen. Ik wilde ontzettend graag dat hij zou komen, maar ik wist niet hoe ik het moest vragen. Trish zou er trouwens niets van merken. Het zag ernaar uit dat ze de halve school zou uitnodigen – de helft die oudere broers had.

Trish was nooit eerder een populair meisje geweest. Toen ze net op school zat, had ik haar achter haar rug om 'jood' horen noemen, en ze was zeker zo slim als ik, wat haar ook niet bepaald geliefd maakte. Maar nu wilde iedereen haar kennen; iedereen wilde naar dat feest komen want iedereen wist dat het achter de rug van onze ouders om werd gehouden. Trish had de fundamentele waarheid ontdekt, dat slecht zijn je heel aantrekkelijk maakt.

Mensen bleven maar aan me vragen of ze op mijn feest mochten komen.

'Het is mijn feest niet,' zei ik dan.

'Trish zegt dat het jouw feest is.'

'Ja, nou. Zij organiseert het. Vraag het maar aan haar.'

Op Poppy's gezicht lag de wanhopige blik die ik in de spiegel op mijn eigen gezicht zag.

Er was iets onstuitbaars gaande, en het was te laat om nee te zeggen.

'Heb je Gary gevraagd of hij komt?' zei Trish.

Op de een of andere manier was de tijd verstreken en was het de week van het feest geworden. Ik werd in beslag genomen door het examen geschiedenis van die middag en probeerde de parlementen tijdens de Burgeroorlog in mijn hoofd op een rijtje te zetten. Je had het Rompparlement en het Lange Parlement, maar welk van de twee was het eerste geweest?

'Katie? Luister je?'

'Ja, natuurlijk heb ik hem gevraagd.'

'En zei hij dat hij zou komen?'

En dan had je het Barebone Parlement, maar dat was beslist later geweest. En behang was uitgevonden in 1645. Hoe kwam het dat je nutteloze kennis gemakkelijker onthield?

'Nee, hij was een beetje vaag.'

Vaag tot op het punt van gezegende onwetendheid. Natuurlijk had ik hem niet gevraagd. Mijn vingers groeven zich in de grond, trokken aan madeliefjes bij de wortels. Ze weken geen duimbreed. Net als Trish, die me een dreigende blik toewierp waaruit bleek dat ze heel goed wist dat ik niet met Gary had gesproken.

'Nou, zorg dat hij het toezegt. Ik wil echt dat hij komt.'

De Slag bij Sedgemoor, 1685, laatste slag op Engelse grond. De hertog van Monmouth wordt kort daarna verslagen, gevangengenomen en onthoofd.

Het leek het lot dat ik, toen ik na school de heuvel af liep, Gary uit de tegenovergestelde richting zag komen. Er was iets vreemds aan hem. Lieve hemel, hij droeg een pak!

We kwamen vrijwel op hetzelfde moment bij de hoek van onze straat. Hij glimlachte naar me. Hij zag er echt ongemakkelijk uit in het pak, waarvan de schouders te breed en de broekspijpen te wijd waren.

'Waarom zie je er zo netjes uit?' vroeg ik.

'Ik heb een gesprek gehad op de Technische School,' zei hij. 'Ik moest een pak aan van mijn moeder.'

'Technische School?' zei ik. 'Maar je hebt een baan.'

'Ik heb een nieuwe baan,' zei hij trots. 'Een leerlingenplaats in de groeve. En daarnaast krijg ik vrij voor een opleiding. Ik ben vorige week in Crow Stone begonnen.'

Crow Stone. Trish had gegniffeld. De groeve waar Gary nu werkte, was 's avonds ons vrijerslaantje. Het was de plek die zij had voorgesteld voor ons afspraakje met Gary toen ze wilde dat we hem een briefje zouden schrijven. Trish en haar krankzinnige ideeën...

Ik zou maar één kans hebben. 'Hebjezinomnaareenfeestjetegaan?' zei ik. 'Eenbeetjevanmijmaarniethelemaal. Vrijdagavondvanafachtuur.'

'O,' zei hij. Hij leek niet zo happig.

'De oudere broer van mijn vriendin geeft het. Zijn ouders zijn er niet.' Ineens wilde ik wanhopig graag dat Gary zou komen. Ik zou alles zeggen om hem over te halen. 'Hij zit in een band. Hij heeft Hawkind ontmoet!'

'Oké.' Gary leek en beetje verbijsterd door mijn inventieve stortvloed. Ik wist niet of hij me geloofde. Maar hij zei dat hij zou komen.

'Fantastisch. Goed. Ik zie je daar.' Ik liep ons tuinhek door en sprong de treden op.

'Wacht,' riep hij.

'Ja?'

'Waar is het? Je hebt niet gezegd waar het is.'

Ik gaf hem Poppy's adres.

Zo, voor elkaar. Zo moeilijk was het niet geweest. Terwijl ik naar binnen ging en mijn biologie- en scheikunde-aantekeningen neerlegde voor de examens van de volgende dag had ik het gevoel dat mijn bloed op de openingsmaten van 'Silver Machine' pompte.

'Zei je dat Poppy je had gevraagd om vrijdagavond te studeren?' vroeg mijn vader terwijl we die avond aan tafel zaten.

'Mmm,' zei ik, door een mondvol nieuwe aardappelen.

'En daar te blijven slapen?' vervolgde hij, terwijl hij zijn vork boven zijn bord liet hangen.

'Is dat goed?'

'Ja, prima.' Hij prikte naar zijn doperwten en spietste ze triomfantelijk. 'Ik wilde het alleen even zeker weten.'

Hij deed de afwas neuriënd.

23

Het moet Ted zijn geweest. Alleen Ted zou zo'n lul kunnen zijn. Slecht woord onder de omstandigheden, maar ik kan geen andere lettercombinatie bedenken die gemeen en walgelijk genoeg is voor wat hij heeft gedaan.

Nee, ik kan dat woord niet gebruiken. Het haalt me omlaag naar zijn niveau.

Verdomde taal. Hij is er nooit als je hem nodig hebt.

De auto ruikt zoals ik me voel. Oude as, met teer bevlekte peuken, ongewassen werkkleren. Ik word nooit meer schoon. Wanneer ik in het dal kom om de rivier en de spoorlijn over te steken, rij ik vlagen bruinige mist in. Zelfs de ochtend is smerig.

Ik heb een slechte nacht gehad – niet veel geslapen; ik dacht steeds geluiden beneden te horen. Ik probeerde muren op te trekken in mijn hoofd, maar de beelden bleven er maar doorheen komen.

Zíék.

Dus heb ik nu, terwijl ik het bouwterrein op rijd, hoofdpijn en een smaak in mijn mond als...

Ik weet niet als wat. De woorden zijn verdwenen.

De foto's zitten in de envelop, in de garage. Ik wilde ze niet in mijn huis hebben. Ik zal ze vanavond verbranden, in de houtkachel.

Vertel het aan iemand, Kit, zegt Martin in mijn hoofd. *Dit moet je niet voor jezelf houden. Het is een stap te ver gegaan.*

Doe niet zo mal. Ik ga niet naar Brendan met... nou, met die dingen. Stel dat hij het verder vertelt. Dan kunnen ze allemaal lol hebben. Die voldoening gun ik ze niet.

We zitten niet meer in de jaren zeventig. Er zijn nu wetten tegen mensen lastigvallen en intimideren op het werk.

Ga terug naar de universiteit, Martin. In de mijnbouw werkt het anders.

Brand in de hel, Ted.

Gezegend zij de naam Schofield. Door zijn goddelijke ingrijpen tijdens de informatieavond hoef ik vandaag de mijn niet in om toezicht te houden op Ted en zijn ploeg.

Ik ben niet bang van ze. Echt niet.

Brendan heeft voor tien uur een vergadering uitgeschreven voor het management en de adviseurs. We komen bij elkaar, koppen sterke koffie in de hand, om te bespreken hoe we verder moeten.

'Gaat het?' zegt Gary, terwijl hij wacht tot ik klaar ben met de suiker. Vier volle lepels, maar het is een slechte ochtend. 'Je ziet er een beetje... woest uit.'

Ja, nou, ik zal er inderdaad wel grimmig uitzien. Ik tuur naar mijn gezicht in het glanzende oppervlak van de ketel. Ik zie er daarin natuurlijk uit als een kabouter met kiespijn, maar wat ik ook zie, is dof, vlassig zwart haar, een angstwekkende bleekheid en grote donkere kringen onder mijn ogen.

Dickons spiegelbeeld verschijnt naast het mijne, een kobold die over mijn schouder loert. 'Slaap je niet goed, Kit?' Hij dempt zijn stem en zijn hete adem kietelt in mijn oor. 'Het wordt beter, echt. Een meid als jij zal niet veel moeite hebben een andere man te vinden.'

Alan Prince, de pr-man van RockDek die op de protestbijeenkomst was, en een andere vent van het hoofdkantoor zitten al aan de lange tafel in de vergaderruimte en lachen net iets te overdreven met een derde man in pak. Als technisch adviseurs die verantwoordelijk zijn voor de algehele strategie, komt er altijd iemand van Garamond wanneer er een echte kink in de kabel is gekomen: dat is de man die de beslissingen neemt. Lucy Mackintyre zit zo ver mogelijk van de anderen verwijderd. Ze kijkt op wanneer ik binnenkom, en ik vraag me af of ze op zoek is naar een bondgenoot in deze vijandige ruimte, maar in haar kalme blik van de politicus valt niets te lezen.

'Dus,' zegt de man van het hoofdkantoor van RockDek wanneer we allemaal gezeten zijn, 'we zitten in een impasse. Lucy?'

'Daar komt het ongeveer op neer, Peter,' zegt ze.

'Kun je ons enig idee geven wanneer jullie dit denken op te lossen? Ik neem aan dat je erkent dat dit een fout is van de gemeente?'

'Ik denk niet dat je daar zonder meer vanuit kunt gaan. De gemeente is hier vijf jaar geleden samen met jullie als adviseurs aan begonnen. RockDeks onbekwame archivering is niet de verantwoordelijkheid van de gemeente.'

'Hou op met die flauwekul, Lucy,' zegt Brendan. 'Bewaar dat maar voor de pers. Ik moet weten wanneer ik het werk in de noordwestelijke sector kan voortzetten. Je weet ongetwijfeld dat die is aangewezen als een sector met een hoog risico.'

'Daar ben ik me heel goed van bewust,' snauwt Lucy. 'Maar ik heb vanmorgen al een gesprek met de advocaten gehad, en hoog risico of niet, we kunnen niet onder Schofields huis werken voordat dit is opgelost.'

'Heb je iets gehoord van English Partnerships en het bureau van de vicepremier over de financiering?' vraagt de man van Garamond.

'Niets,' zegt Lucy. 'Officieel niet, tenminste. Officieus ben ik gewaarschuwd dat er geen beslissing wordt genomen voordat we dit hebben opgelost.'

'Dat is bespottelijk,' zegt Peter. 'We hebben hier mannen werkeloos rondhangen. De kosten...'

'In pr-termen is het een ramp,' zegt Alan Prince.

'Heeft iemand contact gehad met de mijninspecteur? We zijn wettelijk verplicht om het werk in de sectoren met een hoog risico voort te zetten...'

Ze draaien als wolven om Lucy heen. Ze geeft geen krimp.

'Hebben jullie me niet gehoord? Ik heb met de advocaten gesproken. We kunnen niet doorgaan met het werk onder het terrein van de heer Schofield. Ik ben hier om te horen of jullie ideeën hebben om het probleem te omzeilen. Kunnen jullie die ruimte veilig maken zonder onder zijn grond te komen?'

'Kit?' zegt Brendan. 'Heb jij een idee?'

'De eenvoudigste oplossing zou zijn om het looppad wat meer naar het noorden te laten draaien, zodat we om Schofields grond heen kunnen werken. Ik heb een kaart nodig waarop de grenzen nauwkeurig staan aangegeven.'

'Maar...' begint Lucy.

'Volgens mij heeft mevrouw Parry die al gekregen,' zegt Peter gladjes.

Klootzak. Ik weet dat ik die niet heb gekregen. Het is voor het eerst dat iemand specifiek over het Schofieldprobleem praat. Proberen ze me erin te luizen? Maar waarom?

Ik weet nu hoe die stier zich voelt wanneer hij op het punt staat als mithraïstisch offer te sterven.

'Volgens mij heb ik die informatie niet gekregen,' zeg ik zo kalm als ik kan.

'Het zit bij het informatiepakket dat ik je de eerste week heb ge-e-maild, Kit.' Ook gij, Brendan. Klootzak.

'Of mevrouw Parry haar post doorneemt, is niet de vraag,' zegt Lucy. 'Wordt de veiligheid in gevaar gebracht als we geen toegang hebben tot het gebied onder Schofields grond?'

'Nee,' zeg ik.

'Ja,' zegt Brendan tegelijkertijd.

Lucy trekt haar wenkbrauwen op.

'Hoe kunt u daar zo zeker van zijn, mevrouw Parry, als u de kaart niet hebt gezien?'

263

'Dat komt doordat ik het niet eens ben met de oorspronkelijke beslissing om die ruimte tot een hoogrisicogebied te verklaren,' zeg ik. 'Ik heb de belastingberekeningen bekeken; ik heb de geofysica en de resultaten van de boorgattests gezien, en ik begrijp absoluut niet waarom dat gebied onveiliger zou zijn dan de mijnen als geheel. Uiteraard zal het uiteindelijk opgevuld moeten worden. Maar ik ben het niet eens met de conclusie dat het onmiddellijk moet worden opgevuld.'

Het blijft stil. Ik houd mijn ogen gericht op Lucy Mackintyre. Ze kijkt me recht aan en deze keer zie ik iets meer warmte in haar ogen.

'Meneer McGill?' zegt ze.

'Mevrouw Parry heeft niet eerder aan kalksteenstabilisatie gewerkt,' zegt hij. 'Haar voorganger, Dan Brotherton, wel, en ik ook. Hij heeft me ervan overtuigd dat voor dat gebied een hoger risico geldt.'

Ik wend mijn blik van Lucy af en vang die van Gary op. Hij ziet eruit alsof hij zich op veilige afstand wil terugtrekken, terwijl de krankzinnige vrouw haar met benzine doorweekte kleren in brand steekt. Maar hij houdt dapper vol en laat zijn ogen een beetje rimpelen, als om zijn steun te betuigen, hoop ik.

Lucy Mackintyre moet die blik hebben opgevangen, want het volgende wat ze zegt is: 'Meneer Bennett? Ik weet dat u geen ingenieur bent, maar u hebt in de groeven gewerkt. Wat denkt u van mevrouw Parry's suggestie?'

'Het is mijn vakgebied niet,' zegt Gary. 'En we hebben nooit in die uitgravingen gewerkt – ze zijn in de negentiende eeuw in onbruik geraakt en een paar jaar voordat ik in Crow Stone begon te werken afgesloten. Maar ik was verbaasd toen de noordoostelijke ruimte tot hoogrisicogebied werd verklaard. Volgens mij zijn er veel zorgwekkender plekken in de mijnen. Zoals onder de basisschool, waar mevrouw Parry haar werkzaamheden deze week op heeft gericht.'

'Met alle respect, mevrouw Mackintyre,' zegt de man van Garamond rustig, zijn eerste bijdrage aan de bespreking. Iedereen houdt zijn mond. 'De vraag is niet of we die aanwijzing die al door de mijninspecteur is geaccepteerd zouden moeten veranderen. De vraag is of we al het werk in die ruimte voorlopig stilleggen, tot iemand de heer Schofield zover krijgt dat hij zijn handtekening op het stippellijntje zet. Dat is eerlijk gezegd onze beslissing en niet die van u, en ik ben geneigd de zaak stil te leggen.'

Dus mag Mithras zijn geheimen voorlopig nog bewaren.

Wanneer de bespreking afgelopen is, grijpt Brendan me bij de arm.

'Kit, ik ben bepaald niet gelukkig met...'

'Ik ook niet,' val ik hem in de rede. 'Ik denk dat ik erin word geluisd.'
Wat bedoel je in godsnaam? Hij lijkt oprecht, maar dat lijkt hij altijd.
'Waarom heb je het probleem met Schofield niet eerder met me besproken? Je hebt me zonder er ook maar iets van te zeggen in die ruimte door laten werken. Ik laat me door jou niet tot zondebok maken.'

Om ons heen gaan de gesprekken door. De vertegenwoordiger van Garamond is niet blij met Lucy's verslag van het gesprek met de advocaten. Hij lijkt te denken dat hij advocaten kan vinden die Schofield met een beroep op de openbare veiligheid met een rechterlijk bevel om de oren kunnen slaan en hem kunnen dwingen te tekenen. Peter, van RockDek, heeft Gary in een hoek gedreven en verwijt hem zo te zien dat hij niet loyaal is geweest. Rupert, die niet was uitgenodigd maar toch is gekomen, houdt een tirade tegen Alan Prince over vleermuisroutes. De enige die zich slim buiten schot heeft weten te houden, is Dickon.

'Luister,' zegt Brendan op gedempte toon, 'Ik weet dat je persoonlijke problemen hebt...'

'Wát?'

'Dit werk is moeilijk voor partners. We hebben het allemaal meegemaakt. Je hebt geluk als een relatie de druk van het gescheiden zijn aankan. Als het misgaat... nou, dan is dat misschien ook maar beter. Kijk naar Gary. God, kijk naar mij. Probeer alleen het op je werk niet te laten merken.' De snor gaat omhoog en de grote grafsteentanden flitsen bemoedigend. 'Je wordt nergens ingeluisd, Kit. Dat verzeker ik je.'

Wanneer ik over het bouwterrein naar mijn kantoor terugloop, passeer ik Ted en zijn mijnwerkers. Gary heeft ze de taak gegeven om wat timmerhout dat op de verkeerde plek is afgeleverd uit te zoeken en te verplaatsen.

Ze draaien zich allemaal om en kijken naar me. Hun ogen branden in mijn rug terwijl ik mijn benen op de een of andere manier stevig genoeg weet te houden om me langs hen heen te brengen. Iemand lacht zachtjes, wat bij mij in een flits het beeld terugbrengt van die plooien van paarsrood vlees, die natte lippen en dode, vernederde ogen. *Brand...*

In de serie kaarten op mijn computer kan ik geen enkele verwijzing vinden naar de grenzen van Schofields grond, maar dat zal Brendan niet tevredenstellen; hij zal alleen maar zeggen dat ik in een vlaag van verdriet om mijn verdwenen vriend de bewuste kaart per ongeluk heb gewist. Ik stuur hem een e-mail en vraag om een kopie. Die komt vrijwel meteen terug, een bijlage zonder verder bericht.

Ik leg hem over mijn eigen plattegrond van het werk. We zitten vrij ver van Schofields grens, godzijdank. Maar op een andere dag, was het een ander verhaal geweest.

Per ongeluk, of opzettelijk?

'Zal ik een broodje voor je meenemen van de delicatessenwinkel, Kit?' Rosie zit op de rand van mijn bureau. 'Hé, kijk me aan. Je bent ver weg. Diep onder de grond.'

'Sorry. Ik dacht na.'

'Slechte gewoonte.' Haar openhartige gezicht, nog met een kleurtje van haar laatste wintersportvakantie, straalt bezorgdheid uit. Ik kom in de verleiding om haar over de porno te vertellen, maar wat heeft het voor zin? Ze kan er niets aan doen.

Bovendien kan ik het niet wanneer ik haar in haar glanzende rode donsjack met bijpassende lippenstift zie. Ze is zo jong en fris. Je kunt niet in een mannelijke omgeving werken zonder op een gegeven moment met pornografie in aanraking te komen. Maar dit was van een andere orde. Gestoord. Gewelddadig. Grotesk.

Brand...

'Ga je mee naar het café?' Nu staat Gary in de deuropening.

'Nee. Ik probeer de gegevens te verwerken van de kaart die ik nooit heb gekregen.'

'Dat is niets voor Brendan. Hij is heel nauwkeurig.'

'Denk jij ook dat ik het heb verzonnen?'

'Hé, ik heb je gesteund, voor het geval je het niet hebt gemerkt.'

'Sorry. Dank je. Ik besef dat je je nek niet had hoeven uitsteken.'

Hij gaat aan Dickons bureau zitten en slaagt erin er op die ergonomische stoel volkomen op zijn gemak uit te zien. 'Ik vind trouwens dat je gelijk had. Ik heb nooit begrepen waarom die ruimte als een hoogrisicogebied is aangemerkt. Maar Dan is lid geweest van het vrijwilligersleger. Hij heeft de geheimhoudingswet waarschijnlijk met bloed getekend.'

'Je maakt een grap.'

'Ik hoop het. Maar goed, ga je morgen nog mee?'

Kipfilet, paars en bloedend. Verdwaasde gezichten bespat met stremselachtig wit.

'Ik weet het niet zeker,' zeg ik. Teleurstelling golft over zijn gezicht. 'Ik heb niet goed geslapen. Misschien heb ik iets onder de leden.'

Ik voel me vreselijk, want zijn blauwe ogen stralen bezorgdheid uit.

'Ik begrijp het. Doe het rustig aan. Wil je liever niet?'

Wat ik op dit moment liever wil is een knuffel, een grote Martinachtige pakkerd. Geen gezoen, geen geneuk, gewoon een ongecompliceerde omhelzing van iemand die me kan bewijzen dat niet alle mannen schoften zijn.

'Bel me vanavond. Misschien voel ik me dan beter.'

Ik voel een koude luchtstroom wanneer de deur opengaat en Dickon binnenkomt; hij heeft een zak bij zich van de delicatessenwinkel en snuit zijn neus. Gary springt zo snel van de ergonomische stoel dat hij bijna omvalt.

'Stoor ik?' zegt Dickon. 'Let maar niet op mij.'

Er brandt een bulderend vuur in de houtkachel. De gordijnen zijn stevig dichtgetrokken tegen ogen en de avond; het is pas halfacht, en ik ben in bad geweest en in mijn pyjama. Op de salontafel staan een beker hete chocolademelk, nog te heet om te drinken, en wentelteefjes, gemaakt zoals het hoort, van witbrood en door ei gehaald en gebakken.

Wentelteefjes plakken de stukken aan elkaar wanneer je uit elkaar valt.

Eet dit, Katie. Goeie god, je moet iets eten. Je kunt niet de rest van je leven...

Ik vraag me wel eens af of mijn hele psyche niet uit wentelteefjes bestaat.

De afschuwelijke bruine envelop ligt op de vloer bij de houtkachel. Ik heb hem uit de garage gehaald voordat ik in bad ging. Hij is besmeurd met spinnenwebachtig vuil van de houtstapel en heeft al een vochtige schimmellucht gekregen.

Open mij, zegt hij. Zie alle dingen die mannen vrouwen kunnen aandoen. Zie hoe je geneukt, genaaid, vernederd en onteerd kunt worden. We kunnen je dat aandoen wanneer we maar willen, en onze macht over je is zo volkomen dat je zelfs een trieste, slappe grijns op je gezicht legt.

Ik maak de envelop niet meer open.

In plaats daarvan neem ik een hap van de wentelteefjes en doe mijn ogen dicht. Wentelteefjes zijn zo lekker. De suiker knarst, maar het eiachtige brood is zacht en glibberig. Het is zoet en pikant, maar ook boterachtig en smakelijk door het bakken.

Ik open mijn ogen, steek mijn hand uit naar het deurtje van de kachel, herinner me net op tijd hoe heet het kan worden en pak de tang. Een hittevlaag slaat me in het gezicht.

Het is bewijs natuurlijk. Bewijs dat ik me Teds vijandigheid niet verbeeld.

Ik zou de envelop kunnen bewaren...

... of loslaten.

Je moet het loslaten.

Hij ligt in de vlammen, hulpeloos, net zo verbaasd als ik dat ik zo snel handelde. De randen worden donkerder bruin, roken een beetje, en dan likt een gele vlam om een van de hoeken heen. Ik verwacht bijna dat de envelop zijn krachten verzamelt en zo uit de kachel en op het kleed aan mijn voeten zal springen. De tang heeft zijn weg naar mijn hand weer gevonden, maar ik span mijn spieren en houd mijn arm langs mijn zij, en de vlam zwiept over de envelop, trekt hem open en onthult de hoeken van de zwart wordende pagina's.

De telefoon gaat. Ik sta op en loop naar de keuken.

'Hoe voel je je?' vraagt Gary.

'Beter.' De vloertegels zijn koud onder mijn blote voeten. Ik loop met de telefoon naar de vloerbedekking in de woonkamer. 'Veel beter.'

Met de telefoon aan mijn oor kniel ik neer bij de houtkachel. Ik had die pagina's een voor een in het vuur moeten gooien. Hij kan die stapel papier niet in één keer verteren en heeft ongelijke happen uit de envelop genomen. Ik vang een glimp op van een verkoolde borst, een geboeide enkel, een verkreukelende penis. Ik pak de tang op en doe het deurtje van de kachel met één hand dicht. *Laat het los.*

'Het lukt wel morgen,' zeg ik. 'Hoe laat?'

Gary haalt me om tien uur op. De jeep ruikt zelfs nog sterker naar poetsmiddel. Tot mijn spijt is Hawkind uit het handschoenenvak verdwenen.

'Besef je wel dat ik geen idee heb hoe je keuken eruitziet?' zeg ik tegen hem. We komen bij de stoplichten, waar we rechtsaf gaan richting Bath.

'Groot? Klein? Vierkant? L-vormig?'

'O.' Hij trekt aan de handrem. 'Je bedoelt dat ik je eerst mijn keuken had moeten laten zien.' Hij zet de richtingaanwijzer naar links in plaats van rechts. 'Ik heb er niet aan gedacht...'

'Nee, het maakt niet uit. Het is toch jouw beslissing hoe hij eruit komt te zien.' Ik stel me voor dat hij een keurige, lichte keuken van Ikea koopt, met veel roestvrij staal.

De auto achter ons begint te toeteren; het stoplicht is op groen gesprongen. Gary slaat rechtsaf, wat hem nog meer getoeter oplevert. Hij glimlacht hulpeloos naar me en zwaait verontschuldigend naar de boze bestuurder.

Het is een witte, nevelige ochtend, maar helderder dan gisteren – of misschien ligt het aan mij, ben ik helderder, ontspannen, op mijn gemak. Er is iets uit me gebrand gisteravond. Ik heb een droomloze nacht gehad en werd net toen het licht werd met een fris gevoel wakker. Ik

voelde me goed genoeg om te gaan joggen, over het jaagpad langs het kanaal, niet zo lang, en toen ik langs het veld het dorp in kwam was het
meer wankelen dan lopen, maar na een hete douche en een ontbijt gloei
ik nog steeds.

Het verkeer strekt zich in een lange rij uit, auto's met die zaterdagse
aanblik van gezinnen die gaan winkelen. Gary en ik lijken op de een of
andere manier een fase te hebben overgeslagen. Zouden we niet bezig
moeten zijn met drankjes drinken, etentjes, de bioscoop, kaartjes voor
een concert van ouder wordende rockers, voordat we naar keukens gaan
kijken? Dit soort dingen doe ik met Martin.

Gary houdt zijn ogen op de weg gericht. Hij heeft de vermoeide win-
terkleur van mensen die lange tijd in een heet klimaat hebben doorgebracht, en er zijn vage sproeten op de plaats waar zijn huid zich over zijn
jukbeenderen spant, net onder de waaier van lijntjes bij zijn ooghoeken.
Hij rijdt kalm, beheerst; snel wanneer er ruimte is, ontspannen vertra-
gend wanneer die er niet is – niets van dat schokkerige van Nick wanneer hij ander verkeer tegenkwam en zijn voet op de rem gooide alsof hij
de auto's voor hem liever zou rammen.

Maar rustig en geduldig was niet de manier geweest waarop Gary de
lader had gereden. Ik sla mijn blik neer naar de versnellingspook, waar
zijn hand op rust, en voel iets tintelen bij de gedachte aan die lange vingers met hun keurig verzorgde nagels.

'Er zijn een paar keukenzaken waar ik wil gaan kijken.' De hand komt
van de versnellingspook en gebaart naar de achterbank. 'Ik heb vorige
week een paar brochures gehaald.'

Ik leun naar achteren om te kijken of ik ze kan pakken wanneer Gary
boven op de rem staat en de veiligheidsriem mijn arm er zo ongeveer af-
rukt.

'Verdomme,' zegt Gary. Hij is bleek geworden.

Een enorme zilverkleurige Amerikaansachtige bak van een suv komt
vanaf een zijweg recht voor ons glijden. Hij heeft een lange wielbasis en
ligt hoog op de weg, hoewel alles groter dan een fret als een hamburger
zou eindigen op de bullbar aan de voorkant. Het ding heeft waarschijnlijk een naam in de trant van Chrysler Destructor of Ford Planetcrusher.
Vergeleken met dat ding ziet Gary's jeep eruit als een mini.

'Die heb ik gemist,' zeg ik. 'Had hij zijn richtingaanwijzer niet aan?'

Achter in de suv heeft de eigenaar een hondenrek geplaatst. Maar in
plaats van een hond ligt er een jongen in die kooi; hij heeft nauwelijks
genoeg ruimte en ligt, een en al knieën en ellebogen, half op zijn zij naar
de weg te staren. Het is een jonge tiener, en er is iets aan hem dat niet
goed lijkt. Zijn hoofd wiebelt heen en weer als dat van een knikkende

hond en hij trekt ook vreemde gezichten, hapt als een goudvis naar de buitenwereld. Hij begint te zwaaien.

'De vuile klootzak!' zegt Gary. Zijn handen klemmen zich om het stuurwiel en de aderen in zijn hals zijn gezwollen.

'Wat is er aan de hand?'

Gary kan amper praten. Er is ook iets mis met zijn ogen – verdomme, hij huilt bijna. Hij haalt een hand van het stuur en zwaait terug naar de jongen terwijl hij probeert te glimlachen.

'Wat is er?' vraag ik.

'Niet te geloven, dat hij dat doet. Het is barbaars.' De lijnen aan weerszijden van zijn mond zijn dieper geworden, als breuklijnen in rotsen.

'Bedoel je de jongen achter in die auto?'

Het stoplicht is net op rood gesprongen en de remlichten van de SUV gloeien op, fel genoeg om je zonnebril te pakken. Rechts is een lege rijstrook voor verkeer naar het centrum. Ineens draait Gary het stuur hard naar rechts en schiet die baan op, zodat we nu naast de Amerikaanse SUV staan. Hij trekt de handrem omhoog en is de auto al uit – zorgvuldige weggebruiker die in een verkeersbeest verandert, waarna hij om de motorkap heen naar de andere auto loopt. Het is zo snel gegaan dat ik niets kan bedenken om hem tegen te houden. Hij briest van woede. Hij trekt aan de knop van het bestuurdersportier om het te openen, terwijl hij zinloos tegen het spatbord schopt, maar de bestuurder moet hem hebben zien komen en heeft snel de centrale vergrendeling gebruikt.

Hij draait echter wel zijn raampje omlaag, wat moedig is gezien de uitdrukking op Gary's gezicht. Ik doe mijn raam een stukje open om te kunnen horen wat er in godsnaam aan de hand is.

Gary rukt nog steeds aan het portier, wat er nogal dwaas uitziet. De man in de SUV is in het voordeel doordat zijn auto zo hoog op de weg staat. Hij lijkt niet bepaald blij dat iemand ernstige schade probeert te berokkenen aan zijn beschermende bullbar, maar hij beheerst zich veel beter dan Gary.

'Wat ben je toch een rotzak, Jeff,' spuugt Gary hem in het gezicht, en dan valt het muntje bij mij. Het moet de Zuid-Afrikaanse rijinstructeur zijn met wie mevrouw Gary ervandoor is gegaan.

'Als je krassen op mijn auto maakt, neem ik je te pakken,' zegt Jeff. Hij heeft een lange kin met een schaduw van baardstoppels.

'Je behandelt hem als een van die rothonden van je,' zegt Gary. 'Klootzak, als ik mijn camera bij me had...'

'Hij vindt het prettig achterin,' zegt Jeff. Hij klinkt lichtelijk geamuseerd. 'Kom op, Gary, gebruik je hersens, man. Je maakt het alleen maar erger.'

'Je hebt hem verdomme in een kooi gestopt,' zegt Gary. 'Alsof hij niet...'

'Nou, dat is hij ook niet, hè?' zegt Jeff. 'Toe maar, zeg het, Gary. Jamie is nou niet wat de meeste mensen normaal zouden noemen.'

Ik ben ervan overtuigd dat Gary hem een opdoffer gaat verkopen, maar door een soort bovennatuurlijke inspanning stapt hij achteruit, hoewel hij het niet kan laten om nog een trap tegen de zijkant van de suv te geven. Er klinkt een enorme metaalachtige béng. Gary moet zijn schoenen met ijzeren neuzen dragen. Jeffs gezicht wordt donkerrood.

Intussen is het stoplicht op groen gesprongen en beginnen ook de auto's achter ons kwaad op Gary te worden. De bestuurder recht achter ons toetert en een paar anderen beginnen mee te doen.

Het ziet ernaar uit dat Jeff wil uitstappen en Gary, zoals beloofd, te pakken wil nemen. Ik kan het hem niet kwalijk nemen, want als Gary achteruit stapt, zit er een grote deuk in de deur. Maar het is nu ver genoeg gegaan. Ik draai mijn raampje helemaal open.

'Hé, hou op! Hou daarmee op!'

Twee verbijsterde gezichten. Meer getoeter van achter ons. In de zijspiegel zie ik dat de man in de groene Renault achter ons zijn portier opent om zich ermee te gaan bemoeien.

'Ik heb die jongen achterin ook gezien en Gary heeft gelijk,' schreeuw ik. 'Het is ronduit vernederend en ik zal voor hem getuigen als je naar de rechter gaat.' Ik heb geen idee waar ik het over heb, maar ik doe alles om te voorkomen dat ik de bebloede restjes moet oprapen na een gevecht op de Lower Bristol Road.

Het getoeter achter ons zwelt aan tot een crescendo. Gary werpt me een dankbare blik toe en rent om de voorkant van de jeep heen. Hij wipt naar binnen, start de motor en slaat met gierende banden rechtsaf.

Jeff geeft gas en probeert tussen het verkeer achter ons te komen, maar de man in de groene Renault laat dat niet gebeuren. Iedereen lijkt zich vandaag moedig te voelen; ik zou het gevecht met die bullbar liever niet aangaan. Gelukkig remt Jeff af, één-nul voor ons.

De afslag naar rechts heeft ons op de eenrichtingbaan naar het centrum gebracht. We halen allebei hijgend adem en de adrenaline pompt als een geiser. Ik wil lachen omdat we ermee zijn weggekomen, maar de gedachte aan de jongen achter in de suv ontnuchtert me. Is het Gary's zoon? Ik hoef niet te vragen wat Jeff bedoelde met 'niet normaal'. Iedereen kan zien dat het kind anders is.

Ik kan het niet laten en knijp even in zijn pols. Het is oké, wil ik zeggen; wat het ook is, het komt goed. Maar één blik op de jongen maakt natuurlijk duidelijk dat het niet goed komt. Gary neemt zijn ene hand van het stuur en geeft me een kneepje terug. De auto zwenkt naar links en we steken de rivier weer over. 'Het spijt me, Kit. Het spijt me. Wat moet je wel van me denken?' 'Niets,' zeg ik. 'Maak je geen zorgen. Niets. Laten we even ergens gaan zitten. Dan kun je me erover vertellen.'

Uiteindelijk gaan we naar Gary's huis. Hij rijdt op de automatische piloot. Ik ben blij dat ik daar heelhuids aankom.

Hij woont in Bradford-on-Avon, ongeveer tien kilometer van Bath. Terrassen van Georgian-huizen verspreiden zich over een steile helling. Ik zie een oude stenen brug, een Saksische kerk en veel zwanen. Gary's huis staat ongeveer halverwege de heuvel en heeft een uitzicht dat zich over de helft van Wiltshire uitstrekt.

'Hoe heb je je dit kunnen veroorloven?' vraag ik, diep onder de indruk. Het huis gaat maar door, omhoog en omhoog. Je zou er gemakkelijk vier gezinnen in kunnen stoppen, ieder met een eigen verdieping.

'Geen tuin,' zegt Gary. Hij zwaait achter in de keuken een deur open, die toegang geeft tot een piepkleine ommuurde binnenplaats. Er is net genoeg licht om een schuwe varen in leven te houden.

'In de zomer is het beter,' zegt hij verontschuldigend. 'Dan is er 's middags wat zon.' Uit een fonteintje in de vorm van een leeuwenkop sijpelt een dun groenig straaltje langs de muur. In verhoogde bloembedden zitten zeldzame kiezelsteensoorten. Er staat een bank en er is een volledig overbodige koperen zonnewijzer.

'Ik vind het prachtig,' zeg ik. 'De ideale onderhoudsvrije tuin.'

'Ik vind het ook wel mooi,' zegt hij tevreden.

Hij zet koffie in een piepkleine L-vormige keuken met geverfde houten kastjes die uit een boot kunnen zijn gekomen en een geriatrische elektrische kookplaat waarvan maar één pit werkt. We lopen met onze bekers de trap op naar een woonkamer op de eerste verdieping, die boterbloemgeel is geschilderd.

'Dit huis is minstens drie keer te groot voor jou,' zeg ik. Zijn gezicht betrekt. 'Begrijp me niet verkeerd,' zeg ik haastig. 'Het is fantastisch. Maar waarom heb je zo'n groot huis gekocht?'

'Het was voor Jamie,' zegt hij.

Ah.

'Vertel me over Jamie,' zeg ik.

Tegen de tijd dat hij klaar is, wil ik aan de andere kant van de kamer zijn en mijn armen om hem heen slaan. Maar tussen ons gaapt drie meter van versleten maar nauwkeurig gezogen vloerbedekking. Het is zo'n verhaal dat je niet kunt vergeten.

In 1982, het jaar waarin Nick en ik afspraakjes begonnen te maken, werd de Crow Stone-groeve gesloten. Het goede steen was eindelijk op. Gary probeerde werk te krijgen bij een van de andere groeven in de buurt, Combe Down en Limpley Stoke, maar onder Maggie Thatcher groeide het aantal bijstandstrekkers en niemand nam mensen in dienst. Het was de zomer van de Falklandoorlog. Iedereen, afgezien van linkse studenten als Nick en ik, was dol op soldaten. Verblind door de glorie van de slag bij Tumbledown ging Gary in dienst, net toen de Britten Stanley innamen. In plaats van naar de zuidelijke Atlantische Oceaan werd hij naar het zuiden van Armagh gestuurd. Toen hij terug was, ontmoette hij Tess in een disco in Warminster.

'Het was toevallig Tess, maar het had net goed zo iemand anders kunnen zijn,' zei hij. 'Ik was drieëntwintig. Een halfjaar lang had ik in grotere angst geleefd dan ik ooit voor mogelijk had gehouden, want ik wist nooit wanneer ik een hoek om liep of mijn hoofd er niet af zou worden geschoten door een sluipschutter die in een flatgebouw zat dat er niet zo anders uitzag dan ze hier in Bath te vinden zijn. Ik had het gezien, had het gedaan en veegde het bloed van mijn legerkistjes. Ik vond dat ik oud genoeg was om te trouwen.'

Dat kan ik begrijpen. In die tijd kwam ik in een prinses Diana-achtige jurk het bureau van de burgerlijke stand uit lopen met Nick.

'Tess was een mooie meid,' zei Gary. 'Dat is ze nog steeds, trouwens. Altijd op plezier uit, maar dat was ik toen ook. Ze ging al sinds haar schooltijd met soldaten op stap. Dat zou ze misschien nog doen als ik haar niet zwanger had gemaakt.'

'Niet van Jamie,' zeg ik, denkend aan de datums.

'Jamie kwam veel later. Tess vertelde me dat ze niet ongesteld was geworden en ik zei dat we dan maar moesten trouwen,' zei Gary. 'Want dat wilde ik ook eigenlijk. Een ander soort plezier. Met een vrouw en een kind. Iets wat mijn bestaan bevestigde.'

'Je hebt dus twee kinderen.'

'Nee, het werd dood geboren.'

Langs de zijmuur van de kamer staat een lange boekenkast, met meer video's en dvd's dan boeken erin. Eén titel, midden op een plank met thrillers, valt me in het oog: *Omgaan met verlies*. In tegenstelling tot die van de rest is de rug ervan nog glanzend en glad. Gary komt niet op me over als het type man dat zelfhulpboeken leest, maar ik kan me voorstellen dat hij het voor Tess heeft gekocht en er bij haar op heeft aangedrongen het te lezen.

'Daarna wilde ze geen kind meer. Jarenlang niet. En ik denk niet dat ik het gemerkt heb toen dat veranderde. In feite heb ik lang niet genoeg opgemerkt. Ik was inmiddels uit het leger gegaan en werkte weer als steenhouwer. De beste banen waren in het buitenland. Ik kwam in Zambia terecht, en ik zat daar toen Tess Jeff leerde kennen. Toen ik thuiskwam, was ze weer in verwachting.'

'Dus Jamie is niet jouw zoon?'

Tess liet me geloven dat hij dat wel was. Ik maak geen al te beste indruk, wat dat betreft: afwezige echtgenoot, afwezige vader. Ik was er voor de geboorte... een keizersnede, de navelstreng zat om de nek van de baby – en ik hield hem in mijn armen en kuste hem en vloog meteen weer terug naar Zambia. Tess bleef achter en moest het alleen uitzoeken. Om een heel lang verhaal kort te maken: Jeff en zij hadden verdomme zo'n tien jaar lang een verhouding achter mijn rug om. Jeff ging er terecht van uit dat zijn leven een stuk gemakkelijker was als die goeie ouwe Gary bleef denken dat hij Jamies vader was en in het buitenland een dik salaris verdiende.

Op de brede plank naast me staat een foto in een lichte houten lijst: Gary, met meer haar en een peuter in zijn armen. De peuter kijkt niet in de camera, maar kijkt op naar Gary en lacht. Hij heeft Gary's blauwe ogen en glimlacht naar een toekomst die een en al liefde en papieren vliegtuigjes is.

De kleuterschoolcatalogus. Daarom lag die in zijn bureaula.

'Hoe ben je erachter gekomen?'

'Bij mijn moeder werd Alzheimer geconstateerd. Ik kwam naar huis om bij haar te zijn terwijl ze me nog kon herkennen. Ik vond werk in de groeven van Corsham en ik kocht dit huis voor ons allemaal, dat dacht ik tenminste. Ik was dom genoeg om van Tess te verwachten dat ze me zou helpen met de zorg voor mijn moeder. Het was wel een beetje een schok toen ze aankondigde dat ze met Jamie bij Jeff ging wonen.'

'En je had geen idee dat Jamie zijn zoon was?'

'Toen ik haar niet geloofde, zei Tess dat Jeff al een DNA-test had laten doen. Mijn advocaat wees me erop dat ik geen poot had om op te staan om de voogdij over hem te krijgen, het had zelfs geen zin om voor een bezoekregeling te vechten, want Jeff had veel meer tijd met zijn zoon doorgebracht dan ik. Ik heb er wel voor gevochten, maar het heeft weinig geholpen. Ik maakte de fout om naar hem toe te gaan en Jeff op zijn gedrag aan te spreken, en ik werd kwaad en gooide de halve rotstuin door de voorruit. Jeff wilde me ervan langs geven, of op zijn minst de hond op me afsturen, maar Tess wist hem daarvan te weerhouden. In plaats daarvan belden ze de politie, en ik kreeg uiteindelijk een verbod om ook maar in de buurt van hen of Jamie te komen.'

Er staat nog een foto van Jamie op de boekenkast, waarop hij ouder is, bijna de leeftijd heeft die hij nu heeft. De molligheid is verdwenen; zijn gezicht heeft allemaal rare hoeken, zijn haar zit in de war en zijn kraag zit scheef. Hij poseert voor de camera, maar weet niet hoe hij dat moet doen. Zijn blauwe ogen drukken ongerustheid, verwarring uit: *doe ik het goed, papa?*

'Soms denk ik toch dat het allemaal mijn schuld is,' zegt Gary. 'Ik dacht dat ik het goed deed, dat het goed was dat ik meer geld voor ons verdiende door in het buitenland te werken. Maar ik had hier moeten zijn. We hadden misschien meer voor hem kunnen doen toen hij klein was. Alternatieve therapieën, weet je... Ze zeggen dat je de zenuwbanen in de hersenen kunt stimuleren door hun ledematen te blijven bewegen. Hij zou misschien niet zo hulpeloos zijn als we beter ons best hadden gedaan.'

'Doe niet zo mal,' zeg ik. 'Dat weet je gewoon niet. Je kunt in elk geval niet terug. Dat geldt voor ons allemaal.'

'En hem dan zo te zien in Jeffs auto, achterin als een dier. Zo denkt hij over Jamie. Je hebt het gezien.'

'Maar misschien heeft hij gelijk en vindt Jamie het fijn om zo achterin te liggen. Je weet hoe kinderen...'

'Hij zou het niet moeten toestaan!' zegt Gary, terwijl hij zijn knokkels tegen zijn slapen drukt. 'Het is vernederend.'

Zo ziet het er misschien uit, maar geen rechter zou daarin het bewijs zien dat Jeff en Tess slechte ouders zijn. Gary kijkt me aan. Hij weet dat hij zijn zoon kwijt is. Ik merk dat hij op het punt staat te zeggen: kom hier, houd me vast. En als hij het niet zegt, zal ik het toch doen. Mijn beenspieren spannen zich om me uit de stoel en naar de andere kant van de kamer te brengen.

Dan klinkt, gedempt uit de diepte van mijn tas, mijn telefoon met zijn irritante tinkelende refrein van *There Must Be An Angel, PLaying With My Heart.*

'Ze bellen wel terug,' zeg ik, mijn ogen strak op Gary gericht. 'Of laten een boodschap achter.'

Maar zijn gezicht staat alert, bezorgd. 'Het kan het werk zijn. Ik heb mijn telefoon beneden laten liggen. Je kunt beter opnemen.'

Hij heeft gelijk. Dit is de manier waarop wij het zouden horen als er ondergronds een instorting is geweest. Mijn vingers raken zakdoekjes, tampax, mascara, pennen. Waar is die telefoon, verdomme?

Hij houdt op met rinkelen.

Gary staat op van de bank.

'Ik ga kijken of ik ben gebeld.'

Mijn telefoon begint weer.

Hij heeft zichzelf in de voering van mijn tas gewikkeld, terwijl zich in Green Down ambulances, brandweerwagens en helikopters zouden kunnen verzamelen. Huizen zouden kunnen wankelen en wegzakken. Er zou een enorme afgrond kunnen gapen in de hoofdweg waarin een busje vol kinderen tuimelt. Mijn hart bonst. Op de een of andere manier weet ik de telefoon uit mijn tas en bij mijn oor te krijgen.

'Tjonge, je nam de tijd.' Martins stem.

'Jezus. Waarom bel je? Je zit toch in Californië?'

'Nou, nee,' zegt Martin. 'Ik ben op het treinstation van Bath.'

Gary is halverwege de deur stil blijven staan. Hij moet inmiddels begrepen hebben dat Green Down niet in de ingewanden van de aarde is weggezonken, maar hij ziet er nog steeds ongerust uit.

'Wat doe je hier in godsnaam?' vraag ik aan de telefoon.

'Ik sta te wachten tot je me ophaalt.'

'Wacht even.' Ik verwijder de telefoon van mijn oor. 'Niets aan de hand. Het is Martin maar. Die vríénd van me.'

Heeft hij die nadruk opgepikt? Op zijn gezicht ligt weer die beleefde, hulpeloze, nietszeggende uitdrukking.

'Kit!' Martins stem komt blikkerig uit de telefoon. 'Waar ben je? Je wilt me toch niet vertellen...'

Ik druk de telefoon tegen mijn oor.

'Maakt niet uit. Maar waarom...'

'Je bent met hem, hè? Jij ondeugd. Dat heb je snel gedaan.'

Het is onmogelijk dat Gary er iets van opvangt. Ik schroef de telefoon zo ongeveer in mijn hoofd in de hoop dat Martins luide stem niet verder komt.

'Neem hem mee naar het station. Het is alleen maar eerlijk als ik me samen met hem achter in je auto mag persen, want ik heb volkomen onzelfzuchtig San Francisco voor je opgegeven.'

'Néé,' zeg ik. 'Ik begrijp niet...'

Gary verlaat discreet de kamer.

'Waarom ben je hier? Ik dacht dat je weg zou gaan.'

'Dat heb ik je verteld. Toen ik je maandag uit de trein belde. Van wat de conservator me heeft laten zien, denk ik toch dat er genoeg bewijs is om de wetenschap op zijn kop te zetten en het afzeggen van de reis naar Californië te rechtvaardigen. Gisteravond heb ik besloten dat dit belangrijker is. Ik moet naar jouw steengroeven om naar een Mithraeum te zoeken.'

'Luister,' zeg ik, 'dit is het verkeerde moment.'

'Ik ben hier, Kit.'

'Je had me moeten waarschuwen.'

'Dat heb ik gedaan.'

'We hadden een slechte verbinding. Ik heb het niet gehoord.'

'Sorry, ik had je moeten laten weten welke trein ik nam, maar ik dacht, wat kan het schelen, ik ga gewoon.'

'Nou, als je hier bent, moet ik je maar ophalen, denk ik.'

Gary is beneden in de bootkeuken, bezig de koffiespullen af te wassen. Hij kijkt me niet aan.

'Het spijt me,' zeg ik. 'Martin is net in Bath aangekomen. Ik verwachtte hem niet.'

'Ik zal je terugbrengen, dan kun je hem ophalen.'

'Hij is niet mijn vriend,' zeg ik. Gary pakt de theedoek en begint de bekers af te drogen.

'Dat weet ik. Dickon heeft het me verteld.'

'Wat heeft Dickon je precies verteld?'

'Dat Martin en jij het vorig weekend hebben uitgemaakt.' Hij klinkt nu behoorlijk boos, verraden.

'Gary, zo zit het niet.'

'Vast niet.'

'Echt niet. Martin en ik zijn vrienden.'

'Toe nou, Kit,' zegt hij, terwijl hij de theedoek over de radiator hangt. Wanneer hij zich naar me omdraait, is hij stijf en beleefd. 'Je bent me niets schuldig. Dickon heeft me verteld dat je huilde op het werk. Als Martin hier helemaal heen komt, moet je hem een nieuwe kans geven.'

'Nee,' zeg ik. 'Je zit er helemaal naast.'

Hij wil het niet begrijpen. Hij wil niet horen dat ik geen relatie met Martin heb. Ik kan het niet veel duidelijker maken tenzij ik vertel dat Martin een homo is.

Waarom doe ik dat dan niet?

Omdat ik ineens besef dat ik Gary helemaal niet ken.

Hoe kon ik er zo zeker van zijn dat hij zou zeggen 'kom hier'. Hoe weet ik of hij de waarheid heeft verteld over Tess en hemzelf? Wat zou er zijn gebeurd als ik vanmorgen niet bij hem was geweest op de Lower Bristol Road?

Ik dacht te weten dat ik Nick kende, tot de dag waarop ik thuiskwam en parfum en seks in de hal rook. En de deur van de slaapkamer opendeed.

Waarom kom je er niet bij? Het doet nog steeds pijn.

'O, laat maar. Breng me naar huis.'

Maar terwijl hij de voordeur achter zich dichttrekt, herinner ik me de ongeruste glimlach van Jamie op de foto. *Doe ik het wel goed, papa?* Mijn hart gaat naar hem uit.

'Wat moet ik nou met je, Kit?' zegt Martin.

We zitten op een stenen bank naast het Romeinse Bad, en onze voeten rusten op een kalkstenen bestrating die daar al bijna tweeduizend jaar ligt. Honingkleurige stenen zuilen omlijsten een bleke winterse hemel. De voetstukken zijn Romeins, de bovenkanten negentiende-eeuwse reconstructies.

'Wil je echt zeggen dat je hem laat denken dat wij een stel waren, dat we het vorig weekend hebben uitgemaakt en het nu weer goedmaken?'

'Daar komt het ongeveer op neer.'

'Dat is bespottelijk.' Hij laat zijn schouders hangen, legt zijn kin op zijn handen en staart naar het donkere groene water. Er rijzen wat dampwolkjes van op, die verorberd worden door het zonlicht. 'Wat is het toch met jou en mannen?'

'Hoe bedoel je?'

'Je maakt er soms zo'n rotzooitje van. Je zou denken dat je je relaties met opzet kapotmaakt.'

'Dat is niet eerlijk. Nick heeft een puinhoop van ons huwelijk gemaakt, niet ik.'

Martin geeft geen antwoord. Afrikaanse toeristen, een gezin, lopen het badhuis in; ze dragen ongeveer drie dikke kabelvesten op kleurige gewaden. Twee kleine kinderen beginnen heen en weer te springen over het smalle kanaal, roestachtig rood van neergeslagen ijzer, waar het hete bronwater doorheen stroomt om het bad te vullen.

'Hij wilde niet horen wat ik zei,' voeg ik eraan toe. 'Jij was er niet bij, ik wel.'

'Zijn we terug bij Gary of hebben we het nog steeds over Nick?'

Ik weet het niet. Ik schop met mijn hakken tegen de bestrating, en herinner me dan dat ik mijn frustratie uitleef op archeologische resten. Gelukkig heeft Martin het niet gemerkt. Zijn aandacht is gericht op de beelden die van het terras boven ons omlaag kijken.

'Ik heb die beelden altijd vreselijk gevonden,' zegt hij. 'Waardeloos negentiende-eeuws steenhouwerswerk. De Romeinen hebben daar waarschijnlijk nooit beelden gehad, en als dat wel zo was zullen ze er veel beter hebben uitgezien. Kijk toch, ik durf te zweren dat dat beeld daarboven Frankie Howerd is in *Up Pompeii...*'

'Neemt u mij niet kwalijk,' zegt de Afrikaanse dame in haar mooiste stammenkleding en Schotse wolletjes. Ze spreekt uitstekend Engels, met een Amerikaans accent en een intonatie als van vogelgezang. 'Zou u... een foto willen maken?'

'Met alle plezier,' zegt Martin. 'Goed... o ik zie het. Een digitaal toestel. Prima. Wacht even, als jullie allemaal een beetje die kant op schuiven dan krijg ik jullie erop met op de achtergrond de oprijzende damp van het Grote Bad.' Het gezin, vader, moeder, twee oudere jongens en de twee dreumesen schuifelen samen gehoorzaam over het Romeinse plaveisel. 'Nee, een beetje achteruit en die kant op.' Ze schuifelen naar voren en naar achteren, nu op een rij, dan weer in een groepje, een ingewikkelde dans, terwijl Martin op zijn hurken zit, opstaat, op een muurtje springt en bijna achteruit in het water stapt om de beste hoek te vinden. Ik houd van de serieuze manier waarop hij de dingen aanpakt.

Hij geeft de camera met tegenzin terug aan de Afrikanen. Heel even wilde hij niets liever dan hun hele fotoalbum vullen.

'Neemt u mij niet kwalijk,' zegt de dame weer. 'Hartelijk bedankt, en kunt u mij vertellen waar de Heilige Bron is?'

Martin legt het uit en ze vertrekken.

'Ze zullen diep teleurgesteld zijn,' zegt hij tegen mij. 'Er is niets anders te zien dan een paar luchtbelletjes op het oppervlak van het Koningsbad.'

'Typisch Engels, hè?' zeg ik. 'Wij houden er niet van te overdrijven.'

Martin kijkt op zijn horloge. 'Geen wonder dat ik zo'n honger heb.' Hij steekt zijn hand uit en trekt me overeind. 'Kom, we gaan kijken naar wat ik je wilde laten zien en daarna gaan we ergens lunchen en geef ik je Oom Martins Complete Gids voor Mannen.'

De inscriptie zegt niet veel. Het is gewoon een stenen plaat die in gezelschap van heel veel gelijksoortige platen in een achterkamer van het museum wordt bewaard. Dit zijn de dingen die het publiek niet te zien krijgt, de dingen die er niet vreselijk interessant uitzien, maar die bij archeologen en historici het warme zweet doen uitbreken.

'Deksels van doodkisten,' zegt Martin. 'Een van de dingen die ik zo mooi vind van de Romeinse tijd is dat ze zo goed waren in recyclen. Ergens aan het eind van de derde eeuw ontdekte iemand dat indrukwekkende blok steen en dacht: hè, dat is een mooie deksel voor een doodkist. Helemaal geschikt voor mam. Dus werd hij gejat.'

'Gejat? Waarvandaan?'

'Ah, we draaien er weer niet omheen. Ik maak nog wel eens een archeoloog van je. Voordat deze steen gerecycled werd voor begrafenisgebruik, was het een gedenksteen voor de restauratie van een gebouw dat vernietigd was door een brand. Wat hem echt interessant maakt, is welk gebouw dat was. Kijk naar de inscriptie.'

Op de steen staan heel veel stakerige Romeinse letters waarvan de meeste me niets zeggen. Behalve één woord: INVICTO.

'Is dat niet het woord waarvan jij zei dat het opduikt op mithraïstische altaarstenen?'

'Wat? O, het invicto. Ja, dat is waar. "Onoverwonnen". Nee, waar ik aan denk is iets anders. De inscriptie verwijst naar PRINCIPIA, een woord dat gewoonlijk een militair hoofdkwartier beschrijft. Wat deze gedenkplaat ons vertelt, is in feite dat een vent die Naevius heette een gebouw heeft gerestaureerd dat gebruikt werd door het leger. En hoewel we niet precies weten waar dat was, mogen we wel aannemen dat het geen duizenden kilometers verwijderd is geweest van de plaats waar de kistdeksel is opgegraven.

'En dat was?'

Martin trakteert me op een grote stralende invicto-glimlach.

'Op de heuvel net onder Green Down.'

Op zondag gaan we wandelen.

Martin heeft een topografische kaart waarop zijn vriend, de conservator van de Romeinse Baden, op zijn verzoek heeft aangegeven waar de kistdeksel met de Naeviusinscriptie is gevonden. We parkeren de auto op de weg bij de kerk van Green Down en volgen te voet een van de paden die tussen de rijen huizen door kriskras over de heuvel lopen. Het brengt ons steil heuvelafwaarts en eindigt in een aantal traptreden die niet ver van de basisschool op een weggetje uitkomen. Het uitzicht is adembenemend. Onder ons ligt een steile beboste helling, die omlaag duikt naar een beek die door het dal loopt. Overal om ons heen zien we vouwen en plooien, alsof het land door reuzenhanden bijeen is geveegd. Het gesteente eronder zal eruitzien als marmercake, de wervelingen van de verschillende lagen bezaaid met fossielen. De hemel is laag en zwaar, en de lucht ruikt alsof er regen op komst is.

Zet Martin voor een landschap neer en hij is als een man voor een rij spannende tijdschriften – hij móét stilstaan en kijken. Ik zie hoe hij het allemaal in zich opneemt, het léést, het spoor van de groeven waarover de stukken steen omlaag werden vervoerd naar het oude Somersetkolenkanaal; de opstaande randen van een middeleeuws akkerstelsel aan de overkant van het dal...

'Let op, Kit, niet alleen naar de mooie blauwe lucht staren; je loopt over een oud veedrijverspad...'

Ik loop over het weggetje dat Trish, Poppy en ik na schooltijd volgden wanneer we naar het koeienweiland gingen, waar ik ammonieten opgroef. In de zomer verstrengelden de takken van de bomen zich er als een groen dak over heen. Nu zijn de stallen van Vinegar Farm tot huizen verbouwd en zijn de bomen gekapt voor het uitzicht van de bewoners. Martin volgt me naar de bocht in de weg, kijkt om zich heen om zich ervan te verzekeren dat niemand ons gadeslaat en springt over een laag muurtje.

'Hier, pak mijn hand.'

'Ik red me wel.' Ik hijs mezelf over het half ingestorte muurtje, waarbij ik me vasthoud aan de takken van een hazelaar. 'Moet het hier zijn?'

'Natuurlijk niet. Dit is de ultieme archeologie. Voeg aan de lijst van spannende dingen maar de kans toe neergeschoten te worden wegens het betreden van verboden terrein.'

We klauteren een helling op die bezaaid is met beukenbladeren en uiteindelijk uitkomt op een ondiepe kom onder een klip. Klim- en kruipplanten hangen over de oude wand van een groeve omlaag. Er is iets knagend vertrouwds aan de omgeving, met de beukenbomen die hun takken boven ons hoofd verstrengelen, de hoge hulststruiken die geworteld zijn in een rostsspleet, en plotseling gaat er een golf door me heen van iets wat het midden houdt tussen vrees en een zoete ochtenddroefenis. Maar Martin negeert de groeve en loopt de ernaast liggende helling op.

'Waar gaan we precies heen?'

'We zijn er bijna,' zegt hij. 'Ah. Ja. Wurm je langs me heen... Hou je vast aan die hulstboom, als dat lukt.'

Er is nauwelijks ruimte. We hangen op een hachelijke manier op de helling die uitkijkt op wat vroeger Vinegar Farm was en turen door de bomen omlaag naar de oude boerderij. Erachter loopt een hoge stenen muur die een landschapstuin omsluit en een serie terrassen die nu uit gazons en struiken bestaan en vanaf een groot victoriaans huis over de helling omlaag lopen.

'Daar hebben ze de kistdeksels opgegraven,' zegt Martin. 'De tuin van Hope House, toen ze ongeveer aan het eind van de negentiende eeuw de lagere terrassen aanlegden. Het is een schande... net voordat de archeologie op zijn strepen ging staan. We weten bij lange na niet genoeg van wat ze gevonden hebben en waar ze het gevonden hebben. Er zijn dingen verloren gegaan doordat de victorianen de spullen die ze mooi vonden zelf hebben gehouden.'

'Was dit hele gebied dan een Romeinse begraafplaats?'

'Nee nee. We hebben maar een paar graven ontdekt. In de Romeinse tijd was het de gewoonte de doden net buiten een stadje langs de weg te begraven. Dit weggetje was in de Romeinse tijd waarschijnlijk een veel gebruikt pad. De villa lag uiteraard hoger, tussen Hope House en de boerderij, denk ik.'

'Was er ook een villa?'

'O, ja. Beslist. De victoriaanse opgraving was bij lange na niet volledig, maar we weten dat hij er is, en bovendien blijkt het uit de naam van de boerderij. "Vinegar" is een verbastering van "vineyard". In de Romeinse tijd was het klimaat een graad of twee warmer en zal dit een ideale helling zijn geweest voor het verbouwen van druiven. Dat is ze waarschijnlijk nog.

Een auto zoeft het weggetje af, waar ooit ossenwagens langzaam de heuvel op hobbelden. Ik hoor bijna een troep soldaten voorbij marcheren, *sin dex, sin dex*, links rechts, links rechts, met krakende leren riemen en zonlicht dat knipoogt in gespen en speren en glanzende metalen helmen.

'Geschiedenis is een kwestie van lagen, in feite,' zegt Martin, die, zoals wel vaker, mijn gedachten leest. 'Het is er allemaal nog, als je de lagen afpelt.'

'Ook een mithraïstische tempel?' vraag ik. 'Denk je echt dat er een is, ergens onder de grond?'

'Joost mag het weten,' zegt Martin. 'Ik denk dat we een tauroctony hebben gevonden, maar wat weet ik ervan? Ik heb alleen maar over die dingen gelezen of ze in musea gezien. Ik heb nooit van mijn leven een Mithrastempel opgegraven.'

Er ligt een hongerige uitdrukking op zijn gezicht. Hij moet zijn tempel vinden. Hij wil geloven dat er daar ergens een is. Het betekent voor hem hetzelfde als wat de Eerste Engelsman ooit voor mij betekende.

We vinden onze weg terug langs de met kruipplanten begroeide groevewand en omlaag naar de weg.

'Zo,' zegt Martin. 'Deze keer zijn we niet bijna betrapt.' Hij klinkt licht teleurgesteld.

'Wil je nog verder wandelen?' vraag ik. Het is nog vroeg; we dragen onze wandelschoenen en onze waterdichte kleding, en het lijkt jammer om al naar huis te gaan. Martin knikt, en we volgen het weggetje dat langzaam over de helling omlaag kronkelt naar de bodem van het dal. De lucht is donkerder geworden en het motregent. Ik trek mijn capuchon over mijn hoofd. De wereld verkleint tot het geruis van de Gore-Tex en de dreun van mijn schoenen op de weg. Druppels water vallen van mijn pony en skiën omlaag over mijn neus. Martins haar hangt in vochtige krullen rond zijn gezicht en regendruppels glinsteren in zijn baard.

Als we bijna onder aan de heuvel zijn, maakt het weggetje een Ubocht en loopt omlaag naar een dorp dat aan het oude kolenkanaal ligt. Martin pakt de kaart, kijkt er fronsend op en wijst dan scherp naar links heuvelopwaarts, waar een draaihek ons toegang geeft tot een mosachtig geasfalteerd voetpad. We beklimmen het langzaam en staan zo nu en dan stil om over de daken naar het dal te kijken. In de verte glijdt de rivier de Avon onder het Dundas-aquaduct door en meandert verder naar Turleigh en Bradford. Ergens in die richting zit Gary in zijn grote eenzame huis met de foto van zijn zoon maar niet heus met de blauwe ogen.

Bijna boven aan het pad staat een bank en Martin laat zich er met een zucht op zakken. Ik ga naast hem zitten, en we inspecteren het uitzicht dat snel verdwijnt in een nevelige, miezerige regen.

'Niet handig om te gaan zitten,' zegt Martin. 'Mijn kont is nat.'

Na de klim kost zelfs het afdoen van mijn rugzak inspanning.

'Ik heb wat boterhammen klaargemaakt. Maar ze kunnen klef zijn.'

Dat zijn ze.

'Heel goed,' zegt Martin. 'Nat brood en een natte kont. Weekenden met jou zijn zo leuk, Kit.'

'Ik heb je nou niet bepaald uitgenodigd,' merk ik op. 'Trouwens, wanneer denk je weer te vertrekken?'

'Ja...' Martin trekt de plak kaas tussen zijn boterhammen uit, propt hem in zijn mond en gooit het brood weg. 'Mmm. Goeie vraag.' Hij kauwt even om de spanning erin te houden. 'Wanneer kun je me die mijn van je weer binnen smokkelen?'

'Nee,' zeg ik. 'Vergeet het maar. We werden die ene keer bijna betrapt.'

'Geen lef meer?'

'Als de dood.'

'Kom op. Je kunt het nu niet opgeven. Het is misschien een van de grootste archeologische ontdekkingen van deze eeuw.'

'De eeuw is pas begonnen.'

'Ik denk op de lange termijn. Dit kan zo belangrijk zijn dat ze het er in 2104 nog over hebben. Ik meen het, Kit. Als dit waar is, is het ongelooflijk. Ik begrijp niet waarom je er ineens niet meer mee door wilt gaan.'

Ik begrijp het ook niet. Misschien heeft het iets te maken met het zoete, droevige gevoel dat me in de kom in het bos bekroop. Het herinnerde me eraan dat ik hier ben gekomen om de tunnels te dichten en niet om de geschiedenis op te graven. 'Ik kan je niet meenemen,' zeg ik. 'Er mag niemand in die er niet werkt.'

'Officieel, bedoel je. Je kunt me toch weer stiekem meenemen?'

'Het is te riskant.'

'Denk er alsjeblieft over na.' Hij leunt achterover en valt bijna van de bank. 'Maar goed, ik heb Californië afgezegd, dus ik hoef nergens heen. Kan ik deze week bij jou blijven?'

De overkant van het dal is door de regen opgeslokt; het brood heeft iets weg van vochtig vloeipapier. Martin staat op.

'Voorwaarts en opwaarts, schoonheid.'

Ik gooi het brood in de haag voor de vogels, hijs de rugzak op mijn rug en volg hem, terwijl de regen de kraag van mijn anorak binnenkomt en mijn hals en schouders met kille vingers beroert.

Hij denkt dat hij me heeft omgepraat. Hij gaat ervan uit dat ik gevallen ben voor zijn jongensachtige charme.

Hij vergist zich.

Boven aan het pad komen we door een volgend draaihek op een weggetje. Martin raadpleegt de kaart weer. Ook deze kruising heeft iets vertrouwds, hoewel ik niet precies kan zeggen waar we zijn. We nemen een pad dat linksaf langs een paar huizen loopt, slaan achter een stal rechtsaf en komen op een ander weggetje uit, recht voor een stel hoge, stalen hekken.

Ik schrik ervan. Ik moet stilstaan.

Jezus. Hier.

Haal diep en normaal adem. In twee drie, uit twee drie. En opnieuw.

Ik tel zo tot drie en dan zul je volkomen verfrist wakker worden. Maar eerst wil ik dat je die beelden terugstopt achter het hek. Het hek is nu op slot. Er is niets wat je kwaad kan doen, Katie. Je hebt niets verkeerd gedaan.

...twee, drie, en word wakker.

Martin, voor me, heeft niets gemerkt en sjokt langs de hekken. Hij heeft er geen idee van dat alle demonen in mijn persoonlijke hel zich aan de andere kant tegen die hekken storten en tegen me krijsen dat ik ze open moet maken en ze vrij moet laten. Even dacht ik dat het staal begon mee te geven en te deuken, als de zijkant van Jeffs suv. Maar alles is rustig.

De hekken zijn met een groot hangslot afgesloten, precies zo een ik me vroeger voorstelde, aan een zware ketting die een paar keer rond de knoppen is geslagen. Op een verbleekt briefje staat: 'Crow Stone. Te koop of te huur. Biedt uitstekende industriële mogelijkheden. Neem contact op met Richard Chaney en Partners.' Onkruid groeit op de betonnen oprit. De hekken bestaan uit twee dikke metalen platen, die een roestige bruine korst hebben. Vlinderstruiken steken hun armen als hoopvolle gevangenen om de zijkanten heen. Al heel lang heeft niemand gebruikgemaakt van deze uitstekende industriële mogelijkheden.

Martin verdwijnt in een bocht in de weg. Ik volg hem.

24

Op vrijdag gingen we meteen na school naar Poppy's huis. Haar ouders waren die ochtend al vroeg naar Schotland vertrokken. Ze dachten dat Poppy het weekend bij Trish zou logeren. Trish' ouders dachten dat Poppy's ouders pas zaterdag zouden vertrekken en dat Trish die avond bij hen zou logeren. We hadden alle drie een tas met slaapspullen bij ons, alleen was die van Poppy leeg aangezien ze die middag terug zou gaan naar haar eigen huis.

Het was volkomen stil in de wijk toen we van de hoofdweg omlaag liepen. De namiddagzon viel schuin door hoge parasoldennen; de huizen stonden in grote tuinen, ver genoeg van elkaar om volledige privacy te bieden. Zoals Trish had gezegd, was het de ideale plaats voor een feest. Maar Poppy zag er gespannen uit. Ik kon het haar niet kwalijk nemen. Ik voelde ook kramp in mijn maag. De enige die er volkomen onbezorgd uitzag, was Trish, die rustig doorliep, met haar schooltas over haar schouder geslingerd en haar andere tas in haar hand.

Het zou een warme avond worden. Er stond geen zuchtje wind. Mijn schooljurk plakte aan mijn rug.

Afgezien van de klik waarmee Poppy op het toetsenpaneel het inbrekersalarm opnieuw instelde, was het koel en stil in de hal. We lieten onze tassen op het parket zakken en liepen door naar de keuken.

'Wat gaan we eten?' vroeg Trish.

'Eten?' zei Poppy.

'Er is toch wel iets te eten?'

Poppy's moeder had de ijskast geleegd voordat ze vertrok.

'Godallemachtig,' zei Trish. 'Ze zijn maar een weekend weg. Is je moeder een beetje bang voor bacteriën? Of gooit ze gewoon eten weg om te laten zien dat ze zich dat kan veroorloven?'

Poppy knipperde nerveus met haar ogen, en even zag ze eruit alsof ze ging huilen. Ze was niet gewend dat Trish recht in haar gezicht de spot dreef met haar familie. Ze keek in het vriesvak, dat vol lag met Weight Watchers-maaltijden, en haalde er wat bevroren brood en ijs uit. We maakten toast met Marmite, en openden een pakje vanillekoekjes, maar noch Poppy, noch ik had veel trek.

Wat ging de tijd langzaam. We hadden niets te doen, want we wisten niet hoe we een feestje moesten voorbereiden. Trish had iedereen gevraagd iets te drinken mee te brengen, en misschien ook wat muziek. Doordat we tot op dat moment alleen naar kinderpartijtjes waren geweest die ouders voor ons georganiseerd hadden, hadden we geen idee van wat een feest eigenlijk inhield. In de woonkamer, met zijn roomkleurige leren banken en zijn ivoorkleurige tapijt, zetten we alle meubels tegen de muren en openden de deuren naar het terras. Poppy zette wat asbakken neer voor het geval iemand rookte, maar dat was het enige wat we konden bedenken. Daarna gingen we naar boven om ons klaar te maken.

We hadden allemaal meer dan één stel kleren mee, zodat we elkaar konden vragen wat ons het beste stond. Trish was vastbesloten haar SEKS-T-shirt te dragen, ook al zei Poppy dat dat meer effect zou kunnen hebben dan ze wilde. Poppy droeg een lange witte jurk met een glinsterende uil op het voorpand, die eruitzag alsof hij ontsnapt was aan de garderobekast van Abba.

Ik bekeek mezelf in de spiegeldeuren van de garderobekast van Poppy's moeder.

'Waar heb je die broek vandaan?' vroeg Trish. 'Die ziet er behoorlijk goed uit.'

Die heeft je moeder voor me gekocht. Dat kon ik beter niet zeggen. De broek was zwart en zijdeachtig, en tijdens het lopen golfden de pijpen soepel om mijn benen. Met de gestolen beha, die mijn borsten opduwde, zag ik er goed uit.

'Oranje T-shirt of zwart?' vroeg ik.

'Zwart,' zei Poppy. 'Dat is veel verfijnder. Vooral met de riem.'

'Ik zou voor oranje gaan,' zei Trish. Maar ik wist dat ze dat zei omdat ze de enige wilde zijn die in het zwart was.

'Het is bijna acht uur,' zei Poppy. Dus klikklakten we op onze hoge hakken de glanzende trap af, gingen op een rijtje op de roomkleurige bank zitten en wachtten.

'We hebben muziek nodig,' zei Trish. Godzijdank had Poppy de platen van Donny en Marie kennelijk verstopt, maar haar smaak bevond zich ergens aan de saaie kant van de popmuziek – Hot Chocolate en Billie Joe Spears. Trish stampte de trap op om een cassette van Roxy Music uit haar tas te halen, en we gingen alle drie weer zitten wachten.

'Er komt niemand,' zei Trish om kwart over acht. Poppy en ik wisselden een hoopvolle blik uit.

Om twintig over werd er aangebeld en stonden er twee meisjes van het jaar na ons op de stoep in identieke, met lovertjes versierde tuinbroeken. Niets te drinken. Geen muziek. Geen goed begin. Trish zette de andere kant van Roxy Music op, en de meisjes namen allebei een glas water en begonnen een beetje verlegen in het midden van de kamer te dansen.

Om halfnegen kwam er een nieuwe groep meisjes, met een fles cider en The Partridge Family's Greatest Hits.

'Dit is hopeloos,' zei Trish, die me had meegesleept naar het terras. 'Ik kan niet eens in dezelfde kamer zijn met ze. We zijn een sociale ramp.'

Er werd weer aangebeld. Meer meisjes, deze keer met een fles gin, gestolen van hun ouders. Poppy schonk zichzelf een groot, versterkend glas in.

Om negen uur waren we met vijftien meisjes, en een behoorlijk indrukwekkende diversiteit aan drank, het grootste deel ervan gestolen. Iemand was zo verstandig geweest om chips en andere zoutjes mee te brengen. Poppy zat aan haar tweede grote gin. Trish had een pakje sigaretten tevoorschijn getoverd en was aan het kettingroken. Maar we wisten allemaal dat het een rampzalig feest was. De eerste jongen was gearriveerd, samen met zijn zus, maar hij telde niet mee, want hij droeg een bril, had puistjes en zat op de bank een stripboek te lezen.

Toen veranderde alles. Het ene moment bestond het feest nog uit vijftien meisjes die om hun tassen heen op Hot Chocolate dansten, het volgende moment galmde David Bowie op dubbel volume uit de quadrafonische luidsprekers van Poppy's vader en was de keuken vol jongens, die biertjes inschonken en joints rolden.

Poppy – derde gin – zag er verbijsterd uit, maar hield dapper vol en deelde Twiglets uit. Trish danste met een lange vent die zei dat hij in Bristol studeerde, maar ik wist zeker dat ik hem bij de bushalte voor de technische school had zien staan. Hij zwaaide met zijn armen als een slechte zwemmer en maaide een porseleinen clown met een droevig gezicht uit de wandkast, die aan diggelen viel.

Ik zat op de bank, zo ver mogelijk verwijderd van de striplezer, en vroeg me diep ongelukkig af of Gary ooit zou komen.

Trish plofte naast me neer. 'Slechte adem,' zei ze, over de jongen met wie ze had gedanst.

'Waar zijn al die mensen vandaan gekomen?' vroeg ik.

Trish haalde haar schouders op. 'Geen idee.'

'Heb je ze niet uitgenodigd?'

'Je weet hoe het werkt, het wordt doorverteld.'

'Maar er zijn er zoveel.'

'Geweldig, niet?' Ze wipte terug op haar voeten. 'Zoveel jongens, zo weinig tijd. Tot straks.'

De striplezer boog zich over de bank naar me toe.

'Leuk T-shirt heeft je vriendin aan,' zei hij. 'Zin om te zoenen?'

Het was tien uur geweest. Gary zou er nu moeten zijn, als hij kwam. Gedurende één wanhopig moment overwoog ik zelfs in te gaan op het aanbod van de striplezer, zoals je altijd even aan springen denkt wanneer een snelle trein het perron nadert. Maar in plaats daarvan liep ik het terras op. Groepjes jongens en meisjes zaten daar met gekruiste benen te praten en te drinken; sigaretten gloeiden in het donker en ze gooiden de peuken in het nog steeds lege zwembad. Op het lager gelegen terras, waar mevrouw McClaren had liggen zonnen, had iemand een extra luidspreker geplaatst en waren mensen aan het dansen. Er was nog iets lichts aan de hemel; de parapludennen rezen als waakzame goden op boven het huis.

Ik had me nooit eenzamer gevoeld.

Ik liep naar de zijkant van het huis, langs een rij vuilnisbakken die een smerige stank verspreidden in de warme avond. Door het verlichte keukenraam zag ik Poppy geanimeerd met een stel jongens praten. Op de voorkant van haar jurk zat een lichtbruine vlek en een van de schouderbandjes was omlaag gegleden. Haar gezicht was nogal rood.

De uitdrukkingen op de gezichten van de jongens bevielen me niet. Ze lachten wanneer zij lachte, wat vaak gebeurde, maar ze keken naar haar zoals katten naar een insect kijken en zich afvragen of het geschikt is om mee te spelen en misschien op te vreten. Op een gegeven moment wordt een nieuwsgierige poot uitgestoken om het dier een aai te geven. Ik voelde me zo ver verwijderd van het feest dat ik daar de hele avond in de schaduw bij de stinkende vuilnisbakken had kunnen staan, maar ik wilde niet zien wat er met Poppy zou gebeuren. Toen ik langs het raam sloop, zag ik haar een glas – een van de beste kristallen glazen van haar moeder – uitsteken om te worden gevuld.

Aan de zijkant van het huis was een klein gazon, waarop Poppy's ouders een bank onder een paar bomen hadden geplaatst. Mijn plateauschoenen wiebelden op de ongelijke grond; ik bleef staan en trok ze uit. Ze deden trouwens ontzettend pijn. Ik ging op de bank zitten en wenste dat ik een van Trish' sigaretten had. Of dat ik dronken was, zoals Poppy. Trish had me aan het begin van de avond een glas cider ingeschonken, maar die had een metaalachtige smaak gehad en ik had het spul niet opgedronken. Ik keek naar de maan die oprees door de takken van de dennenbomen en had medelijden met mezelf tot ik door de gedempte dreun van de uit het huis klinkende muziek een hoge lach hoorde snerpen. Een stelletje kwam de hoek van het huis om lopen. Ik glipte van de bank af en tussen de rododendrons door om ze te mijden.

Aan de voorkant van het huis brandden de buitenlampen en verlichtten de brede oprit die vanaf de weg in een bocht omlaag liep. Iemand stond voorover gebogen te braken in een terracotta pot met een laurier-boompje erin, terwijl een meisje naast hem zijn arm vasthield en hem op zijn rug klopte. O god, wat hadden we gedaan? Hoe moesten we dat allemaal opruimen morgenochtend?

Boven aan de oprit stopte een auto. Hij reed langzaam achteruit; misschien iemand die keek of hij op het juiste adres was. Mijn hart klopte in mijn keel. Toen reed de auto weer voorbij. Maar ik hoorde hem verder op de weg weer stoppen. Er klonken stemmen, voetstappen.

Ik rende om het huis heen naar de terrasdeuren en ging naar binnen. De verduisterde woonkamer was een chaos van springende lichamen op muziek die zo luid uit de stereo dreunde dat je het in je aderen voelde trillen. Bleke armen en benen waren verstrikt op de lichtgekleurde bank. Er hing een overweldigende lucht van bier en zweet. Ik stond stil om mijn plateauschoenen weer aan te trekken en liep toen zo onverschillig als ik kon de gang in.

Het was onmogelijk dat iemand in de woonkamer de bel had gehoord, maar hij rinkelde, hoewel de voordeur op een kier stond. Op de stoep stond Gary, die beleefd met zijn vinger op de knop drukte. Achter hem stonden nog drie of vier mensen. Ik trok de deur wijd open. Ik wilde Gary omhelzen, maar stond daar alleen maar dommig te grijnzen.

Hij leek verbaasd me te zien, alsof hij vergeten was dat ik hem voor het feest had uitgenodigd. Toen stapte hij over de drempel. Ik voelde zijn arm om mijn middel glijden, en hij trok me tegen zijn borst. Hij rook naar zeep en tabak. Toen liet hij me los.

'Kom mee naar de keuken,' zei ik. Mijn stem klonk dun in mijn oren, bijna overstemd door de muziek uit de woonkamer. Ik kon hem niet aankijken en sloeg mijn ogen neer, maar keek vervolgens weer snel op uit angst dat hij dacht dat ik naar zijn kruis staarde. 'Er is van alles te drinken.'

Een van de jongens achter hem hief zijn arm op, en ik zag dat zij ook drank hadden meegebracht, blikjes bier. Ik herkende een paar jongens die ik had zien voetballen; er was er een met kroeshaar, en een andere met een bovenlip met zoveel dons erop dat de wens veel groter was dan de snor. Gary had een fles wijn bij zich. Hij droeg een spijkerbroek en een zwart T-shirt met 'Led Zeppelin' in gotische letters op de borst.

'Ga voor,' zei hij. Mijn rug tintelde terwijl ik hem voorging door de gang. Ik hoopte dat de broek die mevrouw Klein voor me had gekocht er van achteren net zo goed uitzag als van voren. De keuken was stampvol lichamen die vochten om een drankje. Bij de deur bleef ik staan, maar Gary liep door, pakte mijn hand en baande zich een weg naar binnen.

'Kurkentrekker?' zei hij. 'Wil je wijn?'

289

Ik wist dat ik weken op die woorden zou kunnen teren, dat ik ze steeds opnieuw in mijn hoofd zou herhalen. Mijn borst zwol tintelend op. Ook al zou er niets anders gebeuren, hij had mijn hand vastgehouden, hoe kort dan ook. Ik spoelde een glas om onder de kraan en stak het hem toe. Hij vulde het, nam zelf een biertje en hield het omhoog om te proosten.

Ik voelde iemand mijn arm grijpen.

'Katie!' siste Trish in mijn oor. 'Je moet komen. Het is Poppy...' Ik had haar kunnen vermoorden.

'Sorry,' zei ik tegen Gary. 'Ik moet gaan. Maar ik kom terug.' Trish stond aan mijn arm te trekken.

Ik zag Poppy in het zwembad, aan de diepe kant, waar nog een laagje water stond. Dat deel van het zwembad lag in de schaduw, maar de glinsterende witte jurk, nu doorweekt, verried haar. Ze zat in het water, blijkbaar zonder de wil of het vermogen zich te bewegen.

'Ze is erin gesprongen, denk ik,' zei Trish. 'Of misschien uitgegleden. Ik weet het niet. Ik geloof niet dat ze gewond is.'

'We zullen erin moeten om haar eruit te halen,' zei ik. 'Waar zijn in godsnaam al die jongens gebleven met wie ze was? Kunnen die niet helpen?' De jongens waren verdwenen. Een paar mensen keken vanaf het balkon boven en lachten, maar het terras was verlaten.

Ik trok mijn schoenen uit en rolde mijn broek tot boven mijn knieen op voordat ik via het trapje aan de diepe kant naar beneden klom, waar Poppy in ongeveer vijftien centimeter water zat. Het voelde heerlijk koel aan mijn zere voeten, maar ik kon beter niet kijken naar wat er op het water dreef. Ik was halverwege Poppy toen het tot me doordrong dat Trish me niet volgde.

'Hé,' riep ik naar haar. 'Kom me helpen. Ik kan het niet in mijn eentje.' Poppy had me zien komen en begon te giechelen. Ze zwaaide heen en weer als een dronkenlap in een strip; ik was doodsbang dat ze voorover zou vallen en zou verdrinken.

'We hebben iemand nodig die sterker is,' zei Trish van boven. 'Anders krijgen we haar er nooit uit.' Zij klonk ook bang.

'Nou, haal dan iemand.' Tegen de mensen op het balkon schreeuwde ik: 'Hou op met gapen en kom hierheen. We hebben hulp nodig.'

De gezichten boven smolten weg in het donker. Ik hoopte dat dat betekende dat ze onderweg waren. Een van mijn broekspijpen zakte omlaag. Ik voelde hem door het water slepen.

Poppy begon met haar vlakke hand op het water te slaan en spetterde me nat.

'K-kk-kkatie,' zei brabbelde ze, 'kom in 't water... sssheerlijk.'

'Hou daarmee op,' zei ik tegen haar. 'Kun je opstaan?'

In het schijnsel van de lampen rond het zwembad kon ik net haar gezicht onderscheiden. Ze had pandakringen van mascara onder haar ogen en de punten van haar haar waren nat.

'Kan niet opstaan,' zei ze. 'Benen gesmolten.' Ze begon weer te giechelen.

Ik legde mijn armen onder de hare en trok. Ze was een dood gewicht.

'Hoe ben je hierin gekomen?' vroeg ik.

'Uiggeggledn.' Ze moest met het lappenpopgeluk van een dronkaard zijn gevallen. 'Maar 't is een ftastische nacht om te zwemmen!'

Ik hoorde gespetter achter me. Iemand was van de ladder geklommen en waadde naar ons toe.

'Ze heeft aardig wat op, zeker,' zei Gary achter me. 'Laat mij maar.'

Hij tilde haar moeiteloos op. Poppy hing over zijn rug, maar wist op de een of andere manier haar hoofd omhoog te krijgen en naar me te knipogen.

'Sssheerlijk,' zei ze. Gary waadde met haar naar de ondiepe kant, waar brede, lage treden oprezen naar het terras.

Ik volgde.

'Wat zal ik met haar doen?' vroeg hij.

'Ik weet het niet. Wat denk je, komt het wel goed met haar?'

'Ik denk dat ze alleen maar erg dronken is. Misschien moeten we haar maar ergens neerleggen.'

'Ze woont hier,' zei ik. 'We kunnen haar naar haar slaapkamer brengen.'

We liepen druppelend door de terrasdeuren, tussen de opeengepakte lichamen in de woonkamer door en de glanzende trap op. Trish was nergens te zien. Ik deed het licht in Poppy's slaapkamer aan.

Op het bed lag tussen een berg jassen een stelletje te vrijen.

'Wegwezen,' zei Gary. 'De vrouw des huizes wil haar bed terug.'

De striplezer en een van de meisjes in lovertjestuinbroek stoven de kamer uit. Onder het toeziend oog van de barbies liet Gary Poppy op het bed zakken. In het licht was haar witte jurk doorzichtig. Haar tepels stonden als roze cirkels omhoog en je kon zien dat haar onderbroek een patroon van blauwe roosjes had.

'Ik heb deze kamer geschilderd,' zei Gary. 'Ik moest al die vreselijke barbies verplaatsen.' Hij keek trots om zich heen. 'Dat heb ik niet slecht gedaan, hè?'

'Denk je dat we haar op haar zij moeten leggen?' zei ik. 'Voor de zekerheid?'

Poppy's vrolijke dronkenschap was overgegaan in een min of meer comateuze toestand. We rolden haar om en ik streek haar haar uit haar gezicht. Ze was blijkbaar niet helemaal bewusteloos, want haar arm kroop omhoog en ze stopte haar duim in haar mond.

'Het is erg warm hier,' zei ik. De schuifdeuren naar het dakterras stonden op een kier, maar Gary duwde ze verder open. Hij liep naar buiten en ik volgde hem. Boven de toppen van de schaduwachtige dennenbomen hadden de sterren gaatjes in het uitspansel geprikt. Uit de kamer beneden galmde muziek. Nu het aanstootgevende dronken meisje was verwijderd, hadden mensen zich weer rond het zwembad verzameld. Sigaretten gloeiden in het donker.

'Een heerlijke avond,' zegt Gary, leunend op het hek van het dakterras.

'Ja, een heerlijke avond,' zei ik instemmend. God, zou hij me ooit gaan zoenen?

'Hoe heet je?' vroeg hij, terwijl hij zich omdraaide. Plotseling was hij heel dichtbij. Ik rook weer zeep en tabak, en ik voelde de warmte van zijn huid stralen. 'Ik weet je naam niet eens.'

Er klonk een harde klap en het getinkel van glas op de grond.

'Godallemachtig,' zei Gary. 'Je weet wel hoe je een feest moet geven. Wat is er nu weer gebeurd?'

Een meisje gilde. We keken over de rand. Een jongen, die op zijn knieen aan de rand van het zwembad zat, omklemde zijn arm. Op zijn witte T-shirt was een donkere vlek te zien.

'O God,' zei ik. 'Hij bloedt dood.' Ik rende terug naar Poppy's kamer en naar beneden.

Trish was in de gang.

'Moeten we een ambulance bellen?' zei ik.

'Doe niet zo mal,' zei ze. 'Als we dat doen, komen we echt in de problemen.'

'Maar stel dat hij doodgaat.'

'Natuurlijk gaat hij niet dood. Hij heeft zich alleen gesneden. Iemand had een van de terrasdeuren dicht gedaan en hij is er recht doorheen gelopen, dat is alles.'

Maar ze klonk paniekerig. Ik liep langs haar heen, via de woonkamer naar het terras bij het zwembad. Er stonden allemaal mensen rond de geknield zittende jongen. Een meisje had haar T-shirt uitgetrokken, zag ik geschokt, en stond in haar beha het bloed te stelpen. Iemand anders had een zakdoek gebruikt om de arm af te binden.

'Het houdt niet op,' zei het meisje. 'Jezus, het houdt maar niet op.' Druppels bloed bespatten de natuurstenen tegels om hen heen.

'Verdomme,' zei Trish naast me. 'Hoe krijgen we dat ooit schoon voordat Poppy's ouders thuiskomen? Hoe krijg je bloed uit steen?' Ze begon hysterisch te giechelen. 'Bloed uit steen. Hoorde je wat ik zei? Bloed uit steen...'

'Hou op, Trish,' zei ik. 'We moeten iemand bellen.'

'Nee,' zei ze resoluut. 'Ze kunnen hem zelf meenemen. Iemand heeft vast een auto. Ze kunnen hem naar de eerste hulp brengen. Dat gaat veel sneller.'

'Gary en zijn vrienden zijn met de auto gekomen,' zei ik. 'Hij staat langs de weg geparkeerd.' Ik draaide me om en verwachtte Gary te zien, maar hij was er niet. Hij was toch achter me aan naar beneden gekomen? Maar ik had niet omgekeken. Misschien was hij nog boven.

'Ik ga hem zoeken,' zei Trish. 'Weet je hoe zijn vrienden eruitzien?'

'Ik geloof het wel,' zei ik. 'Het zijn die jongens met wie hij altijd voetbalde, weet je nog?'

Trish keek glazig en schudde haar hoofd.

'Oké, oké,' zei ik. 'Ga Gary zoeken; ik ga op zoek naar zijn vrienden. Het is toch Gary's auto niet. Hij rijdt niet.'

Ik liep het huis in. De muziek dreunde nog steeds; mensen dansten nog steeds in de woonkamer, zich niet bewust van wat er bij het zwembad gebeurde. Ik had Gary's vrienden het laatst in de keuken gezien; misschien waren ze daar nog. Trish achter me latend om Gary te zoeken, drong ik de volle keuken binnen.

Ik zag Gary's vriend met het kroeshaar bij het raam. Ik zwaaide om zijn aandacht te trekken, maar die was volledig gericht op het opsteken van zijn shaggie. Ik moest me een weg naar hem toe banen.

'Sorry,' zei ik. 'Is de auto waarin jullie gekomen zijn van jou?'

Hij keek me verbaasd aan. 'Nee, die is van Carl. Hoezo?'

'Wie is Carl? Er is iemand aan het doodbloeden. We moeten hem naar het ziekenhuis brengen.'

'Jezus,' zei hij. 'Ik geloof dat Carl daar staat, bij de deur.'

Ik volgde hem, dankbaar dat hij bereid leek te helpen. Carl was de jongen met de plukkerige snor. Ik kon niet horen wat ze zeiden, maar ik zag Carl zijn hoofd schudden en vreesde het ergste. Toen zag ik dat hij zijn hand in zijn zak stak, er autosleutels uit haalde en die aan Kroeshaar gaf.

'Hij zei dat hij te veel had gedronken,' legde mijn redder uit toen we onze ellebogen gebruikten om bij het zwembad te komen. 'Maar ik zou toch al terugrijden. Jezus, wat een puinhoop.' De jongen die door de glazen deur was gelopen, zat nog steeds op zijn knieën bij het zwembad en er leek nog veel meer bloed op de tegels te liggen. Een van de meisjes in de lovertjestuinbroek probeerde de glasscherven met een stoffer en blik op te vegen.

'We hebben het onder controle,' zei een van de anderen. Zijn bovenlichaam was ontbloot, want hij had zijn shirt in repen gescheurd om de arm van de jongen te verbinden. 'Maar hij moet naar de eerste hulp. Het moet gehecht worden.'

'Als je hem naar de oprit kunt brengen, haal ik hem daar met de auto op,' zei Kroeshaar, en hij verdween op een holletje het huis in.

Twee jongens hielpen de gewonde jongen overeind. Ik had aangenomen dat het meisje dat haar T-shirt had uitgetrokken zijn vriendin was, maar ze bleek zijn zus te zijn. Ze rilde hevig.

'Je kunt zo niet naar het ziekenhuis,' zei ik, terwijl we voor het huis op de auto wachtten. Kroeshaar leek startproblemen te hebben.

Ze keek me niet-begrijpend aan. Ze was vergeten, denk ik, dat ze niets anders droeg dan een beha.

'Ik heb boven nog een T-shirt liggen,' zei ik. 'Zo vat je nog kou. Wacht even, ik ga het halen.' De motor van de auto pakte en ik zag de koplampen aangaan.

Ik had mijn extra kleren in mijn tas in Poppy's kamer achtergelaten. Ik rende de trap op. Mijn tas stond op de kruk bij de kaptafel. Poppy lag nog opgekruld op het bed, met haar duim in haar mond. De schuifdeuren naar het dakterras stonden nog open en het voile gordijn bewoog in de wind. Ik boog me om de tas open te ritsen en hoorde een lach van het terras komen.

Ik trok het oranje T-shirt uit de tas. Ik was halverwege de deur toen ik de lach weer hoorde, en een mannenstem die iets zei wat ik niet kon verstaan.

Ik kende die lach.

Beneden zongen Steve Harley en Cockney Rebel 'Come Up and See Me, Make Me Smile'. Er was een bloedende jongen, en zijn rillende zuster in beha.

Ik stapte tussen de gordijnen door het dakterras op.

Ze stonden bij het hek en keken naar het zwembad onder de scherpe witte sterren. Hij had zijn armen om haar heen geslagen en zij drukte haar kruis tegen het zijne. Hij kuste haar hals. Hij stond met zijn rug naar me toe, maar ik kon me niet vergissen in wie het was. Ze zag me over zijn schouder, en hoewel ik haar ogen onmogelijk goed kan hebben gezien, wist ik dat ze straalden van triomf, net als die harde, witte sterren.

Ik voelde me verscheurd. Mijn keel kneep zich dicht, en ik wilde 'kreng' zeggen, maar er kwam geen geluid uit. Het bloed steeg naar mijn hoofd, en heel even was ik volkomen blind, en ook doof. Toen beukte de wereld me in mijn buik en hapte ik naar adem.

Blue eyes, blue eyes. It's just a test, a game for us to play.

Ooh lala. Come up and see me, make me smile.

Hij bracht zijn hand naar haar borst.

Ik vond mijn weg terug tussen de gordijnen door, hete tranen in mijn ogen. Ik wilde ze niet laten stromen. Poppy bewoog op het bed en liet een scheet.

Ik keek naar het oranje T-shirt. Waarom hield ik dat in jezusnaam in mijn hand?

Ooh lala. Blue eyes, blue eyes.

Kreng.

Ik wreef verwoed in mijn ogen. Nee, die voldoening gunde ik haar niet. Maar ik kon de grote snikken niet binnenhouden. Ze had hem van me gestolen. Het kreng.

'Sorry,' zei een stem achter me. 'Maar we moeten nu gaan.'

Ik draaide me om. Het meisje in de beha stond in de deuropening.

Ik keek naar het T-shirt in mijn hand. Het zat onder de mascaravlekken.

'Ik heb er nog een,' zei ik.

'Die is wel goed.'

'Nee, het ziet er niet uit.' Ik trok de tas van de kruk en de inhoud viel op de vloer. Ik pakte het groene T-shirt met lange mouwen dat ik de volgende dag had willen dragen en duwde het in haar hand.

'Dank je,' zei ze. 'Ik moet gaan.' 'De politie is er trouwens.' Ze liep weg terwijl ze het T-shirt over haar hoofd trok.

Langzaam liep ik naar de kaptafel en tuurde naar mezelf in de spiegel. Panda-ogen, net zo erg als die van Poppy. Een neus die gloeide als een elektrische kers. Beneden brak de muziek abrupt af. Er stond een flacon gezichtsreiniger en een pot met wattenbolletjes. Ik maakte mijn gezicht zo goed mogelijk schoon en liep naar beneden. Mijn oren suisden van de plotselinge stilte.

In de gang waren alle lampen aan. Een politieagent praatte met een van de jongens uit de keuken die zich om Poppy hadden verdrongen. De jongen wees naar mij en de politieagent draaide zich om.

'Weet jij wie dit feest geeft?' vroeg hij.

'Ik,' zei ik.

'En wie ben jij?'

'Mijn naam is Trish Klein,' zei ik.

Het was bijna twee uur 's nachts. Ik zat in de verwoeste woonkamer te wachten op de komst van mevrouw Klein. De ene politieagent was in de tuin op zoek naar de laatste feestgangers. De andere had mevrouw

Klein gebeld, nadat ik hem het nummer had gegeven. Hij stak zijn hoofd naar binnen. 'Je zit goed in de problemen,' zei hij. 'En vergis je niet, als je mijn dochter was, kreeg je er goed van langs. Je woont hier niet eens, hè? Ze kunnen je voor de rechter slepen, besef je dat?'

Ik wendde mijn hoofd af en keek door de kapotte glazen deur naar het zwembadterras. Hij snoof en ging op zoek naar zijn collega.

De terrastegels zaten onder de bloedvlekken. Op de bodem van het zwembad lagen bierblikjes en waarschijnlijk lag er ook braaksel. De roomkleurige leren bank was bezaaid met bruine gaten van uitgedrukte sigarettenpeuken en plakkerige plekken van rode wijn en bier. Twiglets en peuken waren in het ivoorkleurige tapijt getrapt.

Ik kon alleen maar aan Trish en Gary denken. Waar waren ze?

Hij had seks met haar. Ze lagen op Poppy's bed – ze hadden haar op de vloer gerold en ze merkte er niks van – en hij lag boven op haar, stootte in haar, en zij lachte en hijgde en hapte naar adem en stak haar lange benen in de lucht...

Mijn ingewanden draaiden zich om.

Het was volkomen stil in huis, afgezien van een incidentele verre schreeuw van de politieagenten die de feestgangers achternazaten door de rododendrons.

Ze hadden het gedaan. Haar ogen waren gesloten en ze glimlachte. Hij liet lui een vinger over haar buik glijden.

'*Je hebt prachtige borsten, Trish,' zei hij tegen haar.*

Nee, nee, nee.

Ik hoorde autowielen op het grind buiten. Harde, scherpe voetstappen op het parket.

Mevrouw Klein stond in de deuropening. Haar haar was ongekamd en haar linnen jurk gekreukeld.

'Jezus Christus, Katie,' zei ze. 'Ik had niet verwacht jou hier te vinden. Waar is mijn dochter, verdomme?'

'Ik weet het niet,' zeg ik. Ik was de tranen inmiddels voorbij.

'Heb jij hier iets mee te maken?' vroeg ze. 'Weet je vader dat je hier bent?'

'Ja,' zei ik. 'Nee. Ik bedoel, het was mijn feest. Ze zeiden dat het voor mij was. En mijn vader weet het niet. Hij denkt...'

'Ik kan wel raden wat hij denkt,' zei mevrouw Klein. 'Hetzelfde als ik. Hij kan er beter niet achter komen.' Ze haalde een pakje sigaretten uit haar tas en stak er een op. 'Ik zou vragen waar de asbak is, maar ik zie dat de hele kamer als zodanig is gebruikt. Goed, je gaat met mij mee. Dit zoeken we verder morgen wel uit. God mag weten wat Di en George zullen zeggen als ze morgen terugkomen. Waar is Poppy?'

'Boven,' zei ik. 'Ze is bewusteloos geraakt.'

'Jezus!'

'Het gaat goed met haar,' voegde ik er snel aan toe. 'We hebben haar op bed gelegd.'

'Ik kan beter even bij haar gaan kijken. Heb je enig idee waar Trish kan zijn? Dit was haar idee, zeker?'

Heel even hield mijn loyaliteit nog stand en stond ik op het punt het te ontkennen. Maar toen herinnerde ik me die flits van triomf in Trish' ogen. Ik knikte.

'Dat verbaast me niks,' zei mevrouw Klein. 'En zeg eens, is ze met iemand, denk je? Een jongen misschien?'

Ik knikte weer.

'Ja, nou, ik ken mijn dochter,' zei mevrouw Klein grimmig. 'Boven?'

Ik knikte voor de derde keer.

'Kom mee,' zei ze. 'Ik heb je nodig voor het geval ik besluit haar te vermoorden.'

We gingen naar boven. De deur van Poppy's slaapkamer was dicht. Ik wachtte, maar mevrouw Klein liep recht naar binnen. Poppy lag nog te slapen op het bed, precies zoals ik haar de laatste keer had gezien, de duim nog in haar mond. Mevrouw Klein boog zich voorover om naar haar ademhaling te luisteren en trok toen het laken over haar heen. Haar mond was een smalle, harde streep. 'Domme meisjes.'

Ze liep de kamer door en rukte de gordijnen open.

Ze deden het tegen de muur. Trish had beide benen om zijn middel geslagen en schreeuwde o o o terwijl hij haar tegen het metselwerk drukte.

Maar hoewel de schuifdeuren nog openstonden, was het terras stil en verlaten.

We doorzochten de andere slaapkamers op de bovenverdieping. Geen spoor van hen.

'Hoe heet hij?' vroeg mevrouw Klein. 'Heeft ze al langer iets met hem?'

Ik schudde ongelukkig mijn hoofd. 'Ik weet het niet.'

'Wacht eens even, Katie,' zei mevrouw Klein. Ze bleef halverwege de trap staan en draaide zich om, zodat haar gezicht op gelijke hoogte was met het mijne. 'Ik wil dat één ding heel duidelijk is. Je hebt geen enkele verplichting om die slet van een dochter van mij of die ellendeling van een vader van jou in bescherming te nemen. Waarom je nog enige loyaliteit ten opzichte van een van hen voelt, mag Joost weten.'

'Echt,' zei ik, 'ik weet niet waar Trish is. De laatste keer dat ik haar zag was ze boven.'

Mevrouw Klein klakte met haar tong en zei verder niets.

Poppy's ouders hadden een slaap- en badkamer in een afzonderlijke aanbouw beneden. Hoewel het beddengoed gekreukeld was, en mevrouw Klein iets van de vloer opraapte, het op armlengte bekeek en het vervolgens in een papieren zakdoekje wikkelde en in de wc gooide, was ook daar geen spoor van Trish en Gary.

'Goed,' zei ze. 'Dan blijft de tuin nog over. Ik ga naar buiten om me aan de politie voor te stellen en te vragen of zij de dame hebben gezien. Jij blijft hier. We gaan zo met zijn allen naar Midcombe, en komen hier morgenvroeg terug om het huis van boven tot beneden schoon te maken.' Ze verdween in de richting van het zwembad en ik hoorde haar sandalen met sleehakken knerpen op gebroken glas.

Ik had frisse lucht nodig, en herinnerde me toen dat ik geen schoenen aan had. Ik wist niet waar ik ze had gelaten. Achter me op het witte tapijt zag ik een veeg bloed: mijn bloed. Ik moest zonder dat ik het had gemerkt mijn voet hebben gesneden aan het kapotte glas. Het begon meteen pijn te doen. Ik hinkte naar boven om mijn schoolschoenen te halen en liep naar de badkamer om mijn voeten te wassen en een pleister te zoeken. Ik ging op de wc-deksel zitten om de schade op te nemen.

'Je kunt daar beter een ontsmettingsmiddel op doen.'

Een donkere gedaante flikkerde achter het melkglas van de douchecabine, en toen ik opkeek zag ik een oog tussen de schuifdeuren door turen. Trish schoof ze verder op en kwam eruit. Ik zag dat ze het SEKS-T-shirt achterstevoren aan had voordat ik me weer vooroverboog om mijn voet te bestuderen.

'Zit er nog glas in? Moet ik er even naar kijken?'

'Nee.'

'Wat is er?'

'Dat weet je wel.'

'Nee, dat weet ik niet.'

'Waar is Gary?'

'Ah. Dat is het dus. Hij is naar huis gegaan.'

'Dus hij laat de confrontatie met je moeder aan jou over. Heel dapper.' Ik stond op en wipte op één voet naar het medicijnkastje om jodium te zoeken.

'Ik heb gevraagd of ik met hem mee mocht,' zei Trish met een verloren klinkend stemmetje. 'Hij zei dat zijn moeder dat niet prettig zou vinden.'

Ik draaide me om. Ze zat op de rand van het bad, in elkaar gedoken als een vogeltje op een bevroren tak.

'Vraag me niet om medelijden met je te hebben,' zei ik. 'We zitten allemaal in de problemen.'

'Wie heeft de politie gebeld?'

'Geen idee. De buren? Het was nogal lawaaiig.' Ik vond de jodium en een pak watten, en ik ging weer op de wc-deksel zitten om het op te brengen.

'Er was niets aan de hand geweest als ze dat niet hadden gedaan.'

'Niets aan de hand?' zei ik. 'Niets aan de hand? Gebruik je hersens. Hoe denk je dat we dit ooit zo hadden kunnen schoonmaken dat Poppy's ouders niet zouden merken dat hier een feest is geweest? Om nog maar te zwijgen van het feit dat iemand bijna is doodgebloed? Au.' De jodium prikte.

'Je hebt een pincet nodig,' zei Trish. Ze stond op en zocht in het kastje. 'Hier. Geef me je voet.' Ze knielde voor me neer. 'Zie je wel, er zit een grote splinter in. Moet ik hem er voor je uithalen of wil je dat mijn moeder het doet?'

'Doe het,' zei ik. Terwijl ze bezig was met het pincet druppelden mijn tranen op haar gebogen hoofd en lagen in haar donkere haar te schitteren.

Toen mevrouw Klein terugkwam van haar gesprek met de politie, was ze bepaald niet blij om te ontdekken dat Trish zich al die tijd al in het huis had verstopt. Het was duidelijk dat ze ons ervan verdacht te hebben samengezworen en dat ik Trish blijkbaar had weten over te halen om tevoorschijn te komen.

Poppy was net wakker genoeg geworden om naar beneden te kunnen sloffen en kroop op de achterbank van de auto, haar duim weer in haar mond. Trish zat voorin, en ik zat naast Poppy met haar voeten op mijn schoot.

'Als ze gaat overgeven, mogen jullie morgenochtend ook nog de auto met zijn drieën schoonmaken,' zei mevrouw Klein. 'En jij...' Ze draaide haar hoofd om de auto te kunnen keren op het grind van de McClarens. 'Ongelooflijk dat een dochter van mij zo stom kan zijn. Na alles wat ik je heb verteld. Heb je geen enkel idee van wat het voor je leven zou betekenen als je op jouw leeftijd in verwachting zou raken?'

'Nee,' zei Trish.

'Je bent veertien, Trish. Nog maar veertien. Wat heb je hem met je laten doen?'

'Niets.'

'Toe nou!' mevrouw Klein liet de koppeling los en de auto schoot tussen het opstuivende grind door de oprit over.

'Hij heeft me gezoend. Dat is alles.' Ik kon Trish gezicht duidelijk van opzij zien toen we aan het eind van de oprit onder de straatlantaarm doorreden. Zonder dat mevrouw Klein het zag, knipoogde ze.

Kreng.

Ik kon niet slapen in het huis van de familie Klein. Mevrouw Klein stopte Poppy en mij samen in een logeerkamer met een tweepersoonsbed. De nachtwind kwam uit het dal door het open raam naar binnen; ik had het afwisselend te warm en te koud. Poppy lag naast me te snurken. Ik heb misschien gedoezeld, maar ik zag de gordijnen geel worden toen de zon opkwam. Ik voelde me ellendig, want het was een nieuwe dag en ik moest onder ogen zien dat ik het feest, en Gary en Trish, niet had gedroomd.

Ik had een droge mond en moest plassen. Ik ging mijn bed uit en liep door de gang naar de badkamer. Ineens wilde ik wanhopig graag naar huis en wakker worden in mijn eigen bed, alsof dat alle ellende van de avond ervoor kon uitwissen. Laat me alsjeblieft opnieuw beginnen, dacht ik. Alsjeblieft.

Ik wreef mijn warme, zere voet tegen het koele porselein van de wc-pot en stelde me een ontbijt voor in de grote keuken van de Kleins, aan de vurenhouten tafel, terwijl mevrouw Klein me sterke koffie inschonk en me probeerde over te halen weer naar mijn moeder te gaan zoeken.

Nee.

Ontbijt zou betekenen dat ik naar Trish' zelfgenoegzame gezoende gezicht zou zitten kijken, terwijl zij haar cornflakes at en haar hals uitstrekte om mij haar zuigzoenen te laten zien. Hadden ze het gedaan? Tot de vorige avond had ik niet gedacht dat Trish het zou durven, maar nu wist ik het niet meer.

Ik moest naar huis.

Ik glipte de slaapkamer weer in en trok de spijkerbroek aan die ik voor vandaag had meegenomen. Mijn zwarte T-shirt stonk naar rook, maar het oranje shirt kon ik niet dragen nu ik het als zakdoek had gebruikt. Ik liet mijn tas op het bed liggen en schreef een briefje voor mevrouw Klein dat ik later terug zou komen om te helpen schoonmaken.

Buiten was het fris, maar de hemel was lichtblauw en de zon beloofde heet te worden wanneer hij hoger zou staan. De laatste rozen knikten nog in de tuin en een merel zong. Zachtjes deed ik de voordeur van de Kleins achter me dicht en liep de weg op. Ik voelde me al wat beter, hoewel mijn hoofd duf was van slaapgebrek. Er was niemand buiten. Het was nog geen zes uur.

Ik dacht dat de merel me vergezelde. Dat hij van boom naar boom vloog terwijl ik vanuit Midcombe de heuvel op liep. Het waren waarschijnlijk verschillende vogels, die al zingend hun grenzen afbakenden. De wind verkoelde me terwijl ik de heuvel naar Green Down op liep. In het zonlicht zag het leven er vrolijker uit. Ik zou thuiskomen, en hoewel het leven nooit meer helemaal hetzelfde zou zijn als voor het feest, zou ik me wel redden. Ik zou Gary 's morgens zijn huis uit zien komen, op weg naar zijn nieuwe baan in de groeve, en ik zou naar hem glimlachen en zwaaien, zoals vrienden dat doen. Het zou voldoende zijn om hem te zien. Tranen prikten achter mijn ogen, en ik knarsetandde tot mijn wangen pijn deden om te voorkomen dat ik ging huilen.

Misschien zou hij niet lang met Trish uitgaan. Het kon me niet schelen als hij nooit met mij uit zou gaan, zolang hij maar niet met Trish uitging.

Ja, hem van een afstand zien, zou me al gelukkig maken. Ik was gelukkig geweest toen dat alles was. Op meer kon ik niet hopen.

Ik kwam op de top van de heuvel, draaide me om en keek omlaag naar Midcombe en het grijsgroene leien dak van het huis van de Kleins. Ik zou teruggaan, natuurlijk zou ik teruggaan om hen te helpen schoonmaken. Maar nu had ik behoefte aan mijn eigen bed.

Wat zou ik tegen mijn vader zeggen? Natuurlijk niets over wat er echt was gebeurd. Ik zou zachtjes naar binnen sluipen en als ik op zou staan zou ik tegen hem zeggen dat ik niet had kunnen slapen bij Poppy, dat ik hem had gemist. Ik stak de hoofdweg over en begon uitkijkend over Bath in de gouden gloed van het vroege licht, de heuvel aan de andere kant af te dalen.

Door de wandeling was ik wakker en mijn hoofd helderder geworden. Toen ik thuiskwam, was ik er niet zo zeker van of ik nog kon slapen. Iets aan deze heerlijke ochtend vervulde me van optimisme. Gisteravond was een tijdelijke terugval geweest, dat was alles. Diep vanbinnen was ik ervan overtuigd dat ik ondanks alles uiteindelijk bij Gary zou komen.

Onze straat was vol lange schaduwen. Het was zelfs nog te vroeg voor George de melkboer. Gary's gordijnen waren stevig dichtgetrokken. Ik herinnerde me hoe het gevoeld had toen hij op het feest zijn arm om me heen had gelegd: dat wilde ik vasthouden voor mezelf, niet de aanblik van Trish en hem. Als ik op de vensterbank in mijn moeders oude kamer zou gaan zitten, kon ik naar de overkant van de straat kijken en me voorstellen hoe hij er in zijn slaap uit zou zien.

Ik ging het huis binnen en begon de trap op te lopen. Ik werd zo in beslag genomen door de gedachten aan Gary dat de geluiden niet tot me doordrongen voordat ik de deur van mijn moeders kamer al had opengedaan.

Natuurlijk wist ik wat ze deden. Het zag er alleen anders uit dan het naar mijn idee hoorde te zijn. Mijn vader was als een blind dier; hij duwde, probeerde zich in haar te begraven, gromde, met een rug die glom van het zweet. Zijn ogen waren op het plafond gericht, en zij hijgde, achterover liggend, schokkend in de kussens, terwijl hij maar graaide. Haar handen lagen op zijn schouders – waarom duwde ze hem niet weg? Zijn benen zaten verstrikt in het laken en hij schopte het onhandig weg, en het was nu volkomen duidelijk wat er gebeurde.

In mijn moeders bed. Hoe konden ze?

Ik deed de deur zachtjes dicht, ging de trap weer af en liep naar buiten, terwijl de tranen over mijn wangen biggelden.

25

Dinsdag is Brendan jarig. Hij heeft besloten het in stijl te vieren, in de kroeg; niet ons gebruikelijke café, maar een hotel net van de A36 af, niet ver van waar hij woont in Bathampton. Disco, karaoke, een genereuze drankvoorraad achter de bar, vergunning tot twee uur 's nachts. Ik ben nooit dol geweest op feestjes, maar er zijn gelegenheden die je niet moet missen, het zou niet tactisch zijn, vooral omdat dit ook als een kerstfeest van het werk fungeert. Martin heeft besloten mee te gaan.

'Het wordt tijd voor een gesprek van man tot man met die Gary van jou,' zegt hij terwijl hij op het parkeerterrein uit de Audi stapt.

'Hij is niet van mij.'

'Jammer genoeg. Luister, ik vraag je niet met de man te trouwen, maar doe ons allemaal een lol en duik het bed met hem in.'

In de bomen rond het grote parkeerterrein hangen gekleurde lampjes, en op het gazon staat een verlicht rendier. Martin is gekleed in zijn beste Calvin Klein en een rood vlinderdasje. Misschien is het een soort teken voor andere homo's, een soort dresscode. Iets in de trant van: ik ben beschikbaar, maar ik logeer bij iemand anders, dus kunnen we het op het parkeerterrein doen?

Hij kan me vanavond beter niet in verlegenheid brengen.

'Ik wil niet bot klinken, maar wanneer vertrek je weer?' vraag ik, terwijl ik mijn portier dichtsla.

Hij haalt zijn schouders op en ziet er een beetje schaapachtig uit. 'Ik dacht dat je misschien wel gezelschap wilde tijdens de kerst.'

'De kerst. Dat duurt nog tijden.'

'Eh, nee, Kit. Dat is eind volgende week. Wil je niet dat ik blijf?'

Dit is lastig. Natuurlijk wil ik dat Martin blijft. Allerbeste vriend, enzovoort. Maar...

'Natuurlijk kun je blijven.'

'Jippie. Ik weet dat je niet aan Kerstmis doet. Dus organiseer ik in plaats daarvan ons mithraïstische feestmaal.'

'Welk mithraïstische feestmaal?'

'De vijfentwintigste december. Een grote dag op de cultuskalender. Geboren uit de levende rots, weet je nog?'

'Dat meen je niet.'

'Wil je raden hoeveel websites ik heb gevonden die bezwaar maken tegen het idee dat er geen enkel verband zou bestaan tussen het mithraisme en het christendom?'

'Te veel.'

We rijden over het grote, door schijnwerpers verlichte asfalt. We zijn modieus laat, dus is er alleen achter op het terrein nog een plek. Dat betekent een heel eind lopen, en ik heb nu al last van mijn sandalen met naaldhakken.

De deuren van het café gaan open en stoten een wolk damp en een grote, lijvige gestalte uit die zijn gulp al openritst. Hij doet zijn behoefte in de struiken. Bij het knipperende licht van het rendier van de kerstman herken ik Ted.

'Jezus. Zie je waar ik mee moet werken?'

'Dat is iets van mannen, Kit. Een heel belangrijk ritueel. Overmatig drinken en dan de grond besproeien. We doen het allemaal.'

'Niet zó openbaar.'

'Ik hoop wel dat je me aan de betreffende heer voorstelt.'

Ted negeert ons volkomen en verdwijnt weer naar binnen. We volgen hem.

Bij de hoofdbar is er geen doorkomen aan en het lawaai is oorverdovend. Er hangt een overweldigende lucht van bier en aftershave en niet helemaal schone sokken. Er zijn wat vrouwen en vriendinnen – ik zie Rosie bij de bar met Huw – maar het grootste deel van het team verblijft hier tijdelijk en heeft het vrouwvolk thuisgelaten, in Wales of Cleveland of het Forest of Dean.

'Wil je iets drinken?' schreeuw ik boven het kabaal uit.

Martin kijkt naar de deinende massa rond de lange mahoniehouten bar. 'Ik haal het wel.'

'Witte wijn, alsjeblieft,' zeg ik.

'Hoe zit het met onze afspraak? Bovendien is het waarschijnlijk azijn.'

'Oké, een bitter lemon, dan. Een dubbele.'

De afspraak is dat ik terug zal rijden. Normaal gesproken mag ik van mezelf wel een paar glazen wijn drinken als ik nog moet rijden, maar ik heb Martin beloofd dat ik niets alcoholisch zal nuttigen; hij is zo'n nerveuze passagier. Het is geen probleem na jaren Nick te hebben gereden. Ik heb zo'n hekel aan feesten dat zelfs drank ze niet draaglijk maakt.

Terwijl Martin zich een weg naar de bar baant, de ellebogen opgeheven als een zwemmer die de branding trotseert, zoek ik naar iemand om mee te praten. Rosie is te ver weg; geen spoor van Gary te bekennen; ik ontwaar Brendans snor bij de jukebox, maar hij is omringd door Teds mensen.

'Hallo,' zegt een stem, veel te dicht bij mijn oor.

'Hallo, Dickon.'

Ik heb Dickon nog nooit in het net gezien. Hij is volledig in het zwart gekleed – slecht passend overhemd tot de hals toe dichtgeknoopt, nette broek – en met zijn ronde rug ziet hij eruit als een slonzige dominee.

'Je ziet er heel mooi uit, Kit. Vooral dat truitje. Is dat wat ze een Bardottrui noemen?'

Bij uitzondering is zijn blik niet op mijn borsten gericht, maar dwaalt langs de holtes van mijn naakte schouders boven het rode mohair. Ik wens nu dat ik iets gekleders had aangetrokken. Zijn ogen voelen als vingers.

Martin staat nog bij de bar. Ik zie niemand anders die me kan redden. 'Is je vrouw ook van de partij?' vraag ik hoopvol.

'Hemel, nee. Het is te ver van Londen, ook als ze geen dienst had gehad. Ze werkt als verpleegster in het Middlesex.' Hij neemt een slok van zijn bier. 'Heb je niets te drinken, Kit? Zal ik iets voor je halen?'

'Er wordt al iets voor me gehaald.' Uit mijn ooghoeken zie ik Martin, drankjes hoog in de lucht, terugwaden door de mensenmassa.

'O,' zegt Dickon. 'Wie is dat? Een mysterieuze man?' Hij buigt zich naar voren en ik voel zijn adem in mijn hals. 'Je wilt toch niet zeggen dat je het weer hebt goedgemaakt met die vent van je?'

'Eerlijk gezegd, ja,' zeg ik, als Martin terug is. 'Martin, dit is Dickon. Hij is onze archeoloog.'

'Ik bewonder iedereen die de archeologie wil blijven redden. Het moet zo deprimerend zijn. Je moet wel altijd naar grote kantoorgebouwen kijken met de gedachte: ik weet wat daaronder lag; het is nu allemaal weg. Wij academici hebben het gemakkelijk, eigenlijk. Sorry, Kit is slecht als het om introducties gaat. Martin Ekwall, hoofddocent archeologie aan de Universiteit van Sussex.'

Dickon ziet er enigszins onzeker uit nu hij merkt dat hij met een andere archeoloog praat. 'Nou,' zegt hij ongemakkelijk, 'ik heb toch ook wel aardig wat vindplaatsen weten te redden.'

Ik heb Gary binnen zien komen.

Hij kijkt om zich heen en heeft me niet opgemerkt. Hij baant zich nu een weg naar Rosie en Huw aan de bar.

Onderweg weet ik hem net te onderscheppen. 'Hallo.'

'O. Hallo.'

Hij neemt mijn blote schouders boven het robijnrode mohair in zich op. Hij zegt niets, kijkt alleen.

Die blik is genoeg. Het is als de avond van het feest bij Poppy; ik zou weken op die blik kunnen teren. Ik beantwoord de blik.

We staan midden in een luidruchtige groep mensen. Ik kan geen woord verstaan. Ik zie niets, behalve hem, de manier waarop hij naar me kijkt. Ik zou zo eeuwig kunnen blijven staan.

Hij legt zijn hand op mijn elleboog, zoals hij eerder heeft gedaan, om me door een ruimte te leiden, en ik voel schokken door mijn arm gaan.

We zijn op de een of andere manier bij de bar.

'Hallo,' schreeuwt Rosie. 'Je ziet er mooi uit, Kit. Die fluwelen broek is geweldig.'

'De karaoke begint zo,' zegt Huw. 'Doe je mee, Gary? Hoe is je Noel Gallagher?'

'Vergeet het maar,' zegt Gary. Hij heeft zijn hand niet van mijn arm genomen. 'Dat soort dingen laat ik aan Brendan over.'

'En jij, Kit?'

'Ik denk het niet.' In feite zou ik Annie Lennox er op dit moment uit kunnen zingen, met Gary's vingers die zachtjes door het mohair drukken. Ik heb de elleboog nooit als een erogene zone beschouwd, maar mijn hele arm klopt. Ik zet een stap dichter naar hem toe, zodat mijn been net het zijne raakt.

'Een drankje, Gary?'

'St. Clements is goed.'

'Netjes,' zegt Rosie. 'Maar één alcoholisch drankje kan geen kwaad, weet je.'

'Niet vanavond. De wegen zijn ijzig.'

Martin komt naar ons toe. Wanneer hij ons bereikt, glijdt Gary's hand van mijn arm.

In de hoofdbar staat Brendan, nogal rood in het gezicht, op het podium een erg slechte Bruce Springsteen te doen. Hij heeft zijn overhemd uitgetrokken en zwaait het, met een trillende witte buik, als een gedementeerde mannelijke stripper om zijn hoofd. De rest van de aanwezigen brult mee dat *tramps*, zoals wij, baby, *are born to run*.

Het café is een doolhof van bars en hoekjes, dus is het ons gelukt aan het ergste lawaai te ontsnappen, maar niet aan Brendans pafferige, zweterige lijf dat onder de spotjes afwisselend roze en geel oplicht. Gary lijkt beleefd op te gaan in Ruperts verslag van de manier waarop het hoefijzerneuswijfje haar jongen zoogt.

Ik was Martin helemaal uit het oog verloren tot ik hem in de volgende bar zag. Hij is diep in gesprek met een oude man, wiens snavelachtige, rood dooraderde neus zo nu en dan in zicht komt.

Martin ziet dat ik kijk en wenkt me. Het geluid van de karaoke valt weg wanneer ik de hoek om loop; wat een opluchting. Ik wed dat dit de gelagkamer is waar de vaste klanten, de stakkers, zich op feestavonden terugtrekken. Er brandt een houtvuur en er staan drie of vier tafeltjes waarvan er slechts één bezet is. Martin en de oude man zitten aan de bar.

'Kit, dit is Roger Morrissey. Hij heeft in Green Down gewoond.'

Hij glimlacht naar me en steekt beleefd zijn hand uit. Hij is niet echt oud, eind vijftig, hoogstens zestig, maar heeft dunner wordend wit haar en het verweerde gezicht van iemand die veel tijd in de buitenlucht heeft doorgebracht. Onder zijn ene oog beweegt een spiertje, een soort tic.

'Hebben we elkaar eerder ontmoet? Je gezicht komt me bekend voor.'

'Nee,' zeg ik terwijl ik me op een barkruk hijs, 'ik ben hier nog maar een paar weken.'

'Je bent hierheen gekomen om bij Martin te zijn. Dat is fijn.'

'Nee, Kit is degene die aan de stabilisatie werkt,' zegt Martin geduldig. Roger knikt, duidelijk met het idee dat ik een secretaresse ben of zoiets.

'Roger heeft bij het waterschap gewerkt,' vervolgt Martin. 'Maar weet je... hij kent de steenmijnen.'

Even snap ik het niet. We zitten in een café vol mensen die de mijnen kennen, die er elke dag in gaan.

Dan valt het kwartje. De man moet nog op school hebben gezeten toen begin jaren zestig de mijningangen werden dichtgemetseld.

'Je bent een van de vermiste jongens,' zeg ik voordat ik me kan inhouden.

In 1963, toen hij vijftien was, ging Roger Morrissey op een middag in oktober met drie andere jongens de steenmijnen in. Het verhaal week enigszins af van de manier waarop mevrouw Owen en anderen het later hadden verteld. De jongens verdwaalden, maar kwamen er weer levend uit. Een van hen had een gebroken been, maar verder waren ze er heelhuids vanaf gekomen. Daarna waren alle bekende ingangen naar de ondergrondse uitgravingen afgesloten.

Aan het meeste ondergrondse groevewerk in Green Down was halverwege de negentiende eeuw een eind gekomen, en aan het begin van de Tweede Wereldoorlog waren er alleen nog wat oppervlaktegroeven over waar steen uit de open heuvels werd gewonnen; Crow Stone was er een van geweest. De in onbruik geraakte ondergrondse tunnels waren afgesloten met hekken en hangsloten en tralies, maar dat had de jongens uit de buurt er nooit van weerhouden om te proberen binnen te komen. Roger en een van de anderen, zijn beste vriend Paul, waren al vaak in de mijnen geweest. Ze hadden al die passages en grotten verkend waar wij nu de looppaden hebben aangelegd. Ze glipten het liefst via de ingang van de Stonefield-mijn naar binnen, waar Ruperts vleermuizen slapen.

'Toen we jonger waren, beschouwden we die tunnels als ons hol,' zegt Roger. 'Je weet hoe jongens zijn. We bewaarden daar onze geheime spullen, zoals sigarettenplaatjes, gelukscricketballen, dat soort dingen.'

'Heb jij de trol daar achtergelaten?'

'De trol?'

'De pop, met lang haar.' En de vogelschedel.

Roger schudt zijn hoofd.

'Dat herinner ik me niet. Maar er waren heel veel andere kinderen die de tunnels gebruikten. De meesten gingen net als wij, via Stonefield. Ik weet zeker dat wij niet de enigen waren die dingen achterlieten.'

Op die middag in oktober waarop Roger en Paul voor het laatst de tunnels in gingen, waren ze al een tijdje niet ondergronds geweest. Ze waren vijftien en niet meer zo geïnteresseerd in holen en bendes en het soort spelletjes dat ze daar speelden. Misschien hadden ze de tunnels op andere manieren weten te gebruiken als ze ouder waren geweest, een plek om meisjes mee naartoe te nemen, om ze bang te maken voordat ze hun slipjes zouden uittrekken, of om dope te roken. Ze gingen er die zaterdagmiddag alleen heen omdat Pauls neef Trev en diens vriend Johnny op bezoek waren uit Bristol en Paul en Roger aan het hoofd hadden gezeurd om ze mee naar beneden te nemen.

Maar toen ze bij de Stonefieldingang kwamen, was die niet zoals gebruikelijk afgesloten met houten palen en gaas, dat gemakkelijk opzij kon worden getild. Op een gat aan de bovenkant na, dat groot genoeg was voor vleermuizen maar te klein voor jongens van vijftien, was de ingang helemaal dichtgemetseld.

Als ze het hadden opgegeven en naar huis waren gegaan om naar Pauls Beatleplaten te luisteren, was alles anders gegaan. Alles! Paul zou zijn been niet hebben gebroken, de mijnen zouden dat jaar niet zijn afgesloten en mijn eigen leven zou een andere loop hebben genomen. Maar in plaats van naar huis te gaan, liepen ze de heuvel af via het oude drijverspad dat Martin en ik op zondag hadden genomen.

'Neem een chip,' zegt Martin, en hij schuift de zak naar Roger toe. 'Dus je had het raafsymbool al in de mijnen gezien toen je jonger was?'

'Paul en ik hebben er minstens een stuk of vijf in de muren gekrast,' zegt Roger. 'We hadden een inscriptie van zo'n vogel op een pilaar gezien, met die hoe-heet-het... die staf die je net voor me hebt getekend...'

308

'Caduceus,' zegt Martin.

'Juist. We dachten dat het een symbool van de steenhouwers was, en wij maakten er het geheime teken van onze bende van. Maar we waren dat soort dingen ontgroeid, en die middag wilden we Johnny en Trev alleen een klein stukje mee naar binnen nemen. Omdat we er via Stonefield niet in konden, besloten we ze mee te nemen naar de oude verlaten, open steengroeven in het bos, bij Vinegar Farm.'

'Waar wij zondag liepen, Kit,' zegt Martin, die niet weet dat ik die omgeving ken als mijn broekzak.

'Daar was een andere ingang,' zegt Roger. 'Een oude toegang achter een verlaten groevewand. In de zomer was hij bedekt door kruipplanten en we wisten niet dat die daar was... we waren nooit op die manier naar binnen gegaan. Er zijn tientallen van die ingangen; je moet ze alleen per ongeluk vinden, en dat deden wij die middag. In oktober is het allemaal wat kaler, begrijp je? Dus we liepen wat lol te trappen in het bos, waar we normaal gesproken niet kwamen, en Paul zag die opening, raadde wat het was en riep ons, en daar stonden we dan.'

Ze sloegen de brandnetels voor de toegang neer met stokken, trokken de resten van de kruipplanten opzij en zagen de lage stenen ingang. Ze hadden zaklantaarns, drie stuks met zijn vieren, en een ervan had een onbetrouwbaar lampje. Het was later dan ze beseften; de zon was al snel aan het zakken. Geen van hen was ooit via die toegang de mijnen ingegaan.

Maar iemand anders wel.

'Je weet hoe het daar is,' zegt Roger. Het spiertje onder zijn oog begint sneller te bewegen. Ik voel iets tegen mijn elleboog drukken. Gary is bij ons komen staan en hij luistert net zo aandachtig als Martin en ik. Ik leun wat naar achteren, beantwoord de druk met mijn schouder. Hij voelt warm en stevig. 'Je komt een hoek om en ineens ben je in een verdomd grote grot, met allerlei uitgangen, muren hier, richels daar... Het probleem was dat we daar nooit waren geweest. Dus we komen in die enorme ruimte, waarvan de vloer helemaal vlak is en gelijkgemaakt met wat ze vulstenen noemen, de afvalstenen, en het eerste wat we zien is een altaar.'

Martin buigt zich naar voren.

'Altaar?'

'Nou ja, een soort altaar. Het zag eruit als een altaar, met een kleed erop en een paar kaarsen en allemaal... het leek op offergaven.'

Martin kijkt verbaasd. Dat is niet zijn idee van een Mithrastempel. Maar ik weet precies waar Roger het over heeft.

'En je raadt nooit waar die offergaven uit bestonden.'

Martins ogen vernauwen zich. Hij denkt dat hij in het ootje wordt genomen.

'Camera's. Allemaal camera's. Tientallen camera's. Leica's en Nikons en oude boxjes. Elk merk dat je maar kunt bedenken staat daar opgesteld en kijkt naar ons met al die ogen.'

Gary knijpt me nu in mijn arm. Hij weet niet hoe geruststellend dat voelt.

'Er was namelijk een vent die de Cameraman werd genoemd. Het was een oude zwerver, die in de winter beschutting vond in de mijnen die iets met camera's had. Hij brak altijd in in fotozaken in de stad en jatte ze. Hij stal ook wel uit de huizen van mensen. We hadden allemaal over hem gehoord; dat verhaal deed bij ons de ronde. Maar we waren nog nooit op een van zijn voorraden gestuit doordat we nooit in die zuidelijke tunnels waren geweest.'

Hij kijkt om zich heen. Hij weet dat we allemaal aan zijn lippen hangen.

'Daar hing de Cameraman altijd rond. Hij moet ons hebben horen aankomen en zich hebben verstopt, maar hij was vast van streek toen we zijn camera's ontdekten, want voor we het wisten kwam er iets op ons afstormen dat gehuld was in oude lappen en zo uit een griezelfilm had kunnen komen. Het was de Cameraman maar, en niet de Vloek van de Farao's, maar we schrokken ons dood. We gingen ervandoor. In verschillende richtingen. Johnny, Trevs vriend uit Bristol, is de enige die de uitgang weet te vinden en naar buiten weet te komen. Hij is te bang om weer naar binnen te gaan, loopt wat in het bos rond, en komt uiteindelijk bij een telefooncel langs het weggetje en draait het alarmnummer. In eerste instantie geloven ze hem natuurlijk niet. Ze denken dat het een jongen is die een geintje probeert uit te halen met zijn gepraat over geesten in ondergrondse tunnels.'

'Maar wat deden jullie intussen?' vraagt Martin. 'Wie had de zaklantaarns?' Hij denkt blijkbaar aan hoe het voelde toen wij in de mijn waren en het licht uitging.

'Ik had er een,' zegt Roger. 'Trev was bij mij, en we dachten dat we in dezelfde richting gingen als Paul, maar we wisten het niet zeker. We hadden echter geen idee waar we waren en waar we de uitgang konden vinden, en hoewel ik inmiddels door had dat we geen geest maar de Cameraman hadden gezien, was ik niet van plan terug te gaan en het aan hem te vragen. Er gingen nog andere verhalen over hem rond, over de reden waarom hij zijn baan had verloren en de kluts was kwijtgeraakt en waarom hij zo gek was op camera's, en ik wilde het risico niet nemen om erachter te komen of ze waar waren.'

'Ik dacht dat hij een gebroken hart had,' zeg ik. 'Dat hij was afgewezen door een vrouw.'

Roger lacht. 'Hoe heb jij over hem gehoord?'

'Dorpspraatjes,' zeg ik, wat tenslotte waar is.

'Maar wat is er gebeurd?' vraagt Martin ongeduldig. 'Hoe zijn jullie eruit gekomen?'

'Nou, het eerste wat we vervolgens horen, is gekreun. Trev wil meteen de tegenovergestelde richting uit, maar ik dacht dat het Paul kon zijn die zich had verwond. We willen niet roepen, voor het geval de Cameraman achter ons aan zou komen, maar we proberen in de richting van het geluid te gaan. Het blijkt achter een grote hoop losse stenen vandaan te komen, wat me de stuipen op het lijf jaagt... ik dacht even dat het dak boven hem was ingestort. Dan dringt het tot me door dat het een oude instorting moet zijn. Het duurde even voordat we wisten hoe we eromheen moesten komen. Het was een wonder dat Paul dat rennend voor elkaar had gekregen, puur geluk dat hij zijn been niet aan die kant had gebroken. Maar aan de andere kant blijkt een doorgang te zijn, met een paar treden die omlaag gaan, en daar was Paul. Hij moet daar in het donker doorheen zijn gehold, gestruikeld zijn op de treden doordat hij ze niet verwachtte, in een kuil zijn geknald en zijn been hebben gebroken alsof het een dorre tak was.

'En die kuil,' zegt Martin. 'Hoe diep was die?'

'Niet zo diep,' zegt Roger. 'Er waren er twee, aan beide kanten één, net voorbij de doorgang.'

'Verder nog iets?'

'Ik kon niet veel zien. Onze zaklantaarn was intussen een beetje zwak geworden en die van Paul was kapot. Maar er waren wat stenen banken, ook aan beide kanten. Beschilderde muren. In een van de hoeken nog een instorting.'

'Wat was er op de muren geschilderd?'

'Eerlijk gezegd,' zegt Roger, 'weet ik dat niet meer.'

'Je wéét het niet meer?' Martin is geschokt. Hij is een man tegengekomen die misschien wel op een onontdekt Mithraeum is gestuit en die niet echt heeft gekeken wat er op de muren stond.

'Ik besteedde meer aandacht aan mijn vriend,' zegt Roger met enige waardigheid. 'Hij had erg veel pijn. Het bot was recht door de huid gegaan, en er was bloed en zo. Ik dacht dat we een kinderlokker achter ons aan hadden en ik wilde daar alleen maar weg zien te komen.'

'Was er meer dan één kamer?' vraagt Martin, bijna smekend.

'Misschien. Het was te donker om de andere kant te kunnen zien.'

'Is er nog iets anders wat je je herinnert?'

'Geen moer. Trev en ik wisten Paul op één been overeind te krijgen en we hebben hem tussen ons in, half dragend, half slepend, meegenomen. Ik had het idee dat dat ook een plek van de Cameraman was... het kwam niet bij me op dat het iets anders kon zijn.'

'Maar je moet mensen er toch over verteld hebben toen je eruit was? Waarom zijn ze niet naar beneden gegaan om ernaar te zoeken?'

Roger schudt zijn hoofd. 'Ik zei al, ik dacht niet dat het iets bijzonders was. Er waren allerlei rare hoekjes in die mijnen, zoals de ontbijtholen van de mijnwerkers, de plekken waar ze hun gereedschap bewaarden, een heleboel oude rommel die achtergelaten was toen het uitgraven ophield. Ik wilde Paul eruit zien te krijgen, want ik wilde niet in de val zitten als de Cameraman zou komen. We wisten hem weer aan de andere kant van de instorting te krijgen en waren in een grote ruimte. Ik kon niet zien hoe ver die liep. Op verscheidene plaatsen was het dak omlaag gekomen.'

'Instabiel gebied,' zegt Gary. 'Als één pilaar het begeeft, krijg je een domino-effect.'

'Kan zijn,' zegt Roger. 'Maar goed, het leek mij het beste om te blijven lopen in de hoop op een plek te komen die ik herkende.'

'Wat denken jullie?' zegt Martin tegen Gary en mij. 'Een instabiel gebied? Een ruimte met veel instortingen? Jullie moeten toch weten waar dat is.'

Maar Gary schudt zijn hoofd. 'Van wat we hebben aangetroffen, komt het me niet bekend voor. Het kan zijn dat Roger zich meer instortingen herinnert dan er waren, of het is een deel waar we helemaal niet zijn geweest doordat de zaak daar sindsdien helemaal is ingestort. Dit moet allemaal meer dan dertig jaar hebben plaatsgevonden voordat wij met ons onderzoek en het boren van gaten begonnen.'

'Jullie waren toch in de zuidelijke sector?' zeg ik. 'Hoe ver zijn jullie in noordelijke richting gegaan?'

'Niet zo ver, vanaf dat punt,' zegt Roger. 'Maar ik weet het niet goed meer... het is lang geleden en ik lette niet echt op waar we naartoe renden. Daardoor zijn we ook verdwaald.'

'Hoe zijn jullie er uiteindelijk uitgekomen, Roger?' vraagt Martin.

'We zijn blijven lopen tot de batterij van de zaklantaarn op was,' zegt Roger. 'We herkenden nog steeds niets. Toen zijn we gaan zitten en hebben gewacht tot we werden gered.'

'Jullie moeten verdomde bang zijn geweest,' zegt Martin.

'Gek genoeg, niet echt. Ik heb er geen moment aan getwijfeld dat we gered zouden worden. We waren daar al zo vaak geweest, snap je, dat het meer een avontuur was. Ik was ervan overtuigd dat iemand ons zou vinden. Ik hoopte alleen dat het de Cameraman niet zou zijn. Maar Johnny wist iemand ervan te overtuigen dat het geen grap was, en de politie ging op zoek; ze waren nog steeds een beetje bang dat ze voor gek zouden staan, want Johnny wist niet eens de achternaam van Paul of van mij, of ons adres. Hij was samen met Trev met de bus uit Bristol gekomen, en had geen idee waar Paul en ik woonden.' Hij wrijft langs zijn oog, waar het spiertje nog steeds tekeergaat. 'Nee, nu ben ik af en toe bang. Soms word ik midden in de nacht wakker van de gedachte aan wat er had kunnen gebeuren.'

Hij laat zijn hand weer op de bar rusten, en die beeft. Ik denk erover mijn hand op de zijne te leggen, want ik weet hoe het voelt, maar ik wil hem niet in verlegenheid brengen.

'Johnny's verhaal werd pas bevestigd toen mijn moeder ongerust werd, doordat ik niet op kwam dagen voor het avondeten, en Pauls moeder belde, en ze allebei het politiebureau belden.' Hij haalt een zakdoek tevoorschijn en wrijft in zijn ooghoek. 'Maar ze wisten niet waar we de mijn waren binnengegaan, en hij wist het ook niet; hij was gedesoriënteerd. Hij kon de politie alleen vertellen dat het in een bos was, dus gingen ze naar Paradise Woods, de noordoostelijke kant van de uitgravingen, kilometers verwijderd van de plaats waar we naar binnen waren gegaan, en gingen daar naar binnen, hoewel de toegang afgesloten was en duidelijk was dat het daar niet kon zijn geweest. Toen raakten ze zelf verdwaald. Ze moesten zich hergroeperen en wachten op een van de oude groevewerkers die zich nog iets van de tunnels herinnerde. Maar zelfs hij kende het hele stelsel niet, alleen de sector waar hij had gewerkt. Uiteindelijk vonden ze echter een doorgang; alle tunnels zijn op de een of andere manier met elkaar verbonden, en wij hadden ook een heel eind gelopen, zo goed en zo kwaad als dat ging. We bleken uiteindelijk dicht bij de Stonefieldingang te zijn, een heel eind naar het westen, maar hadden het in het donker niet herkend. Om drie uur 's nachts hoorden we ze ten slotte uit de verte roepen, en we begonnen terug te roepen, en toen vonden ze ons en kwamen we eruit.'

'En daarna hebben ze de tunnels afgesloten,' zeg ik.

'Ja,' zegt hij. 'Ze hebben ze voorgoed afgesloten, alle ingangen die ze konden vinden. Behalve...'

Weer dat gespannen gevoel in mijn borst. Het haardvuur straalt hitte uit. Ik krijg ineens geen lucht meer. Ik moet weg voordat hij verdergaat.

'Ik ga even sigaretten halen,' zeg ik luid, voordat hij zijn zin kan afmaken. Martin kijkt me boos aan. 'Ze zijn op. Sorry. Ga maar door zonder mij. Is er een automaat hier?'

'Aan de andere kant van de hoofdbar,' zegt Roger. 'Bij het bord voor de toiletten. In de gang daar. Weet je, het is toch gek, meid. Ik weet zeker dat ik je eerder heb gezien. Of heb je misschien een dochter?'

'Toen ik hier net was, heb ik een tijdje in het hotel bij de stuwdam gelogeerd,' zeg ik. 'Het hotel iets verderop. Misschien heb je me toen gezien.'

Wanneer ik langs het karaokepodium loop, doet Ted zijn uiterste best op Tina Turners 'What's Love Got To Do With It?'. Er is iets vreemds aan hem. Lieve hemel, Hij draagt een jurk, met lovertjes, laag uitgesneden, tot op zijn knieën en veel te strak. Dat is pas eng!

De sigarettenautomaat bevindt zich halverwege de gang tussen het dames- en herentoilet. Ik heb een bijna vol pakje in mijn tas, maar ik stop er toch munten in en druk op de knop voor een pakje Marlboro. Wanneer het valt, buig ik me naar voren en laat mijn hoofd tegen het apparaat rusten.

De deur naar de bar achter me zwaait open en brengt weer een vlaag van Ted/Tina, waarbij Ted een hoge noot haalt die ik voor een man van zijn omvang als onmogelijk had beschouwd.

Gary trekt me weg van de automaat en draait me naar zich toe. Mijn handen krullen in de zijne als van een dier dat zich dood houdt. Hij houdt zijn ogen op mijn gezicht gericht en maakt mijn vingers een voor een los uit mijn handpalm. Dan brengt hij mijn hand naar zijn mond en zuigt op mijn middelvinger. Een stroomstoot gaat recht door mijn lichaam, heet, koud, wit, rood, hard, vloeibaar, allemaal tegelijk. Ik kan mijn ogen niet van de zijne losmaken. Zijn tong glijdt om mijn vinger, likt hem van boven naar beneden, in kleine, natte cirkels; zijn lippen openen en sluiten zich er zacht omheen, laten hem heen en weer over zijn tanden glijden. Ik weet niet wie de vinger beweegt, hij of ik. Alles wat er met mijn vinger gebeurt, gaat recht door me heen.

De deur van het herentoilet gaat open en Dickon komt eruit. Het haar op zijn voorhoofd is nat alsof hij zijn gezicht net met water heeft bespat en druppeltjes hangen aan de voorkant van zijn domineeshemd. Zijn ogen worden groot wanneer hij ziet wat er gebeurt.

Gary ziet mijn ogen wegschieten, maar wendt zijn blik niet van me af. Hij haalt zijn vinger uit mijn mond en glimlacht tegen me.

We versperren de gang. Dickon probeert onhandig achter Gary langs te schuifelen.

'Sorry, Dick,' zegt Gary. 'Ik sta in de weg.' Hij stapt naar voren en zijn lichaam drukt licht tegen het mijne. Ik kan maar net voorkomen dat ik hem vastgrijp en hard tegen me aan trek, Dickon of geen Dickon.

Over Gary's schouder werpt Dickon me een harde, minachtende blik toe. Wanneer hij bij de deur naar de bar komt, gaat die weer open.

'Gary, godzijdank,' zegt Brendan. 'Ik heb je overal gezocht. Heb je gedronken?'

Het is duidelijk dat Brendan heeft gedronken. Zijn gezicht is rood, zijn ogen zijn rood, zijn snor is vochtig en er zit lippenstift op de kraag van zijn overhemd.

'Nee,' zegt Gary. Zijn glimlach is verdwenen. Zo'n vraag kan maar één ding betekenen.

'Het alarm is afgegaan bij de mijn,' zegt Brendan. 'Er moet iemand heen.'

Ik pak mijn werkspullen uit de koffer van mijn auto en we gaan met Gary's jeep, alle drie. Martin blijft achter in het café, met mijn autosleutels voor het geval we de hele nacht nodig hebben om uit te zoeken wat er is gebeurd. Brendan wil beslist mee, hoewel hij in zijn toestand niet ondergronds kan.

Van Bathampton naar Green Down, onder normale omstandigheden minstens vijftien minuten. Gary doet het in vijf minuten. Het helpt dat het na middernacht is en er amper verkeer is op de weg. Ik zit voorovergebogen op de passagiersstoel en probeer mijn schoenen dicht te knopen zonder mezelf met de veiligheidsriem te wurgen. Ik ben me scherp bewust van Gary naast me, die met gierende motor in de derde versnelling de heuvel neemt. Ik voel in gedachten nog steeds zijn tong om mijn vinger glijden. Brendan zit achterin te jammeren dat hij niet iedereen op zijn verjaardagsfeestje had moeten uitnodigen, dat hij had moeten weten dat als er iets mis zou gaan iedereen die ervoor gekwalificeerd was om daar iets aan te doen stomdronken zou zijn en daardoor niet alleen incapabel, maar wettelijk gezien niet eens onder de grond zou mogen gaan.

'Hou op, Brendan,' zegt Gary. 'We weten nog niet eens wat er gebeurd is. Dat systeem geeft voortdurend valse meldingen. Het kan ook een fout in het circuit zijn. En Kit en ik hebben niets gedronken, dus kunnen we naar beneden om het uit te zoeken.'

'Maar stel dat er een onderzoek komt,' zegt Brendan. 'Jezus, ze hangen me in de hoogste mijnschacht.'

'Er komt geen onderzoek,' zeg ik. Het enige waar ik aan kan denken, is Gary's lichaam tegen het mijne terwijl Dickon langs schuifelde, en het maakt me bijna ziek van opwinding. Maar Brendan heeft gelijk, verdomme, er kan een noodsituatie zijn. 'Als er een grote instorting zou zijn, hadden we de politie al gezien. We hebben alleen iets van de beveiligingsman gehoord.'

Het hoeft geen instorting te zijn. Allerlei dingen kunnen het alarm hebben doen afgaan. Een indringer. Het kan zelfs een van die vleermuizen van Rupert zijn geweest, eentje die vroeg wakker is geworden. Of iemand die aan het tapdansen was in een keuken erboven. Microseismische analyse is prima voor diepe mijnen in het Australische binnenland, waar een stuiterende kangoeroe het zwaarste is dat eroverheen gaat, maar ik heb altijd al gevonden dat het in stedelijk gebied onbetrouwbaar is.

'Kan Mike ons vertellen waar het is?' vraagt Gary.

'Hij zegt dat het hele systeem op hol is geslagen.'

'Het is vast een foutje, Brendan.'

Maar we moeten het controleren.

Voor het groene hek komen we tot stilstand. Mike komt het beveiligingshuisje uithollen en doet de slagboom omhoog. De auto hobbelt over de groeven het terrein op.

Uit het beveiligingshuisje klinkt een zacht maar aanhoudend geloei. Alle lampen op het terrein branden. Onder de grote schijnwerpers hangt mist, en zoals gewoonlijk lijkt de duisternis zich boven de mijnschacht samen te trekken.

Gary verdwijnt met Mike in het huisje. Brendan beent heen en weer. Ik leun tegen de bumper van de auto en knoop mijn veters verder dicht.

Het geloei houdt op.

'Ik ben ervan overtuigd dat het een storing is,' zegt Gary wanneer hij naar buiten komt. 'Brendan, ga naar binnen en bel voor de zekerheid de politie. Ze hebben waarschijnlijk al klachten gehad over het licht. Kit en ik gaan naar beneden om te kijken. Als het nodig is, lopen we het hele systeem na, dus het kan wel even duren.'

'Het kan een indringer zijn.'

'Ik betwijfel het. De schacht is nog afgesloten.'

'Maar misschien moet je Kit niet mee naar beneden nemen.'

Ik werp hem een blik toe die hem op slag zou moeten ontnuchteren.

'Sorry,' zegt hij. 'Oude gewoonte. Ik zal koffie zetten, voor als jullie terugkomen.'

'Het kan wel even duren,' zegt Gary weer.

In de nacht is de schacht nog onheilspellender dan overdag. Of zijn we meer gespannen door Rogers verhaal? Gary voelt het ook, dat merk ik. Hij gaat als eerste naar beneden. Hij kijkt drie keer naar me om er zeker van te zijn dat ik mijn self-rescuer aan mijn riem heb bevestigd, en controleert die van hemzelf.

We gaan het looppad op en zwaaien onze lantaarns heen en weer op zoek naar enig teken van een instorting.

Niets, niets, niets. Het is doodstil in de mijn nu het alarm is uitgezet. We horen zo nu en dan alleen wat water druppelen. Mijn hoofd gonst van de stilte, maar het geloei van het alarm galmt nog steeds door mijn hoofd.

'Het gaat sneller als we ons opsplitsen,' zeg ik. 'Jij doet Mare's Hill en Paradise Woods; ik ga zuidwestelijk naar Stonefield en dan de basisschool.'

'Nee,' zegt Gary, 'we blijven bij elkaar.'

Daarna zeggen we niet veel meer. Er kan niemand hier beneden zijn, maar het voelt alsof we worden afgeluisterd.

We gaan eerst naar de noordelijke sector, naar de ruimte onder het ministerie van Defensie, waar ik de inscriptie van de raaf heb gevonden. De lasuitrusting ligt aan het eind van het onafgemaakte looppad, precies waar ik die heb zien liggen toen het werk werd stilgelegd na Schofields ingrijpen tijdens de informatieavond. Niets heeft de stapels metalen en houten stutten verstoord. Gary keert een emmer om en vindt een plastic broodbakje, maar de datum die erop staat is van vorige week; het is dus van iemand van ons.

Wanneer we teruglopen, schijnt hij met zijn zaklantaarn op elke pilaar op zoek naar de inscriptie van de raaf.

'Ik had gelijk,' zeg ik. 'Er is hier iets.'

'Ik weet het. Ik heb er vorige week met Dickon over gesproken.'

'Je hebt met Dickon gesproken?'

'Hij weigert nog steeds enige betekenis in de inscriptie te zien. Hij zegt dat je zijn professionele oordeel niet in twijfel moet trekken. Maar ik denk dat Martin en jij gelijk hebben.'

Hij blijft staan en richt zijn zaklantaarn op de zijkant van een pilaar. 'Daar.' In het gelige licht zie ik de grof getekende vogel en de typische contouren van de magische staf van Mercurius. Het is nooit eerder tot me doorgedrongen dat ze op de samenkomst van het mannelijk en vrouwelijk symbool lijken. 'En als er meer dan één van dat soort tekeningen is... Maar ja, wat weet ik daarvan. Dat soort dingen laat ik over aan slimmeriken als Martin.'

Hij staat heel stil; de straal van de zaklantaarn is uiterst vast.

'Zoveel weet Martin niet,' zeg ik. 'Archeologie is allemaal giswerk.' Ik begin weer te lopen. Ik ben me bewust van Gary's ogen die op me gericht zijn, en het geluid van mijn schoenen klinkt hard in de stilte. 'Kom op, we moeten het zuidelijk deel van de mijn nog controleren. En als Roger gelijk heeft, hebben we nog geen looppaden gebouwd in het deel van de uitgravingen waar de vermiste jongens achterna werden gezeten door de Cameraman.'

'Hoe wist je dat?' vraagt Gary.

'Wist wat?'

'Over de Cameraman. Je kende het verhaal al voordat Roger het uitlegde.'

'Een vriend van Martin is conservator van de Romeinse Baden. Hij heeft het me verteld toen hij hoorde dat ik in Green Down werkte.' Geen goeie smoes, maar de beste die ik zo ineens kan bedenken. 'Hij schijnt een plaatselijke legende te zijn.'

'Een van de vele.' Gary's ogen zijn onleesbaar onder de rand van zijn helm. Hij richt zijn zaklantaarn op het plafond en loopt door. Verdomme! Ik herinner me plotseling dat ik Roger, waar Gary bij was, heb verteld dat ik in het dorp over de Cameraman heb gehoord.

Links van ons doemt de lege mond van een ander looppad op. We nemen de aftakking richting Stonefield. Aan het plafond van de grote ruimte hangen Ruperts vleermuizen in dichte zwarte groepen te slapen, hun klauwen in spleten in het gesteente gehaakt. Niets heeft hun rust verstoord.

Het geluid van onze voetstappen kaatst van het gesteente naar ons terug. Het klinkt alsof andere voeten via het looppad in onze richting komen. We nemen allebei een tunnel om ze tegemoet te gaan: niets. Ten slotte nemen we de zuidelijke tak, richting basisschool.

Gary laat zijn zaklantaarn door een andere ruimte schijnen, over een ander stapelmuurtje.

'Dit ziet er allemaal goed uit.'

'Zouden de sensoren ook een instorting oppikken die dieper in de mijnen heeft plaatsgevonden, op een plek waar wij nog niet zijn gekomen?'

'Misschien. Maar ik wed dat het een storing is geweest. We moeten iemand naar de bekabeling laten kijken en die zo snel mogelijk laten repareren. Brendan wordt helemaal gek als zijn geliefde systeem tijdens de kerstdagen niet werkt.'

We zijn aan het eind gekomen van het laatste deel van het zuidelijke looppad, het deel waar Ted en zijn ploeg de heksenpop vonden. Rechts van ons doemt de doodlopende donkere en onheilspellende tunnel op. De mijnwerkers hebben de moeite niet genomen om er stroomkabels naartoe te trekken.

Gary schijnt er met zijn zaklantaarn in. Leeg. Ik zie de richel waarop de heksenpop zat. Hij pakt mijn hand en leidt me de tunnel in. Hij staat stil bij de richel. Hij duwt me er achteruit naar toe, zachtjes, plagerig.

Ik laat me duwen. Ik voel zijn mond op de mijne. Het is al een tijd-
je geleden dat ik het speeksel van een ander heb geproefd. Het zijne
smaakt naar munt en tabak en sinaasappel.
Hij legt de zaklantaarn zo neer dat we er allebei door verlicht worden.
Hij zet zijn helm af, trekt zijn jack uit, vouwt het op en legt het zorgvuldig op de richel.
Hij kust mijn hals. 'O, Kit,' zegt hij. 'O, Kit.'
Zijn handen liggen om mijn kont en tillen me op de richel. Dan strijken zijn vingers over het kruis van mijn fluwelen broek.
'De beste seks voelt zo,' fluistert hij in mijn oor. Mijn jack blijft han-
gen aan het gesteente achter me. 'Iets wat je echt niet zou moeten doen,
op deze plek, op dit moment.' Hij maakt mijn jack open en duwt zijn
handen onder mijn mohair truitje.
Mijn handen tillen zijn trui omhoog. Maken de knoop van zijn broek
los.
'Je hebt de microseismische sensoren toch wel uitgezet?'
'Nee,' zegt hij, een en al onschuld, en hij duwt hard tegen mijn hand.

Je ruikt naar seks, zegt Martin wanneer we van het café op weg zijn naar
huis.
Hij klinkt knorrig.
'Ik neem aan dat jíj niet gescoord hebt?'
'En doodgeschopt worden zodra ik ook maar een wenkbrauw zou op-
trekken? Het was kijken, niet aankomen, vanavond. Ondanks de man
in de jurk.'
'Nou, reageer het niet op mij af. Jij wilde naar het feestje.'
'Ik had niet verwacht daar in mijn eentje te blijven zitten, met niemand anders om mee te praten dan die eikel van een Dickon.'
De auto neemt op de heuveltop de bocht naar Turleigh en mijn gezicht vertrekt. Rotsrichels zijn hard voor je achterste. Ik ga verzitten en
iets van Gary sijpelt uit me.
'Je verdiende loon als je morgen niet kunt lopen,' zegt Martin. 'En die
fluwelen broek kun je wel weggooien. Wat heb je ermee gedaan? Opge-
rold in de modder en erop staan springen? Er zit een voetafdruk op de
kont. Hij was nog wel van Joseph. Ik heb de winkeltas in de vuilnisbak
gezien.'
'Nou, koop dan een nieuwe voor me voor Kerstmis.' Het komt er
scherper uit dan mijn bedoeling was.
Martin raakt mijn arm aan. 'Luister, ik weet dat ik gezegd heb dat
je met hem moest neuken, maar ik bedoelde dat ik wil dat je gelúkkig
bent. Je zou extatisch moeten zijn. Wat is er gebeurd?'

Ik schakel naar de derde versnelling wanneer we de heuvel afgaan. In de mijn is niets verkeerd gegaan. Ik zou gelukkig zijn als Martin niet tegen me had gezegd wat hij op het parkeerterrein zei toen Gary's achterlichten op de weg verdwenen.

'Ik had een sms-je op mijn mobieltje, Kit,' zei hij. 'Ik dacht dat we dat vorig jaar al hadden geregeld. Ik weet dat jij en je zuster niet met elkaar praten, maar geef haar in elk geval je nummer, zodat ze mij niet altijd hoeft te bellen.'

Mijn niet-zuster. Verdomde Trish. Het is alsof ze het wéét.

26

Ik kon het beeld van hen beiden niet uit mijn hoofd zetten. Lichtjes fonkelden achter mijn ogen terwijl ik langs de weg rende, als de glinsterende zweetdruppeltjes op mijn vaders rug toen hij zich grommend in Janey begroef.

Mevrouw Owen was te dicht bij huis. Ik had geen enkel toevluchtsoord die ochtend na het feest, behalve het witte huis in Midcombe. Toen ik van de heuvel in het dorp kwam, zag ik Trish' moeder in de tuin. Ze zat op haar smeedijzeren bank onder de rozen, met een kop koffie en een sigaret. Misschien zat ze op me te wachten; ze leek in het geheel niet verrast toen ik door het tuinhek kwam. Misschien had ze al bij Poppy en mij in de slaapkamer gekeken.

'Nog iemand die aan slapeloosheid lijdt. Je kon mijn dochter zijn, Katie Carter.' Ze klopte op de bank naast haar. 'Maar dat ben je niet, jammer genoeg. Vanochtend ben ik ben niet bepaald dolblij dat ik Trish' moeder ben.' Ze blies een wolk rook in de heldere lucht. 'Ben je thuis geweest? Alles goed?'

Ik knikte.

'Niemand wakker?'

Het was gemakkelijker om nee te schudden. We zaten daar in de zonneschijn en de stilte, tot de keukendeur openknalde en Trish om eieren met spek vroeg.

Onmiddellijk nadat ze haar ontbijt had gegeten, kotste Poppy het weer uit, dus hebben we haar bleek en rillend met een warme kruik in bed laten liggen. Mevrouw Klein belde mijn vader om hem te laten weten dat ik de dag bij Trish zou blijven.

'Ik vertel hem niet wat je in werkelijkheid doet,' zei ze tegen me. 'Ik denk dat we de gebeurtenissen van gisteravond beter onder ons kunnen houden, vind je niet?'

Ze stopte emmers, dweilen en tapijtreiniger in haar stationcar en Trish en ik gingen naast haar zitten.

Ik wilde niet vlak naast Trish zitten en schoof dicht tegen het portier aan.

'Mocht je het risico willen nemen eruit te vallen, doe dan alsjeblieft je veiligheidsriem om, Katie,' zei mevrouw Klein.

'Niet zo,' zei Trish minachtend. Ze stak haar hand uit, trok de veiligheidsriem over mijn borst en klikte hem vast. Ik had er nooit eerder een om gehad; mijn vaders bestelwagen had geen veiligheidsriemen. 'Je bent soms zo'n oen.'

Zo denk je dus over me, dacht ik. Wat ben ik ook een stommeling dat ik je Gary recht voor mijn neus heb laten afpakken. Ik krijg je nog wel.

We waren de hele ochtend bezig met het vegen en boenen van Poppy's huis, maar het zag er nog steeds uit als een rampgebied, met brandplekken in het witte tapijt. Tussen de middag kwam Trish' vader aanzetten met broodjes en met Poppy, die nog steeds rilde. Hij bevestigde een plaat hout op de kapotte terrasdeur. Trish hielp hem door de spijkers aan te geven. Poppy moest weer overgeven en ging naar boven. Mevrouw Klein en ik lieten hen achter en gingen op het lagergelegen terras zitten lunchen.

'Katie,' zei mevrouw Klein, 'ik moet je mijn verontschuldigingen aanbieden. Ik vergeet soms hoe jong je bent. Ik had je niet zo onder druk moeten zetten om op zoek te gaan naar je moeder.'

'Ik weet waarom u het deed,' zei ik. Ik hoorde Trish' vader bezig de houten plaat op zijn plaats te timmeren. Hij was architect, maar kon niet met een hamer omgaan. Hij had mijn vaders precisie niet. Boem, boem, boem, als geweerschoten. 'U hebt een kind gekregen. Voordat u trouwde. U hebt het laten adopteren. Daarom bent u van huis weggelopen en naar Londen gegaan.'

Mevrouw Klein draaide zich naar me toe, paniek in haar ogen. 'Dat heb je toch niet aan Trish verteld?' fluisterde ze. 'Ze weten het niet.'

Boem, boem, boem.

'Daarom wilde u dat ik mijn moeder zou vinden,' zei ik, en ik sprak expres met luide stem. Bij uitzondering voelde ik me heel machtig. Ik wilde Trish pijn doen, maar in plaats daarvan kon ik haar moeder pijn doen. 'Omdat u uw eigen dochter niet hebt kunnen vinden.' Door de pijn die ik in haar ogen zag, wist ik dat ik gelijk had. Ik negeerde een steek van schuldgevoel en ging door: 'Of misschien hebt u haar gevonden en wilde ze niets met u te maken hebben. Nou, ik wil míjn moeder niet vinden. Ze heeft me achtergelaten, zoals u uw baby hebt weggegeven.'

Mevrouw Kleins gezicht was verstard van verdriet, maar ze raakte licht mijn hand aan. 'Het spijt me heel erg, Katie. Je moet wel een hekel aan me hebben.'

Boem, boem, boem, van het hogere terras, waar Trish en haar vader samen aan het werk waren. Ik stond op en liep naar de rand van het gazon. Door de dennenbomen heen ving ik een glimp op van de groene heuvels in de verte. Ik wilde daar zijn, overal behalve hier. In deze tuin had ik gisteravond op Gary gewacht, had gehoopt dat hij zou komen, had de hoop verloren, toen teruggevonden en toen had Trish die mij afgenomen. Kon je ooit op hoop vertrouwen? Was het niet beter om maar nooit ergens op te hopen?

En mijn moeder – zou ze ooit naar mij op zoek gaan, zoals mevrouw Klein op zoek was gegaan naar haar verloren dochter?

Mevrouw Klein kwam naar me toe en ging naast me staan. Ze legde haar arm om me heen en drukte me even stevig tegen zich aan. 'Je bent een kleine soldaat, Katie,' zei ze.

We waren nog steeds aan het schoonmaken toen Poppy's ouders om halfvijf thuiskwamen. Mevrouw Klein had ze die ochtend gebeld en gezegd dat alles onder controle was, maar ze waren toch meteen in de auto gestapt, razend dat ze de bruiloft in Schotland moesten missen.

Aan de blik die Poppy's moeder mij toewierp, wist ik wie zíj de schuld gaf van het feest.

'Luister, Di, ik heb begrepen dat het helemaal Trish' idee was,' zei mevrouw Klein tegen haar. 'Dus maak het Poppy niet al te moeilijk. Wij betalen uiteraard voor de glazen deur.'

'De bank ziet er niet meer uit,' zei mevrouw McClaren. 'En het tapijt...'

Mevrouw Kleins lippen werden een smalle streep. 'We hebben de meeste vlekken eruit gekregen. Kom, meisjes, we willen de familie niet langer in de weg lopen.' Ze nam Trish en mij mee en we stapten in de auto.

'De trut,' zei ze, terwijl ze de koppeling omhoog liet komen en met gegier van rubber wegreed. 'Ze zou op zijn minst de helft van de schuld op zich kunnen nemen. Dan had ze maar niet zo'n oerlelijke smaak roomkleurige leren bank moeten kopen.'

We reden terug door Green Down. Ik herinnerde me hoe ik precies dezelfde route had afgelegd op de dag waarop het zwembad was leeggelopen. De auto reed langs het begin van het pad dat omlaag leidde naar Stonefield, waar de vleermuizen de mijnen in- en uitvlogen. Als we een manier hadden gevonden om het feest daar te houden, was het dan allemaal anders gelopen? Had ik het dan met Gary gedaan, of had Trish hem dan toch nog van me weten af te pikken?

Dat zou haar niet meer lukken. Ik had een beslissing genomen. Gary was van míj, ook al wist hij het nog niet.

Toen we mijn huis naderden, strekte Trish haar hals om naar Gary's raam te kijken. Ik was blij dat er geen muziek uit zijn huis galmde; ik achtte haar ertoe in staat om uit de auto te springen en op zijn deur te bonzen terwijl mevrouw Klein mij afzette.

De auto kwam tot stilstand en mevrouw Klein stapte uit om mijn tas achter uit de stationcar te pakken. Ik zag onze voordeur opengaan. Mijn vader stond daar. De geur van eten zweefde in de namiddaglucht naar buiten: rosbief en groenten. Tot mijn opluchting was er geen spoor van Janey Legge te bekennen, en mijn vader kwam langzaam alleen het pad af.

Hij floot.

'Hallo,' riep mevrouw Klein, 'één dochter weer veilig en wel thuis.'

'Dus je hebt flink zitten leren?' vroeg mijn vader. Kalme stem, gevaarlijke stem.

'Niet zoveel als ik wilde,' zei ik. Ik probeerde te voorkomen dat ik loog, want ik wist wat er zou gebeuren.

Mevrouw Klein wist dat niet. Ze had mijn vader maar een paar keer ontmoet, dus hoe kon zij begrijpen wat die vriendelijke, geduldige toon betekende?

Ze overhandigde mij mijn tas. 'Zo, Katie. Tot gauw.'

Trish leunde uit het autoraampje en keek verstoord naar Gary's huis. Als zij er niet bij was geweest, had ik me misschien omgedraaid en was ik teruggerend naar de auto.

Maar misschien verdiende ik het. Ik liep de treden naar de voordeur op; de melkglazen ruit keek omlaag als een eenogige god. Ik hoorde het portier van mevrouw Klein dichtslaan en de kuch van de startende motor.

'Poppy's moeder heeft gebeld,' zei mijn vader, terwijl hij de voordeur verder opende en mij naar binnen duwde. 'Je hoeft dus niet te liegen. Ik weet precies wat er is gebeurd.'

De deur sloeg dicht. Ik was alleen in de gang met hem.

'Jij kleine slet,' zei hij. 'Je bent verdomme precies als je moeder.'

Vierde inwijdingsniveau: Leo, de Leeuw.

De Leeuw, gekleed in een lange donkerrode mantel, heeft een dorre en vurige aard. Een kolenschop is zijn symbool; en kolenschoppen voor het vervoer van hete kolen werden ontdekt tijdens de opgraving van het Mithraeum in Heddernheim. We mogen dus vermoeden dat dit inwijdingsniveau een soort beproeving door vuur inhield – een vuurdoop misschien. Klassieke schrijvers stellen dat de inwijdelingen gebrandmerkt werden, op hun voorhoofd of hun hand. De zuiverende kracht van het vuur brandt het oude weg en transformeert de Leeuw tot een nieuwe persoon, een metgezel van Mithras die aan zijn zijde op de stier jaagt.

Wanneer hij het vuur heeft doorstaan, is de Leeuw voor altijd immuun voor de verterende kracht ervan.

Beste Gary,

Ik wil je heel graag weer zien. Het is moeilijk uit te leggen, maar thuis gaat het niet goed. Je moet niet langskomen. Ik zal donderdagavond bij de groeve bij Crow Stone zijn. Zeven uur. Ik kan erin via het hek bij de volkstuintjes. Beantwoord dit briefje niet. Knik alleen als je me ziet.

Katie

27

Wanneer ik het antwoordapparaat van mijn huis in Cornwall bel, zijn er negen berichten van Trish en twee van Nick, in de vergeefse hoop dat hij me kan overhalen om terug te bellen, ook al lukt het haar niet. Ik weet waar het over gaat: ze zitten zonder geld.

'Ga je haar bellen?' vraagt Martin, terwijl hij een warm ontbijt voor me neerzet. 'Eet dit op. Precies wat je nodig hebt na een zware nacht.'

'Ik heb niet gedronken.'

'Ik had het niet over drinken.'

'Rook ik echt naar seks?'

'Natuurlijk niet. Je had alleen zo'n zelfvoldane glimlach op je gezicht. Net als hij.'

'Zijn we een ietsepietsje jaloers?'

'Je hebt geen antwoord gegeven op mijn vraag. Ga je Trish nog bellen?'

Ik kijk mistroostig naar mijn spek. De gedachte met Trish te moeten praten, beneemt me mijn eetlust. 'Het heeft geen zin. Ze komt vast met het zoveelste pechverhaal aanzetten. Nick heeft een of andere vreselijke ziekte. De auto is in de rivier gevallen. Welshe nationalisten hebben het café platgebrand. Joost mag het weten.'

'Misschien is het waar,' zegt Martin. 'Misschien is Nick wel ziek.'

'Probeer een andere. Hij is onverwoestbaar.'

'Elke tien minuten sterft er iemand aan een ziekte die met alcohol te maken heeft.'

'Je bent wel vrolijk vanmorgen. Hij heeft een lever van ijzer.'

Wat Nick niet begrijpt, is dat Trish niet veel langer zal blijven als hun financiële situatie niet verbetert. Ik kom bijna in de verleiding een flinke cheque voor ze uit te schrijven; ze verdienen elkaar. Maar ik heb het geld gewoon niet. De klootzak heeft me al leeggezogen.

Maar goed, ik zal bellen.

Het bouwterrein is een rommeltje. Auto's staan her en der geparkeerd. Stapels houten en stalen stutten liggen schots en scheef. Kantoordeuren sluiten alleen als ze worden dichtgeknald. Er zijn bleke gezichten, bloeddoorlopen ogen. Niemand blijft staan om te praten, want praten doet te veel pijn; de mijnwerkers verdwijnen snel ondergronds en blij-

ven daar, waardoor het boven ongewoon stil is. Rosie is niet komen opdagen.

Gary leunt op de motorkap van een witte bestelwagen; hij staat samen met een man in een witte overall, van wie ik aanneem dat het de
elektricien is, over tekeningen van de bedrading gebogen. Wanneer ik
langsloop, heft Gary zijn hoofd op en kijkt. Dat is alles. Zijn blik gaat
door me heen als een heet mes. Ik smelt. Geen van ons beiden knipoogt,
glimlacht of zegt iets; we kijken elkaar alleen aan. Een peilloze blik.

Ik glimlach bij mezelf wanneer ik de hoek om kom en Dickon zie, die
net van de treden van het kantoor springt. 'Precies degene die ik nodig
heb,' zegt hij.

Precies wat ik kan gebruiken.

'Er is iets wat je moet zien,' vervolgt hij. 'In de ruimte van Mare's Hill.
Een van de mijnwerkers heeft me er gisteravond over verteld. Ze hebben
het gezien vlak voordat het werk door Schofield werd stilgelegd.'

'O ja?'

'Het schijnt dat dat rare vogelsymbool interessanter kan zijn dan ik
dacht.'

'Echt?'

'Echt.'

Ik loopt de treden naar het kantoor op en pak mijn zaklantaarn. 'Heb
je de camera?'

'Wil je nu meteen gaan?' Hij lijkt een beetje te schrikken van mijn
geestdrift.

'Reken maar.'

'Goed dan.' Hij loopt het kantoor in en pakt zijn waxjas. Ik controleer
het werkschema op de computer. Zolang de situatie met Schofield niet
is opgelost, concentreren beide ploegen hun inspanningen op de zuidwestelijke sector.

'Waar is het ongeveer... Trouwens, wat is het eigenlijk?'

'Wacht maar af. Het is niet ver van de pilaar met de inscriptie.'

Ze moeten de tauroctony hebben gevonden, maar god mag weten hoe.
Nee. De muur waar we die hebben gevonden, was een heel eind van het
looppad verwijderd. Misschien hebben ze er een ander fragment van gevonden, op een andere muur.

Ik verlaat het kantoor en loop terug naar het parkeerterrein om Gary
te laten weten dat we ondergronds gaan.

'Hé, wacht,' zegt Dickon. 'Waar ga je naartoe?'

'Ik ga Gary zeggen dat we naar beneden gaan.'

'Dat is niet nodig. Ik heb het al aan de beveiliging laten weten.'

'O ja?'

'Vlak voordat ik je zag. Laten we gaan. Als het zo interessant is als het klinkt...'

'Hé, kom op, Dick, wat is het? Doe niet zo flauw,' zeg ik over mijn schouder terwijl ik het smalle pad neem tussen twee opslagloodsen door, onze normale sluipweg vanaf het kantoor naar de ingang van de schacht midden op het terrein.

'Ik zal je niet teleurstellen.'

Er is iets in zijn stem wat me doet aarzelen. Ik heb er niet goed over nagedacht. Als de mijnwerkers iets hebben gevonden, waarom hebben ze dat Dickon dan pas gisteravond verteld? Ik blijf staan en draai me om; ik ben me er plotseling van bewust hoe donker die smalle doorgang is. Ik kan zijn gezicht niet goed zien, want de lage winterzon staat achter hem, maar hij is zo dichtbij dat ik zijn vochtige ademhaling kan horen. Te dichtbij. Ik ruik de zurige lucht van bier van gisteravond. Ik zet een onzekere stap achteruit.

'Wacht even,' zeg ik. 'Ik meen het, ik ga niet naar beneden zonder te weten wat je me wilt laten zien.'

Ergens verderop staat een luchtdrukleiding te puffen en te sissen, maar ik hoor geen stemmen; alle anderen moeten ondergronds of op kantoor zijn. Dickons lippen scheiden zich en zijn tanden worden zichtbaar, maar ik kan nog steeds zijn ogen niet goed zien, en ik kan niet beslissen of ik gewoon moet blijven staan of de benen moet nemen, en mezelf misschien voor gek zetten. Waar ben ik bang voor? Het is Dickon, verdorie, een doetje, onschadelijk.

Zijn hand schiet neer voren, hij grijpt me bij mijn pols, slaat mijn arm naar achteren en duwt me tegen de zijkant van de loods waarvan de stalen richels gemeen in mijn rug drukken. Ik ben slap van schrik, uit mijn evenwicht gebracht, en mijn hiel glijdt uit op de modderige grond terwijl ik overeind probeer te blijven.

'Hé, wacht.' Het komt er piepend uit, helemaal niet zoals ik wil. Ik krijg bijna geen adem. Zijn gezicht is vlak bij het mijne nu, zo dichtbij dat ik de glinsterende haartjes in zijn neusgaten kan zien, de draderige adertjes op de punt van zijn neus. Zijn adem is heet en vochtig, en ik wend mijn hoofd af om die te mijden, maar het voelt als vochtige vingers op mijn wang en in mijn hals.

'Ik heb je gezien,' sist hij recht in mijn oor. 'Je weet dat ik je heb gezien. Je genoot ervan om gadegeslagen te worden, vuile hoer.'

'Hé,' zeg ik, en ik probeer hem met mijn vrije arm weg te duwen, maar hij is veel groter dan ik en verbazingwekkend sterk. Met zijn linkerhand pakt hij de mijne en hij weet me terug te duwen tegen de stalen wand. Alarmbellen gaan bij me af. Ik kan geen kant op. Dit gebeurt niet echt. 'Laat me los. Natuurlijk genoot ik er niet van om...'

'En of je ervan genoot. En wat vindt Martin er eigenlijk van?' Hij duwt mijn armen uit elkaar en drukt zich tegen mijn borsten; ik probeer achteruit te deinzen, maar de wand geeft niet mee. Ik raak in paniek en mijn ademhaling wordt steeds sneller.

'Doe niet zo raar, Dickon. Laat me los!'

'Je vriend zit in de bar en jij flikflooit met Gary.' Elk woord komt er hijgend uit.

'Je snapt er helemaal niks van,' zeg ik, terwijl ik me verwoed probeer los te worstelen, maar hij lijkt dat prettig te vinden en legt zijn hele lichaamsgewicht tegen me aan zodat ik bijna stik.

'Je genoot ervan,' sist hij weer, recht in mijn gezicht. 'Je houdt ervan als mensen toekijken, hè?'

Alles wordt zwart. De tijd vertraagt. De stoppels op zijn kin schuren mijn voorhoofd. Ver weg roept een vrouw op het speelterrein haar hond: 'Inky. Inky! HIER, stoute hond.' Ik moet vechten om adem te kunnen halen, en ik duw mijn borst tegen zijn zware lichaam om er ruimte voor te maken. Dickon gromt, van inspanning of genot, en probeert zijn hand achter in mijn broek te krijgen. Hij is geen verkrachter, houd ik mezelf voor in een poging rustiger te worden. Hij heeft het lef niet. Hij is alleen maar een rommelaar. Ik voel zijn erectie tegen mijn buik; ik moet bijna kokhalzen.

'Als je lief voor me bent, zal ik Martin niet vertellen wat er gisteravond is gebeurd.' Zijn adem is weer vochtig en warm op mijn wang. Dan drukt hij zijn gezicht tegen het mijne en duwt zijn dikke, natte tong in mijn mond.

Verdomme.

'Oeoe!'

Hard genoeg, hoop ik, om zijn testikels binnenstebuiten te keren en terug te duwen naar de plek waar ze vandaan zijn gekomen. Hard genoeg, want mijn knie trilt ervan. Woede raast door me heen; waarom zou ik dit accepteren?

Terwijl hij dubbelklapt, grijpt hij naar mijn borst, zet zijn nagels in vlees dat al gevoelig is van wat Gary en ik gisteravond hebben gedaan, en ineens ben ik witheet van woede en ik haal uit met de ijzeren punt van mijn schoen, want ik wil hem weer in zijn ballen raken en deze keer echt schade aanrichten.

Te wild. Meters ernaast. Maar ik heb zijn scheenbeen geraakt. Ik wed dat dat pijn deed. Verdomme, hij staat nog overeind en komt op me af.

'Kreng.' Hij trekt mijn jack half van mijn schouder en probeert me naar zich toe te trekken om te voorkomen dat ik hem nog een trap kan verkopen. Maar hij vergist zich; zijn wenkbrauwen raken elkaar in ver-ontwaardigde verbazing wanneer mijn knie de zijkant van zijn dijbeen raakt en zijn lippen zich openen tot een kleine rozenknop.

'Aah.' Hij verliest zijn evenwicht, glijdt uit in de modder, en houdt mijn jack vast om me mee omlaag te sleuren.

Ik draai me opzij op te voorkomen dat ik val, en het jack glijdt van me af. Alles valt uit mijn zak: zaklantaarn, zakdoek, sigaretten, balpen – alles ligt in de modder naast Dickon. Maar hij heeft het opgegeven; alle vechtlust is ineens verdwenen. Hij ligt daar in elkaar gedoken, zijn knieën tegen zijn borst, die natte koeienogen dichtgeknepen, wachtend op de volgende schop.

Ik zou het graag willen, maar ik kan het niet. De blinde, withete woe-de verdwijnt, verdampt met elke hortende ademstoot. Ik leun met mijn rug tegen de wand en probeer op te houden met beven. Hij ziet er zo meelijwekkend uit dat het me al spijt dat ik hem heb geschopt.

'Waag het niet om zoiets ooit nog te proberen,' zeg ik. 'Waag het niet...' Ik buk me om mijn jack op te pakken en de spullen die uit mijn zak zijn gevallen. Mijn sigaretten liggen in een plas, vlak achter hem, en ik raap ze op, hoewel ze niet meer te roken zijn. 'Je hebt geluk gehad.' Mijn be-nen trillen nog terwijl ik wegloop, maar misschien heeft hij zijn ogen nog dichtgeknepen en ziet hij het niet.

In plaats van terug te gaan naar mijn kantoor loop ik naar datgene wat doorgaat voor het 'damestoilet' – een portaloo die uit fatsoensoverwe-gingen op enige afstand van de andere cabines staat. In de beslagen spie-gel, binnen, zie ik dat ik knalrood ben; mijn borst zwoegt en haalt gro-te teugen binnen van de stinkende lucht van het chemisch toilet. Mijn ogen zijn splinters van serpent: koud, hard, glinsterend groen.

De rotzak. Ik adem de stank in die de tranen in mijn ogen doet sprin-gen en stel me voor dat ik Dickons hoofd in de plee duw, of handen-vol wc-papier in zijn vuile mond pers om hem te laten stikken. Maar in plaats van dat het me voldoening geeft, voel ik me alleen maar be-smeurd.

Ik had moeten voorkomen dat hij ons gisteravond zag. Ik had hem de ammunitie niet moeten geven...

De zieke, gestoorde rotzak. Het is zíjn schuld, niet de mijne. Maar toch, ik had hem het excuus niet moeten geven.

Nee, het is ZIJN SCHULD! Begrepen? Niet die van jou, Kit!

Hoe had ik zo naïef kunnen zijn om te denken dat hij me echt iets wil-de laten zien in de mijn? Hij dacht waarschijnlijk dat hij me inderdaad iets zou laten zien. Jezus, hoe heeft hij zichzelf dat kunnen wijsmaken? Wat had ik...?

Mannen!

Moest ik het Gary vertellen?

Natuurlijk niet.

Wanneer ik voorzichtig terugloop, is er geen spoor van onze schermutseling te zien, behalve wat omgewoelde modder en mijn donkerrode plastic aansteker die half verborgen ligt onder de rand van de opslagloods. Wanneer ik me buk om hem op te rapen, komt iemand de doorgang tussen de loodsen in lopen. Ik kom snel overeind en laat de aansteker in mijn zak glijden; mijn hart klopt in mijn keel en ik ben klaar om me te verdedigen als het Dickon weer is.

Nee, een breder silhouet. Het is Brendan.

'Ha, Kit,' zegt hij. Hij heeft de gepijnigde uitdrukking van iemand die beide ogen in dezelfde richting probeert te laten kijken. 'Ik was naar je op zoek. Je bent ongeveer de enige op het werk zonder hoofdpijn, afgezien van Gary natuurlijk. Ik zag Dickon net staan kotsen op het parkeerterrein. Ik heb gezegd dat hij maar naar huis moest gaan, de arme kerel.'

'Het was een goed feest, Brendan.'

'Ja, hè?' Hij knijpt zijn ogen dicht. 'Te goed.' Hij probeert ze weer open te doen, maar zijn wimpers zitten aan elkaar geplakt. 'Tot het eind. Ik wil je nog bedanken.' De wimpers weten zich eindelijk van elkaar los te maken. 'We hadden geluk. Het had veel ernstiger kunnen zijn.'

'Is het alarmsysteem gerepareerd?'

Hij schudt zijn hoofd en zijn gezicht vertrekt.

'Als Gary en de elektricien het probleem niet kunnen vinden, moeten we iemand uit Australië laten komen om ernaar te kijken. Dat zou betekenen dat het pas na Kerstmis wordt opgelost.'

'Dat zal niet veel uitmaken,' zeg ik. 'Het werkt toch niet goed. Het is gewoon niet geschikt voor een stedelijke omgeving.'

'Misschien,' zegt Brendan. Het is voor het eerst dat hij toegeeft dat zijn geliefde systeem wel eens gebreken zou kunnen hebben. 'Toch wil ik de groeven tijdens de feestdagen liever niet onbewaakt laten. Vooral niet omdat Teds ploeg vandaag een scheur in het gesteente heeft gevonden.'

Brendan, Gary en ik gaan naar beneden om ernaar te kijken. Ondanks hun katers hebben Ted en zijn mannen vandaag een nieuw stuk looppad aangelegd. Ze hebben de scheur in het dak aan het eind ervan gevonden. Het is een grillige lijn met een lengte van enkele meters en een maximale breedte van een paar centimeter.

'Hoe lang denk je dat die scheur er al zit?' vraag ik.

'Dat is niet te zeggen,' zegt Gary. Mijn arm klopt op de plek waar

Dickon zijn vingers erin heeft gezet; ik wil dat Gary naar me kijkt en merkt dat er iets mis is, maar zijn ogen zijn strak op het plafond gericht. 'Wat me verontrust, is dat de oude mijnwerkers er blijkbaar niets aan hebben gedaan. Dat kan betekenen dat er sprake is van recente beweging.'

De sensoren zouden hier toch wel nuttig zijn geweest. We hadden er een paar kunnen plaatsen om in de gaten te houden of er beweging in de scheur zit. Ik moet het misselijkmakende gevoel van Dickons lichaam dat tegen me aan drukt van me afzetten en me op mijn werk concentreren.

'Is een deel van het alarmsysteem nog te redden?' vraagt Brendan.

'Volgens de elektricien niet. Hij denkt dat er te veel water hier beneden is, dat het in de verbindingen lekt. Mooie toestand, hè?'

'Wat zouden de oude steenhouwers hebben gedaan?'

Gary zucht. 'Wij hebben een klein fortuin aan geavanceerde technologie uitgegeven. Zij hadden een paar stukken hout en een hamer gebruikt.'

Ik heb dit niet eerder zien doen, dus blijf ik rondhangen om te kijken. Het is een eenvoudige en effectieve manier om het dak te ondersteunen en tegelijkertijd een vroeg waarschuwingssysteem. De mijnwerkers maken een paar houten wiggen met dezelfde dikte als de scheur en slaan die in het plafond. Als de scheur niet breder wordt, zijn de wiggen voldoende om te voorkomen dat het dak instort. Als de wiggen eruit vallen, weten we dat er beweging in het gesteente zit.

'Zo,' zegt Ted grimmig, terwijl hij de laatste wig op zijn plaats slaat. 'Als ik dit rotding morgenochtend op de grond vind, weten we dat we problemen hebben.' Hij werpt me de Ted-blik toe waaraan ik nu gewend ben, de blik die zegt dat het allemaal mijn schuld is omdat ik een vrouw ben die zich met zaken bemoeit die haar niet aangaan.

Daarna ga ik terug naar mijn kantoor. Als Rosie niet met een kater thuis zou zitten, was er in elk geval iemand geweest aan wie ik het zou kunnen vertellen. Hoewel ik niet weet of ik het wel aan iemand zal vertellen. Ik voel me een idioot, zowel besmeurd door mijn eigen stommiteit als door Dickons kwijlende geilheid. Het lid van de afschuwelijke gipsen Priapus op zijn bureau wijst beschuldigend in mijn richting. Ik zou hem aan diggelen willen gooien, maar leg alleen de reservehelm eroverheen en zit boos naar de telefoon te kijken.

Zolang er niemand anders is, moet ik toch de moed kunnen opbrengen om Trish te bellen. Maar met welke telefoon? Als ik mijn mobieltje gebruik, heeft ze mijn nummer. Als ik de telefoon van mijn werk gebruik, weet ze waar ik ben.

Het mobieltje. Op die manier kan ik in elk geval doen alsof ik in het buitenland ben.

Het eerste wat ze me vraagt is: 'Waar zit je?'

'Maakt niet uit. Wat wil je?'

'Wat dacht je van: "Hoe gaat het met je, Trish? Hoe is het met Nick? Lang geleden, enzovoort."?'

Maar het interesseert me niet. Sinds de dag waarop ik ze samen in bed heb aangetroffen, interesseert het me echt niet meer.

'Ik neem aan dat je geld wilt.'

'Het zou helpen. Als je je vrekkig voelt, kan Nick altijd het verhaal schrijven. Dat soort dingen verkoopt goed tegenwoordig en ik kan hem helpen met wat smeuïge citaten.'

Ze probeert het natuurlijk gewoon om me bang te maken. Ik vertrouw er nog steeds op dat Nick zich aan zijn belofte houdt: het enige eerbare wat hij ooit heeft gedaan, was de belofte dat hij niet over mij zou schrijven. Zelfs door onze bittere scheiding heen heeft hij zijn woord gehouden, hoewel het waarschijnlijk heeft geholpen dat ik hem het halve huis heb geschonken.

Trish wauwelt nog door over de serierechten en wat ze daarvoor zouden krijgen – helemaal de zakenvrouw. Als iemand die tent op de been houdt, is zij het wel. 'We zouden het natuurlijk delen met jou. Eerlijk is eerlijk. Maar dat is niet echt de reden waarom ik je probeerde te bereiken.'

Dickon heeft zijn computer aan laten staan. De screensaver, met zijn sterren die vanuit het midden uitbarsten, heeft een hypnotisch effect. Ik ben nooit in het appartement boven hun kroeg in Aberystwyth geweest, maar ik kan me er een voorstelling van maken. Trish op de versleten leren chesterfield die ze hebben meegenomen uit het huis in Londen, schoenen uitgeschopt en lange benen opzij gebogen. De plakkerige stank van patat uit de keuken beneden hangt in de gordijnen en op de salontafel staat al een geopende fles wijn, hoewel het nog niet eens lunchtijd is. Nick is degene met het probleem, hoewel Trish er ook niet vies van is. Maar zij heeft liever een paar lijntjes van het witte spul.

'Waarom belde je dan?'

'Ik wilde alleen vragen hoe het je lijkt om tante te worden.'

'Wat?'

'Ik krijg een kind, Kit. Onverwacht, helemaal niet gepland, eerlijk gezegd, maar ik vind het nu wel een leuk idee.'

De telefoon klapt dicht in mijn hand met het *zep*-geluid dat hij dan altijd maakt. Ik val in het zwarte gat waar de sterren worden geboren.

Trish met dikke buik. Op de een of andere manier is het onvoorstelbaar. Ze zal wel een spijkerbroek met lage taille gaan dragen, als een zangeres in een meidengroep, een top met een diepe V-hals om haar nieuwe decolleté te laten uitkomen. Grote ronde oorbellen en rode strepen in haar haar.

Hoe lang is ze al zwanger? Niet dat het iets uitmaakt.

Ze stuurde weer een sms'je, meteen daarna: 'We kunnen wel wat poen gebruiken.'

Trish met een baby. Het lijkt gewoon onmogelijk.

'Jaloers?' vraagt Martin. Hij schenkt meer wijn in mijn glas en opent de deur van de houtkachel om er nog een blok op te gooien.

'Nee,' zeg ik. 'Ik heb nooit kinderen gewild. Laten we wel zijn, dat was de helft van het probleem tussen Nick en mij.'

'Ik ben maar een ouwe nicht, dus wat weet ik ervan? Maar als dat geen jaloezie is, is het een uitstekende imitatie.'

'Ja, wat weet jij ervan?'

Martin staat op en loopt naar de keuken. De deur van de oven gaat met een klap open. Er komt een heerlijke, boterachtige geur uit. Er klinken geluiden van gieten, roeren, schrapen, maar hij zegt verder niets. De stilte besluipt ons, maar ik weiger iets te doen om die af te weren.

Het is het meelijwekkendste oude cliché: de vrouw is altijd de laatste die het te weten komt. Ze komt op een dag vroeg thuis, opent de voordeur en wordt geconfronteerd met die speciale stilte in het huis, de stilte van twee mensen die midden in een neukpartijtje zijn gestoord en verstard liggen te luisteren naar voetstappen op de trap.

Nick en ik waren eigenlijk al uit elkaar. Ik zat meestal in Cornwall. Ik ging dat weekend alleen naar huis om wat winterkleren op te halen en meende het zo gepland te hebben dat hij er niet zou zijn.

Hij wist niet dat ik die middag naar Londen zou komen, maar Trish wist het wel. In mijn onschuld had ik haar gebeld met het voorstel een afspraak te maken en dat bericht op haar antwoordapparaat ingesproken. Ik liep de trap op, zag een bloes over de leuning hangen, een schoen uitgeschopt op de overloop, en volgde zo het spoor dat Trish voor me had achtergelaten, een slipjacht die de geur van parfum en begeerte volgde. Ze moeten me hebben horen komen, maar ze kwamen niet uit bed. Ik duwde de slaapkamerdeur open en werd begroet door die zware, zurige lucht van zweet, ongewassen lakens en neuken.

334

Nick was zo dronken dat hij voorstelde dat ik erbij zou komen.

Heel even zag ik angst in Trish' ogen, alsof ze pas op dat moment de gevolgen onder ogen zag van wat ze had gedaan. Toen ging ze rechtop zitten, waarbij het laken van haar tieten viel, terwijl ik achteruit de deur uitliep. Het is een serie kiekjes nu; dat heb ik ervan gemaakt. Foto's waar ik bijna nooit naar kijk. Ik haal ze zo nu en dan tevoorschijn om mezelf te herinneren aan wat ik heb achterlaten. Ik weet zelfs niet meer wat Trish zei. Het laatste beeld is dat van haar trage, triomfantelijke glimlach, waarin vijftien jaar vergelding besloten lag.

Vijfde graad

Luna

Zie de heilige grot als een soldatenkamp, de avond voor de beslissende slag – een duister kamp. De enige verlichtingsbron is de maan: Luna, die de vijfde graad van inwijding vertegenwoordigt.

De oude Perzen geloofden dat honing van de maan kwam en dat het zaad van de door Mithras gedode stier daar werd gezuiverd voordat het aan de aarde teruggegeven werd om vruchtbaarheid voort te brengen. Aldus komt uit de koude, witte dood nieuw leven voort.

Uit: *Het Mithras Enigma*, dr. Martin Ekwall, OUP.

28

Donderdag, dan moest het gebeuren, want mijn wiskunde-examen was op woensdag en ik was niet van plan al die repetities verloren te laten gaan. Een wetenschapper zou wiskunde nodig hebben, zelfs als ze er op donderdagavond met Gary vandoor zou gaan.

Intussen moest ik echter een kleine soldaat zijn. Op school zat ik kaarsrecht op mijn stoel en leunde niet naar achteren. Ondanks de warmte droeg ik de hele week mijn vest. Ik trok mijn jurk niet te hoog over mijn ceintuur. De meeste blauwe plekken zaten op mijn rug, maar er zaten er genoeg op mijn armen en bovenbenen om vragen op te roepen. Ik zorgde echter dat niemand ze zag.

Ik moest vooral bij mevrouw Klein uit de buurt blijven. Zij had iets kunnen opmerken aan mijn stijve schouders, de bestudeerde manier waarop ik liep en ging zitten.

Trish en ik meden elkaar. Poppy kwam niet op school. Op woensdag kwam ze opdagen voor het wiskunde-examen en glimlachte zwakjes naar me toen we de zaal binnengingen. Ze wees naar haar maag. 'Nog steeds misselijk,' fluisterde ze.

'Geen gepraat, meisjes,' zei mevrouw Ruthven, die surveilleerde. 'Draai jullie papieren maar om. Jullie hebben anderhalf uur.'

Mevrouw Ruthven hield ervan om langs de rijen te lopen voor het geval er werd afgekeken. Halverwege het examen bleef ze naast mijn tafeltje stilstaan. Ik hief mijn ogen op van het papier. Ze keek naar het verband om mijn linkerhand.

Toen ik na het examen de zaal uitliep, sprak ze me aan.

'Wat is er met je hand gebeurd, Katie?'

'Niets, mevrouw Ruthven.'

'Nou, het is duidelijk niet niets, want er zit een verband omheen.'

'Ik heb hem verbrand. Toen ik... toen ik aan het strijken was.'

Mijn vader hield mijn hand vlak boven de gloeiende kookplaat van het fornuis. De hitte sloeg ervan af, schroeide mijn vingers. Ik worstelde om los te komen, verzette me zo hard als ik kon, maar hij duwde mijn hand omlaag.

Ik gilde. Vuur sneed door mijn huid, recht tot op het bot. Zo'n pijn had ik nog nooit gehad. Eén verschrikkelijk ogenblik lang was mijn hand het enige deel van me dat bestond. Het was een enorme, kloppende hand, op het punt te barsten van pijn; het was mijn hand die gilde, niet ik. Mijn vader liet me los. Ik rukte mijn hand weg, hield hem naar adem snakkend vast, net boven de pols, want hij was te groot en zwaar om zichzelf omhoog te houden.

'O God, Katie,' zei mijn vader. 'O, Jezus, Jezus, het spijt me, wat heb ik gedaan?'

Hij huilde; ik niet.

'Echt, het is niet zo erg, mevrouw Ruthven.'

'Brandwonden kunnen nare wonden zijn. Er moet geen infectie bij komen. Haal een ontsmettende zalf bij de verpleegster. En het is misschien beter om het open te laten aan de lucht.'

'Ik houd liever het verband eromheen.'

Mijn vader was heel voorzichtig met me geweest sinds zaterdag, toen hij mijn hand had verbonden terwijl de tranen over zijn wangen liepen. Ik had geprobeerd weg te lopen, want ik wilde niet dat zijn tranen mij zouden raken.

'Laat me hem onder de kraan houden,' zei hij. 'Om de brand eruit te halen.'

'Nee,' zei ik. Het deed meer pijn dan ik ooit had gevoeld, erger dan de keer dat hij mijn schouder uit de kom had geslagen, maar ik wilde dat de pijn bleef. Ik hoopte dat ik een litteken zou houden. Ik wilde dat het me eraan zou herinneren, voor altijd.

Je bent een kleine soldaat, Katie.

Ik verwijderde zelf het verband. Op de muis van mijn hand zat een rode striem. In het midden was hij opgezet en wit. Het deed nu minder zeer, maar het was nog pijnlijk genoeg.

Waarom doe je het, pap? vroeg ik me af. Zo is het mijn hele leven al. Waarom doe je het, terwijl ik weet dat je van me houdt.

Hij zei altijd dat het hem speet, maar legde het nooit uit.

Toen mevrouw Kleins vader haar genoeg pijn had gedaan, was ze weggelopen. Ik dacht niet echt dat Gary met mij zou weglopen. Maar ik wist niet hoe je er op je veertiende in je eentje vandoor moest gaan. Praten met Gary kon een begin zijn, zolang mijn vader er maar niet achter zou komen.

Jij kleine slet; je bent verdomme net als je moeder.

Maar de hele week was er geen spoor van Gary te bekennen. Ik keek naar hem uit wanneer ik naar school ging, maar zijn werk in Crow Stone begon al vroeg. Na school zat ik in mijn moeders oude kamer in de vensterbank en hield de straat in de gaten. Elke avond was mijn vader de eerste die ik de straat in zag komen. Toen ik op woensdag na mijn wiskunde-examen naar huis liep, zag ik Gary in de hoofdstraat van Green Down. Hij kwam uit de tijdschriftenwinkel aan de overkant van de straat en trok het cellofaan van een pakje Embassy.

Ik wilde dat hij op zou kijken en me zou zien.

Hij keek op.

Ja!

Even dacht ik dat zijn ogen over me heen zouden glijden. Misschien herkende hij me niet in mijn schooluniform. Er liepen nog een heleboel andere meisjes door de straat. Ik zwaaide.

Eerst keek hij verbaasd, maar toen herkende hij me en knikte kort en verlegen.

Ja!

Morgenavond zou ik hem bij de groeve ontmoeten.

Op donderdagavond, had mijn vader me verteld, zouden Janey en hij naar een club in Odd Down gaan, waar zij woonde. Ze gingen poker spelen met wat vrienden van haar.

'Is dat goed?' vroeg hij aan me. 'Weet je zeker dat je het niet erg vindt om alleen te zijn?'

'Ik red me wel.'

'Weet je wat we voor je verjaardag hebben bedacht?' Hij stond onbeholpen op de drempel van mijn kamer. Zijn haar was vochtig en krullerig van de douche en hij droeg een roze overhemd dat ik nooit eerder had gezien. 'We gaan uit, met zijn drieën, echt chic. Janey reserveert een tafel. Ze zei dat het een verrassing moest blijven, maar ik wil dat je weet dat we niet vergeten zijn dat zondag de grote dag is. Zij zei lunch, maar ik zei, nee, diner. Onze Katie is oud genoeg om echt uit te gaan. We kleden ons alle drie mooi aan en gaan als een echt gezin.'

Zijn ogen stonden ongerust. Hij wilde van me horen dat ik het geweldig vond.

Ik wou dat ik dat had gezegd, nu.

Als je langs het kerkhof en de school naar het eind van de straat liep, en dan het pad langs de volkstuintjes heuvelafwaarts nam, kwam je vanaf de achterzijde bij Crow Stone. Het was een van de twee nog in bedrijf zijnde steengroeven van Green Down. Het steen was goed, maar geen topkwaliteit. Er kwamen betere bouwstenen uit de Randallgroeve aan de oostkant van Green Down, maar Crow Stone was altijd bedrijvig. Overdag kropen vrachtauto's en bestelwagens het steile pad op en gilde de lucht van het geluid van de enorme zagen die het steen in blokken sneden. Je kon niet in Green Down wonen zonder Crow Stone te kennen.

Ik liep het pad af en het weggetje op. De bermen waren grijs van steenstof; de bomen die over de aardwallen groeiden, zagen er vermoeid uit, hun bladeren aangeslagen als de tong van oude mannen. Voor me zag ik de hoge stalen hekken. 'Crow Stone. Bezoekers melden bij de receptie.' Ze waren op slot. Dat maakte niet uit.

De steenhouwers werkten van acht uur 's morgens tot zes uur 's middags. Daarna was de groeve verlaten. Bouwsteen wordt uit de bedden gezaagd, niet opgeblazen, dus waren er geen explosieven en was er geen beveiliging nodig. Aan het eind van de werkdag werden de kleinere werktuigen in de loodsen opgeborgen, de vorkheftrucs en graafmachines netjes midden op het terrein geparkeerd en gingen de hekken op slot. Maar je kon door de rododendrons glippen die langs het pad naar de volkstuintjes stonden, je dan door een gat in de omheining wurmen en langs de zijkant van de groeve omlaag klimmen. De eigenaren van de groeve namen de moeite niet om de omheining te repareren; het was onmogelijk om langs die kant werktuigen naar buiten te smokkelen. Bovendien werd de omheining na elke reparatie weer vernield door kinderen.

Iedereen wist dat dat de plek was waar paartjes heen gingen. Ik was zelf een keer door de kapotte omheining gekropen, een jaar geleden, alleen omdat ik wist dat steenhouwers vaak ammonieten in het gesteente vonden. Mijn vader had me verteld dat ze een fossielencollectie hadden voor bezoekers. Door zijn beschrijving had ik me een voorstelling gevormd van fossielen die in rijen op de grond lagen, maar ze moesten de collectie samen met de werktuigen hebben opgeborgen want er was niets te zien. Ik zocht wat in een hoop vulstenen, maar daarin vond ik alleen wat kapotte fossielen. Ik had betere in de velden gevonden.

Het was kwart voor zeven, vroeg nog. Ik liep het pad weer op en glipte tussen de struiken door, waar een spoor van lege bierblikjes en chipszakjes de weg wees naar de plek waar de groene gazen omheining van de paal was losgemaakt. Het was niet moeilijk om erdoorheen te glippen. Zou Gary ook die route volgen of had hij een sleutel van het hek nu hij daar werkte?

Crow Stone was een gigantische groeve. Er werd al jaren steen gewonnen, waarbij de werkers steeds diepere plakken uit de heuvels sneden. Aan de oostkant, waar ik door de omheining was gekomen, hoefde ik maar een paar meter naar de bodem van de groeve te klauteren. Maar aan de westkant, het oudste deel van de uitgraving, waar de zon al omlaag zakte naar de bomen die op de top van de rots groeiden, was de groevewand hoog en heel steil en waren delen ervan bedekt met kruip- en klimplanten. Daar werd geen steen gewonnen. Het terrein eronder werd gebruikt als opslagplaats, waar de pas gezaagde blokken konden drogen.

Ik keek weer op mijn horloge. Bijna zeven uur. Het gedeelte onder de hoge rots was al in diepe schaduw gehuld. Hij zou hier nu elk moment moeten zijn.

Ik ging midden op het terrein met mijn rug tegen het wiel van een vorkheftruck zitten. De zon was nog warm op mijn blote armen. Het was heel stil. Geen verkeer, amper vogelgezang. Een vliegtuig kroop langs de hemel, op weg naar het vliegveld Lulsgate. Schaduw schoof zich blind over de vloer van de groeve.

Kwart over zeven. Hij was laat.

Ik maakte me geen zorgen. Hij was ook laat op het feest geweest.

Ik haalde het verband van mijn linkerhand. Een blaar was gekomen en gegaan, en de brandplek was donkerder, doffer rood geworden. Hij genas snel, maar deed bij aanraking nog pijn.

Ik stelde me Gary in zijn kamer voor, zich wassend aan de wastafel. Zeepbelletjes knapten op zijn borst. Druppeltjes water glinsterden in de plukken haar in zijn oksels.

De schaduw had het midden van de groeve al bereikt. Het werd nu koud, uit de zon. Ik begon de bobbeltjes van het kippenvel op mijn armen te tellen. Ik telde een hele tijd, en Gary was er nog steeds niet.

Ik zag hem met Trish in de schaduw op het balkon. Hij kuste haar hals, en ik zag hem zijn hand op haar kont leggen, erover wrijven, en zijn hand toen terloops naar haar borst gaan. Ik ging ongemakkelijk verzitten op de harde grond.

Ik wilde dat hij dat bij mij deed. Mijn borsten, omvat door mijn gestolen beha, jeukten alsof zijn vingers er slechts centimeters van verwijderd waren.

Roeken fladderden naar de bomen waar de zon zich had verstopt. Ze riepen naar elkaar. Hoogste tijd, heren, alsjeblieft. Tijd om naar huis te gaan. Gary. Gary. Gary. Ik herhaalde de naam zachtjes bij mezelf tot hij klonk als de roep van de roeken.

Het begon laat te worden. Ik keek omlaag en zag hoe mijn vingers zich in de aarde probeerden te graven. Stof maakte strepen op mijn zwarte broek.

Plotseling zag ik mezelf zoals anderen me zouden hebben gezien. Een kind eigenlijk, een dwaas, belachelijk kind, met een vest dat bij de mouwen rond haar middel was gebonden, krabbend aan de grond en dromend van het opgraven van de Eerste Engelsman. Ik had zelfs nog nooit een complete ammoniet gevonden, alleen stukken. En nu zat ik geknield in een verlaten groeve, met het idee dat mijn held me zou komen redden. De rotsen dromden om me heen om eens goed te kunnen kijken naar dat domme meisje dat dacht dat Gary Bennett zou komen om haar te kussen.

Even leek de hele groeve tot leven te komen en gniffelend zijn grote mond open te sperren. De slapende machines leken klaar om wakker te worden: al die dingen die overdag rommelden en kreunden en krijsten, de grommende lieren, de katrollen, de zingende transportband, de gillende zagen, de waterslangen, de steenvergruizers en de vorkheftrucks als ineengedoken sprinkhanen.

Boven de rand van de laagste rots hees een grote witte maan zich de lucht in. Ik had het koud en trok mijn vest om mijn schouders. Mijn knieën deden pijn en een van mijn voeten sliep. Ik probeerde op te staan, maar hij voelde als een sok vol zand onder aan mijn been. Ik durfde er hem niet te belasten, dus legde ik mijn verdoofde voet op mijn andere bovenbeen en probeerde er wat leven in te wrijven.

Het was nu moeilijk om op mijn horloge te kijken, maar ik kroop uit de schaduw van de truck en zag dat het al halftien was.

Hij kwam niet.

Aldus komt uit de koude, witte dood nieuw leven voort.

Ik stond op.

Ik begon om de vorkheftrucks en de bulldozer heen te lopen; als een jojo aan een touwtje liep ik een stukje weg en werd teruggetrokken. De wanden van de groeve leken als stenen gordijnen in donkere plooien en spleten te hangen, maar de rijzende maan wierp een ijzig licht op de westelijke rots. Ik kon scheuren en barsten en kluitjes gras ontwaren.

Door na te denken over de rots dacht ik niet meer aan Gary. Het was als een puzzel, een heerlijke vergelijking die me in beslag nam en die ik kon oplossen, daar was ik slim genoeg voor. Steeds wanneer ik langs de bak van de bulldozer beende, strekte de draad van de jojo zich iets verder uit.

Mijn parabool bracht me nu voorbij de halfronde stapels drogende stenen, die op stapels afvalstenen waren geplaatst zodat de lucht eronder kon circuleren. Ik kwam steeds dichter bij de oude groevewand.

Bijna boven aan de rots zag ik een beschaduwde plek. Hij was zo donker dat het er niet uitzag als steen. Ik wist niet wat het was. Een richel?

Ik schoot langs de stapels stenen in de richting van de rots en dan weer terug naar de bulldozer en de trucks. Als ik daarboven zou kunnen komen, kon ik me daar misschien verstoppen.

Het was duidelijk. Ik ging niet naar huis. Ik wilde dat mijn vader en Janey terug zouden komen – ik was ervan overtuigd dat ze vanavond samen thuis zouden komen: het was een kwestie van tijd voordat zij zou blijven, en ik verdwenen zou zijn. Dan zouden ze spijt hebben. Dan zou iedereen spijt hebben! Het nieuws zou in de straat bekend worden en Gary zou weten wat er was gebeurd doordat hij me in de steek had gelaten.

Het touw van de jojo knapte. Ik kwam tot rust aan de voet van de rots. Het leek niet zo moeilijk hiervandaan. Het maanlicht scheen vol op de rots, en wat van een afstandje glad had geleken, bleek ruw te zijn en vol kuilen en groeven te zitten. Er waren breuklijnen, steunpunten, kleine richels waarop een voet kon rusten. Het enige wat ik hoefde te doen, was een hand uitsteken en aan de klim beginnen.

Aanvankelijk was het gemakkelijk. De rots was een schaakprobleem dat me afleidde van wat ik voelde. Als ik het rustig aan deed, met één stap tegelijk, zou ik de oplossing vinden. Ik legde vrij snel zo'n vijfenzeventig meter af. Toen werd het moeilijker, want de rotswand werd gladder en steiler. Ik genoot van de uitdaging; ik wist dat ik hoger kon komen. Ik had een goed houvast net boven mijn hoofd en iets naar links was een prima plek voor mijn voet, een uitstekende rotsknobbel met een kluit gras die over de zijkanten viel.

Ik was nu ongeveer negentig meter boven de grond. Een warboel van klimop hing van de rand van de rots boven me. Ik herinnerde me wat mijn vader had gezegd toen hij me meenam naar de klimmuur: drie contactpunten. De driehoek van de klimmer. Mijn vingers krulden zich in een spleet. Mijn andere hand greep een stenen uitsteeksel. Mijn gezicht vertrok toen het tegen de genezende brandplek drukte. Toen moest mijn linkervoet omhoog. Het was een flink eind naar het volgende houvast, de met gras bedekte knobbel. Ik moest mijn knie buigen tot ik het gevoel had dat hij mijn oksel raakte.

Nu was mijn rechterbeen volledig gestrekt. Ik moest mezelf optrekken, tegelijkertijd mijn gewicht overbrengen op mijn linkervoet die op de grasachtige knobbel stond en dan mijn rechterbeen omhoog brengen om een nieuw houvast te vinden. Het was het laatste lastige stukje; daarna kon ik zijwaarts naar een diagonale breuklijn klauteren, die omhoog liep en een mooie, brede spleet vormde waardoor ik zonder al te veel moeite verder kon schuifelen. Denk vooruit. Net als bij schaken. Een zet met een loper. Geen kunst aan.

Ik zette me af met mijn rechtervoet en bracht mijn gewicht over op mijn linkervoet op de grasachtige kluit. Een makkie. Schaak.

Nee, verdorie. De graskluit gaf mee, een scherpe steensplinter liet los van de rots en mijn linkerbeen schoot onder me weg. Er was geen houvast voor mijn rechtervoet. Mijn borsten en buik sloegen tegen het harde gesteente.

Ik bungelde, met gillende vingertoppen. Het enige wat me voor een val behoedde, was de misschien-net-voldoende kracht in mijn bovenlichaam, waarmee ik mijn handen om het houvast boven mijn hoofd geklemd kon houden. Ik had het gevoel dat mijn hele gewicht aan mijn nagels hing. Mijn armen brandden. Mijn tenen zochten verwoed naar een spleet in de rots.

Ik moet loslaten...

Mijn rechtervoet vond net genoeg steun op de rots om iets van het gewicht van mijn gillende armen weg te nemen. De paniek nam af, zodat ik zorgvuldiger met mijn andere voet naar een houvast kon tasten. Ik vond een kleine barst. Ik drukte me tegen de trots, probeerde er regelrecht in te zinken, het onhandige zusje van Spiderman.

Het maanlicht scheen helder omlaag. Ik klemde me aan de onverschillige rots vast. Ik had een puppy kunnen zijn die genegeerd aan één pootje hing.

Ik kon me niet bewegen. Mijn spieren zaten op slot. Mijn ene been brandde op de plek waar ik hem aan de rots had geschaafd en mijn broek was gescheurd. Mijn neus rustte tegen het gesteente, en het enige wat ik kon zien waren de zandachtige kalksteenkorrels, als de poriën van een uitvergroot gezicht. Ik vroeg me af of ik mijn hoofd kon draaien, al was het maar een beetje. Ik dacht van niet.

Er zaten dwergen in de rots, op zoek naar goud. Plof, bons, plof; ik voelde de rotswand naar voren en achteren bewegen op het ritme van hun hamers. Nee, het was mijn hartslag. Ik dacht aan de prent van de wenende Jezus in onze woonkamer, kloppend op de deur van het menselijk hart.

O, Jezus Jezus Jezus, zei ik bij mezelf, steeds opnieuw. Alstublieft, Jezus, laat me een weg naar beneden vinden.

Maar toen ik erin slaagde mijn neus van de rotswand los te maken en tussen mijn zeesterbenen door te turen, wist ik dat ik niet naar beneden kon. Mijn knieën zaten op slot en mijn ellebogen trilden.

Jezus, dacht ik, Jezus, help me. Anders zit ik hier vast tot de koude lucht alle kracht uit mijn vingers en tenen wegneemt.

'Ga omhoog.'

'Wat?'

'Ga omhoog.'

'Ik heb je wel verstaan. Ben je gek?'

'Ga omhoog. Het is de enige manier.'

Het was Jezus natuurlijk niet. Het was mijn moeder. Ze zat op de top van de rots. Ik kon haar in het donker niet zien, maar ik wist dat ze daar was.

'Ga door. Eén hand tegelijk, één voet tegelijk. Zoals je vader je heeft geleerd.'

'Ik kan het niet.'

'Je hoeft niet alles tegelijk te doen. Ontspan één vingertop. Je valt niet. Ik beloof het.'

Ik ontspande één vingertop. Ze had gelijk. Ik viel niet. Ik voelde hoe ook een teen zich ontspande, zonder dat ik daartoe opdracht had gegeven. Langzaam werden mijn spieren losser, en tot mijn verbazing werden ze niet zwakker maar sterker.

Mijn moeder was nu naar beneden gekomen om me te helpen. Ze hield zich vast aan de rotswand naast me en fluisterde in mijn oor, zodat we de machines beneden niet wakker maakten.

'Laat de rots nu met je rechterhand los. Verplaats hem een centimeter of vijf naar rechts. Zie je? Je kunt het. Daar is een ander houvast. Er zijn er heel veel. Overal op de rots. Je hoeft niet eens te kijken. Je kunt ze voelen. Ik help je.'

Ik kreeg meer zelfvertrouwen.

'Zo, nu een voet omhoog. Rechtervoet. Niet te ver. Misschien acht of tien centimeter. Een beetje naar rechts. De spleet is daar breder. Het is een goed houvast. Je andere voet nog niet verplaatsen; laat je gewicht erop rusten, zorg dat je zeker bent. Goed. Gemakkelijk. Het houdt je. Nu kun je je linkerbeen verplaatsen.'

En zo werkten we ons langzaam, geleidelijk aan, omhoog over de rotswand, twee berijpte spinnen in het maanlicht.

De donkerder schaduw die ik van beneden af had gezien, bevond zich zo'n zes meter onder de top. Mijn tastende hand reikte over een rotsrand en vond een echte richel. Ik wendde automatisch mijn hoofd naar mijn moeder om het haar te vertellen, maar ze was verdwenen.

Het maakte niet uit. Ik wist nu dat ik haar weer zou vinden als het nodig was. Ik greep me aan de rots vast, duwde me met mijn voet omhoog, en opnieuw, een ruk, nog een duw en ik lag plat op mijn buik op een richel die zich ruim twee meter breed onder een overhangende rotsrand uitstrekte.

Ik had gelijk gehad. Het was een goede plek om uit te rusten, een prima plek om me te verbergen. Het enige wat ik nu wilde was liggen en slapen. Ik kroop dieper de schaduw in, leunde met mijn rug tegen de met klimop begroeide rotswand en viel achterover de steengroeve in.

De toegang moet deel hebben uitgemaakt van de vroegste uitgravingen van Crow Stone. Op dat deel van de heuvel draaiden de aardlagen heen en weer. Toen de ondergrondse groeve in de negentiende eeuw uitgeput raakte, ontdekten de eigenaren dat zich nog goede steenbedden onder hun voeten bevonden. Ze werkten omlaag, waardoor er een uitgestrekte open kom ontstond, tot de toegang veel hoger kwam te liggen, meer dan halverwege de wand van de groeve. Klim- en kruipplanten groeiden eroverheen en de toegang werd uiteindelijk vergeten. Zelfs nadat de vermiste jongens in 1963 bijna verdwenen waren, had niemand eraan gedacht die toegang af te sluiten.

Ik duwde me vermoeid overeind en zette de eerste blinde stappen in het donker, waarbij ik met mijn vingers de ruw uitgehouwen tunnelwand volgde. Ik ga niet ver, hield ik mezelf voor. Een paar stappen maar. Net ver genoeg. Dan vind ik een plek om tegen de muur te gaan liggen en te wachten tot het zonlicht tussen de slierten klimop door zijn weg naar binnen vindt. Met mijn tenen elke stap op de ongelijke vloer aftastend liep ik verder.

Ik draaide me om en keek achter me. Ik kon de ingang niet zien.

In mijn paniek verloren mijn vingers het contact met de tunnelwand en bleef ik met mijn voet achter een stuk rots haken. Ik struikelde naar voren, verloor mijn evenwicht en kwam op handen en knieën terecht. Toen ik weer overeind kwam, was de tunnelwand verdwenen.

Ik kon mijn eigen ademhaling in mijn oren horen, gespannen en scherp. Het geluid ervan was veranderd, en ook het geluid van de stilte om me heen was anders. Die leek hol, uitgestrekt, leeg. Ik wist dat ik in een grote ruimte moest zijn, een enorme grot misschien die de steenhouwers hadden uitgehakt.

Ik stak mijn hand uit en voelde alleen lege lucht. Ik kon niets zien. De duisternis was verstikkend, wikkelde zich strakker om me heen naarmate ik me meer verzette. Ik hield mezelf voor dat de tunnelwand slechts centimeters van me verwijderd was geweest toen ik viel. Ik hoefde maar een paar stappen terug te zetten om de wand weer te kunnen aanraken. Ik draaide me om en zette één aarzelende stap, als de dood dat ik weer zou struikelen. Toen zette ik nog een stap, terwijl ik mijn handen onzeker voor me uit zwaaide, blindemannetje. Nog niets. En niets.

En niets. En weer niets. Toen begreep ik dat ik niet meer wist in welke richting ik ging.

O, Jezus Jezus Jezus. Er was niets waaruit ik kon opmaken waar ik vandaan was gekomen of waar ik heen moest, en de duisternis omhulde me zo stevig dat de lucht uit mijn lichaam werd geperst. *Alstublieft, God, laat me een weg terugvinden. Een veilige weg.*

29

Vrijdagochtend. Gary spreekt me aan op het parkeerterrein. 'Ontloop je me?'

'Nee,' zeg ik verbaasd. 'Natuurlijk niet. Waarom denk je dat?' Maar ik kan hem niet in de ogen kijken. De lucht van Dickons bierachtige adem, de druk van zijn erectie tegen mijn buik, als een verkrachting van alles wat er tussen Gary en mij is gebeurd. Zijn sissende woorden in mijn oor: je vindt het fijn als mensen kijken. Mijn schuld. Zijn lange witte vingers die als wormen op me afkomen in het donker. Klik, klik, klik. En nu Trish met haar solocampagne om mij terug te pakken voor iets wat ik nooit had willen laten gebeuren. Trish en Nick. Kom in bed. Kom erbij...

Hij legt zijn hand op mijn arm, en doordat ik het niet verwacht, doordat ik nog aan Trish en Nick denk, deins ik terug.

'Oké,' zegt hij. 'Het spijt me. Ik moet het verkeerd begrepen hebben.'

Hij loopt weg, handen in zijn zakken, stijve rug.

Je kunt merken dat het weekend eraan komt. 'Land of My Fathers' zweeft omhoog uit de tunnels waar Cennydd en zijn ploeg aan het werk zijn en de laatste hand leggen aan het looppad dat Teds ploeg gisteren heeft doorgetrokken. Met twee ploegen in de zuidelijke sector hebben de mijnwerkers flinke voortgang gemaakt. Volgende week rond deze tijd zijn we gestopt voor de kerstdagen en zullen zij terug zijn in Wales voor een lange vakantie. De harmonieën echoën door de ruimten en klinken prachtig.

Ineens houdt het zingen op. Ik stop met rondlummelen en haast me de hoek om. 'Is er een probleem?'

'Misschien,' zegt Cennydd. 'Kijk eens wat we vanmorgen tegenkwamen.'

'De wiggen?'

Ik laat de straal van mijn zaklantaarn over de lange, donkere scheur in het plafond glijden. Het ziet er net zo uit als gisteren, maar twee van de wiggen liggen nu op de vloer.

'Ik denk dat hij vrij snel breder wordt,' zegt hij. 'Ted vertelde me dat hij ze er stevig en strak in heeft geslagen.'

Brendan: *als één pilaar gaat, domino-effect...*

'Het moet jullie gezang zijn.'

Hij lacht, maar ik merk dat hij zich net zo weinig op zijn gemak voelt als ik.

'Maar serieus, Cenny, dit bevalt me helemaal niet.'

'Ik wil je nog iets anders laten zien.' Hij gaat me voor naar de plek waar de mijnwerkers het volgende deel van het looppad aan het bouwen zijn, dat parallel loopt aan een steunbeer van stapelstenen. 'Dit is waar we net stil van werden.'

Cennydd richt zijn zaklantaarn op de bovenkant van de muur. De bovenste laag stenen is verbrijzeld, onder druk van het gesteente erboven. 'Zie je dat?' zegt hij op effen toon. 'Ik heb nergens in deze uitgravingen zulk verbrijzeld steen gezien.'

'Ik wil Brendan hiernaar laten kijken,' zeg ik.

En de hydrogeoloog erbij halen. Als ik me Brendans grote kaart van de uitgravingen voor de geest haal, vermoed ik dat dit deel van de groeven in het steilste deel van de heuvel ligt. Zou de hele zaak in beweging kunnen zijn?

Damp hangt in de koude lucht onder de lampen van het looppad wanneer Brendan koffie uit een thermosfles in een dubbelwandige beker schenkt. Ik neem de koffie dankbaar aan; ik voel een zeurende, gespannen hoofdpijn achter mijn ogen opkomen.

'Ik heb de hydrogeoloog gebeld,' zegt hij. 'Hij heeft me verzekerd dat de helling volkomen stabiel is, zelfs in een kleine orkaan.'

'Ik vind toch dat hij moet komen kijken.'

'Hij komt, maak je geen zorgen. Hij wilde tot maandag wachten, maar ik heb hem ervan overtuigd dat mijn team niet zomaar in paniek raakt. Hij is hier morgenochtend, en we houden tijdens het weekend een ploeg paraat. Wat denk jij ervan?'

De mijnbouw is net zozeer een kunst als een wetenschap. Je kunt net zoveel meten en berekenen als je wilt, maar waar het uiteindelijk op neerkomt, is instinct.

'Ik ben er niet gerust op. Denk je niet...'

'Ik wil Gary er nog naar laten kijken voordat we een beslissing nemen,' zegt Brendan. 'Hij heeft langer dan wie dan ook met deze rotsen gewerkt.' Hij neemt een laatste slok koffie en zet de beker op zijn kop. 'Heb je Dickon vanmorgen nog gezien?'

Mijn hand beeft wanneer ik hem mijn beker geef. We beginnen terug te lopen naar de schacht. Mijn hoofd bonst. Ik voel me besmeurd door wat er op het pad is gebeurd, maar het is nu te laat om erover te beginnen. Dat zou ik tegen Brendan toch al niet doen.

'Nee. Misschien is hij vroeg aan het weekend begonnen.'

'Zijn auto staat op het parkeerterrein. Hij moet hier ergens zijn. O, er is trouwens goed nieuws.' Hij maakt een overwinningsgebaar in de lucht. 'We kunnen in de noordelijke sector weer aan het werk. Er is een manier om het Schofieldprobleem te omzeilen. Lucy heeft verder juridisch advies ingewonnen en de advocaten denken blijkbaar dat de gemeente hem onder sectie acht van de wet op de Minerale Uitgravingen kan dwingen ons toegang te verschaffen voor het nemen van noodmaatregelen. We hebben dus geen toestemming van de grondeigenaar nodig. Dus als dat klaar is, na de kerst, kunnen we weer onder Mare's Hill verder. Zullen we naar boven gaan en wat berekeningen maken?'

Het kost me moeite om zijn woorden tot me te laten doordringen, want mijn hoofd voelt alsof het door die lange zigzaggende scheur gespleten is. We zouden moeten doorwerken zolang die scheur in beweging is. We zouden de mijn moeten ontruimen tot de hydrogeoloog er is; we zouden de gemeente moeten waarschuwen, zorgen dat de hulpdiensten klaarstaan voor een eventuele evacuatie. Terwijl ik de ladder naar boven beklim, begrijp ik dat niets van dat alles zal gebeuren. Op Brendans gezicht, onder me, ligt een uitdrukking van vage concentratie, maar verder is het ontspannen.

'Brendan,' roep ik omlaag, 'wat heeft de instorting van Gilmerton precies op gang gebracht? Ik weet dat een pilaar kan zijn ingestort, maar heb je ook iets boven de grond kunnen vinden wat het mogelijk heeft veroorzaakt?'

'Het was moeilijk met zekerheid vast te stellen,' zegt Brendan. 'Bouwwerkzaamheden misschien... nou ja, dat was een van de officiële verklaringen. Mijn theorie is dat het het weer was, hoewel de meeste adviseurs daar niets van moesten hebben. Ze willen iets groots en stevigs de schuld kunnen geven, zoals zware machines, het graven van sleuven voor funderingen. Maar de steenhouwers zullen je vertellen dat het de winter is. Er zit veel water in dit gesteente en strenge vorst kan scheuren in de bovenste lagen veroorzaken.'

De hoofdpijn neemt met elke stap op de ladder toe en het wordt steeds moeilijker om goed na te denken. Onduidelijke beelden golven door mijn hoofd, niets waar ik houvast aan heb, de mensen tijdens de informatieavond met hun strakke, ongeruste gezichten, de oude man met zijn hond, rode, waterige ogen, hond, *hij heeft er een dode hond gevonden*, op zijn hondjes, iets wat me ergens aan herinnert... Op het middelste platform blijf ik staan om de knallende hoofdpijn te laten afnemen en op adem te komen voordat ik aan de tweede ladder begin.

'De afgelopen weken hebben we een paar keer strenge vorst gehad,' zeg ik.

Brendan hijst zich op het platform, een beetje hijgend. 'Da's waar.'

'En als daar zware regen achteraan komt, kun je geschuif krijgen want we hebben hier te maken met uitgravingen in een steile, toch al instabiele helling.'

'Nou, maak je daar maar geen zorgen over...' Hij had bijna 'liefje' gezegd, maar kan zich net inhouden. 'Daarom laten we bij het opvullen een aantal looppaden open, zodat het grondwater weg kan lopen. Je zou het geomorfologierapport moeten bekijken.'

'Dat heb ik gedaan,' zeg ik. 'Vind je niet dat we op zijn minst de hulpdiensten moeten waarschuwen dat ze paraat staan?'

Zijn zachte karamelkleurige ogen worden hard. 'Dat lijkt me wat overdreven. Mijn geavanceerde verklikkers hadden ons gewaarschuwd als er serieus sprake was van beweging.'

'Misschien hebben ze dat gedaan.' Wanneer ik omhoogkijk is de luchtcirkel boven aan de schacht onheilspellend grijs. 'Stel dat het alarm dinsdagavond niet slechts een storing in het elektrische circuit was.' Gary en ik hebben niets gevonden toen we naar beneden gingen, maar dat wil niet zeggen dat er verder naar binnen geen sprake kan zijn geweest van beweging die door de sensoren opgepikt is, in een deel van de groeven dat wij nog niet hebben bereikt. 'En het gaat weer regenen.'

'Nee,' zegt Brendan. 'Het is te vroeg om er met de staart tussen de benen vandoor te gaan.' Zijn gezicht vertrekt en hij hervindt zijn zelfbeheersing. 'Sorry. Wat ik bedoel, is dat we nog niet genoeg weten om mensen ongerust te maken.'

'Maar ze wonen boven op...'

'Wacht op het rapport van de hydrogeoloog.'

Met een bonzend hoofd klim ik weer verder. Mijn helm lijkt een ton te wegen en de banden aan de binnenkant lijken zo strak te zitten dat ze mijn gedachten er druppel voor druppel uit persen. Vorstschade, water dat door de gangen kolkt, heimachines die monotoon op de zwakke aarde beuken... Nee, nee, dat kan niet gebeuren. Boven de steenmijnen mag niet worden gebouwd voordat ze gestabiliseerd zijn. Water dat langs de wanden van de doorgangen stroomt, het gesteente dat zweet als verkruimelende kaas... Waarom blijf ik maar aan bouwwerkzaamheden denken? Brendans woorden hebben iets in mijn achterhoofd wakker gemaakt. Maar ik kan er de vinger niet op leggen; het stroomt door de barsten in mijn hoofd als het water uit Poppy's zwembad...

Roger, pratend over de instorting die de ruimte blokkeerde waar ze iets gevonden hadden dat misschien wel een ondergrondse tempel was.

Een recente instorting, had hij gedacht; de vermiste jongens waren in 1963 in de uitgraving geweest.

Ik heb steeds gedacht dat het Mithraeum zich in het noordelijke deel van de uitgravingen bevond, ergens onder het ministerie van Defensie misschien, omdat we daar de inscriptie van de raaf en de tauroctony hebben gevonden. Maar de vermiste jongens waren de mijn aan de zuidkant binnengegaan, ergens in de bossen boven Vinegar Lane. De grote vraag is hoe ver Roger en de andere jongens door de mijnen hebben gerend om uit de buurt van de Cameraman te komen.

Stel dat de tempel zich veel meer naar het zuiden zou bevinden, in een deel van de uitgravingen waar wij nog niet zijn geweest. Misschien...

...in een vertakking waarvan we het bestaan niet eens weten.

Het computerscherm in Brendans kantoor laat een heleboel kronkelende lijnen en arceringen zien: de kaart van de plaats waar we denken dat de uitgravingen zich onder Green Down bevinden. Vijftien jaar geleden, nadat een storm een aantal bomen in Paradise Woods had ontworteld en een paar mijnschachten tevoorschijn waren gekomen, hadden de plaatselijke autoriteiten een gedetailleerd onderzoek gelast naar de omvang van de uitgravingen. Het was bovengronds uitgevoerd, met behulp van boorgaten en radar. De resultaten waren op deze kaart aangegeven: onze kladbrief, bij gebrek aan betere historische kaarten.

'Klik daar eens op,' zeg ik. 'Kun je dat voor mij vergroten?'

'Dat is de zuidelijke sector,' zegt Brendan. 'Je moet wel weten waar je zit, Kit. De bedoeling is dat we het schema voor de noordelijke ruimten plannen.'

'Ik vraag me alleen iets af, met het oog op die scheur.'

'Wacht nou op de hydrogeoloog, zoals ik heb gezegd.' Desondanks zoomt Brendan in.

'Een beetje omlaag,' zeg ik. 'Sorry, ik bedoel naar het zuiden.'

'Ik kan niet omlaag,' zegt hij. 'Daar is niets. Zie je?'

Klik, klik, klik.

In het midden van het scherm, een slingerende weg, wat verspreide vierhoeken die huizen moeten voorstellen, ver uit elkaar, elk met een flink stuk grond. 'High Pines', staat er doorheen geschreven. Er is niets te zien van de zware arcering die op ondergrondse uitgravingen duidt.

'Is dat gebied onderzocht?'

'Kijk... daar.' Brendan wijst naar rode stippels rechts op het scherm. 'Boorgaten. Ze hebben daar duidelijk niets gevonden.'

'Maar als er ondergronds een instorting is geweest...'

'Ik zou niet weten hoe ze dat zouden hebben gemist. Het boorgat had losse stenen en puin laten zien.'

'Maar stel dat ze het wel hebben gemist.'

'Nou ja, het is mogelijk.'

Ze hebben het gemist. Ik weet zeker dat ze het hebben gemist. Wanneer is het huis van Poppy's ouders gebouwd? Die heldere, moderne lijnen, de platte daken en grote ramen.

'Weten we wanneer die wijk is gebouwd?'

Brendan roept een andere kaart op. 'In 1962.'

Het jaar waarin ik ben geboren. Het jaar voordat de vermiste jongens de mijn in gingen. Funderingssleuven. Graafwerkzaamheden. Zware machines. De wijk werd gebouwd op de zuidelijke helling, met uitzicht door de dennenbomen op het dal.

Veertien jaar later de barst in Poppy's zwembad. En de reparateur had gezegd dat er mijnen onder zaten. Waar had het water anders heen gekund?

De dennenbomen zijn nog hoger dan ik me herinner. Ik ben hier voor het laatst geweest op de ochtend na het feest, de dag waarop we het huis hebben opgeruimd en schoongemaakt. In de weken sinds ik terug ben in Green Down ben ik niet in deze buurt geweest. Maar ik ben ook niet naar het huis in Midcombe geweest, waar Trish woonde.

Het ziet er anders uit, en het duurt even voor ik weet hoe dat komt. Natuurlijk, de muur. Toen Poppy hier woonde was er geen muur om de wijk heen. Ik begrijp niet wat voor zin het heeft, want de muur is niet hoog genoeg om een vastbesloten inbreker tegen te houden, maar wanneer ik de hoek om loop en het hek zie, begrijp ik dat het niet bedoeld is om inbrekers tegen te houden, maar om mensen als ik af te schrikken. Daar gaat de rustige wandeling die ik door de wijk wilde maken. Er is een automatische slagboom met een elektronisch oog dat de pasjes van de bewoners kan lezen, en er staat een hoge paal met een bewakingscamera erop. De mensen die hier woonden vonden zichzelf altijd al wat beter dan de rest.

Ik leun op de muur van gele stenen – niet eens een fatsoenlijke plaatselijke steensoort maar een lelijke fabriekssteen – en kijk over de helling omlaag. De bomen belemmeren het uitzicht, maar ver beneden me is Vinegar Lane. Hiervandaan kan ik het huis van Poppy's ouders niet zien. Ze kunnen er natuurlijk nog wonen, maar om de een of andere reden betwijfel ik dat. Ik ben niet van plan erheen te gaan en dat uit te vinden.

We weten niet wat zich hieronder bevindt, maar ik durf te wedden dat er een grote ruimte is waarin zich verscheidene instortingen hebben voorgedaan. En niet ver hiervandaan, misschien zelfs vrij dicht bij het oppervlak, een dubbele kamer met twee kuilen bij de ingang en een nis in de muur waarin een vuur brandde en in de hoofdtooi van de god danste.

'De tempel is waarschijnlijk niet in een opperbeste staat,' zegt Martin. Zijn stem aan de telefoon klinkt blikkerig en ver, maar de toon verraadt hem; hij probeert kalm te klinken, maar kan zijn opwinding niet onderdrukken. 'We weten al dat iemand de tauroctony kapot heeft geslagen en in een muur heeft gebruikt, dus er kan sprake zijn van vernieling. Het is mogelijk dat de christenen dat aan het eind van de Romeinse tijd hebben gedaan, nadat Theodosius aan het eind van de vierde eeuw per edict de heidense eredienst voor het hele rijk had verboden.' Ik hoor dat hij de ketel vult. 'En sinds die tijd kunnen er genoeg steenhouwers zijn geweest die de boel vernield hebben zonder te weten wat het was.'

'Als je vanmiddag niets anders te doen hebt, zou je dan kunnen uitzoeken of High Pines het enige nieuwbouwproject is geweest dat eind jaren vijftig of begin jaren zestig in Green Down is gebouwd?' vraag ik. 'Het kadaster moet er documenten van hebben.'

'Ik heb een afspraak met Roger in Bath om iets te gaan drinken, dus kan ik voor die tijd bij het gemeentehuis langsgaan.' Aan zijn kant van de lijn klinkt geklepper, waarschijnlijk van kastdeuren. 'Sorry, ik zet thee om het te vieren. Ongelooflijk, niet? John Wood ging maar door over verloren gegane zonne- en maantempels op Lansdown, en al die tijd was hier in Green Down echt een Romeinse tempel voor de god van het licht.'

'Denk je niet hij misschien wíst dat die er was?' vraag ik. 'Hij was een vrijmetselaar. Stel dat achttiende-eeuwse steenhouwers hem gevonden hebben, een geheime ruimte met afbeeldingen op de muren van handdrukken en vreselijke beproevingen.'

'Dat zou interessant zijn. Niemand heeft ooit bewezen dat er een verband bestond tussen het mithraïsme en de vrijmetselarij, maar er is wel beweerd dat er zo'n verband bestond. Wat denk je van een nieuwe ondergrondse expeditie dit weekend?'

'Nee!' zeg ik, want ik herinner mezelf eraan dat ik morgen een afspraak heb met de hydrogeoloog en dat dat wel genoeg opwinding zal zijn, vooral als het vannacht ook nog gaat regenen. 'Het is niet nodig om er als een gek op af te gaan, Martin. Als de Mithrastempel onder High Pines ligt, wordt hij op dit moment niet bedreigd. We zijn nog lang niet aan die sector toe, en ik denk zelfs dat niemand weet dat daar sprake is geweest van ondergrondse steenwinning.'

'Ik heb er een goed gevoel over,' zegt hij, alsof hij me niet heeft gehoord. 'De zuidelijke helling, niet ver van Vinegar Lane en de plaats van de Romeinse villa. Waar ze de doodkistdeksel met inscriptie hebben gevonden, die op een militaire nederzetting wees. Ruim een halve kilometer in vogelvlucht.'

Ik kijk naar mijn kaart. Ze vormen een driehoek op de helling: Poppy's huis, de Romeinse villa en de in onbruik geraakte open groeve van Crow Stone. Mijn hart verkrampt.

De avond is gevallen, een streep maan als een scheur in de hemel tussen de voortjagende wolken. Martin heeft me verteld dat Luna een van de hogere mithraïstische inwijdingsgraden was. Ook bekend als Perses, de Pers, die een halvemaanvormige sikkel droeg en, als de Romeinse moedergodin Cybele, de goddelijke maaier van de oogst.

Aardegodin, hemelgod, zoals gebruikelijk in het mithraïsme is het onmogelijk om na te gaan waar het mannelijke overgaat in het vrouwelijke, donker in licht.

Wat ons eigen scheurtje in het weefsel van het heelal betreft: ik ben weer ondergronds geweest om, terwijl de mijnwerkers de werkdag erop hadden zitten, de scheur nogmaals te controleren. Hij zag er nog precies hetzelfde uit.

Aangezien Martin in Bath is voor een drankje met Roger Morrissey hoef ik me niet naar huis te haasten. Hij kan later zelf naar huis komen, met de trein die over de bodem van het dal tjoekt. Rosie is vroeg vertrokken voor een weekend bergbeklimmen met Huw in de Brecon Beacons, en van Dickon is de hele dag godzijdank geen spoor te bekennen geweest. Ik weet nog niet goed hoe ik moet reageren wanneer ik hem weer zie.

Om mezelf af te leiden van de gedachte aan zijn klauwende handen aan mijn jack roep ik de kaart van de uitgravingen weer terug op mijn computerscherm. Stel dat het Mithraeum zich inderdaad op de plaats bevindt waar wij denken, onder High Pines, in een gebied dat wat het project betreft niet bestaat, hoe komen we er dan?

Er moet een manier zijn om er vanuit de noordoostelijke sector te komen, als dat de richting is geweest die de jongens namen nadat ze het hadden gevonden.

Als. Er zijn zoveel vragen. We weten niet eens precies waar ze naar binnen zijn gegaan. Bestaat die ingang nog, of is die jaren geleden al dichtgemetseld?

Een zwak patroon op het raam; het is gaan regenen. Ik krijg het benauwd; ik had Brendan moeten dwingen met de gemeente te praten, de hulpdiensten te waarschuwen. Ik steek mijn hand al uit naar de telefoon. Hij is teruggegaan naar zijn pension, maar ik zou hem kunnen bellen.

En al zijn ideeën bevestigen over nerveuze, overbezorgde vrouwelijke ingenieurs?

Verdomme. Een zwarte punt uit de heuvel glijdt omlaag naar Vinegar Lane en het huis van Poppy's ouders valt uit elkaar tot een serie legostenen die over elkaar omlaag tuimelen... Nee, natuurlijk is het veilig. Er zal niets gebeuren. Het is verdorie niet de eerste keer in de afgelopen paar eeuwen dat het regent.

Ik staar gefrustreerd naar de kaart. Plotseling is dat gevoel er weer. *Crow Stone*. Een koud, wee gevoel in mijn maag, en ik kan niet ophouden met huiveren. Hoe kalm ik ook geleerd heb ondergronds te zijn, ik vind het nog steeds moeilijk om me de toegang halverwege de rots van Crow Stone voor te stellen.

De deur van het kantoor gaat open. Wie kan dat...?

Ik draai me vliegensvlug om en zie Gary, die al achteruit het trapje af probeert te lopen.

'Sorry, Kit. Ik dacht dat iedereen al weg was en ik zag nog licht branden. Ik zal je weer...'

'Nee, nee.' Ik kan zijn ogen niet goed zien; het licht maakt donkere holten in zijn gezicht. Hij heeft een stoppelbaard. Wanneer ik me op mijn stoel beweeg, voel ik de kneuzing van de richel in de mijn. 'Ik was net klaar. Ik werk alleen nog laat omdat Martin...' Nee! Verkeerde tekst. 'Heb je toevallig een sigaret voor me? Ik ben vergeten tussen de middag een pakje te kopen.'

Hij komt binnen. Er is een regel op het werk dat we binnen niet roken, maar er wordt niet strikt de hand aan gehouden en er is nog een heel weekend om de rooklucht te laten verdwijnen voordat Dickon terugkomt en afkeurend zou kunnen snuiven. Dickon, verdomme, wat moet ik aan Dickon doen?

'Luister,' zeg ik, voordat ik de moed verlies, 'ik had dit eerder duidelijk moeten maken. Martin is mijn partner niet en kan het ook nooit zijn. Hij is homoseksueel.'

'Ah,' zegt Gary, terwijl hij me het pakje sigaretten voorhoudt. 'Dus wat probeer je me duidelijk te maken, Kit?'

Ik neem een sigaret, ontwijk zijn ogen en rek tijd door in mijn jaszak naar mijn aansteker te zoeken. Gary lacht wanneer ik hem de aansteker aanbied om zijn sigaret als eerste op te steken.

'Daar zul je geen fatsoenlijke vlam uit krijgen.'

Het is helemaal geen aansteker, hoewel hij er van enige afstand wel op lijkt: dezelfde grootte, hetzelfde donkerrode, doorzichtige plastic als mijn aansteker. Het is een geheugenstick voor een computer, zo'n ding dat je aan je sleutelring kunt hangen en waarop je een paar honderd megabytes aan bestanden kunt downloaden.

'Waar komt die vandaan?' Zodra de woorden mijn mond hebben verlaten, weet ik het. Natuurlijk, de schermutseling gisteren op het pad, toen ik terugging en in de schaduw onder de opslagloods mijn aansteker meende te zien liggen.

'Die is van Dickon,' zeg ik. 'Ik heb hem per ongeluk gepakt.' Het ding voelt vettig in mijn hand, dus pak ik hem terug en leg hem op Dickons bureau. Gary buigt zich ernaartoe en pakt hem.

'Ongelooflijk,' zegt hij, terwijl hij hem omdraait in zijn vingers. 'Een paar jaar geleden had je dit niet voor mogelijk gehouden. De inhoud van je computer op iets wat je zo in je zak kunt stoppen. Ik zou er een moeten kopen. Ze kosten maar twintig pond of zo. Geheugen is goedkoop tegenwoordig.' Hij houdt hem omhoog naar het licht, alsof je door het doorzichtige rode plastic alles zou kunnen zien wat erop staat. 'Ik vraag me af wat Dickon hierop bewaart.' Voordat ik iets kan doen heeft hij hem in de USB-poort van mijn computer geschoven en leunt over mijn schouder om met de muis te werken.

'Dat kun je niet doen,' zeg ik, en ik voel paniek opkomen hoewel ik niet weet waarom. 'Stel dat het privé is.'

'Precies,' zegt Gary.

Wat wil je dat Windows hiermee doet?

Open de bestanden met Windows Explorer.

Er staan maar twee mappen op de geheugenstick. De ene heet Download 1, de andere Download 2.

Gary klikt op Download 1. Een serie jpg-bestanden: foto's. Ze verschijnen als thumbnails, te klein om duidelijk te kunnen zien.

'O nee,' zegt Gary. Hij klinkt helemaal niet verbaasd. Hij klikt op een van de fotootjes om het te vergroten.

Ik heb die foto eerder gezien, bruin krullend langs de randen terwijl ik hem dieper in de vlammen duwde. Ik wil hem niet opnieuw zien. Ik schuif mijn stoel achteruit om op te staan. Ik glip langs Gary, sla mijn armen over elkaar en loop naar de hoek van het kantoor om met mijn rug naar het scherm te gaan staan, vastbesloten om niet te zien wat er nog meer is. Nee, nee, nee. De brandlucht; de gietijzeren plof van de deur van de houtkachel. Wat een stommeling was ik; ik had het kunnen weten. Het was Ted dus niet geweest. Het voelt alsof Dickons vingers zich om mijn keel klemmen, alsof zijn erectie weer tegen mijn buik drukt.

'De viezerik,' zegt Gary achter me. Ik wil dat hij ophoudt met het be-kijken van de foto's. Ik kan de gedachte eraan niet verdragen, die sme-rige beelden, die kippenvelachtige plooien en gleuven en de boeien en touwen en ogen die soms dof maar soms ook doodsbang kijken... Haar ogen. O, verdomme, haar ogen; wat was er te zien in haar ogen, kij-kend in de camera? Om die ogen buiten te sluiten, kijk ik naar de wand van het kantoor, neutraal grijs melamine, pokdalig van uitgedroogde plakgom, een oud werkrooster, aan één kant gescheurd, een memo van de manager voor gezondheid en veiligheid: 'Personeel dat ondergronds gaat, wordt eraan herinnerd...'

Zijn handen op mijn schouders.

'Jij hebt ze eerder gezien, klopt dat?'

Ik wil niets zeggen.

'Heeft hij ze aan jou gestuurd?'

'Ik wist niet dat hij het was.'

'Je had het me moeten vertellen. Dat is onaanvaardbaar. Dat weet je. Heb je ze nog?'

'Natuurlijk niet. Ik heb ze verbrand.'

'Het was handig geweest als je dat niet had gedaan.'

Hij streelt mijn haar, maar ik kan mezelf er niet toe brengen om me om te draaien en hem aan te kijken. Ik ben bang dat ik begeerte in zijn gezicht zal zien. Maar ik wil ook dat hij zijn armen om me heen slaat. Ik wil dat hij het goed maakt, na alles wat er is gebeurd.

'Hoe wist je wat erop stond?'

Doordat de computertechnicus de laatste keer dat hij hier was, vroeg wie Dickons harde schijf had gewist. Ze letten daar tegenwoordig op; het kan erop wijzen dat iemand dingen downloadt die er niet op horen.

'En je hebt niets gedaan?'

'We vonden alleen een paar fragmenten. Hij had het behoorlijk goed gewist. En, sorry, Kit, dit soort dingen zijn onprettig, maar het is geen kinderporno.'

'Vernietig het,' zeg ik. 'Als dat spul niet illegaal is, zou het dat moeten zijn. Je kunt zien dat die vrouwen pijn wordt gedaan. Er was er één...'

'Rustig maar,' zegt hij in mijn haar. 'Ze staan niet meer op het scherm. Hij wist waarschijnlijk niet dat ze je zo van streek zouden maken. In die zin was het niet persoonlijk.'

De wanden beven. Als één pilaar gaat...

'Wat bedoel je?'

'Ik heb het geweten vanaf de eerste dag dat je hier kwam, *Katie*.'

Als alles onderuitgaat, is het een opluchting. Een voor een storten de muren in mijn hoofd in, domino-effect, stenen die barsten en vallen en in slow motion over de grond stuiteren, stofwolken veroorzaken terwijl ze tot niets verkruimelen. Het stof daalt neer en alles wordt duidelijk: alle stadia tussen *ik was* en *ik ben* en – misschien – *wij zijn*, en sommige van die stadia hebben te maken met Martin, andere met Nick en weer andere met Trish, maar in werkelijkheid hebben ze allemaal te maken met mij en het feit dat ik niet keek naar wat er gebeurde in die zomer waarin ik bijna veertien was en wist maar weigerde te weten, en Crow Stone en de Cameraman en de Eerste Engelsman allemaal voor mij in het donker op de loer lagen...

'Ga met me mee naar huis,' zeg ik. 'Alsjeblieft. Ik wil niet alleen zijn.'

Zesde graad

De Zonneloper

Aardegodin, hemelgod: zie het als de alleroudste tragedie, de strijd tussen duisternis en licht, gespeeld in de grot. In het somberste, donkerste uur – de beproeving van de zesde inwijdingsgraad – zoekt de inwijdeling Heliodromus, de afgezant van Mithras op aarde, de Zonneloper. In zijn vurige strijdwagen spoort hij met zijn zweep de paarden aan die de zon langs de hemel trekken. Waar hij heen gaat, is de Vader eerst gegaan; we hebben bijna zijn domein bereikt.

Uit: *Het Mithras Enigma*, dr. Martin Ekwall, OUP.

30

Deze duisternis leek in niets op wat ik ooit had ervaren: een duisternis, in feite, als níéts. Nergens was ook maar het zwakste schijnsel te zien. Ik stak mijn hand uit, maar er was niets om aan te raken behalve meer lege, fluweelachtige lucht. Ik was in een andere dimensie terechtgekomen. Ik was in de ruimte.

Bij daglicht was er misschien een glimp van licht op een bocht in een muur gevallen, of op zijn minst een iets minder donkere plek die me vertelde welke richting ik moest nemen om weer buiten te komen. Maar buiten was het nacht; niet de gloeiende oranje nacht van de straten waaraan ik gewend was, maar de stille duisternis van het platteland, waar de maan nu te hoog boven stond om nog in de toegang te schijnen. De groeve was uitgehouwen in de zijde van de heuvel die niet op de stad was gericht, maar op het dal en een andere lichtloze heuvel. Er waren geen straatlantaarns bij Crow Stone, geen huizen in de buurt, geen drukke hoofdwegen: niets anders dan een weggetje dat bij het hek eindigde.

Het enige wat me ervan overtuigde dat ik niet weggevoerd was naar een ander universum was de rotsvloer onder me, die weliswaar ongelijk en koud, maar ook geruststellend stevig was.

Ik moest nadenken. *Nadenken!* Ik was lang genoeg in paniek geweest om de weg kwijt te raken. Ik moest toch – *nonne*, dacht ik zonder dat het ergens op sloeg, op een vraag waarop het antwoord 'ja' werd verwacht – ik moest mijn hersenen toch kunnen gebruiken om mezelf terug te vinden? Ik ging zitten om meer in contact te zijn met de geruststellende vloer.

Wat wist ik van deze plek? Op school hadden we een paar jaar geleden een project over de steenmijnen gedaan. Een plaatselijke historicus had voor de klas een praatje gehouden over de verschillende steenwinningsmethoden. Hij had ons foto's laten zien, gepraat over startstenen, kraangaten, funderingsbouten, dingen waar ik nu weinig aan leek te hebben.

Ik wist niet van welke kant ik was gekomen. Ik wist niet waar ik eruit kon. Ik wist niet hoe groot de grot was waarin ik me bevond. Ik kon mijn horloge niet zien en wist dus niet hoe laat het was. Ik wist niet eens hoe lang ik paniekerig rondjes had gelopen of hoe ver ik verwijderd was van de ingang. Ik wist een hoop dingen niet.

Zou ik dus doodgaan?

Natuurlijk niet. Niemand die ik kende was doodgegaan, laat staan drie dagen voor zijn veertiende verjaardag. Dat was gewoon onmogelijk. Dat soort dingen liet God niet gebeuren. Hij zou me zeker niet laten sterven aan onwetendheid, vooral niet als hij zou zien dat ik mijn best deed.

Maar God bestond niet in deze grot, want hier was níéts; ik werd omringd door níéts...

Heel, heel lang lag ik bevend op de vloer, mijn wang schavend aan het gesteente, terwijl mijn handen klauwden en graaiden, zich spanden en ontspanden op de harde, vochtige grond.

Ik sliep. Toen ik wakker werd was het nog net zo donker. Ik had het koud en voelde me licht in mijn hoofd; ik had honger en dorst en een vieze smaak in mijn mond. Maar ik was niet meer bang. De slaap had me van mijn angst verlost. Wat over was, was een ijzeren wil om er levend vanaf te komen.

Ik overwoog te blijven waar ik was. Als ik ging lopen, was er een grotere kans dat ik wegliep van de ingang dan ernaartoe – er was slechts één weg terug, maar daarnaast was er een cirkel van 359 graden vol verkeerde richtingen. Ik kon wachten tot het ochtend werd en hopen dat ik dicht genoeg bij de ingang was om mijn weg naar buiten te vinden. Maar de kou bracht me in beweging. Het leek veel kouder in de ruimte dan buiten, en ik kon niet meer ophouden met bibberen. Bewegen zou me misschien warmer maken. Bewegen zou me een doel geven.

Mijn benen waren verdoofd en stijf, maar door ze te wrijven kwam er wat gevoel in terug en kon ik opstaan. Ik stak een hand uit als een beverige blinde – nee, dat was niet goed. Ik moest er vertrouwen in hebben. Ik haalde diep adem, zette zelfverzekerd een paar passen naar voren en knalde recht tegen hard gesteente aan.

De klap benam me de adem en ik tolde rond; ik hief een hand op om mezelf te beschermen en er ging een pijnscheut doorheen toen ik de plek raakte waar de brandwond aan het genezen was. Mijn borst had het grootste deel van de klap opgevangen en ook dat deed vreselijk pijn.

Ik liep tastend langs de rotswand en schuifelde een hoek om. Het kon de ingang van een tunnel zijn, zoals de tunnel die ik naar binnen had gevolgd. Ik hield mijn rechterhand uitgestrekt naar de wand en stapte zo ver weg als ik durfde, terwijl ik mijn linkerhand uitstrekte en naar een andere wand tastte, maar er was niets. Dus liep ik tastend zo ver om de rots heen als ik kon en besefte toen dat ik om een dikke, solide zuil heen liep met de omvang van een oude eik. Nee, groter dan alle eiken die ik ooit had gezien. Ik was tegen een van de pilaren aangelopen die het dak van de ruimte ondersteunden. Maar het was niet mogelijk om er gewoon omheen te lopen, want dit werd belemmerd door een andere constructie: iets wat als een ongelijke wand aanvoelde. Dat leek logisch: 'Grote kamers met pilaren die allemaal met elkaar verbonden zijn,' had George gezegd. 'En af en toe een muur van stapelstenen, van vloer tot plafond.' Dat herinnerde me eraan dat mijn vader hier als jongen was geweest. Hij had in Crow Stone gewerkt. De gedachte dat hij misschien vóór mij door deze zelfde grot had gelopen, troostte me. Hij mocht me dan pijn doen, hij zou me nooit verlaten.

Hij heeft er een keer een dode hond gevonden.

Mijn tenen krulden in mijn schoenen. Ik hield mezelf voor dat ik voorzichtig moest lopen.

Dat ik met mijn vingers langs de muur kon glijden, was heel geruststellend. Ik hield mijn andere hand behoedzaam voor me uit voor het geval ik tegen iets anders aan zou botsen. De wand leek eindeloos door te gaan.

De stilte was nu oorverdovend. Ik hoorde er mensen in roepen, zingen, blaffende honden, gesprekken, muziek, machines, de geluiden van houwelen op steen, het afschaven van de randen van een blok, het insnijden, zagen die heen en weer, heen en weer gingen, de razzers en de frigbobs die de zaagsnede dieper maakten terwijl de mijnwerkers uit een blik met een gat erin water in de groef druppelden om de zaagbladen te smeren. Ik hoorde het geluid van hamers die de wiggen insloegen om de steen van het bed te scheiden; het piepen en kraken van zware ijzeren staven die de blokken eruit schoven. Kettingen ratelden door kranen. Trucks met ijzeren wielen knarsten over ijzeren rails en werden langzaam de helling op getrokken door lieren en paarden aangedreven windassen aan de top van de helling.

En er was licht. Het meeste kwam van achter mijn ogen, welde op onder mijn oogleden maar was niet sterk genoeg het donker erbuiten te verdrijven. Wist ik maar hoe ik het sterker kon maken, dan hadden mijn ogen lichtbundels in de ruimte. Maar er waren ook lichten die op enige afstand van me bewogen, kaarsen, olielampen, kleine gedrongen schotelvormen van misschien vijf centimeter hoog, waarvan het flakkerende licht mij soms een hand toonde of een besnord profiel of een stoffige puntmuts in een schuine hoek.

De wand was oneindig. Op een gegeven moment veranderde hij van een uit losse stenen gestapelde muur in een massieve rotswand. Daarna werd het weer een muur van stapelstenen. Toen eindigde hij in een volgende massieve pilaar.

Ik wilde hem liever niet loslaten. Ik tastte om de hoek. Daar was een richel. Er lagen dingen op.

Ik aarzelde. Wat voor dingen?

Wilde ik dat wel weten?

Koud, een beetje vochtig, allemaal. Iets glads, heel glad, gevormd, gebogen. Een knop of schijf aan de zijkant, langs de randen geribbeld. Een kleiner uitsteeksel bovenop, een knop die bij aanraking meegaf.

Mijn vingers tastten verder. Iets kleins, hoekigs, metaalachtigs, met een glad oppervlak, een ribbel erop, een vingerbreedte vanaf de bovenkant. Of de bodem. Of de zijkant. Ik wist het niet.

Iets wat gestippeld aanvoelde, hobbelig, klam, als huid. Ik liet het snel los, bang dat het zou gaan bewegen.

Iets wat inderdaad bewoog toen ik het aanraakte; het rolde over de richel tot het in een ondiepe kuil viel: iets kleins, cilindervormigs, een beetje plakkerig, wasachtig.

Een kaars.

Ik was zo geschrokken dat ik hem van de richel stootte; ik hoorde hem vallen en wegrollen. Maar mijn vingers hadden al een andere gevonden. Er waren er minsten vier of vijf, aan de ene kant van de richel. Ik kon de pitten voelen.

Aan een kaars had je weinig zonder lucifers.

Geen lucifers. Bovendien zouden ze vochtig zijn, nutteloos als ze er al een tijd lagen.

Mijn vingers aarzelden, onzeker. Bewogen zich terug over de richel. Vonden het kleine, hoekige ding van metaal. Ik zette mijn duim tegen de richel en duwde.

Ik voelde het openwippen, rook benzine. Er was een klein wieltje met inkepingen onder aan de openklappende bovenkant, en ik draaide eraan, net als mevrouw Klein.

Een vlam schoot omhoog en loste een klein deel van de duisternis op, genoeg om me mijn hand te laten zien, mijn geschrokken spiegelbeeld in de aansteker en een richel die veel groter was dan ik had gedacht en die vol stond met camera's. Schaduwen verdrongen elkaar toen ik geschokt achteruit stapte en bijna opnieuw op een ongelijk stuk grond viel.

De Cameraman bestond echt!

Er moeten dertig of meer camera's zijn geweest, sommige in aangetaste leren hoezen. Er waren wat oude balgcamera's bij, waarvan het materiaal aan de randen van de harmonicavouwen was verrot. Ik wist niet genoeg van camera's om de merken te herkennen, maar zelfs ik kon zien dat het een verzameling was van tientallen jaren. De meeste waren

bedekt met een groenachtige schimmel en een dikke laag grijs stof. Afgezien van de exemplaren die ik in het donker had aangeraakt, zagen ze
eruit alsof ze daar al jaren onaangeroerd lagen.

Ik was bang het licht kwijt te raken nu ik het had gevonden. Er waren
nog veel meer kaarsen, stomp en gelig en een centimeter of zeven lang.
Dus stak ik er een aan, zette die in een plasje kaarsvet op de richel, deed
de aansteker weer dicht en stopte de rest van de kaarsen in mijn zakken
en de band van mijn broek, als net zoveel pistooltjes.

Ik keek om me heen. In het kaarslicht zag ik een rondlopende steunbeer van stapelstenen, die zich uitstrekte in de richting waaruit ik was
gekomen en eindigde in de dikke vierkante pilaar met de richel en de camera's. Daarachter meer duisternis, waarin ik net de vage vorm van een
andere pilaar kon ontwaren.

Het was heel mooi dat ik nu licht had, maar het maakte me alleen
maar duidelijk hoe hopeloos verdwaald ik was.

Twee kaarsen zouden beter zijn dan één. Er stond een gebarsten porseleinen schoteltje op de richel, met in het midden een zwarte pit in een
gestolde plas kaarsvet. Ik stak nog een kaars aan en zette die in het vet,
als een geïmproviseerde lamp. Ik hield hem omhoog. Hij leek de duisternis terug te dringen, maar dat kan een gedachte zijn geweest waarvan
de wens de vader was. Ik liet de eerste kaars brandend op de richel achter, wierp een laatste blik op de camera's om na te gaan of er nog iets anders was wat ik kon gebruiken, en ging op weg naar de pilaar die ik in de
verte kon zien.

Op die manier bewoog ik me door de ruimten, van pilaar naar pilaar.
Zo nu en dan stak ik een andere kaars aan en zette die brandend op de
vloer of op een richel, zodat ik achterom kon kijken langs de route die
ik had gevolgd, een spoor van vlammetjes in het donker. Het lopen ging
gemakkelijker nu ik de vloer kon zien, en ik struikelde niet meer. Van
pilaar naar steunbeer, hield ik mezelf voor, naar steunbeer.

Van pilaar... naar steunbeer.

Pilaar... naar steunbeer.

Naar pilaar.

Geen steunbeer. Het was prettig geweest om zo nu en dan een steunbeer te zien, om de monotonie te doorbreken.

Naar pilaar!

Het ging maar door.

Zo nu en dan was er een andere wand. Achter me trok het kaarsen-
spoor zich in de verte terug. Soms had ik het gevoel dat ik stilstond en
dat het de vlammen waren die zich steeds verder weg bewogen. Na een
stuk of tien kaarsen begon ik er spijt van te krijgen dat ik er zoveel had

gebruikt. Ik zou de rest voor licht nodig kunnen hebben als ik niet snel een uitgang zou vinden.

Ik vroeg me af of mijn vader en Janey Legge al thuis zouden zijn. Of ze gemerkt hadden dat ik er niet was. Wat ze eraan zouden doen. Het drong tot me door dat ik op mijn horloge kon kijken nu ik licht had.

Lieve hemel. Het was drie uur 's nachts.

Maar dat was goed, want het was midden in de zomer en de dageraad moest spoedig komen. Wanneer de zon opkwam, zou het licht in de mijn kunnen doordringen, slechts een zwak schijnsel wellicht, maar genoeg om mij een idee te geven waar de uitgang was.

Een zweem van hoop. Ik had tijden gelopen. Ik kon inmiddels halverwege het middelpunt van de aarde zijn. Misschien moest ik ophouden met lopen, een poosje in elk geval. Misschien waren er al mensen naar me op zoek, zoals ze op zoek waren gegaan naar de vermiste jongens, en moest ik blijven waar ik was, zodat ze me gemakkelijker zouden kunnen vinden.

Wat ben je ook een stommeling, Katie Carter! Niemand weet dat je in de mijnen bent!

De enige die me hieruit zou kunnen krijgen, was ik zelf.

Sinds ik de kaarsen had aangestoken, waren de stemmen, de geluiden en ook de andere lichten verdwenen. Maar zo nu en dan hoorde ik geritsel in het donker. Het konden ratten zijn!

Het kon iets ergers zijn.

Wat was er met de Cameraman gebeurd?

Ik had aangenomen dat de verhalen die ik had gehoord op waarheid berustten, dat de mijnen, elke ingang, waren afgesloten, en dat de Cameraman in de winter geen onderdak meer had kunnen zoeken in de tunnels.

Maar als ik in de mijnen kon komen, kon hij het ook.

Stel dat hij me in het donker volgde.

Ik wilde wegrennen, zo hard mogelijk, hem tussen de pilaren achter me laten doordat ik jong en snel was en hij oud en krakkemikkig. Maar zo was ik de weg kwijtgeraakt. Bovendien, hoe kon ik wegrennen terwijl hij de tunnels kende en ik niet?

Ik liet me naast de volgende pilaar op de grond zakken; ik probeerde mijn handen te laten ophouden met beven, zodat ik geen kaarsvet meer zou morsen. Misschien sloeg hij me op dit moment gade, ergens vanuit het donker. Hij zou mij kunnen zien, maar ik hem niet.

Klik. Hij had de camera naar zijn oog gebracht en maakte een foto van me. *Klik.*

Alleen een druppel water.

Misschien.

Klik.

'Laat me met rust,' zei ik. 'LAAT ME MET RUST.'

Klik.

Hij had lange knokige vingers, die over de instellingen van de camera bewogen, de focusring met een klik op de lens draaiden, boven de knop hingen terwijl hij wachtte tot hij de perfecte foto kon maken. Hij bewoog zich nu om me heen, koos zijn hoek, schoot net buiten het bereik van het kaarslicht van pilaar naar pilaar.

Klik.

'GA WEG. Alsjeblieft.'

Hij was een oog op benen, een mond die slap openhing. Zijn lippen sponnen een lange, dunne draad kwijl.

Klik.

Zijn vingertoppen zouden koud en kleverig zijn. Hij zou natte vingerafdrukken op de camera achterlaten. En als hij genoeg foto's zou hebben genomen, zou hij de camera neerzetten en naar me toe komen terwijl hij, zijn vingers frummelend aan zijn broek, de lange witte worm zou loslaten met zijn ene, druipende blinde oog...

De vlam van de kaars flakkerde een beetje, alsof iemand er van een afstandje op had geademd.

Nee! Dit was allemaal niet waar. Er was hier niemand. Het zat allemaal in mijn hoofd.

Ik dacht aan het meisje op mijn poster, in het donkere bos, hoofd gebogen, wachtend tot de klamme vingers haar nek zouden strelen. *Sommigen zijn geboren voor een leven dat hen toelacht, anderen voor een eindeloze nacht.* Net als ik, bevend, doodsbang van de klik van de sluiter, de voetstap in het donker.

Het zat allemaal in mijn hoofd. Ik dwong mezelf op te staan en verder te gaan.

Een eindeloze nacht. In de verte zag ik een schijnsel. Er was licht verderop, tussen twee stenen pilaren.

Eindelijk! Ik haastte me erheen.

Maar ik denk dat ik voordat ik er was al wist dat het een van de kaarsen was die ik eerder had aangestoken.

Dat was het ergst, het allerergst. Ik knielde tussen de pilaren neer, als het meisje op mijn poster tussen de bomen, somber, de hoop vervlogen. Ik zou er nooit uitkomen.

Geef het op.

Nee!

Waar was mijn moeder? Ze had me hier toch niet heen gebracht om me alleen in het donker achter te laten? Haar aanwezigheid op de groevewand was zo sterk geweest.

Mam. Alsjeblieft, mam, kom terug.

Ik deed een beroep op alle dingen die me sterk zouden kunnen maken in het donker: mijn verdwenen moeder, mijn prachtige gekrulde ammonieten die overal om me heen lagen, bevroren in het gesteente, het gipsen beeld van de Maagd Maria dat op de vensterbank in de voorkamer stond, onze wenende Jezus, en brachten die voeten mij mijn boog van brandend goud, mijn pijlen van verlangen, en we zullen bouwen, in Engelands groen en schoonheid, en hebben die voeten, de Eerste Engelsman, over Engelands groene weiden gelopen, sommigen zijn geboren voor een leven dat hen toelacht, anderen voor een eindeloze nacht, de Zoon van de mensheid in het verval van de vermoeide nacht, de Droom van de Verloren Reiziger onder de Heuvel...

En we zullen bouwen. De Droom van de Verloren Reiziger.

Deze Verloren Reiziger kwam weer overeind, pakte de kaars op en strompelde verder door het duister.

Ik struikelde, stak mijn verbrande hand weer uit om me te beschermen en voelde de pijnscheut door elke zenuw gaan. Deze keer raakte ik de kaars kwijt. Hij vloog door het donker en kwam op zijn kop terecht, waarbij het schoteltje als snuiter fungeerde.

Geen zorg. Mijn tanden voelden al alsof ze door het gruis tot op het kaakbeen waren afgesleten, maar ik had de aansteker veilig in mijn zak en in mijn broekband zaten nog vier kaarsen.

Ik stak er een aan en zocht om me heen naar het schoteltje. Het was doormidden gebroken en bestond nu uit twee nette helften. Het maakte niet uit. Ik kon een ervan nog als kandelaar gebruiken.

Toen besefte ik waarover ik was gestruikeld: geen ongelijke rots deze keer, maar ijzeren rails, ingebed in de mijnvloer. Bij het licht van de kaars waren ze donker oranje van roest.

Kettingen. Een kraan. Trucks op ijzeren rails werden langzaam de helling op getrokken door lieren en paarden aangedreven windassen. Ik herinnerde me de beschrijving die de plaatselijke historicus had gegeven van de ondergrondse steengroeven, en een foto die hij ons had laten zien van trotse mannen met mutsen op, die met hun honden bij een rij wagons poseerden.

Als dit de rails waren, moesten ze ergens heen leiden. Naar buiten. Of verder naar binnen.

Ik had vijftig procent kans de goede kant op te gaan. En als ik de verkeerde kant op zou gaan, hoefde ik alleen maar terug te lopen en de rails in de andere richting te volgen. *Sommigen zijn geboren voor een leven dat hen toelacht...* Ik zou eruit komen. Ik hief de kaars verder op in de hoop aanwijzingen te vinden voor de richting die ik moest kiezen. Links van me was een hoge steunbeer van stapelstenen, die eindigde in een berg puin en aarde – een kleine instorting van het dak.

En daar was het, aan de voet van het puin. Bij het licht van de flakkerende kaars dacht ik even dat ik naar een gladde, afgeronde steen keek. Maar er was iets aan de vorm... Ik had...

'Ik weet wat je hebt gevonden, Kit,' zegt Gary zachtjes.
'Ik heb de Eerste Engelsman gevonden.'

De houtkachel, waarin ik een week geleden Dickons smerige porno heb verbrand, is aangestoken, en in de woonkamer branden de lampen en verdringen de duisternis. Door het raam is niets anders te zien dan regendruppels, die de weerspiegeling van Gary en mij op de bank vervagen. Ergens buiten is *vanavond*: Martin, die iets met Roger drinkt en over het Mithraeum praat; Brendan, die voor het weekend over de snelweg naar zijn vrouw en kinderen rijdt; Dickon, met zijn trieste, smerige fantasieën; de steenmijnen, die zullen worden opgevuld en met alle verhalen die ze bevatten voor altijd te grave zullen worden gedragen.

Hierbinnen, *toen*, en datgene wat ik niemand heb kunnen vertellen.

'Het was jouw schuld niet,' zegt Gary. 'Echt, Kit, je had er niets mee te maken.'

'Hoe weet jij dat?' zeg ik. 'Je was er niet bij.'

'Ik dacht dat dat gekke briefje van dat andere meisje was, dat opdringerige meisje. Dat meisje dat me op het feest had besprongen.'

'Trish.'

'Heette ze zo? Ik nam het niet serieus. Ik wist niet hoe jij heette, toen tenminste niet. Jij was gewoon het meisje dat aan de overkant van de straat woonde en me altijd vanuit de slaapkamer gadesloeg.'

'Je zag me?'

'Natuurlijk zag ik je! Waarom denk je dat ik die voorstellingen gaf? Half uit het raam hing, terwijl ik me afdroogde. Ik was aan het opscheppen.'

Ik schudde mijn hoofd. 'Zo herinner ik me het niet.'

'Geloof me maar. Ik was aan het opscheppen.' Hij geeft me een kneepje in mijn schouder. 'Ga door. Wat is gebeurd nadat je de schedel had gevonden?'

'Je verzette je niet tegen haar,' zeg ik, met mijn hoofd nog bij een ander deel van het verhaal. 'Je liet je door haar bespringen.'

'Ik was verdomme zeventien,' zegt hij. 'Op die leeftijd heb je je zelf nou niet bepaald in de hand.'

Je kunt het beheersen, Katie. Je kunt de hekken sluiten. We laten het naar buiten komen en kijken ernaar, een poosje, en dan laat ik je zien hoe je het weer weg kunt stoppen achter het hek. Terug nu, vanaf honderd.

Negenennegentig, achtennegentig, zevenennegentig...
Crow Stone.

In het kaarslicht was hij goudgeel, als het gesteente. Ik herinner me dat hij glad en glanzend was, maar later, toen ik hem in het daglicht zag, bleek hij helemaal niet glad te zijn, en grijswit, niet geel, en er zaten krassen op en kleine schilferachtige stukjes. Maar in de mijn, aan de voet van die hoop puin, was hij in mijn herinnering van dat moment glad en roomgeel. De oogkassen waren diepe, schaduwachtige schijven, en toen ik de kaars neerzette op het puin en de schedel oppakte, keken ze recht door me heen.

Ik hield hem met beide handen vast, één op elk jukbeen, en dwong mezelf in de oogholten te kijken.

Mijn Eerste Engelsman.

Het kaakbeen ontbrak, maar ik kon de bovenste rij tanden zien, lang maar verbazingwekkend verfijnd. Ik liet mijn vinger over ze heen glijden. Zo oud! Een kwart miljoen jaar oud, misschien wel een half miljoen. Dat gladde, goudkleurige ding dat ooit een mens was geweest, had ooit bij een vuur gezeten, hout aan de vlammen gevoerd, gegeten, gelachen, de liefde bedreven. Had over de heuveltoppen gerend, in beboste dalen gejaagd, kinderen gewiegd.

Mijn Eerste Engelsman.

Ik hou van je, zei ik tegen de schedel, zonder de woorden te vormen. Ik ben dit hele eind gekomen, door al die duisternis, om je te vinden.

Katie, zei mijn vader, ik ben zo trots op je. Je had gelijk. De Eerste Engelsman was inderdaad hier, in Green Down. Je hebt hem gevonden.

Katie, zei mijn schimmige moeder. Katie. Ik hou van je.

Ik huilde! Waarom huilde ik? Ik hield de Eerste Engelsman in mijn handen en mijn tranen druppelden op de glanzende koepel van zijn schedel. Ik veegde ze eraf met mijn mouw, en er bleven een paar schilfertjes aan mijn trui hangen, maar ik merkte het toen niet.

Je wordt beroemd, Katie.

Ik liet de schedel in mijn handen balanceren. Ik moest hem veilig mee naar buiten nemen. Het was het kostbaarste ding dat ik ooit zou vasthouden. De schaduwachtige ogen keken me aan.

'Sorry,' zei ik. 'Maar zo gaat het 't makkelijkst.' Ik liet mijn vingers door de oogkassen glijden; mijn vingertoppen tintelden in de donkere schedel. Tegelijkertijd streelde iets de binnenkant van mijn eigen schedel. Met mijn andere hand pakte ik de kaars en stapte tussen de ijzeren rails door weg van het puin.

'O, Kit,' zegt Gary in mijn haar. 'O, Kit.' Precies zoals de nacht van Brendans feest, toen we ondergronds waren. Zijn armen verstevigen hun greep om me heen alsof hij wil voorkomen dat ik wegvlieg.
'Hé, rustig maar,' zeg ik. 'Het is goed.'
'Natuurlijk is het niet goed,' zegt hij. 'Je hebt daar uren rondgelopen, verdwaald, helemaal alleen. Geen wonder...'
'Ik vraag me af of ik alleen was.'

Welke kant op?
Ik hoopte dat de ijzeren rails niet terug zouden leiden naar Crow Stone. De schedel was te kwetsbaar, te waardevol; hoe moest ik hem mee omlaag nemen langs de rots, zelfs als ik ervan uitging dat ik zelf veilig langs de oude groevewand omlaag zou kunnen klimmen. Ik herinnerde me geen rails van toen ik binnenkwam, maar toen was het pikkedonker geweest. En ik had lang onder de grond rondgelopen. De rails zouden me vast bij een andere uitgang brengen.
Maar stel dat ze alle andere uitgangen hadden afgesloten.
Ze hadden er één gemist. Ze konden andere hebben gemist.
Welke kant op? Links, of rechts?
Het is een bekende misvatting dat de Vroege Mens in diepe grotten woonde, had mijn boek gezegd. *Diepe grotten waren de verblijfplaatsen van beren en hyena's. De mens woonde dicht bij warmte en licht, dicht bij de ingang van een grot.*
Zie je wel, dacht ik met een heerlijke maar volkomen misplaatste logica, ik kan niet ver van een ingang zijn. Ik hief mijn gezicht op. Er was een zweem van een luchtstroom te bespeuren, die van rechts kwam. Ik keek weifelend achterom naar de instorting en de hoge steunbeer van stapelstenen, die zich links van mij uitstrekte. In elk geval was daar iets te zien. Voor me, waar de luchtstroom vandaan leek te komen, zag ik niets buiten de sissende lichtkrans rond de kaars.
Wat voor goed had het me tot nu toe gedaan om dicht bij de wanden en de pilaren te blijven? De rails had me naar de Eerste Engelsman geleid; nu zouden ze me de mijn uit leiden. Ik pakte de schedel met mijn ene hand, hief de kaars op met mijn andere hand en begon het donker weer in te lopen.
Bijna meteen meende ik het geritsel weer te horen, een voetstap achter me misschien. Ik bleef staan en luisterde. Niets. Nee – daar. Was dat een blaffende hond in de verte?
Het was verdwenen. Alles was weer stil.
Een fluistering?
De aarde die tot rust kwam?

Ik hief de kaars hoger op. Niets, niets, niets. Een dansende schaduw...
Een wand. Ik kwam bij een andere steunbeer. Nee, meer puin – een
andere instorting van het dak. Maar ik kon eromheen, en in de ruimte
erachter zag ik twee pilaren en daartussen leek de duisternis minder intens...

Achter me hoorde ik iets bewegen.

Rennen! Ik moet rennen! Nu! Laat het niet...

Als je gaat rennen, zul je vallen. De vloer is te ongelijk. Je zult de schedel breken.

Loop door!

Ik hield de kaars lager om beter te kunnen zien waar ik liep.

Ik ga niet rennen. Het is niets!

Ik. Raak. Niet. In. Paniek.

Iets beroerde mijn haar, als een ademtocht. Het ging over mijn hoofd
heen en ik zag het in het kaarslicht, een klein donker ding dat zich snel
bewoog. Ik hief de kaars weer op. Het dak boven me zag bruinzwart van
de op dichte paraplu's lijkende vleermuisvormen.

Ik volgde de vleermuis, langs de rails, naar de plek die minder intens
donker leek. Op de pilaar links van me zag ik een inscriptie, aan de kant
die parallel liep aan de rails. Iemand had een soort zonnesymbool in het
steen gekerfd, dat echter niet helemaal juist leek, als een muts waaruit
stralende punten kwamen. Ik bleef staan om ernaar te kijken en vroeg
me af of het het teken van een steenhouwer was om de nabijheid van de
uitgang aan te geven. De vorm was vrij netjes gebeiteld en had ongeveer
de grootte van een mannenvuist.

Er bewoog weer iets boven mijn hoofd, weer een voorbijsuizend lichaam. Ik stapte tussen de pilaren door en volgde de rails die naar links
af bogen. De duisternis ging van zwart over in diepgrijs, werd toen lichter, en ik was in een smalle, bochtige doorgang met hier en daar lichtschijnsel op de wanden. God zij gedankt, God en de ziel van de Eerste
Engelsman. Het wás de uitgang. De doorgang maakte weer een bocht,
scherp naar rechts, en ik zag een waterval van gele dageraad door de lange slierten klimop.

'O god,' zeg ik, want ik herinner me iets anders wat ik was vergeten. 'Ik
kwam in het bos uit, bij Vinegar Farm. Waar Martin en ik laatst op zoek
waren naar de plek waar de Romeinse villa heeft gestaan.'

De slierten klimop weken uiteen en ik kwam door een lage uitgang aan
de achterkant van de oude groevewand in het bos. Ik was ruim een halve
kilometer van Crow Stone af, niet meer. Joost mocht weten waar ik de

hele nacht had rondgelopen, als iemand die onder de holle heuvels door het rijk van de feeën had gedwaald.

Ik liet het halve schoteltje en de overgebleven kaarsen net binnen de uitgang achter. De lucht buiten was fris en rook naar nat gras en warme koeien. Tussen de boomstammen door zag ik ze omhoog sjokken naar de boerderij, hun vachten dampend in het vroege zonlicht.

Vervuld van die wilde opwinding die samenhangt met een doorwaakte nacht en het zien van de dageraad begon ik onder de beukenbomen de helling af te rennen, terwijl het licht van de bladeren kaatste.

Ik had een schedel in mijn hand.

Ik bleef staan en dacht daarover na. Dit was misschien niet zo'n goed idee. Het was nog heel vroeg, maar op Vinegar Farm was al een melker aanwezig. Ik had geen idee wie ik verder nog kon tegenkomen terwijl ik de heuvel naar Green Down op liep.

Waar kon ik de Eerste Engelsman veilig verstoppen?

Ik zou terug moeten gaan en hem in de ingang leggen. Maar ik wilde hem niet achterlaten. Ik had hem gevonden. Tegen de muur die langs het weggetje liep, lag een hoop rommel die iemand daar illegaal had gestort. Ik zag een roestende deur van een ijskast waaraan een plastic tas was blijven haken. In de tas zaten dode bladeren, maar het had al weken niet geregend. Ik haalde de bladeren en een paar verbaasde pissebedden uit de tas, keek goed of hij niet gescheurd was, en legde de Eerste Engelsman er toen voorzichtig in. Nee, niet veilig genoeg. Ik pakte de droge, verkruimelde bladeren weer op en legde ze om de schedel heen om die te beschermen.

Terwijl ik over Vinegar Lane liep, begeleid door uitzinnig vogelgezang vanuit het bos en het gepuf van de generator bij de boerderij, had ik zin om de plastic tas vrolijk heen en weer te zwaaien. Maar ik droeg hem zorgvuldig in mijn armen.

Het vuur in de houtkachel dooft bijna; Gary gaat er op zijn hurken bij zitten om de deur te openen en er nog een houtblok op te gooien. Net als die ochtend lang geleden zou ik honger moeten hebben, maar ik heb geen honger.

'Waar is Martin?' zeg ik. 'Hij zou inmiddels terug moeten zijn. Hoe laat is het?'

Het kwam niet bij me op om ergens anders heen te gaan dan naar huis. De Eerste Engelsman was mijn talisman. Hij beschermde me tegen alle kwaad. Mijn vader zou verrukt zijn wanneer hij zag wat ik had gevonden. Ik was ook moe; ik wilde niets liever dan in mijn bed kruipen en slapen, met de gordijnen wijd open om het daglicht op me te laten vallen.

Toen ik onze straat in sloeg, meende ik in de verte het gebrom van de melkwagen van George te horen. Maar ik zag niemand. Ik nam niet eens de moeite om naar het slaapkamerraam van Gary de Verrader te kijken. Laat hem maar slapen. Hij zou mijn naam in de kranten lezen – het meisje dat de Eerste Engelsman had gevonden – en hij zou weten wat hij had gemist.

Mijn ogen voelden droog en zanderig. Ik was zo moe. De euforie begon te verdwijnen. Toen ik door de voordeur naar binnen liep, bedacht ik ineens dat dat misschien niet zo verstandig was. Stel dat mijn vader me in de gang zou staan opwachten.

Jij kleine slet; je bent net als je moeder. *Pats.*

Nee. Ik had dit voor hem gedaan, zodat hij trots op me zou zijn. Je bent een slim meisje, Katie. Zo'n goede dochter als jij verdien ik niet.

Jij kleine slet.

De gang was verlaten en stil. Ik duwde de deur van de woonkamer open, voor het geval hij daar stond te wachten; stofdeeltjes tolden in de goudgele lucht. Niemand. Ik ging terug naar de gang en begon langzaam de trap op te lopen. Het huis hield zijn adem in. De ene voet na de andere, terwijl de plastic tas, die nauwelijks gewicht had door de schedel, zachtjes tegen mijn been bonsde.

Zijn slaapkamerdeur stond open. De gordijnen waren niet dicht getrokken en het licht stroomde naar binnen en lag in vierkanten op het versleten bruine tapijt. Ik liep recht naar binnen, om er zeker van te zijn, maar ik wist al dat hij daar niet was. Ik keek ook in mijn moeders oude kamer, waarbij ik door de spleet tussen de deur en het kozijn gluurde voor het geval Janey en hij samen in bed lagen.

Het huis was verlaten. Hij was niet thuisgekomen.

Ik ging naar mijn eigen kamer en liet me, met de tas tegen me aangedrukt, op mijn bed zakken. De wekker liet me weten dat het halfzes was. Hij had de nacht bij haar doorgebracht.

Ik had honger en dorst, mijn ogen deden zeer en ik voelde hoofdpijn opkomen, maar ik bleef stil liggen en staarde naar het plafond. Ik had maar één gedachte in mijn hoofd. Hij was niet thuisgekomen. Het was voor het eerst dat hij me de hele nacht alleen thuis had gelaten. Janey was bezig te winnen. Maar zij wist niet dat ik de Eerste Engelsman had gevonden. Dat zou mijn vader bij me terugbrengen.

Na een tijdje hoorde ik het geluid van een sleutel in het slot; ik had moeten weten dat hij niet naar zijn werk zou gaan zonder eerst bij mij te komen kijken. Ik boog me opzij en stopte de plastic zak zorgvuldig onder mijn bed, zodat hij hem niet zou zien – niet nu, later was het goede moment om hem de schedel te laten zien; daarna trok ik snel de dekens over me heen om te verbergen dat ik nog volledig was gekleed. Ik hoorde hem naar de keuken lopen; ik hoorde hem de ketel opzetten. Ik wurmde me dieper onder de dekens en rolde op mijn zij, weg van de deur.

Zijn voeten op de trap. Het kraken van een plank op de overloop; de zachte luchtstroom toen hij de deur wijd opende en binnenkwam.

Ik voelde dat hij daar stond en naar me keek. Ik wilde me omdraaien, hem laten merken dat ik wakker was; ik wilde dat hij naar me toe zou komen en me zijn armen om me heen zou slaan. Maar net als eerder hield ik mijn ademhaling langzaam en oppervlakkig. De deur ging zachtjes dicht. Zijn voetstappen gingen via de overloop naar zijn slaapkamer; ik hoorde de deur van zijn klerenkast opengaan, een la opentrekken, en ik vermoedde dat hij zijn werkkleren aantrok. Toen ging hij weer naar beneden en maakte een kop thee voor zichzelf.

Ik heb hem niet naar zijn werk horen gaan; ik was al in slaap gevallen.

'Jij kon er niets aan doen,' zegt Gary weer. 'Hou op met jezelf de schuld geven.'

'Hoe weet je dat ik mezelf de schuld geef?'

'Het staat op je gezicht geschreven.'

'Je kunt mijn gezicht niet zien.'

'Het heeft altijd op je gezicht geschreven gestaan.'

'Hoe laat was het, zei je?'

Ik werd met een schok wakker. Iets had me gewekt. Ik zag op de wekker dat het net tien uur was geweest; buiten hoorde ik de vuilniswagen door de straat gaan.

Ik voelde me nog licht in mijn hoofd. Na de nachtelijke beproeving leek de wereld onwerkelijk; de vuilnismannen, de wekker en het zonlicht waren ver van me verwijderd, en ik bewoog me door een nevelig gebied, los van het dagelijks leven.

Ik had al besloten wat ik ging doen.

Een halfuur later zat ik in de bus naar het centrum. Op mijn knieën lag een plastic tas, een betere deze keer, een Harrodstas van de kleren die mevrouw Klein in Londen voor me had gekocht. In de tas zat een schoenendoos, en daarin, als een ei in een nest van watten, lag de Eerste Engelsman.

De bus stopte; een dikke vrouw stapte in en stond hijgend en boos naar me te kijken tot ik voor haar opstond, mijn tas beschermend tegen haar grote lichaam. Ze maakte haar handtas open en pakte haar poederdoos eruit; haar ellebogen zwaaiden door de lucht terwijl ze in het kleine spiegeltje naar haar ronde gezicht keek en poeder op haar vochtige wangen aanbracht. Wat zou ze zeggen als ze wist wat er in mijn tas zat? Ik hield de Eerste Engelsman dicht tegen me aan.

Het museum stond aan Queen's Square, een van de triomfen van John Wood. Ik was er met schoolexcursies geweest, maar nooit alleen. In de hal zat een vrouw aan een bureau. Ze had ongeveer de leeftijd van Janey Legge, geblondeerd gepermanent haar dat uitgroeide en een donzige huid. Ze keek verrast toen ze iemand van mijn leeftijd daar alleen zag.

'Hallo,' zei ze. 'Hoor jij niet op school te zijn?'

'Ik heb iets wat de conservator zou moeten zien,' zei ik, en ik hoopte de woorden te gebruiken die ervoor zouden zorgen dat ze me serieus nam. 'Een archeologische vondst. Heel oud.'

Haar lichte wenkbrauwen gingen omhoog. 'De conservator heeft het heel druk,' zei ze. 'Mag ik het misschien eerst bekijken?'

Ik keek haar aarzelend aan. Probeerde ze me af te schepen?

'Ik ben archeologe,' zei ze.

'Hij wil het vast zelf zien.'

'Natuurlijk.'

'Het is heel oud.'

'Zit het in die tas?'

Ik legde de tas van Harrods op het bureau en haalde de schoenendoos eruit. De deksel paste niet helemaal over de Eerste Engelsman heen, dus had ik plakband gebruikt om hem erop te houden. Ik schoof de doos naar haar toe.

'Het lijkt wel "pakje doorgeven", hè?' zei ze. Haar onderarm was begroeid met lange, blonde zijdeachtige haren die het licht opvingen toen ze aan een uiteinde van het plakband pulkte. Ze nam de deksel van de doos. Haar wenkbrauwen schoten omhoog, en met een klein jammerend geluidje hield ze haar adem in.

'Juist!' De Eerste Engelsman leek kleiner geworden in zijn nestje van watten. Er waren meer schilfers dan ik me herinnerde en aan de achterkant van de schedel wat zwarte slierten die ik niet eerder had opgemerkt. Ze zat met een bevreemde uitdrukking naar hem te kijken, terwijl ze hem voorzichtig uit de doos haalde en in haar handen ronddraaide. 'Waar heb je dit gevonden?'

Als ik het haar zou vertellen, zou ik dan in moeilijkheden komen omdat ik vannacht in de mijn was geweest? Misschien. Maar wat was belangrijker: ik of de wetenschap? Ik keek in de uitdrukkingsloze oogkassen van de Eerste Engelsman. Misschien was hij de Eerste Engelsman niet; vanmorgen kon ik dat toegeven. Misschien was hij geen kwart miljoen jaar oud. Maar hij maakte deel uit van de geschiedenis, en de plek waar ik hem had gevonden zorgde voor wat mijn boek de archeologische context noemde. De deskundigen moesten dat weten.

'In de steengroeve van Green Down,' zei ik. 'Onder de grond. Ik denk dat hij uit het plafond is gevallen toen het instortte. Dat maakt hem prehistorisch, toch?'

Ze keek me aan. 'Het is mogelijk,' zei ze ten slotte. 'Ja, het is mogelijk.'

'Goed.' Ik ontspande me.

'Zou je hier een ogenblik willen wachten?' zei ze. 'Ik moet even...' Haar ogen gleden van me weg. 'Het kantoor van de conservator is daar. Vind je het erg als ik je schedel meeneem om hem aan hem te laten zien?'

'Natuurlijk niet,' zei ik, en ik probeerde waardig te klinken.

'Ga daar maar zitten.' Ze wees naar een paar stoelen die tegen de muur stonden. 'Roep me als er iemand binnenkomt, wil je? Ik ben zo terug.'

Ze verdween door klapdeuren een lange gang in. De deuren waren nog niet dicht of ze gingen weer open.

'Die instorting van het dak, vond die plaats toen je daar was?'

'O, nee. Het was een oude instorting.'

Ze verdween weer. De klapdeuren klapten nog een poosje heen en weer en kwamen toen tot rust. Ik hoopte dat er niemand binnen zou komen; ik wou dat ze me had voorgesteld om naar het museum te gaan en de tentoonstelling te bekijken. Het voelde niet helemaal goed. De minuten kropen voorbij en ik schoof ongemakkelijk heen en weer op de harde stoel; ik begreep niet waarom ik me zo ongemakkelijk voelde. Natuurlijk wilde ze de Eerste Engelsman aan de conservator laten zien, maar waarom duurde het zo lang? Waarom had ze me niet uitgenodigd om met haar mee te gaan?

De deuren knalden open.

'Sórr-yy!' zei ze, op een zo vreemde zangerige toon dat het helemaal niet als een verontschuldiging klonk. 'De conservator was even bezig. Maar hij is zeer geïnteresseerd. Zou je het erg vinden om nog even te wachten; we halen er een paar andere mensen bij om ernaar te kijken.' Ze had een stralende, opgewonden blik in haar ogen en ze schoten alle kanten op; druppeltjes zweet glansden in het lichte dons op haar bovenlip.

Het was waarop ik had gehoopt: opwinding, respect, deskundigen erbij die wilden zien wat ik had gevonden. Dus waarom had ik het gevoel dat ik zo snel mogelijk weg moest; waarom wilde ik zeggen dat ik niet kon wachten, dat ik ergens anders werd verwacht?

'Nou, ik moet eigenlijk naar school...'

'O, ik denk niet dat je leraren het in dit geval erg zullen vinden.' Ze klonk bijna buiten adem. 'Op welke school zit je?'

'St Anne's.'

'Het spijt me, maar ik ben je naam vergeten.'

'U hebt niet naar mijn naam gevraagd.'

Plotseling wilde ik haar mijn naam niet vertellen. Maar het was mijn ontdekking, en ze was zonder de schedel teruggekomen. Ik moest haar wel zeggen hoe ik heette, ik moest wel blijven, hoe kon ik de ontdekking anders als de mijne opeisen?

'Hoe heet je?' drong ze aan.

Ik vertelde het haar met tegenzin. Ze schreef het op.

'En waar woon je, Katie?'

De voordeur ging open. Twee politieagenten kwamen binnen.

'Ik had weg moeten rennen,' zeg ik tegen Gary. 'Ik wou dat ik was weggerend.'

'Je had niet weg kunnen rennen,' zegt hij. Hij steekt nog een sigaret voor me op. Mijn keel doet pijn van het roken, het praten, de inspanning om niet te gaan huilen, want daar is het veel te laat voor. Ik zou erom moeten lachen, eigenlijk. Het was een zwarte komedie. Maar erom lachen lukt me niet.

Hij steekt er een voor zichzelf op en komt overeind om de asbak in de houtkachel te legen. 'Eerlijk gezegd...' zegt hij met zijn rug naar me toe. Zijn schouders zijn gespannen en gebogen, alsof hij verwacht geslagen te worden. '...zou je mij de schuld moeten geven.'

Crow Stone. Al het werk lag stil. Er waren mannen die bij de zwijgende machines stonden, mannen die een boterham aten en rookten; ze staarden naar de twee auto's die door de grote stalen hekken reden. Ik zocht naar Gary, maar ik zag hem niet, hoewel hij daar moest zijn.

De politieauto's stopten midden op het terrein. Alec en Mike – zo moest ik de twee politieagenten noemen, hadden ze gezegd – stapten uit. Ik probeerde ook uit te stappen, maar het achterportier ging niet open.

'Sorry,' zei Alec, en hij kwam terug om het voor me open te doen. 'Het kinderslot zit erop. Je bent tenslotte geen gevaarlijke misdadiger, Katie.' Mike lachte. Hij had scheve tanden. Ik vertrouwde ze geen van beiden, hoewel ze vriendelijk tegen me bleven.

Die ochtend had ik geprobeerd het stof van de groeve van mijn beste zwarte broek te kloppen, maar toen ik uit de auto stapte, zag ik dat er nog wat vage witte vegen op zaten. Rechercheur Savile stapte aan de passagierskant uit de ongemerkte auto, een bruine Ford, alleen een M-kenteken maar hij leek klaar voor de schroot. De andere rechercheur, van wie ik de naam al was vergeten, stapte aan de bestuurderskant uit.

Rechercheur Savile kwam naar me toe. Het was een lange man die heupwiegend liep, als een olifant. Hoewel de zon scheen, droeg hij een grijze regenjas.

'Vertel eens, waar heb je die tunnel gevonden?' vroeg hij.

Ik wees naar de oude groevewand achter de stapels drogende stenen.

'Godallemachtig,' zei hij. 'Hoe denk je dat ik daarboven moet komen?'

'Ik was daar,' zegt Gary. 'Natuurlijk was ik daar. Ik weet nog dat het heel warm was die ochtend. Warm en stoffig. Ik stond aan de grote zaag; ik moest veel hoesten. Ik denk dat het ongeveer kwart voor twaalf was, iets later misschien, toen we te horen kregen dat we het werk moesten neerleggen. De politie was onderweg. Er was iets gebeurd, zeiden ze, in de ondergrondse groeve. Iemand was daar de vorige avond naar binnen gegaan. Niemand leek precies te weten wat er aan de hand was. Ze lieten ons de loodsen controleren en de werktuigen tellen voor het geval er was ingebroken.'

'Heb je mij gezien?'

'Ik heb je gezien.' Hij gaat weer op de bank zitten en pakt mijn hand. 'Zodra jij uit die politieauto stapte, deed ik het zo ongeveer in mijn broek, want toen wist ik dat jij dat briefje moest hebben gestuurd en niet dat andere meisje. Er gingen allerlei gedachten door mijn hoofd: wat was er met je gebeurd? Stel dat ik erbij was geweest. En, het spijt me, het klinkt niet erg aardig, maar ik was nog maar zeventien... wat had je ze over mij verteld?'

'Dacht je dat ik ze iets over jou had verteld?' Hij kan me niet aankijken. 'Dat je me verkracht had of zoiets?'

'Dat is precies wat ik dacht. Ik begreep zelfs niet waarom ik niet al was opgepakt, want je wist hoe ik heette, je had mijn naam op het briefje geschreven. Maar toen ze duidelijk niet in ons geïnteresseerd waren, en naar de rotswand achter de drogende stenen begonnen te wijzen, vermoedde ik dat het iets anders moest zijn. En ik begon te denken dat ik bij je had moeten zijn, dat ik misschien had kunnen voorkomen wat er met je was gebeurd. Want ik dacht dat ik wist wat het was. Ik herinnerde me dat briefje, waarin je had geschreven dat de situatie slecht was thuis. We wisten het allemaal, begrijp je. Iedereen in de straat had een behoorlijk goed idee van wat er gaande was. Dus ben ik degene geweest die het ze heeft verteld, Katie. Daardoor hebben ze toen je vader gearresteerd.'

En waar heb je de schedel precies gevonden?
Dat weet ik niet.
Heb je enig idee welke kant je bent opgegaan toen je in de mijn was?
Nee, dat heb ik al gezegd, ik wist niet waar ik was.
Misschien moeten we haar mee naar binnen nemen, zodat ze kan laten zien...
Doe niet zo raar, Tom. En haar die beproeving opnieuw laten ondergaan?
Hij staat op en ze trekken zich terug achter de half openstaande deur van de verhoorkamer. Ze fluisteren, maar ik kan ze verstaan.
Ik denk niet dat ze het beseft.
Nee, nee, nee.

'Het loopt allemaal door elkaar,' vertel ik hem. 'Ik kan me niet herinneren in welke volgorde alles gebeurde. In die tijd experimenteerden ze met het hypnotiseren van getuigen, want ze dachten dat ze dan bijzonderheden naar boven konden halen die onderdrukt waren. Ze brachten me naar een vrouw in het ziekenhuis, een echte psychiater. Ze was heel aardig, maar leek niet helemaal achter de dingen te staan die ze deed. En de dingen die ze ontdekte waren toch niet toelaatbaar voor de rechtbank. Daarna werd alles echt warrig, en ik denk dat ze misschien heeft geprobeerd me te helpen door te zorgen dat ik een deel ervan vergat.'

Geen pijn, Katie. Geen pijn. En ik wil dat je vanaf honderd terugtelt.
Ik wil niet vergeten.
Je zult niet vergeten, maar ik kan de pijn wegnemen.
Negenennegentig, achtennegentig...

'Iedereen wist het,' zegt hij. 'Maar niemand was bereid naar voren te komen en het te zeggen. Mensen mochten je vader. Ze hadden medelijden met hem omdat hij er alleen voorstond. We hadden allemaal gehoord dat je moeder ervandoor was gegaan. Mijn moeder noemde je altijd: "Dat arme meisje van de overkant." Niemand durfde het aan om de autoriteiten te vertellen dat hij je sloeg. Het waren de jaren zeventig. In die tijd deelden mensen nog wel eens een tik uit aan hun kinderen, ik bedoel, ze gaven ze een afstraffing wanneer ze stout waren geweest... toen mijn vader nog leefde, heeft hij me er meer dan eens met zijn riem van langs gegeven. En je bleef nooit weg van school. Je ging nooit naar het ziekenhuis. We dachten dat het niet zo erg kon zijn. Maar de buren hoorden je soms gillen. Zij waren erover gaan praten. Het was bijna zover dat iemand iets zou gaan zeggen. Die ochtend in de groeve vond ik dat ik dat maar moest doen.'

Al die mensen die zwijgend in de groeve stonden te wachten. Alec en Mike, de twee agenten, liepen rond om met de steenhouwers te praten, om ze te vragen of ze ooit zoiets bijzonders als dat in de groeve hadden gevonden.

Iemand had een lange ladder gehaald. Er waren meer politiemensen gekomen, met een overall aan en plastic laarzen.

Een van hen verscheen op de richel waar de toegang was en drong door de klimplanten heen. Hij riep naar beneden: 'Meneer, er is iets wat u moet zien.'

'Wat heb je gevonden?'

'We hebben een dijbeen.'

Wat zou mijn vader trots zijn wanneer hij thuiskwam.

Het volgende wat ik me herinner, is dat ik alleen thuis was en wachtte tot mijn vader terug zou komen. Ik zou hem over de Eerste Engelsman vertellen. De opwinding die het had veroorzaakt. Alle politiemannen in de groeve.

Maar ik wéét dat ik niet echt alleen thuis was. Ik was in de slaapkamer, met de maatschappelijk werkster in de groene bloes, bezig mijn koffer te pakken. Mijn hand bleef hangen boven Beau Bunny en de andere speelgoedbeesten die op de stoel lagen. Soms, wanneer ik me niet goed voelde, nam ik ze nog mee naar bed om me te troosten. Maar nee, ik zou ze niet meenemen. Thuis waren ze veiliger. En mijn ammonieten. Te zwaar om te dragen. Ik stopte de kleine glanzende ammoniet die mijn vader me had gegeven in mijn zak, waarbij ik mijn handpalm zorgvuldig ontzag: de brandwond was weer vurig en rood geworden na de nacht in de groeve. Een kleine koffer, voor nu, zei de maatschappelijk werkster. Het was niet voor lang, twee nachten of zo, tot alle opwinding over was en de journalisten weggingen.

Ik drukte mijn ochtendjas bovenop de rest. Stopte mijn pantoffels aan de zijkant van de koffer. Toen pakte ik de foto van mijn moeder van het nachtkastje, in de lijst die mijn vader zo zorgvuldig had gerepareerd. Ik was bang dat hij beschadigd zou raken als ik hem ook in mijn koffer zou persen.

'Als je wilt, neem ik die wel voor je mee,' zei de maatschappelijk werkster. Ze stopte hem in haar aktetas. Ik denk dat ze hem aan de kranten heeft gegeven, want ik heb hem nooit teruggezien. Toen liepen we de smalle trap af en het huis uit en stapten we in de grote zwarte auto met de dinosaurusvorm.

'Zeg het, Kit,' zegt Gary. 'Je kunt het nog steeds niet zeggen, hè?'
De tranen stromen over mijn gezicht.
'Nee.'

De kamer van de psychiater in het ziekenhuis was lichtblauw geschilderd.
'Crow Stone, Katie,' zei ze. 'We moeten praten over wat er in Crow Stone is gebeurd.'
Ik zat op een lage stoel van gespikkeld rood plastic. In de houten armleuningen zaten scheurtjes en ik plukte met mijn vingers aan de lak.
'Ik ga je in een heel lichte trance brengen. Je zult nog steeds weten wat je doet. Je kunt me op elk moment dat je wilt vragen op te houden. Kijk naar deze lamp, alsjeblieft. Concentreer je...'
Het licht van de lamp was geel, als de zon door een gordijn van klimplanten.
'Ik ga je terugbrengen, Katie. Een heel eind terug. We gaan kijken wat je je herinnert van de laatste keer dat je je moeder hebt gezien.'
'Het is Kerstmis,' zei ik. 'Ik zie de lichtjes in de boom. Er hangt was te drogen op het rek voor de kachel. Mijn kleren, ze zijn nat...'

'Hoe zijn ze nat geworden, Katie?'
'We zijn buiten geweest, in de sneeuw. Ik was buiten geweest met mijn moeder, naar het speelterrein.'
Het licht van het vuur, goud en rood in de zilveren versierselen in de kerstboom. Ik voel me verzadigd en slaperig en melkachtig, en Winkin', Blinkin' en Nod zeilen in hun boot die de maansikkel is langs de hemel.
Stemmen in de andere kamer weerhouden me ervan me met ze mee te laten voeren.
Ik zag je. Jij kleine slet.
Iets valt stuk. De muur schudt, de muur waaraan de wenende Jezus hangt.
Maar het werkt niet; ik kan me verder niets herinneren. Misschien trillen de kerstballen in de boom, en misschien zag ik het licht van het vuur in ze deinen en flikkeren.
Ik begin te huilen, want ik wil dat mijn moeder terugkomt. Maar in

plaats van haar zie ik mijn vader komen, en in zijn ogen zie ik die verloren, hulpeloze blik.

In het licht van de kaars is hij goudgeel, als het gesteente, maar glad en glanzend. Ik draai hem om in mijn handen en kijk diep in de schaduwachtige oogkassen. Ze kijken recht terug in de mijne. *Ik hou van je,* zeg ik. Ik hou van je en ik heb je gemist. Ik weet dat het niet waar was. Je hebt me niet verlaten.

Dat gladde, goudgele ding dat ooit een mens was geweest, dat ooit bij de kachel zat, mijn natte jas en wanten te drogen hing, me het verhaal vertelde van Winkin', Blinkin' en Nod, had ooit mijn kinderwagen langs het speelterrein geduwd en een soldaat gekust.

Mijn moeder.

Katie, zei mijn schimmige moeder. Katie. Ik hou van je.

Zevende graad

De Vader

De zevende en hoogste graad van verlichting. De stier wordt de grot binnengebracht om geofferd te worden, en eindelijk is de ingewijde één met Mithras.

Uit: *Het Mithras Enigma*, dr. Martin Ekwall, OUP.

32

Het is hardop gezegd.

Ik had het lichaam van mijn moeder gevonden op de plaats waar mijn vader het tien jaar eerder had achtergelaten, verborgen onder het puin van een instorting. Doordat ik haar vond, raakte ik hem kwijt: hij werd gearresteerd en kreeg levenslang.

'Ik heb de krantenartikelen nog ergens,' zegt Gary. 'Mijn moeder heeft ze bewaard. Ze heeft ze zelfs meegenomen naar het verzorgingstehuis. Is dat niet raar? Ze kende je niet echt, en tegen het einde kende ze zelfs mij niet meer, maar ze heeft die knipsels tot haar dood bij zich gehouden.'

Mensen in Green Down herinneren zich nog steeds de verschillende verhalen die uit de steenmijnen zijn gekomen: de vermiste jongens, de Cameraman en het jonge meisje dat de groeve in ging en terugkwam met een schedel.

'Waarom heb je niets gezegd toen je me herkende?'

'Toe nou. Hoe zeg je tegen iemand: "Hé, ken ik jou niet? Ben jij niet dat meisje dat haar moeders schedel heeft gevonden?" Stel dat ik ernaast had gezeten?'

Nu het is uitgesproken, is het lawaai in mijn hoofd opgehouden. Ik voel me slap, maar op een goede manier, als na een heel eind te hebben hardgelopen of een stevige massage. Het licht van het vuur speelt over Gary's gezicht. Hij zit, kauwend op de nagel van zijn duim, zijn ogen van me afgewend, naar buiten te staren.

'Heb ik er goed aan gedaan?' vraagt hij.

'Ik weet het niet.'

'Je kunt het er maar beter uitgooien,' zou mevrouw Owen hebben gezegd. Maar na zoveel jaar komt het er niet echt allemaal uit. Het zit nog vast, littekenweefsel op de ziel.

De regen valt in vlagen nu, slaat in lange, dikke druppels tegen de ruiten, en het vuur gaat uit.

'Waar is Martin?' zeg ik weer. 'Het is al halftien geweest. Hij zei dat hij maar één drankje zou nemen.'

'Als er een probleem was, zou hij wel gebeld hebben.' Maar Gary kent Martin niet.

'Hij zou gebeld hebben als er géén probleem was.' Ik sta op en probeer me te herinneren waar ik mijn mobieltje heb gelaten.

'Vind je het goed als ik een broodje of zo voor ons klaarmaak?' Gary loopt naar de keuken.

'Ga je gang. Ik heb geen honger.'

Ik krijg het een beetje benauwd. Mijn telefoon zit onder in mijn tas. Ik zie dat ik een bericht heb ontvangen. Een tekstbericht. Ik moet het piepje hebben gemist. De idioot heeft me niet gebeld omdat hij wist dat ik het hem uit het hoofd zou praten.

'Je krijgt er nog spijt van dat je dit hebt gemist. We gaan naar binnen.'

'Verdomme. Ze zijn in de groeve.'

'Hoe lang al?'

Het bericht is van halfzes.

'Bel hem terug. Kijk of hij reageert.' Hij staat in de boog naar de keuken met de botervloot in zijn hand. 'Ze zijn er vast niet in gekomen. Ze zitten waarschijnlijk weer in de kroeg. Waarom wilde hij in godsnaam het risico nemen...' Hij ziet mijn gezicht. 'O nee, Kit. Ik wil er niets van weten. O, sufferd.'

Met trillende vingers tik ik het nummer in. Hij kan daar onmogelijk nog zijn. De stommeling. Waar denkt hij dat hij mee bezig is? Hij weet hoe gemakkelijk je de weg kwijtraakt. Hij vertrouwt waarschijnlijk op Roger, maar het is veertig jaar geleden dat Roger in de mijnen is geweest.

Terwijl de telefoon overgaat, loop ik naar de kast onder de trap waar ik mijn grotuitrusting bewaar. Alles ligt door elkaar in plaats van netjes en geordend zoals ik het bewaar.

'Hij heeft mijn touwen meegenomen, en mijn reservehelm en de mijnlamp.'

Martins telefoon blijft maar overgaan. Ten slotte gaat hij op de voicemail over: 'Degene die u probeert te bellen, is niet bereikbaar...'

'Soms werken telefoons onder de grond,' zegt Gary, die met een mond vol brood en kaas uit de keuken komt lopen. Hij heeft zijn schoenen uitgeschopt, is klaar voor de nacht.

'Die niet dus. Martin, bel me onmiddellijk, idioot die je bent.'

'Maak je geen zorgen. Ik wed dat ze er niet in zijn gekomen. Weet je zeker dat je geen broodje wilt? Ze kunnen er nooit via het terrein in gekomen zijn.'

'Die ingang hebben ze niet nodig. De ingang die de jongens ooit hebben gebruikt, is nooit afgesloten... Ik weet bijna zeker dat ik er in 1976 via die ingang uit ben gekomen. Roger zal hem meegenomen hebben door het bos. '

'In het donker?'

'Het begon waarschijnlijk net te schemeren. Ik wed dat Martin dat allang had gepland.'

'Wacht even.' Gary legt zijn broodje neer. Hij is bleek geworden. 'Als ze er bij Vinegar Lane in zijn gegaan, zijn ze in het zuidelijke deel van de uitgravingen.'

'Heeft Brendan je vanmiddag nog meegenomen om naar die scheur te kijken?'

'Ja, en ik heb hem gezegd dat we wat mij betreft al het werk in die sector moesten stilleggen tot de hydrogeoloog ernaar had gekeken en dan zo snel mogelijk voor een noodvulling moeten zorgen.'

We rennen door de plenzende regen naar zijn jeep en trekken onderweg onze jacks aan. De reservebatterijen vallen uit mijn nog niet dichtgemaakte rugzak en terwijl ik ze uit een plas vis, hoop ik dat ze het nog doen, ook als zijn ze kletsnat.

Met slippende banden nemen we de heuvel het dorp uit.

'We moeten hulp inroepen, Gary. Er is vast iets mis, denk je niet, als ze nog ondergronds zijn?'

Ze zijn er al op zijn minst vier uur.

'Ze zijn vast verdwaald. Er is iets vreemds met dat deel van de mijnen. Mensen raken er altijd verdwaald.' Ik weet dat ik zit te wauwelen, maar daardoor kan ik even uit mijn hoofd zetten dat het allemaal mijn schuld is. Ik heb Martin over de raaf verteld. Door mij is hij geobsedeerd geraakt om een Mithrastempel te vinden, zoals ik ooit geobsedeerd werd door het idee de Eerste Engelsman te vinden. 'Er gaat altijd iets mis als mensen dat deel van de mijn in gaan.'

Gary zegt niets. Hij drukt alleen het gaspedaal in, en de jeep raast Brassknocker Hill op, waarbij de achterwielen in de bochten wegslippen. Terwijl ik me aan het dashboard vasthoud om rechtop te blijven zitten, stuur ik Martin nog een sms'je in de hoop dat hij kan reageren.

Het is al tien uur geweest. De lampen van de verbouwde schuren rond de oude boerderij zijn wazig in de plenzende regen. Gary parkeert onder aan Vinegar Lane en we klauteren onder de druppelende bomen door omhoog.

'Ik vind dat we hulp moeten inroepen,' zeg ik. 'We kunnen dit niet alleen. Misschien vinden we ze niet eens.'

'Als we er iemand bij halen, kun je je baan wel vergeten,' zegt Gary. 'Mensen hebben Martin en jou samen gezien.'

'En als jij zou proberen me te beschermen, zou jíj je baan kunnen kwijtraken.'

'Laten we eerst eens kijken wat er gebeurd is.'

De grond is glibberig van de modder. We volgen het pad dat Martin en ik zondag hebben genomen. Gary heeft een mijnlamp, maar Martin heeft de mijne meegenomen, en mijn grote zaklantaarn, dus heb ik alleen de kleine Maglite die ik voor noodgevallen in huis bewaar. Hij ziet er al onheilspellend geel uit.

'Weet je zeker dat we de goede kant opgaan?' vraagt Gary.

'Ik heb geen idee, verdomme. In het donker ziet alles er anders uit.'

'Heb je de ingang gezien toen je hier zondag was?'

'Ik herinnerde me het bestaan ervan niet eens toen ik hier zondag was. En ik weet ook niet zeker of het de ingang is waar Roger het over had. We zouden helemaal fout kunnen zitten.'

Het pad is veranderd in een melkachtig beekje, geelwit in het licht van de zaklantaarns, en het geeft die geur van nat cement af, waar ik de afgelopen paar weken aan gewend ben geraakt.

'Dit is weggestroomde kalksteen,' zeg ik. 'Het moet recht uit de groeven komen.'

'Ik weet niet of dat goed of slecht is,' zegt Gary.

'Nou, het lijkt er in elk geval op dat we in de juiste richting gaan.'

De kleine groeve waar Martin en ik in het weekend hebben gestaan, is nauwelijks meer dan een kuil in de heuvel, niet meer dan zes meter diep, en de rotswand is ongeveer negen meter hoog. We volgen het beekje naar de achterkant van de groeve, waar het onder een massa kletsnatte klim- en kruipplanten uit komt stromen. Heel even zie ik mezelf tussen de slierten doorlopen in het gelige licht van de dageraad; Gary voelt het kennelijk, want hij geeft me een snelle, natte kus terwijl hij langs me heen loopt en de planten weg begint te trekken van de lage ingang die erachter verborgen is.

'Iemand is ons voor geweest,' zegt hij. 'De ingang is al voor een deel vrijgemaakt. Ze zijn hier naar binnen gegaan.'

'Dan hebben we dat godzijdank goed.'

'Probeer nog een keer te bellen, voordat we erin gaan. Je weet maar nooit, misschien zijn ze er al weer uit. Ik heb op het weggetje geen auto zien staan.'

Ik klap mijn telefoon open en hoop op een bericht. Maar er is niets binnengekomen. Met een misselijk gevoel tik ik het nummer in en bid dat hij deze keer op zal nemen.

De telefoon gaat over. Boven ons hoofd klinkt het geluid van een vliegtuig, waarschijnlijk op weg naar een van de RAF-bases in Wiltshire, en even denk ik dat er is opgenomen, maar ik moet de telefoon verder van mijn oor hebben gehouden, want wanneer het vliegtuig verdwijnt hoor ik de telefoon weer overgaan, en hij gaat maar door.

Gary's jack is heldergeel met zilveren vlekken tegen de donkere wand van de groeve, maar zijn gezicht ligt in de schaduw onder de mijnlamp.

'Hij had inmiddels moeten opnemen,' zegt hij.

'De voicemail heeft het nog niet overgenomen.' Ineens houdt de beltoon op en ik wacht op de vrouwenstem die zegt: 'Het spijt me...', maar die komt niet. De lijn is stil; ik hoor niets anders dan de regen op de bladeren en Gary's ademhaling.

'Wat gebeurt er?' zegt Gary. 'Heb je iemand aan de lijn?'

'Ik weet het niet. De beltoon hield er gewoon mee op. Zijn voicemail zou vol kunnen zijn, of niet beschikbaar...' Ik haal de telefoon van mijn oor en kijk naar het scherm. 'Nee, ik denk dat er verbinding is. Maar niemand zegt iets.' Het scherm wordt donker. 'Verdomme, nee, de verbinding is nu verbroken.'

'Goed,' zegt Gary. 'Dan kunnen we beter naar binnen gaan.' Hij baant zich een weg tussen de klimop door en blijft dan staan. 'Ik wil niet dat je ook maar iets gevaarlijks doet, Kit. Als er een instorting is, wil ik dat je onmiddellijk naar buiten gaat en hulp inroept. Afgesproken?'

'Nee,' zeg ik. 'Martin is mijn vriend. Als ik hem vind, blijf ik bij hem en zorg jíj dat er hulp komt.' Ik probeer langs hem heen naar binnen te gaan, maar hij grijpt me bij mijn arm op de plaats waar Dickons vingers een paar pijnlijke kleine kneuzingen hebben achtergelaten.

'Dit heeft niets te maken met het feit dat je een vrouw bent,' zegt hij. 'Of wel, maar dan alleen in die zin dat ik om je geef als vrouw. Ik wil niet dat jij ook gewond raakt.' Hij raakt mijn gezicht aan; zijn vingers zijn koud en nat van de regen. 'Ik zou je zelfs graag willen kussen, maar die verdomde helmen zitten weer eens in de weg.'

Ik vind zijn vingers met de mijne en duw ze in mijn mond.

'Zo,' zeg ik. 'Dat moet even genoeg zijn.'

Hij pakt mijn hand en brengt hem naar zijn gezicht, zodat ik de stoppels op zijn wang voel, en dan zuigt hij op mijn middelvinger zoals hij in het café heeft gedaan. Die koude steek van verlangen gaat weer door me heen. Ik wou dat ik zijn ogen kon zien, maar zijn mijnlamp schijnt recht in mijn gezicht. Hij laat mijn hand los.

'Het is genoeg tot we er weer uit zijn.' Ik hoor aan zijn stem dat hij glimlacht. 'Maar doe verdomme wat ik je zeg, oké?'

'Flikker op.'

We lopen naar binnen, de duisternis in.

Alles voelt nu anders onder de grond. Er zijn hier geen veilige, glanzende stalen looppaden, alleen smalle, bochtige doorgangen van kaal gesteente die op ruimten met pilaren uitkomen, en onder onze voeten de ijzeren rails die ik die nacht heb gevolgd om naar buiten te komen. Dit is niet meer Kits omgeving, een omgeving waarin ik een professional ben die haar werk doet. Het is mijn moeders plek. Niet ver van hier heb ik haar schedel gevonden.

De kerstdag waarop mijn moeder verdween, was een paar jaar nadat de vermiste jongens waren gevonden en de mijnen voorgoed waren afgesloten – dat dacht iedereen tenminste. Maar er zijn altijd manieren om binnen te komen, zoals de vergeten ingang onder de klimplanten in het bos, en de toegang die ik bij Crow Stone had ontdekt. Mij vader had, bij toeval een andere gevonden, niet lang voordat hij mijn moeder vermoordde.

Hij was bezig de bedrading te vernieuwen van een van de huizen boven aan Vinegar Lane; eind negentiende eeuw, twee verdiepingen en zoals zoveel huizen in Green Down gebouwd op de plek van een oude groeve waarvan het goede steen uitgeput was geraakt. Een projectontwikkelaar had er twee gekocht om op te knappen en weer te verkopen. Ze waren tegen de oude groevewand gebouwd, die in feite hun achtermuur was, en ze hadden lange smalle voortuinen, in plaats van achtertuinen, om de zon op te vangen.

Het zekeringenpaneel bevond zich in een ondiepe kast in de achterkamer; terwijl mijn vader daar aan het werk was, sloeg hij per ongeluk door de eensteensmuur heen en stond ineens naar een steile trap te kijken die in een donkere tunnel verdween.

Met Kerstmis stonden de huizen nog steeds leeg; de ontwikkelaar vroeg te veel en had ze nog niet kunnen verkopen. Mijn vader rolde het lichaam van mijn moeder in een oud stuk tapijt, laadde het achter in zijn bestelwagen en reed naar Vinegar Lane. Hij parkeerde voor de huizen en ging door de voordeur naar binnen met de sleutel die de ontwikkelaar hem had gegeven voor het geval de pijpen zouden bevriezen. Iemand die hem zou zien, zou er verder niet over nadenken; de buren waren gewend dat zijn bestelwagen daar stond. Misschien was er een pijp gebarsten in het lege, onverwarmde huis. Tapijt? Waarom niet. De huizen werden tenslotte opgeknapt.

Mijn vader sloeg weer een gat in de muur en droeg mijn moeders lichaam naar de ondergrondse groeve. Hij begroef haar onder het puin van een instorting; hij moest hebben gedacht dat ze waarschijnlijk nooit zou worden gevonden. Vlees houdt het niet lang vol in nat kalksteen. Jaren voordat ik haar vond, was van mijn moeder niets dan botten over, die verspreid waren door vossen.

Ik kan me niet herinneren wie me dat allemaal heeft verteld: de polite of de psychiater. Niemand anders heeft er ooit met me over gepraat. Ze wisten niet wat ze moesten zeggen. Zelfs mevrouw Klein niet.

Maar ik wilde er ook niet over praten. Ik begreep dat mijn vader in de gevangenis zat, niet alleen door wat ik had gevonden, maar ook door wat ik had gezegd. Mijn begraven herinneringen aan mijn moeders laatste dagen konden niet als bewijs worden gebruikt om hem te veroordelen, maar de politie gebruikte ze, en mij, om hem te laten bekennen wat hij had gedaan.

Achter me hoor ik geplas; ik zwaai mijn zaklantaarn rond en zie Gary tot zijn enkels in vloeibare modder staan. Er is veel water in de smalle doorgang; het stroomt van de muren en vormt diepe, crèmekleurige plassen op de grond.

'Hoe ver naar binnen was de pilaar waarop je de zonnetekening hebt gezien?' vraagt hij.

'Waar de doorgang overgaat in een ruimte, daar moet de pilaar zijn, de eerste die we tegenkomen.' Ik doe mijn ogen dicht om hem me voor te stellen, maar het is erg lang geleden. 'In mijn herinnering was het links van me toen ik er die avond was, dus voor ons nu rechts... maar ik kan me vergissen.'

'Kun je het wel aan?'

'Hou je me ten onrechte voor een gevoelige ziel?'

'Kit!'

'Sorry. Macht der gewoonte. Maar het gaat wel. Een beetje bibberig, maar meer doordat ik me zorgen maak om Martin. De rest is... nog steeds als een verhaal dat iemand anders is overkomen.'

'Wat is er met je vader gebeurd? Hij moet op een gegeven moment uit de gevangenis zijn gekomen.'

'Nee,' zeg ik. 'Hij is er nooit uitgekomen.'

Gewoonlijk houdt het verplichte levenslang voor moord dat bepaald niet in. De veroordeelden komen na tien of elf jaar vrij. Maar voor mijn vader betekende levenslang levenslang, die veroordeeld was voor mishandeling van mij en de moord op mijn moeder.

Gary was niet als getuige opgeroepen. De schoolverpleegster was wel opgeroepen, die als getuige verklaarde dat ze de kneuzing bij mijn slaap had gezien en mijn verbonden hand. Ik vermoed dat mijn vaders drift hem in de gevangenis heeft gehouden. Ik kan me niet voorstellen dat hij die daar heeft leren beheersen als hij al niet in staat was zich te beheersen tegenover de mensen van wie hij hield.

Hij is daar gestorven, aan een beroerte, afgelopen maart. Ik hoorde het pas in augustus. De brief van Slachtofferhulp had er lang over gedaan om me te vinden.

'Ik begrijp dat je je vader niet kon schrijven,' zegt Gary. 'Je had hem onmogelijk kunnen vergeven.'

Onmogelijk? Ik weet het niet. Ik heb het niet eens geprobeerd. In werkelijkheid was het onmogelijk mezelf te vergeven. Niemand heeft ooit het idee geopperd dat ik hem in de gevangenis zou bezoeken, maar de echte reden waarom ik hem nooit heb bezocht, was dat ik het niet kon verdragen om de pijn te zien die ik me in zijn ogen voorstelde. Rechercheur Savile, die jaren geleden met pensioen is gegaan, was trots op de manier waarop hij mijn vader tot een bekentenis had overgehaald. 'Hij wilde je zien,' vertelde hij toen ik hem afgelopen september had opgespoord. 'Hij zei tegen me: "Ik wil met mijn kleine meisje praten." Ik zei: "Ik zorg ervoor dat je je kleine meisje nooit meer ziet als je ons niet vertelt wat je met je vrouw hebt gedaan." Dus vertelde hij het. Toen zei hij: "Mag ik haar nu zien?" En ik zei: "Luister, vriend, hoe kom je op het idee dat ze jou ooit nog wil zien?"' Savile nam zijn metalen bril af en poetste de glazen. Even, heel even, schemerde er onzekerheid in zijn olifantenoogjes. 'En ik had gelijk, toch? Je hebt hem nooit meer gezien.'

Ik ben nooit op bezoek gegaan. Ik heb hem nooit geschreven. Ik had het moeten doen. Hij was nog steeds mijn vader.

Gemiste kans of wat, Gary? Begrijp je nu waarom ik dit nooit tevoorschijn haal om ernaar te kijken?

In plaats daarvan zeg ik: 'Hier is de ruimte. Maar ik heb geen idee welke kant we op moeten.'

Gary schijnt met zijn zaklantaarn om zich heen. Het is een veel kleinere ruimte dan ik me herinner, maar ik weet dat het de betreffende ruimte is want ik zie de tekening op de pilaar, de stralende zon die ik nu herken als het mithraïstische symbool voor Heliodromus, de Zonneloper. Het is veel grover dan in mijn herinnering. Martin moet gelijk hebben: het zijn geen Romeinse inscripties, maar achttiende- of negentiende-eeuwse kopieën.

'Weet je wat dat volgens mij is?' zegt Gary. 'Het is precies wat jij in 1976 dacht. Het is het teken dat op een uitgang wijst.'

'Wat? Heeft het niets te maken met het mithraïsme of de vrijmetselarij?'

'Nou, misschien heeft iemand daar afbeeldingen van overgenomen. Maar dit is wat wij deden toen ik ondergronds in Corsham werkte. Je schildert tekens op de muren om niet te verdwalen. Het is mogelijk dat

398

de steenhouwers in de achttiende eeuw niet konden lezen. Dan zullen ze tekeningen hebben gebruikt.'

Je kunt zien dat dit oude uitgravingen zijn. De pilaren zijn zwaar van steen beroofd en zien er krom en gescheurd uit, met diepe breuklijnen. De kaarsen van de mijnwerkers hebben roetachtige zwarte cirkels op het plafond achtergelaten.

'De vleermuizen zijn weg,' zeg ik. 'De laatste keer dat ik hier was, leek het hele plafond uit vleermuizen te bestaan.'

'Hebben je politiemannen hun rust verstoord?'

'Wie weet. Maar het kan verklaren waarom deze ingang niet op onze kaarten staat. Als hier geen vleermuizen uit kwamen, hebben Rupert en zijn studenten deze ingang niet opgemerkt toen ze in de schemering door de heuvels zwierven.'

De politie heeft hem ook nooit gevonden. Ik heb hun de ingang bij Crow Stone gewezen en ze volgden het spoor van gesmolten kaarsen dat ik vanaf het altaar van de Cameraman tot aan de begraafplaats van mijn moeder had achtergelaten. Ik kan me niet herinneren dat iemand ooit heeft gevraagd hoe ik eruit was gekomen. Ze moeten hebben aangenomen dat het dezelfde route was die ik naar binnen had genomen.

'Goed, welke kant zal Martin zijn opgegaan?' vraagt Gary. 'Hoe denkt hij ondergronds?'

Martin denkt ondergronds op dezelfde manier als ik, want meestal ben ik erbij om hem een veilige weg te wijzen. Maar hij denkt ook als een archeoloog. IJzeren rails lopen in een bocht naar rechts – de rails die ik heb gevolgd nadat ik mijn moeders schedel had gevonden, maar dat zal geen invloed op Martin hebben gehad aangezien hij daar niets van weet. Maar ze zijn uit een recentere periode: de negentiende, niet de achttiende eeuw.

'Naar links,' zeg ik. 'Martin is in de oudere uitgravingen gebleven.'

'Weet je het zeker? Jij bent langs deze rails gekomen, dus moet de bergplaats van de Cameraman zich in die richting hebben bevonden.'

'De Cameraman kende de hele uitgraving.' Ik loop al naar links en laat mijn zaklantaarn over de pilaren schijnen. 'De man was obsessief... hij heeft veel meer camera's gestolen dan ik heb gevonden. Ik geloof niet dat het zijn enige bergplaats was. En toen de vermiste jongens hier binnen waren gekomen, zijn ze vast in de richting gegaan van het deel van de mijnen dat ze kenden. Noordwestelijk, niet in oostelijke richting. En daar heeft Roger hem mee naartoe genomen. Bovendien...' Ik blijf ineens staan. 'Daar. Ik wed dat dat van Martin is.' Mijn zaklantaarn schijnt op een teken dat met roze krijt op borsthoogte op een pilaar is aangebracht: een pijl die in de richting wijst waaruit wij zijn gekomen.

'Heeft hij dat voor ons achtergelaten?'

'Nee. voor zichzelf. Hij is eerder in de groeven geweest en weet hoe verwarrend het buiten de aangelegde looppaden kan zijn.'

Gary zegt niets, maar ik weet wat hij denkt. Als Martin hier eerder is geweest, moet ik hem hebben meegenomen; als er iets mis is gegaan, zal het mij de kop kosten. We lopen verder door de melkachtige plassen. Op elke pilaar, bij elke kruising, heeft Martin een roze pijl gezet. Doordat de pijlen achteruit gericht zijn, is niet altijd duidelijk welke kant hij is opgegaan.

'Niet die kant op,' zegt Gary terwijl hij me bij mijn arm pakt.

'Hoe weet je dat?'

'Je begint weer naar het oosten af te buigen. Je richtinggevoel laat te wensen over, Kit.'

Daar is de volgende pijl. Hij heeft gelijk, verdomme.

'Het geeft niet. Je kunt er niets aan doen.' Ik zie een zelfvoldane grijns onder zijn helm. 'Vrouwen zijn anders bedraad.'

'Flikker op.'

'Hoe ver zijn we gelopen?'

'Wat?'

'Weet je hoe ver we van de ingang zijn?'

Hij heeft gelijk. Ik ben hier nooit goed in geweest. Martin kan het, maar ik weet het nooit. 'Zeg het maar.'

'Negenhonderdtachtig meter, het kan een paar passen meer of minder zijn.'

'Dat kun je niet zo precies weten als je tegelijkertijd loopt te praten.'

'Dat kan ik wel. Een oude mijnwerkerstruc: pilaren tellen, stappen tellen. Je zorgt altijd dat je precies weet waar je bent onder de grond. Het kan op een dag je leven redden.'

Of dat van iemand anders. Was dat Martin, die de telefoon opnam? Waarom zei hij niets? Waar zijn ze?

'Heb je enig idee waar we zijn ten opzichte van de rest van de uitgravingen?' vraag ik. 'Kun je ons naar de plek brengen waar we het looppad hebben gebouwd?'

Hij knijpt zijn ogen halfdicht en wrijft over zijn voorhoofd, net boven zijn neus. Postduiven moeten een innerlijk kompas hebben.

'Ik weet het niet. Misschien. Het is niet zo ingewikkeld, Kit. Het is een kwestie van tellen, je de bochten herinneren en denken aan wat je al weet van de indeling...' Zijn zaklantaarn schijnt op iets glanzends in het donker voor ons. 'Goeie God!'

Ik heb dat eerder gezien, of iets wat er erg op leek, in een ander deel van de uitgravingen – de bergplaats van de Cameraman: een allegaartje van beschimmelde Leica's en Kodaks op een smalle richel. De tijd en het vocht hebben hun werk gedaan. Alles zit onder de schimmel of een laag grijs stof. Metaal is aangetast, roodbruin en schilferig. Slechts één onafgedekte, nietsziende lens weerspiegelt het licht van de zaklantaarn; anders hadden we de verzameling misschien gemist.

'Nou, we weten in elk geval dat we op het juiste spoor zitten,' zegt hij.

'Denk eraan, de vermiste jongens hebben zich hiervandaan verspreid. Dit is de plek waar ze bijna gepakt werden door de Cameraman.'

'Dus we moeten nu uitkijken naar een oude instorting.'

'Een van Martins roze pijltjes zou een goed begin zijn.'

Gary schijnt met zijn zaklantaarn boven de richel.

'Niets.'

'Aan de andere kant?'

We nemen allebei een kant van de pilaar. 'Hebbes,' zegt Gary, maar wanneer we elkaar in de volgende ruimte tegenkomen, krijg ik onmiddellijk een onbehaaglijk gevoel. Ik kan niet precies zeggen waar het door komt, maar er is iets mis.

'O, verdomme,' zegt hij. Hij zwaait zijn zaklantaarn in een wijde boog rond. 'Dit ziet er niet goed uit.'

Er hangt een fijne nevel in de ruimte, die het licht van de zaklantaarns versluiert. Je zou het kunnen aanzien voor waterdamp in de koude lucht, maar het slaat op je keel en vult je neus met die cementgeur.

'Er hangt te veel stof in de lucht. Er is een instorting geweest.'

33

'Martin! Waar ben je?'

Niets. Onze lichtbundels doordringen de nevel, die de lichtstralen op een bijna onmerkbare maar zeer angstaanjagende manier vervaagt.

'Martin! Ben je daar?'

'Roger! Is daar iemand?'

Gary heft zijn hand op. Heeft hij iets gehoord? We staan stil en luisteren, maar we horen alleen de omringende sis van de stilte. Ik stap naar voren, maar Gary schudt zijn hoofd; kennelijk hoort hij iets wat ik niet kan horen.

De sis valt uiteen in de samenstellende geluiden, nog steeds grotendeels gesis, maar ook onze ademhaling, de incidentele plonk van water en een zacht tikkend geluid. Het is een enorme stilte in een enorme duisternis. Boven ons hoofd moet zich het normale leven afspelen met de normale geluiden: de wind in de bomen, regen op de bestrating, auto's die tot stilstand komen in garages, sleutels in voordeuren, mensen die de kraan opendraaien, de vaatwassers uitzetten, hun tanden poetsen en gaan slapen... Maar dit is de onderwereld. Normale regels zijn hier niet van toepassing. Ik probeer me Brendans kaart voor de geest te halen: zijn we al onder de huizen tussen de dennenbomen, waar Poppy woonde? We kunnen niet ver van de oude instorting zijn waarover Roger ons heeft verteld, en daarachter de kamer met de kuilen waar zijn vriend zijn been brak.

Gary schudt zijn hoofd weer, van frustratie nu, en we lopen verder, het geluid van onze voetstappen aan de stilte toevoegend. De cementlucht slaat weer op mijn keel. We hebben ongeveer drie stappen gezet als we een rommelend geluid horen.

Een hand op mijn arm rukt me naar voren; ik struikel over mijn eigen voeten en val bijna – alles gebeurt in slow motion: de trillende aarde, de lucht vol stof, steentjes die van de grond stuiteren en tegen de achterkant van mijn benen slaan, mijn zwaaiende armen om mezelf overeind te houden, een beeld in een flits van Dickon die de lage zon in de doorgang blokkeert, Dickon die omlaag zakt in de modder en zich aan mijn jack vastgrijpt, het licht van zaklantaarns dat in alle richtingen stuitert, naar adem snakken en cementlucht binnenkrijgen...

En dan, net zo plotseling, stilte, gesis, en het geluid van aarde die omlaag rolt over de hoop plafond die uit de vloer achter ons groeit.

'Eh, eh...' Diepe, zware zuchten. Geen woorden. De berg plafond – een paar ton, misschien wel, van aarde en stenen – ligt precies op de plek waar wij net nog naar de stilte stonden te luisteren. Mijn voeten weigeren dienst, in de terechte veronderstelling dat mijn knieën, als ze me ergens heen zouden brengen, alleen maar zullen knikken en het zullen begeven – en ik voel de overweldigende drang om te gaan giechelen. Ik pak Gary's hand en hij pakt de mijne – en we staan daar op nog geen meter van ons graf elkaars hand vasthoudend te schateren van het lachen. Dan pakt hij me bij mijn arm en strompelen we weg van de instorting – alleen, waar moet je heen? Waar is het veilig?

'Komt er nog meer naar beneden?'

'God mag het weten,' zegt hij. 'Ik heb dit soort dingen eerder zien gebeuren. Een stuk plafond komt omlaag, zomaar, geen duidelijke oorzaak, geen waarschuwing. Geen zichtbare schade aan de bovenkant. Wat me zorgen baart, is dat dit vanavond niet de eerste instorting is in dit deel. En hoe meer er loslaat, hoe instabieler alles wordt.' De nevel in de lichtbundels van onze zaklantaarns is zichtbaar dichter en onze gezichten zijn geelachtig wit van het stof.

'Denk je dat dit Martin is overkomen?' Ik ben verbaasd dat mijn stem zo vast klinkt.

'Misschien. Luister, Kit, een van ons zal terug moeten gaan. Ik heb liever dat jij dat bent.'

'Nee,' zeg ik. 'Ik laat jullie niet allebei hier beneden. Die verdomde Mithras zal jullie niet allebei te pakken krijgen.'

'Nou, iemand moet hulp gaan halen... zo snel mogelijk. Het is misschien nodig om een aantal bewoners hierboven te evacueren.'

'Ga jij maar. Ik moet Martin vinden.'

Gary schudt zijn hoofd. 'Geen wonder dat de mijnwerkers zeiden dat je problemen zou geven. Oké. We gaan nog tien minuten door. Dan gaat een van ons hulp halen.'

We richten ons op de opening tussen de volgende twee pilaren in de hoop daar een volgende roze pijl te vinden.

'Nee,' zeg ik. 'Verdorie. We gaan de verkeerde klant op. Zo ver zijn ze niet gegaan.'

'Wees daar maar niet zo zeker van,' zegt Gary. 'Kijk.'

Hij wijst met de zaklantaarn. De straal speelt over een ongelijk oppervlak een meter of vijftien verder. Het puin van een andere instorting.

Ik ren al vooruit. De puinhoop strekt zich meer dan tien meter uit; enorme blokken steen vermengd met kleiner gruis. Als ze daaronder liggen...

'Rustig, rustig. Dat ligt daar al jaren.'

Hij heeft gelijk. Mijn hart hervindt bijna zijn normale tempo en het bonzen in mijn borst houdt op. Ik zie zelfs een kluitje witte paddenstoeltjes uit het puin groeien. Dit moet de oude instorting zijn waarover Roger ons heeft verteld, maar hoe moeten we eromheen? Ik loop langzaam om de puinhoop heen tot Gary me wegtrekt.

'Dit mag hier dan al een hele tijd liggen, maar dat betekent niet dat de rest niet omlaag kan komen.'

'Dit is niet zo maar een dakinstorting,' zeg ik. In het licht van mijn zaklantaarn heb ik net rechte randen, bewerkte oppervlakken gezien. 'Hier heeft een muur gestaan. Dit zijn geen losse stukken puin, maar afgekeurde stukken steen van het steenhouwen. Het ziet eruit alsof de muur recht door deze ruimte heeft gelopen. Die muur is gebouwd om iets af te schermen wat zich erachter bevindt.'

Gary heeft zijn mobiele telefoon in zijn hand. 'Wat is Martins nummer?'

'Je bent gek. De telefoon werkt hier niet.'

'Ik heb een versterker op de antenne. Het is onregelmatig, maar soms kun je een signaal krijgen.'

'Geef me de telefoon.' Ik gris hem uit zijn hand en tik het nummer in. Het blijft even stil, dan...

Een telefoon rinkelt, ergens achter de ingestorte muur.

We beginnen allebei te rennen, terwijl we erachter proberen te komen hoe we het geluid kunnen bereiken.

'Allemachtig,' zegt Gary.

Tussen het einde van de instorting en de muur van de groeve heeft iemand stenen verwijderd en is een smalle opening zichtbaar. We moeten over puin klimmen om ons erdoor te kunnen persen, maar staan dan voor een andere muur, die er anders uitziet. In tegenstelling tot de muren die gebouwd zijn van afgekeurde stapelstenen, is deze gebouwd van netjes gezaagde blokken die met lichtgekleurd cement op elkaar zijn gemetseld.

'Dit klopt niet,' zeg ik. Even denk ik zelfs dat het een moderne muur is. 'De steenhouwers gebruikten geen cement.'

Maar de Romeinen wel.

Midden in de muur is een lage doorgang. Daarachter, twee treden omlaag, het Mithraeum. Het moet het Mithraeum zijn. Jezus, het is hier echt; we hadden gelijk! Ergens achterin zie ik een zwak flakkerend licht dat me van bijgelovige angst vervult, en daarnaast rinkelt, volkomen ongerijmd, een telefoon.

Gary verhindert me door te lopen. 'Nee, er kan daar een instorting zijn geweest.'

'Doe niet zo beschermend.'

'Ik ben verstandig. Als ik begraven word, zou ik graag willen dat jij nog leeft om hulp te kunnen halen.'

'O.'

Hij gaat naar binnen, een zilveren gloed in het donker. Zijn zaklantaarn speelt over schaduwachtige muren en zware steenblokken die twee rijen massieve banken vormen met aan weerszijden een standbeeld.

Cautes en Cautopates. De poortwachters van de tempel: Hoop en Wanhoop.

Martin...

Aan het eind van de kamer is de instorting. Ergens daaronder rinkelt de telefoon maar door. Gary richt zijn zaklantaarn op het plafond. Het is geen grote instorting, maar op de grond ernaast liggen zware, gekantelde bloken steen. Hij gaat op zijn knieën zitten, legt zijn grote zaklantaarn neer en begint voorzicht puin te verwijderen. Bijna meteen schijnt het licht van zijn mijnlamp op een stoffig rood waterdicht jack.

Martins jack.

Ik ben er meteen bij, kniel naast Gary neer en begin puin weg te ruimen.

'Je laat je ook niks zeggen, hè,' merkt hij op. 'Luister, zo help je niet. Het is niet zo erg als het eruitziet. Heb je water in je rugzak?'

Ik rits hem al open. Op een gegeven moment moet de telefoon zijn opgehouden met rinkelen; ik ben me in plaats daarvan bewust van het geluid van Martins ademhaling, snel, een beetje onregelmatig.

'Hij is bewusteloos, maar kijk of je wat stof van zijn gezicht kunt wassen en een idee kunt krijgen van zijn gelaatskleur.'

Er is een deel van het plafond omlaag gekomen: grotendeels aarde en kleine stenen. Martin ligt op zijn buik, met zijn gezicht opzij gedraaid. Zijn helm ligt op de vloer naast hem.

'Ik denk dat hij een klap op zijn hoofd heeft gekregen, maar hij zou ook een inwendige bloeding kunnen hebben. Verder geen zichtbare verwondingen...' De manier waarop Gary's stem wegsterft, maakt dat ik opkijk. 'O, verdomme. Hij zit vast. Geef me de telefoon. Even kijken of er nog een signaal is.'

Een grote rotsplaat is losgeraakt uit het dak. Hij heeft Martin gemist, maar is op een paar grote, zware, uitgehakte blokken steen terechtgekomen, die eruitzien alsof ze deel hebben uitgemaakt van het altaar. Ze leunen in een dronkenmanshoek en in wankel evenwicht tegen elkaar, en Martins rechterarm bevindt zich eronder.

'Is zijn arm verbrijzeld?' Ik voel me duizelig in het vreemde, flakkerende licht dat ergens van achter de gekantelde blokken komt. 'Ik denk het niet. De blokken hangen boven op elkaar en de arm ligt ertussen.' Gary schudt de telefoon gefrustreerd heen en weer. 'Geen bereik meer. Ik wil hem niet verplaatsen voordat we wat steun onder de blokken hebben. Er is wat bloed, maar ik denk dat het meeste uit een snee in zijn hoofd is gekomen.'

Ik schroef de waterfles open en giet wat water op mijn zakdoek. Mijn handen beven wanneer ik het stof van Martins wang begin te vegen. Hij ziet er bleek uit, maar het is ook slecht te zien bij het licht van de zaklantaarn.

'Kunnen we hem er onderuit krijgen? Kunnen we iets als koevoet gebruiken?' Maar al terwijl ik het zeg, zie ik dat het onmogelijk is. De blokken steen hangen zo wankel tegen elkaar aan, dat ze bij elke verkeerde beweging van Martins arm op zijn hoofd zouden kunnen vallen.

'We hebben iets nodig om ze te ondersteunen. Luchtzakken, bij voorkeur. Dan machines om ze op te tillen.' Kauwend op de nagel van zijn duim, kijkt Gary om zich heen. 'Die hebben we beide op het werk, maar de kraan is te groot voor hier.'

'We moeten op de hulpdiensten wachten. Die hebben de juiste uitrusting.'

'Ik zou de lader kunnen halen.'

'Dat zou zoiets zijn als vlinders oppakken met bokshandschoenen; je zou hem vermoorden.'

'Maar ik zou de lader kunnen gebruiken om die blokken te verplaatsen.' Hij wijst naar de stenen banken. 'Als die uit de weg zijn, kunnen we de kraan hier misschien in krijgen.'

Martin kreunt ineens.

'Hé, ouwe lul,' zeg ik tegen hem. 'Ik dacht wel dat je daar wakker van zou worden... het idee dat we wat mooie archeologie zouden vernietigen.' Maar zijn ogen zijn nog dicht. Hij lijkt niet bij bewustzijn te zijn.

'We moeten zorgen dat hij stil blijft liggen,' zegt Gary.

'Hij heeft niet bewogen.'

'Maar hij zou het kunnen doen. Luister, ik geef je mijn telefoon. Loop terug en blijf proberen of je bereik hebt. Bel dan onmiddellijk om hulp.'

'Ik heb al gezegd dat ik bij Martin blijf. Ga jij maar.'

Hij ziet er hulpeloos uit. 'Het is niet veilig.'

'Een van ons moet hier blijven. Er moet hiervandaan een verbinding zijn met de hoofduitgravingen; de vermiste jongens hebben die genomen, want toen ze uiteindelijk werden gevonden, waren ze een heel eind hiervandaan. Zei Roger niet dat ze bijna bij Stonefield waren? Je hebt meer kans om de weg te vinden dan ik, en vanuit die richting kun je veel sneller hulp krijgen.'

Hij denkt erover na, opnieuw op de nagel van zijn duim bijtend. De tunnel vanaf Vinegar Woods is smal, veel te smal om de kraan erdoorheen te brengen, en de klim vanaf het weggetje is steil.

'Je zei dat je meende te weten waar we waren.' Ik moet hem onder druk zetten; ik ben degene die Martin in deze ellende heeft gebracht, dus ben ik degene die moet blijven. 'Dit is tijdverspilling. We moeten onmiddellijk hulp halen.'

'Oké.' Hij staat op. 'O God, waar is de andere?'

We hebben geen moment aan Roger gedacht. Hij is nergens te zien, maar Martin is hier beslist niet alleen heen gegaan. Gary kijkt naar de berg puin. Als hij daaronder ligt, is het te laat.

'Misschien is hij hulp gaan halen.'

'Als dat het geval is, waarom zijn we hem dan niet tegengekomen? Hij kon Martins pijlen volgen.'

'Kan hij de andere kant op zijn gegaan?'

'En weer verdwaald zijn? Geweldig. Dan hebben we dus niet alleen een reddingsteam maar ook nog een zoekteam nodig. Als we er tenminste van uitgaan dat hij daar niet onder begraven ligt.'

'Ga,' zeg ik. 'Wees voorzichtig. Blijf tellen.'

'Ik ga.' Hij bukt zich en raakt mijn lippen weer aan met zijn vingers. 'Pas goed op jezelf.'

Hij werpt nog een laatste blik om zich heen – een ander soort blik, deze keer, geen blik die het risico inschat, maar een bevreemde blik die de inscripties op de altaarstenen in zich opneemt, de vervaagde fresco's, het flakkerende licht, ergens in de richting van de achterste muur. 'Is dit het?' vraagt hij. 'Jullie tempel van wie-was-het-ook-alweer?'

'Mithras.'

Hij knikt, trekt zijn wenkbrauwen op, tuit zijn lippen. Neutraal. 'Mooi.'

'Maar het is het niet waard?'

'O, dat weet ik niet. Dat laat ik aan de experts over.'

Hij geeft me snel een kneepje in mijn arm en gaat op weg, waarbij hij Cautes of Cautopates een klopje op het hoofd geeft voordat hij via de doorgang verdwijnt. Het was het beeld aan de linkerkant; ik weet niet waar het voor staat. Hoop, of verdriet?

Ik kan niet veel meer doen voor Martin nu ik het bloed van zijn achterhoofd heb gewist. Het is alleen een snee, denk ik; hoofdwonden kunnen vreselijk bloeden. Ik geef hem een kusje boven op zijn hoofd. Het is voor het eerst dat ik hem met mijn lippen aanraak, en ik ben blij dat hij er niets van merkt want hij zou me genadeloos afstraffen. Zijn haar zit vol stof en ik ben me bewust van de zware altaarstenen die dreigend boven ons hangen, met het enorme blok uit het dak dat er gevaarlijk op balanceert. Hij haalt nu regelmatiger adem, slechts iets sneller en oppervlakkiger dan je zou verwachten van iemand die slaapt. Maar het is niet echt een goed teken dat hij bewusteloos is.

Om mezelf af te leiden, sta ik op en loop om de altaarstenen heen om te kijken waar het flakkerende licht vandaan komt. Martin of Roger moet ergens een kaars hebben aangestoken. Het is een wonder dat hij niet door het stof gedoofd is toen het dak instortte.

Nee, het is niet één kaars, het zijn er drie. Achter de massieve centrale altaarsteen, die nog overeind staat maar half bedekt is met puin, bevindt zich een nis. De voorkant is versierd met een inscriptie. Onder een fries van bladeren en omringd door de tekenen van de dierenriem rijst Mithras op uit de levende rots. Hij draagt een opbollende mantel, met sterren erin gesneden, en op zijn hoofd een stralende kroon, als die van het Vrijheidsbeeld, een krans van licht waarvan de stralen recht door het kalksteen gaan, zodat het kaarslicht er vanaf de achterkant op schijnt. Ik neem aan dat het in Romeinse tijden een olielamp zal zijn geweest die dit griezelige patroon op de wanden en het plafond van de kamer heeft geworpen. Zijn er nog restsporen van verf op de inscriptie? In het schemerige licht kan ik het niet zien. Hij zal beslist gekleurd zijn geweest: een diepblauwe mantel, misschien, groen op de bladeren, witte pleisterkalk op het gezicht van de god.

Het vocht heeft de fresco's op de gepleisterde wanden bijna volledig uitgewist; ze bestaan uit weinig meer dan vage contouren. De tauroctony is verdwenen, die ligt in stukken onder het ministerie van Defensie. Maar de plek is nog steeds indrukwekkend: Mithras, god van het licht, geboren uit de levende rots, aanbeden op duistere plaatsen.

Hoe is die tempel hier gekomen? De groeve van Vinegar Woods moet veel ouder zijn dan iemand ook maar heeft beseft. Hier moet het steen vandaan zijn gekomen voor de Romeinse villa en de bijgebouwen. Misschien was de eigenaar van de villa een gepensioneerd soldaat. En de inscripties op de gevonden kistdeksel lijken erop te wijzen dat er een of andere militaire nederzetting in de buurt was. De aanhangers van de cultus zullen de tunnels die door de uitgravingen onder de grond ontstonden een ideale plek voor een tempel hebben gevonden.

Ik stel me voor hoe ze in de nacht arriveren, toortsen flakkerend in de wind terwijl ze de heuvel naar de toegang beklimmen. Gehuld in dikke soldatenmantels haasten ze zich door de gangen, zoals wij hebben gedaan. Dan knielen ze neer om hun handen te wassen in een van de uitgeholde kuilen in het voorvertrek. De oudere mannen geven elkaar een stomp op de arm als begroeting. De jonge inwijdelingen zijn nerveus, onzeker van wat hen te wachten staat. Ze zullen met niet meer dan dertig zijn geweest, want meer plaats is er niet op de stenen banken aan beide kanten van het schip.

Aan het eind van het voorvertrek een rieten scherm. De poortwachters, Cautes en Cautopates, beschilderde beelden – de een houdt zijn toorts triomfantelijk omhoog, de ander laat hem in wanhoop omlaag hangen. Er wordt op een trommel geslagen. Het geroezemoes van stemmen in het voorvertrek sterft weg. Een voor een lopen de mannen tussen de Tweeling door en gaan het verduisterde schip binnen.

Ik ben een ster die schijnt vanuit de diepten.

Hij barst boven hen los als een supernova, Mithras, god van het ijle licht tussen hemel en aarde. Vlammen flakkeren in zijn stralenkrans; de Vader heeft de olielampen in de nis achter het altaar aangestoken. Een van de jongemannen beeft heftig. Hij weet niet of hij de moed zal hebben voor de beproeving.

Ik ga zitten, een vrouw op banken die gebouwd zijn voor mannen, waar ze het rituele feestmaal genoten – als ze dat hier deden. Niemand weet het echt, ook Martin niet. Het zijn allemaal geruchten, vermoedens van buitenstaanders, het equivalent van de klassieke wereld van de samenzweringstheorieën die rond de vrijmetselarij hangen. Het is mogelijk dat er een verband heeft bestaan.

Ergens zou een vertoornde god moeten zijn die zijn hand opheft om mij neer te slaan wegens het schenden van zijn mannelijke heiligdom. Maar het is vreemd vredig in het flakkerende licht; alleen het geluid van Martins ademhaling verstoort de stilte.

Ik rits mijn jack open. Aan de binnenzijde bevindt zich aan de linkerkant een verborgen zak die anderen gebruiken voor hun kaarten of hun telefoon. Ik steek mijn hand erin. Het is een diepe zak die ik alleen openmaak wanneer ik het jack in de was doe of datgene wat ik erin bewaar overdoe in mijn overall wanneer ik op grotonderzoek ga. Onder de grond heb ik het altijd bij me.

Glad aan de ene, ruw aan de andere kant. Ik haal het tevoorschijn en leg het op de stenen bank naast me. De kaarsen geven net genoeg licht om de glanzende spiraal te kunnen zien. Het is het enige wat ik nog heb van wat mijn vader me heeft gegeven. Na het bericht van zijn overlijden heb ik de gevangenis geschreven en om zijn spullen gevraagd. Hij moet enkele bezittingen hebben gehad: boeken, misschien zelfs een foto van mij of mijn moeder. Maar ze lieten me weten dat Janey Legge zijn spullen had meegenomen. Ze had zijn as ook. Ze bleek hem elke maand te hebben bezocht, al die jaren dat hij in de gevangenis zat, dat ze zelfs naar de Midlands was verhuisd om dichter bij hem te zijn. Ik overwoog om haar adres te vragen, maar ze hadden me het waarschijnlijk niet gegeven en bovendien wilde ik haar toch niet zien. Ze had tenslotte ook nooit geprobeerd míj te vinden.

Terwijl ik naar de kleine ammoniet kijk, is hij plotseling bij me: niet de vertoornde god, maar de verbijsterde man met zijn tekortkomingen. Wat zou hij denken als hij me nu zag?

Katie, zou hij zeggen. Je had gelijk. Er is hier iets.

Ik heet Kit, nu, pap, zeg ik. Ik moest veranderen. Ik was een tijdje behoorlijk in de war, weet je.

Dat weet ik. Ik heb steeds aan je gedacht.

Ik heb ook aan jou gedacht.

We zitten aan de keukentafel. Mijn vader steekt zijn hand uit en legt een vinger op de ammoniet. Hij schuift hem aarzelend over de tafel naar me toe. We kijken elkaar aan.

Ik pak de ammoniet op en laat mijn vinger over de spiraal glijden, zoals ik altijd deed toen ik Katie was. Het glanzende steen is glad en troostend onder het vlezige kussentje van mijn duim, die zijn eigen geplooide werveling heeft.

Ik heb je gemist, pap.

Het licht lijkt gedempter naarmate de kaarsen opbranden. Het is ruim twintig minuten geleden dat Gary wegging. Ik stop de ammoniet terug in mijn zak en sta op om te kijken of er enige verandering in Martin te bespeuren is. Hij lijkt bleker in het licht van de zaklantaarn. Ik kniel bij hem neer en raak zijn haar weer aan. Tot mijn verbazing komt er een grom.

'Ben je wakker?'

'Schoonheid?'

'Blijf stil liggen. Nee, ik meen het. Je mag je niet bewegen. Je ligt onder een niet erg stabiel stuk steen.' Ik laat mijn hand licht op zijn hoofd rusten. Belachelijk, eigenlijk: het geeft me het gevoel dat ik hem op de een of andere manier bescherm tegen het verpletterende gewicht van de blokken steen.

'Mijn hoofd doet zeer.'

'Dat wil ik wel geloven. Weet je nog wat er is gebeurd?'

'Was jij hier?'

'Nee. Weet je waar je bent?'

'In de tempel?'

'Heel goed. Wat is er met Roger gebeurd?'

'Mag ik daar een vriend voor bellen?'

'Juist. Wat is het laatste dat je je herinnert?'

'Ik liet mijn zaklantaarn over de achtermuur schijnen om na te gaan waar de tauroctony zou hebben gepast. Verdomme, mijn arm doet pijn...' De spieren in zijn rug spannen zich. Iets maakt een schrapend geluid onder de grote stenen.

'NIET BEWEGEN!'

'Ik kan hem niet bewegen.' Hij klinkt verbaasd. 'Waarom kan ik hem niet bewegen?'

'Hij zit vast onder een paar altaarstenen, die net tegen elkaar aan in evenwicht blijven. Ze kunnen omvallen.'

'Jezus.' Zijn rug verstijft weer.

'Ontspan je. Gary is hulp gaan halen. Je bent er binnen de kortste keren uit. Als je maar stil blijft liggen.'

'Kom naar deze kant, zodat ik je kan zien.'

'Het is beter als ik hier blijf zitten.'

'Als je je hand niet van mijn hoofd haalt, loop jij ook gevaar.'

'Als jij stil blijft liggen, vallen die stenen niet om.'

'Ik kan je knie zien. Dat is niet het mooiste aan je. Ik wil je gezicht zien.'

Met een behoedzame blik op de altaarstenen schuif ik naar de andere kant. Er heeft zich daaronder iets bewogen, ik weet het zeker. Ze zien er hachelijker uit dan eerst. Ik vind het vreselijk om mijn hand van zijn kwetsbare hoofd te halen. De sluwerik; hij weet dat ik hem vanaf deze kant minder goed kan beschermen. Doordat hij voorover ligt, met zijn hoofd gedraaid, is slechts een van zijn ogen zichtbaar; in het licht van de zaklantaarn neemt het me afkeurend op.

'Ik kan je niet zien als je met je zaklantaarn op me schijnt. Schijn op jezelf. Godallemachtig, wat zie je eruit, mens!'

'Luister, grapjas, het was niet eenvoudig om een reddingsoperatie op te zetten. Had ik Gary hier moeten laten?'

'Zodat ik met een stijve had kunnen doodgaan? Dat was niet bepaald een waardig einde geweest.'

Zijn linkerhand grijpt naar mijn dijbeen.

'Blijf stil liggen, verdomme. En hou je handen thuis. Foute sekse, weet je nog?'

'Ik tastte alleen naar je hand.'

Ik pak zijn hand. Hij knijpt erin en sluit zijn ogen – oog, het andere kan ik niet zien. Ik geef een kneepje terug, en het licht begint te fonkelen en wordt zwakker, en de vorm van zijn gezicht wordt wazig.

'Kit,' zegt hij, 'ik zag zeven gouden kandelaars.'

Ik knipper met mijn ogen en kijk verbaasd om me heen. Er zijn hier geen gouden kandelaars, alleen drie half gesmolten goedkope kaarsen in de nis achter het altaar.

'De eerste en de laatste,' zegt Martin, en het komt eruit als een zucht. 'Zoals mijn vader altijd zei, eindigt het met de Openbaringen. Die goede oude Johannes.'

'Het eindigt niet. Gary is onderweg. En Roger is hem waarschijnlijk inmiddels al voor en heeft het alarmnummer gebeld.'

'Roger?' zegt hij. 'Roger was hier niet.'

'Wie heeft de kaarsen dan aangestoken?'

'De eerste en de laatste,' herhaalt hij.

'Je bent hier alleen heen gegaan, stommeling?'

'Er was een regenboog, en een glazen zee, en er waren dieren vol ogen.'

'Je raaskalt.'

'Vreselijk om een dominee als vader te hebben. Hij had altijd gelijk. Met de bijbel in de hand, met tekst en uitleg. Ik moest hele stukken uit mijn hoofd leren. Als ik mijn ogen opendoe dan zal hij daar staan, tussen een paar verdomd grote hemelpoorten, terwijl hij vermanend met zijn vinger zwaait en zegt: "Heb ik het niet gezegd?"'

'Het komt wel goed met je. De regels voor homo's zijn versoepeld.'

'Ik ben altijd jaloers op je geweest omdat je vader architect was.'

'Mijn vader was geen architect,' zeg ik. Ik geef weer een kneepje in zijn hand en krijg een kneepje terug.

'Snij mijn arm af,' zegt hij.

'Wat?'

'Snij mijn arm eraf. Ik wil niet dood.'

'Ik snij je arm niet af. Het is je troffelarm. Je redt het nooit als linkshandige archeoloog.'

'Er zit een Zwitsers zakmes in mijn zak. Snij het kreng eraf en haal me hier weg.'

'Dat kan ik niet.' Ik word misselijk bij de gedachte. 'Doe niet zo raar. Gary is onderweg, zoals ik zei.' Hij knijpt mijn hand bijna fijn, maar ik denk niet dat ik het zou kunnen, zelfs niet als het de enige manier zou zijn om zijn leven te redden.

'Ik ben bang,' zegt hij. 'Alles is beter dan hier maar te liggen wachten tot ik doodga. Jij moet dat weten. Jij moet hetzelfde hebben gevoeld, in de vuursteenmijn, toen de tunnel instortte.'

'Ik laat je niet doodgaan.' Met mijn andere hand streel ik zijn baard. 'Ik hou van je, domme ouwe beer.'

'Bewaar dat maar voor Gary,' zegt hij. 'Aan mij is het niet besteed.'
'Dat is het wel, verdomme.'
'Pap,' zegt hij. 'Ik heb je gezegd dat ze gek was.' Hij opent zijn oog, kijkt naar me op, zucht en doet het weer dicht. 'Ik heb hem gezien, weet je. "Hij had in zijn rechterhand zeven sterren en zijn gelaat was als een krachtige, stralende zon."'
'Hou op met dat mystieke gedoe,' zeg ik. 'Het eindigt niet met de Openbaringen. Of met Mithras.' Maar zijn wang voelt koud en klam, en zijn ademhaling is veranderd, oppervlakkiger en onregelmatiger. Zijn ogen blijven gesloten en hij zegt niets meer.

Ik begin last te krijgen van de kilte in de ruimte, en die kan ook niet goed zijn voor Martin, dus trek ik mijn jack en mijn fleecevest uit en leg ze om hem heen. Dan ga ik zo goed mogelijk tegen hem aan liggen in een poging zijn lichaam met het mijne te verwarmen. Hoe deden de volgelingen van Mithras dat? Ze moeten vuren hebben aangestoken; als Martin bij bewustzijn en op de been was, zou hij de grond afzoeken naar tekenen van vuur, plaatsen waar de stoven moeten hebben gestaan. En als ze vuren hebben aangestoken, moeten er een soort schoorstenen zijn geweest. Maar ik neem aan dat die, net als alle andere ventilatiekanalen van de uitgravingen, al lang geleden zijn afgedekt.

Ik heb het nu zo koud dat ik bang ben dat mijn gebibber het wankele evenwicht van de altaarstenen kan verstoren, dus sta ik op en begin weer door de kamer te ijsberen. Waar is Gary? Hij moet inmiddels toch buiten zijn. Of is hij ook verdwaald, in de Bermuda Driehoek die dit deel van de uitgravingen is? Ik beef inmiddels heftig. Ik hoef niet te vragen hoe ze de koudebeproeving voor de volgelingen van Mithras organiseerden. Ze hoefden de arme stakkers maar uit te kleden en ze daar een nacht te laten blijven.

De oude steenhouwers moeten van de tempel geweten hebben. En hun mond erover hebben gehouden. Iemand moet de lange muur in de ruimte hebben gebouwd om hem te verbergen. Omdat de tempel ze angst aanjoeg? In vroege tijden werd het steen gewonnen door kleine bedrijven, die elk hun eigen groeve hadden en waarin de eigenaar met één of twee mannen, misschien zijn eigen zoons, werkte. Het is mogelijk dat de tempel iemands familiegeheim is geworden, weggestopt achter een muur en overgelaten aan de schimmel omdat het een heidense plaats was, een duivelstempel, die ongeluk bracht. Uiteindelijk hielp zelfs de natuur hem te verbergen toen een deel van het dak van de groeve instortte.

En wie heeft de stenen weggehaald en hem herontdekt? Ik wed dat het de Cameraman is geweest.

413

De Cameraman. Gek, eigenlijk, dat al mijn angst voor wat me hier is overkomen in die zomer gericht was op iemand die niets te maken had gehad met de dood van mijn moeder, die waarschijnlijk al dood was voordat ik hier ooit kwam. Ik werd steeds weer naar de onderwereld terugetrokken, maar in het donker voel ik hem altijd bij me, slaat hij me gade door de lens en reiken zijn lange, witte vingers naar me. Het dier vol ogen... Vreemd dat Martin dat beeld uit de Openbaringen eruit heeft gehaald, alsof hij het uit mijn onderbewuste heeft gepikt.

Het kaarslicht flikkert, het maakt me ongerust. Ik dacht dat ik dat allemaal onder ogen had gezien, had uitgebannen, vanavond. Maar ik kan nog steeds geloven dat ik word gadegeslagen, dat de Cameraman na al die jaren stiekem terug is gekomen.

De eerste en de laatste... Niet te geloven, dat Martin het lef had om in zijn eentje de tunnels in te gaan. Het gaat tegen elke logica in. Natuurlijk was Roger bij hem.

Wie heeft de kaarsen aangestoken? Dat moet dan Martin zijn geweest. Maar om alleen naar binnen te zijn gegaan...

Je krijgt er nog spijt van dat je dit hebt gemist. We gaan naar binnen.

Dat was het bericht dat hij stuurde... *we gaan naar binnen*. Ze waren met zijn tweeën.

Roger was hier niet.

Maar wie dan?

Het dier vol ogen... Ik voel dat het haar in mijn nek overeind gaat staan. Ik zou kunnen zweren dat het kouder is geworden en dat het licht afneemt. Nee, nee, nee. Ik verbeeld het me maar. Er is geen dier. Er zijn geen ogen.

De miniemste, zachtste...

KLIK

'Wie is daar?'

Ik draai me vliegensvlug om, en daar is hij, de camera in zijn lange, witte vingers.

34

'Nou, Kit.' Dickon stapt tussen Cautes en Cautopates door de kamer binnen en staat tussen de stenen banken. 'Het ziet ernaar uit dat je toch gelijk had.'

Nu ik kan zien wie het is, voel ik me vreemd kalm. Hij draagt zijn oude waxjas, waarvan de zakken uitpuilen van zakdoeken en de gebruikelijke Dickonapotheek; een camera hangt om zijn nek, een groot blind derde oog.

'Dus jij bent met Martin binnengekomen. Ik wist niet dat jullie elkaar zo goed kenden.' Ik ga terloops achter de overgebleven helft van het altaar staan om iets stevigs tussen ons in te hebben.

Dickon haalt zijn schouders op. 'We hebben elkaar op het feest gesproken, nadat jij weg was gegaan. Hij kocht drankjes voor die Roger. Ze wisten me er samen van te overtuigen dat hier toch wel iets moest zijn. Ik heb ze vanmiddag ontmoet toen Roger ons de weg naar binnen wees.'

'Dat geloof ik niet.' Waarom zou Martin met Dickon ondergronds hebben willen gaan? 'Hij heeft niets gezegd over een afspraak met jou.'

'Hij had ook geen afspraak met mij. Ik heb Roger gebeld – ik heb zijn nummer in het telefoonboek gevonden – en hij vertelde me dat ze hadden afgesproken om een kijkje te nemen bij de toegang in het bos. Toen ik hem eraan herinnerde dat ik de archeoloog van dit project was, nodigde hij me uit om mee te gaan.'

Tik, tik. Ergens in een hoek van de tempel drupt water – of het is gesteente dat in een nieuwe instabiele samenstelling tot rust komt.

'Waarom was Roger niet bij jullie toen het dak instortte?'

'Hij wilde niet op verkenning gaan.' Het kaarslicht werpt bewegende schaduwen op de wanden. Dickon komt tussen de stenen banken door een stap dichterbij. 'Hij zei dat hij één keer was verdwaald en dat risico niet nog eens wilde nemen. Hij ging naar huis om te eten, en pas toen hij weg was hebben Martin en ik besloten de juiste uitrusting te halen en naar binnen te gaan.'

Jezus, hoe had Martin dat kunnen doen? Hij had de rotzak in mijn huis gelaten, met zijn handen aan mijn spullen laten zitten. Het is mijn eigen schuld, want ik heb niemand over de porno verteld of Dickons poging aan me te zitten. Martin moet hebben gedacht dat het veiliger was om met hem de mijn in te gaan dan alleen, en de eeuwigheid te verkiezen boven helemaal niet gaan. Maar wat bezielde die twee, terwijl de regen met bakken uit de hemel viel en de tunnels nog riskanter waren dan normaal...

'Je hebt hem alleen gelaten,' zeg ik. 'Je hebt hem alleen gelaten nadat het dak was ingestort.'

'Ik ging hulp halen, Kit.'

Zijn koeienogen zijn opengesperd, zijn lichaam is ontspannen, maar ik geloof de rotzak niet.

'Als je hulp ging halen, waar is die dan? Je hebt hem hier voor dood achtergelaten.'

'Ik ben verdwaald. Ik kon de weg naar buiten niet vinden en besefte dat ik in kringetjes liep...'

'Hoe lang heb je me gadegeslagen?'

'Je gadegeslagen?' Er ligt een glimlachje op zijn gezicht, alsof iets wat ik net heb gezegd hem veel plezier doet.

'Je lijkt niet erg verbaasd me hier aan te treffen. Je hebt hier rondgehangen, gewacht tot Martin dood zou gaan, zodat je er zeker van kon zijn dat niemand zou weten dat jullie samen de mijn in zijn gegaan. Je wilde doen alsof hij alleen naar binnen was gegaan, zodat je je rotbaantje niet kwijt zou raken.'

'Dat is belachelijk.' Maar ik ziet het aan zijn gezicht. Hij moet Gary en mij hebben horen aankomen, moet al die tijd in het donker hebben gewacht...

Waarom? Zijn armen hangen losjes langs zijn zijden, maar zijn ene knie is gebogen en zijn gewicht rust op het andere been, alsof hij klaarstaat om ervandoor te gaan. Hij mag er dan ontspannen uitzien, maar ik ken dat soort lichaamstaal, ik ben ermee opgegroeid. Het is de springveer die eruitziet alsof er geen enkele spanning op staat, tot hij plotseling in beweging komt. Ik zie hem voor me, hurkend in het donker, in paniek aan zijn ballen zittend en bedenkend wat hij moet doen nu er anderen gekomen zijn die Martin nog levend hebben gevonden. Hij moet Gary weg hebben zien gaan om hulp te halen, gehoopt hebben dat Martin al te ver heen was, zich afgevraagd hebben hoe hij zich kon redden nu hulp onderweg was en ik daar zat en Martins hand vasthield.

Er is natuurlijk maar één manier.

'Ik heb Martin verteld over jou en Gary,' zegt hij ineens. Hij probeert me af te leiden, probeert te voorkomen dat ik hem doorzie. Als er twee lichamen onder een recente instorting zouden liggen, zou niemand vermoeden dat Dickon hier is geweest. Zijn ogen zijn vlak en uitdrukkingsloos, onleesbaar in het kaarslicht. Mijn ademhaling versnelt, terwijl ik hem scherp in de gaten houd.

'Martin was helemaal van streek,' voegde hij eraan toe, zijn ogen strak op mijn gezicht gericht. Hij is vastbesloten mij ervan te overtuigen dat hij niet liegt. Hij kan geen enkel gesprek tussen ons hebben gehoord, want dan zou hij beseffen dat Martin precies andersom zou hebben gereageerd. 'Ik denk dat het hem onvoorzichtig heeft gemaakt. Hij had niet onder dat puin hoeven liggen, weet je.'

Hij probeert me alleen maar op stang te jagen. Mijn hart gaat steeds sneller tekeer, terwijl ik probeer in te schatten wanneer hij in actie zal komen. Hij wil me overrompelen, natuurlijk, maar uiteindelijk maakt dat niet uit, want als ik niet langs hem heen weet te komen, kom ik niet weg. De altaarstenen mogen dan geruststellend stevig lijken tussen ons in, maar het zal uiteindelijk op brute kracht neerkomen.

De vorige keer was ik hem te snel af.

Maar toen deed hij niet echt zijn best. Er stond lang niet zoveel op het spel.

'Arme Martin,' zegt Dickon. 'Er is een woord voor. Hij is verneukt.' Hij spuugt de woorden eruit, als een kwak gif van een gewonde slang.

Dan begrijp ik hoe hevig hij me haat... alle vrouwen haat. Hoe bang hij voor ons moet zijn. 'Verneukt,' herhaalt hij, met vlakke, donkere ogen. Hij pept zichzelf op. 'Je laat hem zelfs voor je kóken!'

'Hij vindt het heerlijk om te koken...' Ik mag dan als de dood zijn voor Dickon, dit is bespottelijk. Maar er is iets wat om mijn aandacht vraagt, iets wat ik allang had moeten begrijpen. 'Hoe weet je trouwens dat hij kookt?'

'Ik heb je gadegeslagen,' zegt hij, en ineens valt alles op zijn plaats. 'Je laat de gordijnen open als het donker is... je nodigt ertoe uit.'

'Je hebt me thuis bespied?'

'Ik heb foto's.' Hij klinkt belachelijk trots, alsof hij verwacht dat ik hem ervoor zal prijzen. 'Hé, Kit, kom op, zo is de wereld verdeeld – je bekijken en bekeken worden.'

Hij heeft op me gejaagd, zoals Mithras op de stier. Ik voel me misselijk. 'Nee,' zeg ik. 'Je snapt er niks van, Dickon. Je snapt er helemaal niks van. Je bent gestoord!'

'O, ik snap het heel goed.' Er komt een harde uitdrukking in zijn ogen, zoals op die eerste dag onder de grond toen ik hem tegensprak. 'Ik weet wat je lekker vindt, Kit. En ik vraag me af of jij het ook lekker vindt om te kijken.'

'Wat je ook van plan bent, je zult snel moeten zijn.' Ik wil dat hij denkt dat ik hem doorheb, dat ik alles onder controle heb, maar mijn

417

stem klinkt gespannen en schril in mijn oren. Ik blijf denken aan het ge-
welddadige karakter van de porno die hij me heeft gestuurd, de geketen-
de vrouw met haar benen gespreid, haar arm van haar schouder gehakt...
Bloed en zaad. 'Gary kan elk moment terug zijn. Hij is al lang genoeg
weg.'

'Hoe weet je dat hij niet verdwaald is?' zegt hij, maar deze keer zag ik
een flits van onzekerheid in die ogen. In de mijne misschien ook – speel
ik dit verkeerd? Wat ik hoop, is dat ik het met bluf kan redden, dat ik
hem kan doen inzien dat het krankzinnig is om iemand te vermoorden.
Maar moet ik hem in plaats daarvan misschien aan de praat houden, hopen op hulp voordat hij het lef heeft om te doen wat hij van plan is? Ik
heb geen idee hoe lang Gary al weg is, geen idee hoe lang het kan duren
voordat hij terugkomt. Ik wil op mijn horloge kijken, maar dat zou me
verraden. Nee ik ga ervoor, ik waag het erop, ik zal hem afbluffen. Het
is Dickon tenslotte, Dicky Dickon; het is geen moordenaar, verdomme,
een toeschouwer, zoals hij zelf heeft gezegd, geen doener. Ik kan hem
onderuithalen, terug laten krabbelen, als ik maar koelbloedig blijf.

'Roger weet dat je vanmiddag bij Martin was, ook al heeft hij jullie
niet samen de mijn in zien gaan.'

'Hmm,' zegt Dickon. Verveeld, ongeduldig. Jezus, hij hoort geen
woord van wat ik zeg. Er gaat van alles in hem om, het oranje lampje
knippert, maar het is allemaal interne verwerking en het maakt niet uit
hoe vaak ik op het toetsenbord beuk, het programma reageert niet. Hij
brengt zijn camera omhoog, richt hem op mij, schudt dan zijn hoofd en
laat de camera weer aan de riem hangen. Er is niet genoeg licht voor een
fatsoenlijke foto.

'Ik had je graag zien neuken,' voegt hij er bijna droefgeestig aan toe.
'Martin en jij. Of Gary en jij. Maar ik was er nooit op het juiste moment.
Jammer.' Verleden tijd. God nog aan toe. Hij gaat ons vermoorden. Hij
gaat ons echt vermoorden. Hij steekt zijn hand in de zak van zijn waxjas
en haalt er een zware zaklantaarn uit.

'Die zou ik niet gebruiken,' zeg ik. 'Je bent een nog grotere idioot dan
ik dacht. Niemand zal dat voor een ongeluk aanzien.' Hij knipt de zaklantaarn aan en laat het licht over de gepleisterde wanden van het Mithraeum schijnen.

'Er waren fresco's,' zegt hij verbaasd. 'Er is niet veel van over, maar
het ziet er Romeins uit. Ongelooflijk. Wie had dat gedacht...' Hij kijkt
weer naar mij. 'Maar het centrale symbool van het mithraïsme was natuurlijk het doden van de stier.' Hij zet weer een stap, deze keer naar de
hoek van het altaar waar Martin ligt.

'Ik weet dat jij me die foto's hebt gestuurd,' zeg ik snel. Ik moet zijn aandacht op de een of andere manier van Martin afleiden. 'Gary weet het ook. Hij heeft je geheugenstick. Daar pakken ze je nog wel voor...'

Fout. Zijn ogen vervlakken, zoals die van mijn vader dat deden. Hij is zo snel om het altaar heen dat ik volkomen verrast ben; hij zwaait met de zaklantaarn en grijpt tegelijkertijd met zijn andere hand naar mijn jack. Ik... Jezus. Te langzaam. Mijn schouder trilt van pijn na de hevige klap van de zaklantaarn – en ik voel een oude, oude verwonding die me eraan herinnert hoe machteloos ik in feite ben, en ik struikel, en zijn arm zwaait al terug voor een nieuwe uithaal terwijl de camera op en neer wipt op zijn borst en zijn grote, blinde oog naar me knipoogt.

Pap...

Ik heb hem in elk geval bij Martin vandaan gekregen...

Verdomme! Deze keer, mijn borst... tot moes geslagen tegen mijn ribben. Je-zus. Zijn ogen zijn zo uitdrukkingsloos als die van mijn vader waren – nee, er is iets sluws wat ik nooit bij mijn vader heb gezien.

Hij berekent waar hij de volgende klap zal uitdelen. Dit gaat niet om afmaken, nog niet, het is...

'Ik ga zijn schedel verpletteren en jij mag toekijken.' Hij sist het tussen zijn tanden door, meer een schor gekraak dan een stem.

'Nee,' zeg ik, en ik probeer mezelf tussen Dickon en de omgevallen helft van het altaar te plaatsen om hem te verhinderen bij Martin te komen. 'Nee.' Elke spier in mijn lichaam schreeuwt dat ik achteruit moet stappen, maar ik loop hem tegemoet en houd mijn ogen strak op de zijne gericht. Slang, slang. Laat hem mij aanvallen, niet Martin. 'Je hebt geen idee wat voor een meelijwekkende klootzak je bent, hè? Verneukt? Dat is Martin niet, dat ben jij. Je had niet eens het lef om me te verkrachten laatst. Je zakte in elkaar als een gebruikt condoom.' Ik beef – o God, laat het geen pijn doen; ik weet niet of ik sterk genoeg ben als het te veel pijn doet, maar ik zal alles zeggen, hoe gemener hoe beter om hem eerst op mij af te laten komen en hoop maar dat we wat tijd winnen terwijl hij doet wat hij met me wil doen. Waar blijft Gary? 'Je hebt alleen maar een vochtig vingertje in je broek. Volgens mij kun je hem niet eens overeind krijgen. Het zit allemaal in dat gestoorde hoofd van je. Weet je hoe de mijnwerkers je noemen? De sukkel. Maar zo ben je misschien je hele leven al genoemd.'

De zaklantaarn zwaait weer naar achteren en de lichtstraal flitst over het plafond met zijn fragmenten van fresco's, ruwe rots, blauw pleisterwerk, een opbollende mantel, een cirkel van sterren...

Ik ben een ster die schijnt vanuit de diepten.

Help me, Mithras, nu, in het uur van mijn dood... Laat het hem langzaam, langzaam, doen, zodat Martin een kans heeft.

Invicta

Ik haal uit naar de kaarsen in de nis achter het altaar, en de vlammen flakkeren en buigen zich omlaag, en gedurende één moment lijkt alles donker te worden behalve de straal van Dickons zaklantaarn, die onont-koombaar via het plafond in mijn richting zwaait.

Hebben ze hier ooit een stier geofferd? Dat zou een heel kleine stier moeten zijn geweest. Een heel meegaande stier. Ik neem aan dat er ma-nieren zijn geweest om het dier te drogeren. Een beetje oplichterij, ei-genlijk...

En dan hoor ik het, het grote gebrul; het raast door de tunnels, komt steeds dichterbij, en het licht wordt feller en feller tot het schitterende oog van de god uit de tunnel zwiept en in de tempel schijnt.

De scharnierende lader stormt bespat met modder en gloeiende kop-lamp de tempel in. De enorme tractorwielen stuiteren slippend over de treden en de ondiepe kuilen van de beproevingen. Het gebrul van de mo-tor is oorverdovend in de besloten ruimte. Ik duik weg van het altaar en zoek mijn toevlucht in de verste hoek van het Mithraeum. Dickon staat daar als vastgenageld, met open mond; de zaklantaarn hangt slapjes in zijn hand.

De achterkant van de lader glijdt weg en Cautes of Cautopates vliegt de lucht in; Gary vecht met het stuur en krijgt hem weer onder controle, hoewel iets erop lijkt te wijzen dat de archeologie hem geen moer kan schelen. Hij brengt hem op enige afstand van het altaar tot stilstand, als vier grote gedaanten, glanzend in zilver met gele fluorescerende jacks, met luchtkussens naar binnen komen rennen.

Ik zwaai met mijn armen om Gary te waarschuwen.

'Terug! Het is te gevaarlijk...'

Hij is gek. Door het lawaai en de trillingen zullen de altaarstenen op Martin vallen.

'De stenen zijn verschoven!' Maar ik zou net zo goed tegen mezelf kunnen schreeuwen. Ze kunnen me door het lawaai van de motor niet horen. Gary rijdt de lader achteruit, laat de armen van de vorkheftruck zakken en richt ze op de zware stenen banken. De vier anderen zijn ach-ter in de kamer bij de instorting. Terwijl de lader zijn grote cyclopenoog weer rond laat zwaaien, kan ik Teds zware gelaatstrekken onderschei-den en de tatoeages die vanuit de halsopening van zijn shirt omhoog-krullen. Ze zitten als monniken om Martin heen geknield. Ted draait zich om en roept iets: een van de anderen rent langs me heen de kamer weer uit.

Er komt meer lawaai, geschraap en geknars, van buiten de kamer. Ze gebruiken blijkbaar een graafmachine om de ingestorte muur buiten de kamer te verwijderen, zodat de kraan op zijn zware rupsbanden naar binnen kan. Gary's lader brult en stormt op de stenen bank af; de vorken wrikken zich eronder en de achterwielen steigeren, komen van de grond, terwijl de machine worstelt om de lading op te tillen. Hij rijdt achteruit, gaat in een andere versnelling, de machine krijst, de vorken schudden en zwaaien met de blokken steen, de gewonde stier danst in het flakkerende licht, trapt naar achteren, brengt zijn hoorns weer omlaag, bulkt en buldert, terwijl de priester hem berijdt, de kop naar achteren rukt, het mes klaar voor het offer...

De motor slaat af. De stilte sist als een schokgolf in de oren. De stenen bank is verdwenen, veranderd in een hoop blokken, waardoor er ruimte is voor de kraan om naar binnen te komen. Gary springt uit de cabine en rent op me af.

En in de stilte klinkt het geluid van iets zwaars dat verschuift en tot rust komt...

– een trilling die net zozeer gevoeld wordt als gehoord

– de donderende klap van een enorm blok dat van de altaarstenen glijdt

– de grond raakt waar Martin ligt.

35

De rokerige geur van Gary's zweet. Mijn gezicht tegen zijn borst, herinnerend, maar het is te laat, en ik stomp met mijn vuisten tegen zijn
schouders.

'Je hebt hem vermoord! Ik zei dat het te gevaarlijk was, klootzak, je
hebt hem verdomme vermoord...'

'Hou op.' Hij pakt mijn zwaaiende pols en legt een arm om me heen.
'Hou op, Kit. Rustig maar.'

'Je moest zo nodig, hè? Je moest dat ding hier zo nodig heen brengen
en de held uithangen. Jezus. Hoe kon je? Hij was mijn vriend.'

Ik huil nu; ik huil echt, lelijk; snot en tranen veranderen mijn gezicht
in een rood, gezwollen, verwrongen ding... het hopeloze huilen van iemand die aan het einde van alles is gekomen.

'Jij en dat verdomde... God. Die verdomde Mithras heeft hem vermoord.'

Ik ben een ster die schijnt vanuit de diepten.

Nee.

Vernietiger.

'Hoe heb je me dat kunnen aandoen, jij klootzak, jij...'

Mijn vrije hand beukt op zijn borst, op het verschoten oude sweatshirt
dat hij altijd draagt op zijn werk. Mijn hand doet pijn en mijn tranen
doorweken de olievlekken en de verfvegen, en zijn geur overweldigt me,
de geur waar ik zo van houd, wanneer hij zijn armen om me heen slaat.

'Sst, rustig maar... Het komt goed.'

Vanuit mijn ooghoeken zie ik hem mijn hand pakken, de hand die
pijn doet nadat hij hem heeft verbrand, en zijn nagels zijn schoon op die
dunne witte verfrand langs de nagelriemen na, die hij er nooit helemaal
af weet te weken.

Katie, ademt hij in mijn haar. Katie.

Hoe kon je me dit aandoen, klootzak?

Katie. Doe dit niet. Ik hou van je.

Klootzak, je hebt haar vermoord.

'Kit. Verdomme, Kit. Ik ben je vader niet.'

Maar het is te laat. Ze zijn nu allemaal dood.

'Ik heb niemand vermoord, Kit. Hij leeft nog. Ze hebben hem eruit gekregen.'

Hij liegt. Ik zag de steen vallen. Martin lag eronder.

'Nee, hij is in orde. Echt. Het is waar.' Hij streelt mijn haar. 'Stil maar. De ambulancebroeders zijn nu bij hem.'

'Hij heeft gelijk, mevrouw Parry. We hebben de luchtzakken onder de kleinere stenen gekregen en de grote steen verschoof toen we ze opbliezen, maar we hebben hem eruit gekregen, echt waar.'

Verdomde Ted. Ik huil in Gary's trui en bevestig alle ideeën die de vrije mijnwerkers ooit over vrouwelijke mijningenieurs hebben gehad. Ik recht mijn rug en stap achteruit, terwijl ik zo veel mogelijk snot van mijn gezicht veeg als ik kan.

'Is alles in orde met hem, Ted? Hebben jullie hem er echt heelhuids uit gekregen?'

'Ik weet niet precies hoe het met hem is, mevrouw Parry, daar moeten de ambulancebroeders naar kijken. Maar hij is niet gewond geraakt en hij ademt.' De klus is geklaard, wat Ted betreft. Zijn ogen dwalen al bezorgd langs het plafond. 'We kunnen niet veel meer doen voordat ze hem hebben meegenomen, maar ik denk dat we vannacht nog wat steun moeten aanbrengen onder die hoek van het plafond.'

'Dank je.' Het lijkt een ontoereikende opmerking. 'Dank je, echt.' Ik lijk Teds hand niet te kunnen loslaten en blijf hem maar schudden. Waarom doe ik dat in godsnaam? Ik laat hem los. 'Het spijt me. Ik ben een beetje van streek. Het werd... nogal spannend, het wachten.'

Dickon. Waar is Dickon, verdomme?

'Ik begrijp het,' zegt Ted, terwijl hij zijn hand, waar mijn snot op zit, aan zijn trui afveegt. 'Ik denk dat ik ook wel een beetje zenuwachtig was geworden. Sorry dat het zo lang duurde, maar het viel niet mee om de Mier op gang te krijgen. De ambulancebroeders en de brandweermannen zijn door het bos gegaan, maar Gary ging ervan uit dat we met de lader en de luchtzakken beter bovenlangs konden gaan.' Hij knikt en sloft terug naar zijn ploeg, gewoon een grote beer van een man en niet de Balrog die ik van hem had gemaakt.

'Dickon was hier,' zeg ik tegen Gary. 'Hij... heeft Martin voor dood achtergelaten.' Ik kan mezelf er niet toe brengen om te zeggen: en ik denk echt dat hij mij ook wilde vermoorden.

'Ik heb hem gezien. De sukkel.' Zijn ogen staan spijkerhard. Ik merk dat het nog niet helemaal tot hem is doorgedrongen wat ik heb gezegd, laat staan wat ik niet heb gezegd. 'Maar hij was nummer twee op de lijst.'

'Lijst?'

'Eén, troost huilende vrouw. Twee, sla schoft in elkaar.'

Ik kan om geen van beide lachen.

'Hé, het spijt me. Ik weet zo nu en dan niet of je Kit of Katie bent.' Hij drukt me even tegen zich aan. 'Bedoel je dat Dickon Martin hier mee naartoe heeft genomen? Dat is op zich al genoeg om hem zijn baan te laten kwijtraken.' Hij kijkt de kamer rond. 'Hij is weg. Hij zal wel weten dat hij het hier wel kan vergeten. Dat hij het overal wel kan vergeten.'

De ambulancebroeders in hun groen met zilverkleurige pakken doen iets met een zuurstofcilinder. De kamer stroomt vol met brandweerlieden. Ze lopen heen en weer en zien er lichtelijk teleurgesteld uit nu er niets voor hen te doen valt behalve wat grote lampen opstellen waarbij de ambulancemensen kunnen werken en daarna de brancard naar buiten te begeleiden. Een van hen is kleiner en tengerder dan de anderen: een vrouw. Ze buigt zich om de kaarsen achter het altaar te doven, en het flakkerende licht achter de kroon van Mithras verdwijnt. Wanneer ze overeind komt, ziet ze me kijken en glimlacht even naar me. Ik vraag me af of zij wel eens te horen krijgt dat ze ongeluk brengt in een brandend gebouw. Ik verstrengel mijn vingers met die van Gary en knijp in zijn hand.

'Ik moet gaan,' zegt Gary, terwijl hij mijn kneepje stevig beantwoordt. 'Ted heeft gelijk, we moeten iets aan dat plafond doen voordat er een nieuwe instorting komt. Boven is al sprake van noodhulp. De bewoners van de huizen op de zuidhelling worden geëvacueerd.'

En terwijl hij wegloopt in de richting van de mijnwerkers begrijp ik dat het altijd zo zal zijn, dat geen van ons beiden het ooit echt zal zeggen, dat geen van ons beiden gemakkelijk met gevoelens omgaat. Daardoor voelen we ons tot elkaar aangetrokken. We voelen elkaars littekens, maar we weten diep vanbinnen dat we daar niets aan kunnen doen behalve doorgaan met ons leven zoals we altijd hebben gedaan. Ik zal Gary niet vertellen dat Dickon mij misschien wel wilde vermoorden. Gary zal mij nooit echt uitleggen waarom Tess en hij uit elkaar zijn gegaan. We zijn allebei soldaten, ieder op onze eigen manier: *invictus* en *invicta*.

Een van de ambulancebroeders heeft hulp nodig, en twee van de brandweerlieden tillen de brancard op en geven hem voorzichtig door aan hun collega's aan de andere kant van de berg puin. Ze lopen door de lichtbundel van de lader en ik vang een glimp op van Martins gezicht; zijn huid is doodsbleek tegen zijn donkere baard, zijn ogen zijn nog steeds gesloten.

'Hoe is het met hem?' vraag ik aan de ambulancebroeder die de zuurstoffles draagt. 'Komt het goed met hem?'

'Zijn pols is zwak, maar hij houdt vol. Het is een sterke vent. Het is moeilijk te zeggen hoe het met de hoofdwond is voordat hij bij bewustzijn komt, maar ik denk dat het niet al te ernstig is. Wilt u met ons mee rijden?'

Ik kijk even naar de hoek waar Gary diep in gesprek is met een van de brandweerlieden en Ted. Hij draait zich om, en het licht van de lader valt op zijn kaaklijn terwijl zijn ogen in de schaduw blijven. Ik kijk weer naar Martin op de brancard: steenstof in zijn baard, zijn haar nat en geklit, zijn ogen gesloten.

'Waar brengen jullie hem heen? Het RUH?' Hij knikt. 'Zijn naam is Martin Ekwall. Hij is drieënveertig. Wat familie betreft, kom ik het dichtst in de buurt.' Ik druk mijn vingers licht op Martins voorhoofd. 'Kan ik mijn nummer geven voor het geval er... nou, voor het geval jullie het nodig hebben? Zorg goed voor hem. En vertel hem als hij bijkomt, dat ik meteen naar het ziekenhuis kom als we hier klaar zijn.'

Ik kijk ze na, terwijl ze om de blokken steen heen lopen die Gary met de lader heeft verspreid; dan wrijf ik met mijn hand over mijn ogen. Mithras, god van het ijle licht, maar ook god van contracten en beloften. Geen wonder dat soldaten hem mochten. Het moet handig zijn geweest om een godheid te hebben die je kon helpen beslissen waar je plichten liggen.

Maar hoe zit het met de liefde? Altijd de complicerende factor.

Ik voeg me bij Gary en Ted om te bepalen hoe we kunnen voorkomen dat het plafond nog verder instort.

36

Ik verlaat al vroeg het grote huis. Het is een ochtend in mei, en de bladeren van de paardenkastanjes langs de rivier, waar zich witte bloemkaarsen tussen oprichten, zijn heldergroen en sappig. Het stadje slaapt nog, maar de dagploeg begint om zeven uur nu de financiering rond is en ik wil goed en wel beneden zijn voordat zij komen. De horizon is nog goudgeel en parelachtig: de sfeer van Mithras, god van het ijle licht tussen hemel en aarde.

Er zijn dingen die altijd tussen ons in zullen slapen, tussen Gary en mij. Hij snapt niets van mijn gevoelens voor mijn vader. Maar ik denk dat Martin het begrijpt. Gisteren liet hij me de ruwe versie zien van het programma van *Time Team* dat ze gemaakt hebben over de opgraving van de tempel, de scène waarin hij uitleg geeft over de inscripties in de altaarstenen en plotseling tegen Carenza Lewis zegt: 'Maar daar gaat het bij een god juist om. Hij is ondoorgrondelijk, onuitsprekelijk, eigenmachtig. Soldaten weten dat. Je blijft leven of je sterft. De vraag is niet of wat hij doet goed of slecht is, waar het om gaat is dat hij jouw god is, dat hij *invictus* is. Dat hij gewoon *is*.'

Ik rijd heuvelopwaarts het stadje uit, langs de uitloper van de Cotswolds, omlaag het dal in en over de brug. Dan klim ik weer omhoog naar Green Down, neem de achterafweg tussen de bomen door, de oude Romeinse weg, in de richting van de verbouwde schuren aan Vinegar Lane, met de Range Rovers en Jaguars voor de deuren en de basisschool die ontworpen is door Robert Klein. Mijn pleegvader.

Ik heb mijn eigen vader nooit meer gezien, nadat ze me hadden meegenomen in de grote zwarte auto. Ik heb vier maanden in het kindertehuis in Bristol gezeten, en ben mezelf toen Kit gaan noemen. De enige manier waarop ik kon overleven, was door een ander te worden, niet meer het meisje uit de krantenkoppen dat haar moeders beenderen in de mijn had gevonden, maar iemand die hard en scherp was, met een dikke huid en een korte naam. Mevrouw Klein vroeg naar Katie toen ze op bezoek kwam, en Philippa, de huismoeder, wist niet wie ze bedoelde.

Dat was de dag waarop Susie Klein me vertelde dat ze een aanvraag wilde indienen om mij te adopteren. Was dat geen goed idee?

Ik herinner me dat ik haar aanstaarde om er zeker van te zijn dat ze het meende. Toen we elkaar aankeken, wist ik dat ze mij niet zag, maar haar verloren dochter, de dochter die ze had laten adopteren en nooit meer had kunnen vinden, maar ik leek niet veel keus te hebben. Ik vond het kindertehuis doodeng. Meisjes klommen 's avonds de ramen uit voor afspraakjes met pooiers, die ze naar de rosse buurt in St Paul's reden. Ik zat het grootste deel van de tijd bevend in mijn kamer.

'We gaan weg uit Midcombe en verhuizen naar Dorset, Katie,' zei ze.

'Kit!'

'Sorry. Ik begrijp het. Het is een nieuw begin, voor ons allemaal. Een nieuwe school voor jou. Niemand zal weten wie je bent.'

'Tenzij Trish het ze vertelt.'

'Trish gaat naar een andere school. We sturen haar naar kostschool, net als haar broers.'

Dus zei ik ja.

Ik hoef vanmorgen niet naar het hoofdterrein te rijden. Ik heb alles bij me wat ik nodig heb, en de sleutel van het hek van Stonefield. De auto hobbelt over het pad achter de begrafenisondernemer langs en ik parkeer naast de lijkwagen. Terwijl ik de veters van mijn werkschoenen knoop, komt een late vleermuis terug van zijn vroege-ochtendvlucht, een kleine donkere flits tegen de lichtblauwe hemelkoepel voordat hij de toegang induikt. Ik ga het hek door en doe het achter me weer op slot.

Ik hoop dat mevrouw Klein er nooit spijt van heeft gehad dat ze me in huis had genomen, maar het is mogelijk. Ze stelde een keer voor dat ik haar mam zou noemen, net als Trish en de jongens deden, maar toen zag ze aan mijn gezicht dat dat onmogelijk was. We kozen voor het compromis Susie, maar voor mij bleef ze mevrouw Klein. Hoe vaak ze me ook smeekte mijn demonen onder ogen te zien, ik kon het niet en ik paste niet goed in het gezin. Trish was boos dat ze naar kostschool werd gestuurd en vond dat ik haar moeder had gestolen, de jongens hebben nooit begrepen waarom ze zich verplicht voelde mij een thuis te geven en meneer Klein was afstandelijk en beleefd, alsof ik een saaie logé was die maar niet wegging. Zo voelde ik me ook min of meer.

Maar het was beter dan het kindertehuis.

Toen ik naar de universiteit aan de zuidkust ging en te snel met Nick trouwde, was Trish in Londen, waar ze zogenaamd aan de UCL studeerde. Ze stopte met haar studie nadat ze besloten had dat het gaver was om modieus ten onder te gaan met de Nieuwe Romantici in de Blitz Club. Nick vond haar fascinerend vanaf het moment dat ze hem had verteld dat ze een rol had gespeeld in een video van David Bowie, en misschien vond zij dat hij ook een zekere glamour had. Trish en ik bleven doen alsof we vriendinnen waren zolang haar moeder leefde, maar toen mevrouw Klein gestorven was – aan borstkanker, net als haar moeder – en mij geld had nagelaten om het huis in Londen te kopen, had ze eindelijk een goede reden om kwaad op me te zijn. En ik heb haar nooit kunnen vergeven dat ze op de begrafenis mijn geheim aan Nick verraadde.

'Klopt het dat Robert je vader niet is? Dat je echte vader in de gevangenis zit?'

Mijn gezicht zal hem verteld hebben dat het waar was.

'Jezus, Kit, we kunnen een fortuin verdienen als je me dat verhaal voor je laat schrijven.'

De temperatuur in de ondergrondse groeven is altijd gelijk, zomer en winter. Ik doe de lampen niet aan; mijn zaklantaarn geeft genoeg licht en ik heb ook kaarsen meegebracht. Zo nu en dan valt de lichtstraal op een groep vleermuizen, dicht opeengepakt in een spleet. Sommige zijn voor de zomer al naar bosgebied of gebouwen getrokken, maar veel van de vleermuizen blijven het hele jaar door in de uitgravingen nu Rupert de broedstoven heeft geïnstalleerd.

Het kost wat tijd om door de tunnels bij de plek te komen waar ik heen wil. Het ondergrondse looppad gaat recht door de heuvel, onder de basisschool door en langs de doorgang waar Gary en ik de liefde hebben bedreven. Verderop is het nieuwe stalen pad dat naar het Mithraeum leidt, dat Martin heeft opgegraven en waarvan hij de geheimen heeft vastgelegd voordat het later dit jaar met zand zal worden opgevuld. Maar ik negeer die route en loop verder naar het zuidoosten, terwijl de tunnel in de richting van Crow Stone buigt.

Hier liggen de ijzeren rails. Deze keer volg ik ze in tegenovergestelde richting; de jaren rollen terug. Ik ben sinds 1976 niet meer in dit deel van de uitgavingen geweest. De mijnwerkers hebben het pas afgelopen week bereikt. Het stalen looppad is gebouwd, en over ongeveer een uur zal de dagploeg hier zijn om een begin te maken met het opvullen van de ruimte.

Mijn zaklantaarn schijnt buiten het looppad op een hoop puin onder een grillig plafond, een instorting van minstens veertig jaar oud. Ik klauter tussen de stalen stutten door en sta in de ruimte. Het is geen grote ruimte. Het steen ligt hier in ondiepe bedden en de pilaren zijn zwaar geplunderd, doortrokken van breuklijnen en roomachtig geel in het licht van mijn zaklantaarn. De vloer lijkt droog; we hebben al een paar weken geen regen gehad. Boven de gebruikelijke kalklucht uit ruik ik iets zoets en fijns, en de geur van een la die vol ligt met sjaals komt bij me boven, de geur van verlangen naar iets wat je je nauwelijks herinnert.

Ik steek een van de kaarsen aan en laat wat kaarsvet op een steen druppelen, zodat ik hem daarin kan vastzetten. De instorting is groter dan ik me herinner en er zijn geen aanwijzingen die me naar de juiste plek kunnen leiden. Ik loop er langzaam langs, op zoek naar de herinnering. Om de paar stappen pak ik een nieuwe kaars uit mijn rugzak, steek hem aan en zet hem op een van de stenen van de instorting. Al snel is de ruimte vol goudgeel flakkerend licht.

Iemand anders is hier voor me geweest. Ik zie een bos rode rozen en varens, zorgvuldig tussen twee grotere stenen geplaatst. Er is geen kaartje, maar ik weet zeker wie de bloemen daar heeft achtergelaten. Ze zijn nauwelijks verwelkt; hij moet ze daar gisteravond hebben neergelegd, nadat de mijnwerkers waren vertrokken. Ik pak ze op en de zoete geur komt me tegemoet: Engelse rozen, de eerste van het seizoen, de schat.

Ik leg ze terug op de stenen en steek weer een kaars aan, de laatste uit mijn rugzak. In mijn zak zit mijn offergave. Mijn vingers glijden er voor de laatste keer overheen, glad aan de ene, ruw aan de andere kant. Dan leg ik hem naast de rozen. De vlammen van de kaarsen flakkeren en vervagen; ze stralen stuk voor stuk gouden lichtstrepen uit.

Ik hou van je, mam.

Ik hou van jou, Katie.

Ik, Kit Parry, heb vandaag mijn gelofte vervuld aan de onoverwonnen god...

Ik loop weg en duik terug tussen de stalen stutten door. De machines komen tot leven; de mijnwerkers zijn aan hun werkdag begonnen. Ik passeer de eerste ploeg die door het looppad komt.

'Morgen, mevrouw Parry.'

'Morgen, Ted.'

'Mooi weer boven.'

'Prachtig.'

Ik ga terug naar het ijle licht.

429

Woord van dank

Schrijvers nemen het, net als John Wood, niet zo nauw met de geschiedenis. *Crow Stone* is fictie, en bevat dus veel elementen die ik heb verzonnen, maar ook een aantal aantrekkelijke dingen die bijna op waarheid berusten. Ik kon het niet laten om mijn verhaal een realistisch kader te geven, maar ik ben ook ver afgeweken van de geografische en historische werkelijkheid. Ik heb Bath een achtste heuvel geschonken, en Green Down bestaat alleen in mijn verbeelding, net als de mensen die ik daar beschrijf.

Maar er zijn echte ondergrondse steengroeven in Baths Combe Down die uit de achttiende eeuw of misschien nog van langer geleden dateren en er is een echt Stone Mines Reclamation Project. In het centrum van het dorp is – of was – slechts een paar meter onder de coöp een ruimte. In tuinen van mensen zijn geheimzinnige gaten verschenen, en vergeten ingangen van de ondergronds uitgravingen zijn gevonden in kelders en verstopt in de bossen.

Ik ben dank verschuldigd aan een aantal mensen die betrokken zijn bij de ondergrondse uitgravingen in Combe Down, en elders in de omgeving, die zo vriendelijk zijn geweest mij uit te leggen hoe het stabiliseren van mijnen werkt. Ik moet echter benadrukken dat geen van hen als personage in dit boek optreedt en dat geen van de bijzonder kundige en efficiënte aannemers en partners van het Combe Down Project ook maar enige gelijkenis vertoont met het volledig verzonnen Rock-Dek of Garamond en hun werknemers. Bij het Project zijn vrije mijnwerkers uit het Forest of Dean betrokken, maar Ted en zijn ploeg zijn slechts romanfiguren. Geen van de vele archeologen die ik heb gekend en met wie ik heb gesproken heeft ook maar in de verste verte model gestaan voor de griezelige, gewetenloze Dickon. Geen van de teamleden van Oxford Archaeology, die op geduldige en briljante wijze de archeologie van Combe Down vastleggen, kijkt, praat of gedraagt zich als hij. Ook zijn de mijningenieurs die ik heb ontmoet niet zo chaotisch of paranoïde als Kit – zeker niet Carole Plummer, uit Canada, die me verteld heeft over haar ervaringen als vrouwelijke mijningeneur in een nog steeds door mannen gedomineerde bedrijfstak. De risico's van het Combe Down Project zijn reëel, maar het wordt oneindig veel beter en veiliger uitgevoerd dan de tegenhanger in Green Down. Terwijl ik de roman

430

schreef, kreeg het Project de financiering van de overheid rond, en inmiddels zijn grote delen van de mijnen opgevuld en is Combe Down een veiliger plek geworden.

Mijn speciale dank gaat naar Mary Stacey, projectleider voor Bath en North East Somerset Council, die me niet alleen de achtergrond van het Combe Down Project uitlegde, maar me ook uitnodigde voor een wandeling over de beboste heuvel onder Combe Down om op zoek te gaan naar de steengroeve die begonnen is door William Smith, de vader van de moderne geologie, en me aldus in contact bracht met de Combe Down Heritage Society.

Ik heb gebruikgemaakt van verscheidene nuttige boeken over de geschiedenis van Combe Down, die mijn fantasie prikkelden en me een idee gaven van de ondergrondse steengroeven in hun bloeitijd. *Around Combe Down* van Peter Addison en *Exploring Combe Down* van Keith Dallimore begeleidden mijn eerste stappen door de omgeving. Later, nadat ik dr. Malcolm Aylett had ontmoet, vond ik zijn boek over de Romeinse villa nuttig, en ook Richard Irvings boek over de Byfieldmijn, beide uitgegeven door de Combe Down Heritage Society. Als gevolg daarvan hebben de mijnen van Green Down een bijna identieke historische achtergrond aan die van Combe Down, met één belangrijke uitzondering. Er is daar – voor zover men weet – geen Mithrastempel. Martin heeft absoluut gelijk wanneer hij stelt dat er nooit een Mithraeum is gevonden in een stadje in Groot-Brittannië dat geen garnizoensstad is geweest, en algemeen wordt aangenomen dat de Romeinen hun meeste bouwstenen uit oppervlaktegroeven op Bathampton Down hebben gehaald. Malcolm Aylett was de eerste die me vertelde over de Naeviusinscriptie op een kistdeksel dat in de buurt van de villa is gevonden, maar het is niet zijn schuld dat ik dat heb gebruikt voor een volkomen verzonnen mithraïstische draad die door de roman loopt.

Ik ben de Society ook dankbaar voor een bezoek met hen aan de ondergrondse steengroeven bij Corsham, geleid door de eigenaar, David Pollard, waar ik ontdekte dat mobiele telefoons soms ondergronds werken, dat je er inderdaad heel gemakkelijk verdwaalt en dat een man die in een lader een heel groot blok steen aan het verplaatsen is, buitengewoon sexy is. Bob Whittaker, die opgegroeid is in Combe Down en als jongen de steenmijnen heeft verkend, vertelde me het verhaal over de Camaraman, die ik verplaatst heb naar Green Down en opnieuw voor de roman heb uitgevonden.

Personeel van het Office of National Statistics heeft me geweldig geholpen met hun herinneringen aan St Catherine's House, waar zich in 1976 het archief van de Burgerlijke Stand bevond.

Voor de archeologische achtergrond ben ik vooral dank verschuldigd aan Nigel Clark en Carenza Lewis, twee goede vrienden die in geen enkele zin verantwoordelijk zijn voor mijn wildere archeologische ideeën. Mijn tv-baas en vriend, David Parker van Available Light Productions, heeft me aangemoedigd om te ontdekken dat er een leven was buiten die wereld, wat ertoe leidde dat ik aan Bath Spa University een studie Creative Writing ging doen. Daar hebben Richard Kerridge, Richard Francis, Colin Edwards, Tessa Hadley, Mimi Thebo, Gerard Woodward en Mo Hayder mij op allerlei manieren geholpen dit boek tot stand te brengen, en ontmoette ik de werkgroep die nog steeds mijn schrijfvrienden zijn – Jason Bennett, Sam Harvey, Karen Jarvis, Becky Lisle, Pam Moolman en Anthea Nicholson. Mijn vriendinnen Cresta Norris en Carolyn Brown hebben het manuscript gelezen en nuttige commentaren gegeven. Lesley Morgan wil ik bedanken omdat ze mijn vriendin is gebleven, hoewel ik haar met een hele tv-serie heb opgezadeld nadat ik besloten had me op het schrijven toe te leggen.

Ik bedank mijn agent, Judith Murray van Green & Heaton voor haar moed met mij in zee te gaan, en Clare Smith en Annabel Wright van Harper Press, samen met de rest van het fantastische team dat geholpen heeft dit boek te ontwerpen en uit te geven.

Tot slot heel veel dank aan jou, mam, voor het 'kopen van het schooluniform', het geven van de financiële ondersteuning voor meer dan een jaar studeren en schrijven. Dank je, mam, je hebt altijd geloofd dat ik het kon.